2005

manual

PARA PROCLAMADORES DE LA PALABRA

LITURGY TRAINING PUBLICATIONS

Los textos de las lecturas bíblicas del *Leccionario Hispanoamericano* han sido tomados de la *Biblia Latinoamericana* con los debidos permisos.

Las lecturas que corresponden al Leccionario Mexicano han sido publicadas bajo el permiso de OBRA NACIONAL DE LA BUENA PRENSA, A.C. © 1992. La Editorial Buena Prensa es la casa editora oficial de los textos litúrgicos de la Conferencia Episcopal Mexicana.

Las sugerencias técnicas que aparecen en el *Manual* pertenecen al libro *Para vivir la liturgia.* Han sido reproducidas con permiso de la editorial VERBO DIVINO, Estella (Navarra), España, 1986.

Caligrafía de portada: Barbara Simcoe

Liturgy Training Publications
1800 North Hermitage Avenue
Chicago IL 60622-1101
1-800-933-1800
facsímil 1-800-933-7094
e-mail orders@ltp.org

Visite nuestra página digital:
www.ltp.org

Introducción: Miguel Arias
Arte en el interior: Steve Erspamer, SM
Diseño original: Jill Smith
Actualización del diseño: Anna Manhart
Impreso en Canadá

ISBN 1-56854-473-1
SWL05

ÍNDICE

Introducción iv

ADVIENTO

1er. Domingo de Adviento
28 DE NOVIEMBRE DE 2004 2

2° Domingo de Adviento
5 DE DICIEMBRE DE 2004 6

La Inmaculada Concepción de Santa María Virgen
8 DE DICIEMBRE DE 2004 12

3er. Domingo de Adviento
12 DE DICIEMBRE DE 2004 18

4° Domingo de Adviento
19 DE DICIEMBRE DE 2004 22

NAVIDAD

Natividad del Señor, Misa de la Vigilia
24 DE DICIEMBRE DE 2004 26

Natividad del Señor, Misa de Medianoche
25 DE DICIEMBRE DE 2004 32

Natividad del Señor, Misa de la Aurora
25 DE DICIEMBRE DE 2004 38

Natividad del Señor, Misa del Día
25 DE DICIEMBRE DE 2004 42

La Sagrada Familia
26 DE DICIEMBRE DE 2004 48

Santa María, Madre de Dios
1° DE ENERO DE 2005 54

La Epifanía del Señor
2 DE ENERO DE 2005 58

El Bautismo del Señor
9 DE ENERO DE 2005 62

TIEMPO ORDINARIO

2° Domingo del Tiempo Ordinario
16 DE ENERO DE 2005 68

3er. Domingo del Tiempo Ordinario
23 DE ENERO DE 2005 72

4° Domingo del Tiempo Ordinario
30 DE ENERO DE 2005 78

5° Domingo del Tiempo Ordinario
6 DE FEBRERO DE 2005 82

CUARESMA

Miércoles de Ceniza
9 DE FEBRERO DE 2005 88

1er. Domingo de Cuaresma
13 DE FEBRERO DE 2005 94

2° Domingo de Cuaresma
20 DE FEBRERO DE 2005 100

3er. Domingo de Cuaresma
27 DE FEBRERO DE 2005 104

4° Domingo de Cuaresma
6 DE MARZO DE 2005 112

5° Domingo de Cuaresma
13 DE MARZO DE 2005 120

Domingo de Ramos
20 DE MARZO DE 2005 128

TRIDUO PASCUAL

Jueves Santo
24 DE MARZO DE 2005 148

Viernes Santo
25 DE MARZO DE 2005 154

Vigilia Pascual
26 DE MARZO DE 2005 170

PASCUA

Domingo de Pascua
27 DE MARZO DE 2005 192

2° Domingo de Pascua
3 DE ABRIL DE 2005 198

3er. Domingo de Pascua
10 DE ABRIL DE 2005 204

4° Domingo de Pascua
17 DE ABRIL DE 2005 210

5° Domingo de Pascua
24 DE ABRIL DE 2005 214

6° Domingo de Pascua
1° DE MAYO DE 2005 220

La Ascensión del Señor
5 DE MAYO DE 2005 224

7° Domingo de Pascua
8 DE MAYO DE 2005 230

Domingo de Pentecostés, Misa de la Vigilia
14 DE MAYO DE 2005 234

Domingo de Pentecostés
15 DE MAYO DE 2005 244

TIEMPO ORDINARIO

La Santísima Trinidad
22 DE MAYO DE 2005 248

Santísimo Cuerpo y Sangre de Cristo
29 DE MAYO DE 2005 252

10° Domingo del Tiempo Ordinario
5 DE JUNIO DE 2005 256

11er. Domingo del Tiempo Ordinario
12 DE JUNIO DE 2005 260

12° Domingo del Tiempo Ordinario
19 DE JUNIO DE 2005 264

13er. Domingo del Tiempo Ordinario
26 DE JUNIO DE 2005 268

14° Domingo del Tiempo Ordinario
3 DE JULIO DE 2005 272

15° Domingo del Tiempo Ordinario
10 DE JULIO DE 2005 276

16° Domingo del Tiempo Ordinario
17 DE JULIO DE 2005 282

17° Domingo del Tiempo Ordinario
24 DE JULIO DE 2005 288

18° Domingo del Tiempo Ordinario
31 DE JULIO DE 2005 294

La Transfiguración del Señor
6 DE AGOSTO DE 2005 298

19° Domingo del Tiempo Ordinario
7 DE AGOSTO DE 2005 302

20° Domingo del Tiempo Ordinario
14 DE AGOSTO DE 2005 306

La Asunción de la Virgen María, Misa de la Vigilia
14 DE AGOSTO DE 2005 310

La Asunción de la Virgen María, Misa del Día
15 DE AGOSTO DE 2005 314

21er. Domingo del Tiempo Ordinario
21 DE AGOSTO DE 2005 320

22° Domingo del Tiempo Ordinario
28 DE AGOSTO DE 2005 324

23er. Domingo del Tiempo Ordinario
4 DE SEPTIEMBRE DE 2005 328

24° Domingo del Tiempo Ordinario
11 DE SEPTIEMBRE DE 2005 332

25° Domingo del Tiempo Ordinario
18 DE SEPTIEMBRE DE 2005 336

26° Domingo del Tiempo Ordinario
25 DE SEPTIEMBRE DE 2005 340

27° Domingo del Tiempo Ordinario
2 DE OCTUBRE DE 2005 344

28° Domingo del Tiempo Ordinario
9 DE OCTUBRE DE 2005 350

29° Domingo del Tiempo Ordinario
16 DE OCTUBRE DE 2005 354

30° Domingo del Tiempo Ordinario
23 DE OCTUBRE DE 2005 358

31er. Domingo del Tiempo Ordinario
30 DE OCTUBRE DE 2005 362

Todos los Santos
1° DE NOVIEMBRE DE 2005 366

Todos los Fieles Difuntos
2 DE NOVIEMBRE DE 2005 370

32° Domingo del Tiempo Ordinario
6 DE NOVIEMBRE DE 2005 374

33er. Domingo del Tiempo Ordinario
13 DE NOVIEMBRE DE 2005 378

Jesucristo, Rey del Universo
20 DE NOVIEMBRE DE 2005 384

INTRODUCCIÓN

El Verbo de Dios encarnado en la historia

El verbo, en su contexto gramatical, denota acción y movimiento, esencia completamente activa. Esta realidad es evidente a nuestros sentidos. En el contexto bíblico, el término verbo, que en hebreo *(dabar)* significa cosa y movimiento a la vez es referido a Jesucristo, el Verbo de Dios hecho carne (Juan 1,1). Tal carne en la que se hace presente el Verbo de Dios, origen de todo cuanto existe y fin último hacia el que tiende el universo, es también la plenitud de la revelación de Dios a todos los pueblos de la tierra (Juan 3,16). De esta forma, Dios no puede hablar más claramente. No sólo nos ha dicho quién es sino que ha venido a encarnarse en nuestra historia y a continuar en ella su plan de salvación, llevado a cabo por Jesucristo.

Aunque la plenitud de la revelación se ha dado en Jesucristo, Dios sigue revelándose en la historia de la vida, en los hechos que van moldeando nuestra experiencia de fe a la luz del acontecer humano. Así pues, como se refirió a la historia el obispo Samuel Ruiz García, emérito de San Cristóbal de las Casas, Chiapas, México, "La historia está preñada". Y la historia siempre está preñada de revelaciones nuevas por parte de Dios a su pueblo, el pueblo que no sólo vive y recuerda la historia de salvación desde tiempos de Israel sino que sigue construyendo su propia historia a la luz del cumplimiento de lo prometido por Jesucristo: el Reino de Dios. La historia de la vida humana no es algo acabado sino en continuo crecimiento. Son las mujeres y hombres de cada pueblo; es la manera en que un pueblo concreto descubre la presencia y acción de Dios en su propio caminar, y a la luz de tal experiencia reorienta su misión de dar a conocer a este Dios a los demás pueblos.

De manera especial, los pueblos pobres, que no sólo carecen de lo indispensable sino que también carecen de opciones, presentan a la Iglesia un lugar ideal para hacer teología y, desde ella, iluminar las nuevas manifestaciones de Dios. En este sentido, los pobres siguen siendo los primeros destinatarios del Verbo de Dios. A ellos se hace nuevamente la promesa de "un cielo nuevo y una tierra nueva", y desde esa perspectiva y experiencia anuncian a este pueblo la palabra que ha recibido por medio de la Escritura.

Esa misma palabra se sigue haciendo carne en la persona de Cristo, presente en cada ser humano, creado a imagen y semejanza divina (Génesis 2,22), en cada persona que no sólo tiene reverencia por la palabra escrita sino también proclamada y plasmada en la tradición oral de cada pueblo y en la historia de fe de cada persona. La reverencia es igualmente rendida tanto a la palabra contenida en la Escritura, y por la palabra acontecida en la persona de nuestros hermanos y hermanas, que a fin de cuentas es una actualización de esa única historia, por lo que mantiene su carácter sagrado. Los cristianos y cristianas de hoy no pueden ni deben pretender un respeto desequilibrado, que culmina en excesivo cuidado por los libros que contienen la palabra, y un descuido excesivo por las palabras vivas, por el sacrificio viviente de los miembros del cuerpo místico de Cristo: la Iglesia.

Por lo tanto, en el ministerio de la proclamación, tanto en la historia de la vida como en la celebración litúrgica, hay que mantener el respeto por ambos, ya que por medio de la palabra proclamada somos llamados a establecer un nuevo diálogo que nos lleva

a reconocer en cada persona la presencia viva de Dios, en la naturaleza misma como efecto de su palabra creadora y reveladora, y en la historia como portadora de la vida, tierra sobre la cual ha de germinar la semilla de la palabra, que debe ser un fermento del Reino de Dios.

Es en nuestra voz que las palabras de los profetas, la experiencia de la Iglesia primitiva y el mensaje de Jesús vuelven a resonar en el corazón de la asamblea. Es en este ministerio, realizado muchas veces desde el ambón, donde podremos seguir pregonando las buenas noticias de liberación; desde esta montaña daremos un espacio a los desvalidos y anunciaremos nuevamente el año de gracia del Señor. Tal proclamación, por fuerza, deberá engendrar una proclamación viva y a tiempo completo por medio del testimonio de vida, que en última instancia será el punto más efectivo de la proclamación.

Respondiendo a la misión profética desde la cultura

La persona que encarna en su vida el ministerio de la proclamación es una persona insertada en la realidad del pueblo con el cual comparte sus luces y sombras. Es una persona cuya calidad de vida e ideales impresiona, no porque carezca de defectos sino por asumir una actitud creadora y creativa en el crecimiento de la comunidad. Es el portador de la historia de la gente porque tiene la capacidad de escucharla y proyectarla hacia el futuro. Es una persona que tiene "palabra" en la extensión plena de la palabra.

En este sentido, la persona se transforma en la palabra que anima su vida en todo contexto. Como solían decir los antiguos nahuatls, es una "tea que no ahuma", porque puede transmitir las flores y los cantos (única manera de decir verdades aquí en la tierra, según el pensamiento náhuatl). Se convierte en un catequista que no sólo es portador de la fe, sino de un mensaje que siempre infunde esperanza.

Al igual que ocurría con el mensaje de los profetas, sea por la proclamación, sea por el compromiso de vida, en ocasiones infundirá esperanza en medio de una situación difícil que experimenta el pueblo al que pertenece. En otras, exhortará a establecer una nueva forma de relacionarse para evitar situaciones peores; otras más anunciará tiempos mejores, nuevas manifestaciones de Dios y cumplimientos distintos de la

promesa de salvación. Finalmente, habrá situaciones en que esta palabra denunciará actitudes y situaciones concretas que, por ir en contra de las personas, van en contra del plan de Dios y se oponen a su plan de salvación para el mundo de hoy. Por encima de todo, el proclamador habrá de ser fiel al mensaje que proclama.

La propuesta del Concilio Vaticano II

La Constitución sobre la Divina Revelación señala que la "Iglesia siempre ha venerado la Sagrada Escritura como lo ha hecho con el cuerpo de Cristo; pues sobre todo en la liturgia, nunca ha cesado de tomar y repartir a sus fieles el pan de vida que ofrece la mesa de la Palabra de Dios y del cuerpo de Cristo. La Iglesia ha considerado siempre como suprema norma de fe la Escritura unida a la Tradición, ya que, inspirada por Dios y escrita de una vez para siempre, nos transmite inmutablemente la Palabra del mismo Dios; y en las palabras de los Apóstoles y profetas, hace resonar la voz del Espíritu Santo" (21).

Es obvio que la veneración por el cuerpo de Cristo es un valor de nuestra cultura, sobre todo cuando está presente en la eucaristía. Sin embargo, la veneración por la palabra revelada en la Escritura es algo relativamente nuevo. El desafío es equilibrar la veneración que se ha tenido hacia la presencia sacramental y redescubrir la presencia de Cristo en la Escritura, y venerarla, no en cuanto a tener la Biblia, el Leccionario o el Evangeliario en un lugar sumamente hermoso y alejado de la gente sino en el modo de hacerlo presente y de descubrir que es en la palabra escrita donde encontramos también la voz de Dios.

Sin embargo, ¿cómo hemos de leer la palabra escrita? Obviamente con amor, abiertos a la acción del Espíritu que vive entre nosotros, pero con una mirada crítica y contemplativa ante la palabra acontecida, ante el aquí y ahora que enfrenta el pueblo de Dios, ante cada una de las situaciones que experimentan los hombres y mujeres de hoy, experiencias que no necesariamente concuerdan con la palabra escrita sino que muchas veces se oponen completamente a ella, y que por tanto habrá que irlas discerniendo y denunciando en fidelidad al Evangelio de Jesús.

Esa palabra que se proclamará el domingo habrá de reflexionarse a la luz de la historia vivida en la semana. Es a través de la palabra que escucharemos el domingo en la asamblea litúrgica que daremos lectura a los acontecimientos de la semana y los orientaremos hacia lo que Dios quiere de nosotros, hacia el redescubrimiento de su plan de salvación y de la forma en que éste sigue cumpliéndose en nuestra propia historia, por pequeña e insignificante que parezca. Esta historia, la de cada día, está escrita muchas veces con sangre de mártires laicos, catequistas, niños, mujeres, ancianas, sacerdotes y obispos, mujeres y hombres que han sido un fermento del Reino de Dios en la tierra donde fueron plantados. Esta presencia y acción de Dios sigue revelándose en la historia de los miles de indocumentados que cruzan la frontera todos los días, en los que no logran establecerse en este país que les niega una alternativa a la pobreza de su lugar de origen. Esta historia se escribe en las montañas de Perú, en la misión de Moquegua en medio de los pueblos jóvenes; se escribe en El Salvador, en Guatemala, en Argentina, en el Este de Los Ángeles y en el barrio de Manhattan.

Bien cabe citar al cardenal José Luis Berardin, quien fuera arzobispo de Chicago: "Solamente cuando el predicador respeta tanto a las Escrituras como a la asamblea puede hablar por y para la asamblea, convocándola y uniéndola aquí y ahora por medio de las lecturas bíblicas del domingo. El buen predicador conoce las realidades de la comunidad, sus dolores y esperanzas. El buen predicador desafía y anima. Pide y escucha los comentarios de sus fieles" (*Guía para la asamblea,* página 49). Lo mismo que dijo el cardenal sobre los predicadores podrá decirse de los proclamadores, que encuentran en la historia y experiencia de su asamblea el marco de preparación y oración para la efectividad del ministerio.

En respuesta al bautismo cristiano

Todo bautizado(a) debe ser un proclamador(a). Lo que nos capacita y llama a serlo es el bautismo, que es una manifestación pública de nuestra fe en Cristo y de nuestra pertenencia a la Iglesia. Por el bautismo, somos servidores del Reino anunciado e iniciado por Jesús.

Con el bautismo no sólo adquirimos la capacidad necesaria sino la responsabilidad grave de anunciar a tiempo y destiempo la palabra que da liberación, que infunde esperanza y que nos orienta al futuro, a la segunda venida del Señor. Siendo consecuentes con el bautismo, todo ministerio que se realiza en la comunidad y para el bien de la comunidad es una repuesta al bautismo cristiano y al compromiso asumido a trabajar en la propagación del mensaje (profetas), en la celebración (sacerdotes) y en la vivencia y experiencia comunitaria (reyes) de la justicia e igualdad traída por Dios. Todo ministerio proclama nuestra creencia más profunda y la verdad de nuestra vida. Por ello, requiere transparencia en el ser y actuar; requiere que absorbamos la esencia de la palabra y la misión de Jesús para que la hagamos presente en nuestro medio ambiente y trabajo por el cual aportamos al crecimiento de la comunidad. Por lo tanto, habremos de ser fieles, no a los intereses económicos de un grupo de privilegiados sino al bautismo y la tarea de anunciar la buena nueva de Jesucristo (Marcos 1,1). De ser así, la liturgia se enriquecerá aun más con los hechos de la semana, y los hechos de la semana encontrarán una nueva luz tanto en la proclamación dominical como en la vivencia y experiencia de la palabra vivida durante la semana.

Ante todo servidores

El ministerio puede entenderse de cualquier forma, excepto como poder sobre los demás. El ministerio que realicemos representará la manera en que nos hemos adherido a nuestra comunidad, y desde esta adhesión esperamos que Dios "vuelva a repetirnos su promesa". De ahí que el ministerio no sea una acción física solamente sino un estilo de vida, una espiritualidad encarnada en el mundo de hoy.

El ministerio requiere una disposición interior ante la palabra (en este caso) y ante la asamblea para quien se proclamará la palabra. Esta palabra no es nuestra aunque esté dirigida a nosotros; no es mi palabra aunque la proclame con mis labios. Somos instrumentos de esta palabra, extensión y expresión de la voz de Dios que sigue hablando al pueblo que redimió con su sangre. En ningún momento somos agentes, más bien instrumentos. Extensiones de Cristo, heraldos de la buena noticia esperada por todos, quienes sintiéndose convocados por esta palabra, celebramos la presencia de Cristo en medio de su pueblo.

Al mismo tiempo, la palabra proclamada es nuestra propia persona; ella y nosotros somos imagen de Dios. Tal realidad implica la transparencia y el hacerse uno con esa palabra—por medio de la oración y reflexión de la misma a la luz de los acontecimientos, para darle la vida que requiere en el momento de la proclamación.

El Leccionario Mexicano

El presente *Manual para proclamadores de la palabra* contiene el Leccionario Mexicano con la finalidad de responder y apoyar a las comunidades que lo han venido utilizando durante años. Asimismo, es una respuesta al decreto de los obispos estadounidenses en cuanto a la adopción de los textos del Leccionario Mexicano como los textos oficiales para su uso en los Estados Unidos. Así pues, la presentación de dos Leccionarios, el hispanoamericano y el mexicano, responde al deseo de que "se lleve a todos los fieles a una participación plena, consciente y activa en las celebraciones litúrgicas" (Constitución sobre la Sagrada Liturgia, 14).

Las lecturas correspondientes al Leccionario Mexicano están marcadas con las iniciales (LM) en las páginas izquierdas a lo largo del libro. Al lado derecho aparecen las del hispanoamericano (LEU), cuyos textos corresponden a la Biblia Latinoamericana.

En el futuro, se espera que la Conferencia Episcopal de los Estados Unidos de América emita un mandato oficial en el cual especifique la fecha en que entrará en vigencia el Leccionario Mexicano como el único texto oficial para las celebraciones litúrgicas en español en los Estados Unidos. Mientras dicho documento no se emita, Liturgy Training Publications seguirá publicando ambas versiones en el *Manual para proclamadores de la palabra.*

En la presente edición, el formato del Leccionario Mexicano sigue el mismo formato del hispanoamericano. La idea principal aparece en una línea, mientras que las ideas secundarias aparecen en párrafo adentrado. Las palabras que aparecen en *cursiva* tienen la finalidad de llamar tu atención sobre ellas para que al momento de proclamar enfatices en ellas. Este formato intenta romper con la posible monotonía y, a la vez, dar el flujo que la proclamación requiere. El énfasis dado a estas palabras debe ser claro y discreto; énfasis no significa exageración sino diferencia: elevación ligera de la mano, cierta actitud con la mirada, elevar la cabeza por encima de la asamblea o un ligero cambio en la postura adquirida.

Aunque el *Manual para proclamadores de la palabra* se ha diseñado para la preparación de la lectura, éste no deberá utilizarse en el ambón para la proclamación. Recuerda que para tal acción la Iglesia tiene el Leccionario o el Evangeliario. Tampoco deberás proclamar de algún "misalito".

Técnicas de proclamación

La columna derecha de la página derecha tiene como finalidad ofrecerte algunas pautas de proclamación. Recuerda que la proclamación es todo un arte; requiere no sólo tu expresión verbal sino física también. Una buena proclamación podrá reconocerse cuando la asamblea no vea tu persona sino el mensaje que has proclamado. Es decir, cuando puedan ver que has asumido la palabra en tu propia persona de tal forma que te conviertes en un reflejo de ella. ¡Difícil tarea, eh! Sin embargo, es posible mediante la preparación espiritual y técnica.

La orientación práctica tiene como referencia la idea misma: su actitud, contexto y posible consecuencia. Es muy probable que al principio te parezca algo extraño o que te sientas un tanto raro, pero creemos que éstas sugerencias son de gran utilidad para ayudarte a entender el texto y a darle vida para que la asamblea lo viva contigo y se deje interpelar por él. Con la práctica asidua, sabrás que todo tu cuerpo proclama la Palabra de Dios y que, por ello, es necesario prepararlo completamente.

Habrá ocasiones en que encuentres palabras que te resulten un tanto chistosas o raras. Te sugiero que las practiques una y otra vez a fin de que no entorpezcan tu proclamación. Si conoces otras técnicas que te ayuden a mejorar la proclamación y hacer de ella un genuino servicio a la asamblea y no un show televisivo, ¡adelante! Impleméntalas para la Iglesia se beneficie aun más de tus talentos.

Unidad de las lecturas dominicales

Aunque te corresponda la proclamación de la primera lectura solamente, será de gran ayuda que durante tu preparación leas las tres lecturas en su conjunto. De ser así, tendrás una idea completa del mensaje dominical y de lo que constituirá el corazón de la homilía.

De manera especial, la primera lectura y el Evangelio están unidos íntimamente. La primera lectura (tomada siempre del Antiguo Testamento, excepto durante la Pascua) hace siempre referencia a una promesa, y ésta aparece en pleno cumplimiento en el Evangelio que se proclama el mismo domingo. Aunque la segunda lectura sigue su propio ritmo, esto no indica que carece de importancia sino que refleja la mentalidad propia del Nuevo Testamento, la continua preparación a la segunda venida de Cristo, siendo no la promesa de la cual esperan cumplimiento, sino Jesucristo mismo, el Verbo que se sigue encarnando y revelando en la historia de la Iglesia que sigue reuniéndose a celebrar su presencia en la eucaristía, en la comunidad de bautizados, en la palabra proclamada y en la persona de quien preside la oración de la Iglesia en nombre de Cristo, cabeza de la Iglesia y sacramento de Dios.

La presentación personal

Este punto se presta siempre a grandes e interesantes discusiones en grupos y en privado, a menudo acaloradas. La presentación es importante no sólo porque habla de nosotros mismos sino de la importancia que tiene para nosotros la acción de proclamar la Palabra de Dios y la importancia que ésta tiene en la vida de quien proclama.

Hay que vestir según la ocasión y la posibilidad. Las mujeres no deben llevar vestidos de gala cada vez que proclaman o los hombres deben vestir saco y corbata. La elegancia y propiedad del vestido no radica en esos elementos. Un buen criterio para saber si se vistió apropiadamente para la ocasión será el que la asamblea no recuerde cómo iban vestidos. La palabra que proclamaremos, la asamblea que nos escuchará, la eucaristía que celebraremos y el presidente de la celebración requieren lo mejor de nosotros mismos, que seamos generosos y apropiados y que evitemos exageraciones, pues la virtud está en el término medio (distinto a mediocre). Bien cabe recordar a san Francisco de Asís: "Prediquen siempre el Evangelio, si es necesario utilicen las palabras".

Siempre inclusivos

En la mayoría de los países latinoamericanos, el lenguaje inclusivo aun no es tema de discusión. Se discute más la inclusividad en las estructuras y en la toma de decisiones, aunque, en sí, la realidad es demasiado excluyente. En el ministerio de la proclamación, a menudo encontrarás esta dificultad, pues la mayoría de los textos describen al género humano (hombre y mujer) con el término "hombres".

En el presente *Manual,* hemos optado por la inclusividad sin alterar la naturaleza y originalidad de los textos. Notarás que en el Leccionario Hispanoamericano hay ocasiones en que aparece la palabra "hermanos" en el saludo inicial de las cartas de Pablo, pero que ésta no aparece en el *Manual.* La hemos mantenido sólo cuando es parte del texto mismo, dado que es en la misma Palabra de Dios en la que nos apoyamos: "Ya no hay diferencia entre quien es judío y quien griego, entre quien es esclavo y quien hombre libre; no se hace diferencia entre hombre y mujer. Pues todos ustedes son uno solo en Cristo Jesús" (Gálatas 3,28).

Sugerencias prácticas

Introducción a las lecturas. Notarás que antes de cada lectura aparece una síntesis de la misma en letra roja (Leccionario Mexicano) y en *cursiva* de color negro en el Leccionario Hispanoamericano. Estas frases no deben ser parte de tu proclamación; tampoco deberás indicar si es primera o segunda lectura.

El inicio y el final. Son los dos puntos clave de tu proclamación. Memoriza siempre el inicio para que puedas proclamarlo de memoria frente a la asamblea; trata de hacer lo mismo con el fina, por lo menos con las últimas palabras.

Salmo responsorial. Aunque el salmo responsorial es parte de la liturgia de la palabra, la proclamación o entonación del mismo no corresponde al proclamador sino al cantor o salmista quien, a su vez, deberá cantar el salmo, como es su naturaleza misma.

Cierre al Evangelio. Cuando proclamas la primera o segunda lectura, dices: "Palabra de Dios", a lo que la asamblea contesta: "Te alabamos Señor". Sin embargo, al proclamar el Evangelio, la conclusión debe ser: "Palabra del Señor", a lo que la asamblea debe responder: "Gloria a ti, Señor Jesús".

Encontrarás sugerencias técnicas en las páginas 35, 85, 91, 229, 243 y 251.

Como baja la lluvia y la nieve
de lo alto del cielo, y no vuelve allá
sin haber empapado la tierra
y haberla hecho germinar . . .
así la palabra que sale de mi boca
y no vuelve a mí vacía,
sino que hace lo que yo quiero
y cumple su misión.

—Isaías 55,10a.11

1er. DOMINGO DE ADVIENTO

I LECTURA El profeta Isaías comparte una extraordinaria visión profética que se cumplirá en un futuro remoto; el visionario de Jerusalén contempla un mundo totalmente diferente al que observa a diario. En ese mundo nuevo ya no será la guerra ni el adiestramiento militar la ocupación cotidiana de los hijos de Israel; éstos se entregarán a otros oficios más provechosos como son la instrucción divina recibida en el monte de la casa del Señor y la labranza de la tierra.

El profeta concluye este hermoso oráculo, preñado de una gran dosis de esperanza, invitando a su pueblo a encabezar esa larga marcha hacia el sagrado monte donde brilla la luz del Señor, y anuncia también que en ese peregrinaje se unirán los pueblos de los alrededores atraídos por la irradiación luminosa que surge del empinado monte Sión.

II LECTURA Los capítulos 1—11 de la carta a los Romanos se ocupan de ventilar los principales temas doctrinales abordados por el apóstol san Pablo. En los capítulos 12 y 13 asume un tono exhortativo y expone a los cristianos de Roma cuáles son los criterios principales que han de regir toda su conducta cristiana. En los versos que nos proclama esta lectura encontramos la conclusión de esta sección exhortativa; ahí el apóstol cierra su advertencia invitando a discernir la cercanía del reencuentro con Cristo glorioso, y en consecuencia les urge, usando un típico contraste paulino, a abandonar las obras propias de la noche y a revestirse de las obras de la luz. Más aún, les anima a revestirse del mismo Señor Jesucristo y consecuentemente a despojarse de todos los deseos e instintos egoístas que anidan en ellos.

I LECTURA Isaías 2,1–5 LM

Lectura del libro del profeta Isaías

Visión de Isaías, hijo de Amós, acerca de Judá y Jerusalén:
En días *futuros,*
el monte de la casa del Señor
será *elevado* en la cima de los montes,
encumbrado sobre las montañas y *hacia él* confluirán *todas* las naciones.
Acudirán pueblos *numerosos,* que dirán:
"*Vengan, subamos* al monte del Señor,
a *la casa* del Dios de Jacob,
para que *él* nos instruya en sus caminos
y podamos *marchar* por sus sendas.
Porque de Sión *saldrá* la ley, de Jerusalén, *la palabra* del Señor".
Él será el *árbitro* de las naciones y el *juez* de pueblos numerosos.
De las espadas forjarán *arados* y de las lanzas, *podaderas;*
ya *no alzará* la espada pueblo contra pueblo,
ya *no* se adiestrarán para la guerra.
¡*Casa* de Jacob, *en marcha*! *Caminemos* a la luz del Señor.

II LECTURA Romanos 13,11–14 LM

Lectura de la carta del apóstol san Pablo a los romanos

Hermanos: Tomen en cuenta *el momento* en que vivimos.
Ya es hora de que se *despierten* del sueño,
porque *ahora* nuestra salvación está *más cerca* que cuando empezamos a creer.
La noche está avanzada y se *acerca* el día.
Desechemos, pues, la obras de las tinieblas
y *revistámonos* con las armas de la luz.
Comportémonos *honestamente,* como se hace *en pleno día.*
Nada de comilonas ni borracheras,
nada de lujurias ni desenfrenos, *nada* de pleitos ni envidias.
Revístanse más bien, de nuestro Señor *Jesucristo*
y que el cuidado de su cuerpo *no dé ocasión*
a los malos deseos.

I LECTURA Isaías 2,1–5 LEU

Lectura del libro del profeta Isaías

Isaías, hijo de Amós, tuvo esta *visión* acerca de Judá
y de Jerusalén.
En el *futuro*,
el cerro de la Casa del Señor será puesto *sobre*
los altos *montes*
y *dominará* los lugares más elevados.
Irán a verlo *todas* las naciones
y *subirán* hacia él *muchos* pueblos, diciendo:
"*Vengan*, *subamos* al cerro del Señor,
a la *Casa* del Dios de *Jacob*,
para que nos *enseñe* sus caminos y *caminemos* por sus *sendas*.
Porque la Enseñanza *irradia* de Sión,
de Jerusalén sale la *palabra* del Señor".
El Señor *gobernará* a las *naciones*
y *enderezará* a la humanidad.
Harán *arados* de sus *espadas*
y sacarán hoces de sus lanzas.
Una nación no *levantará* la espada contra otra,
y no se adiestrarán para la *guerra*.
¡Pueblo mío, *ven*: *caminemos* a la luz del Señor!

Proclama con mucha seguridad las formidables noticias comunicadas por Isaías a los habitantes de Judá y Jerusalén. Incluye un tono persuasivo al entonar la invitación a iniciar el ascenso al monte Sión.

Explica pausadamente cada uno de los cambios y transformaciones que harán renacer la paz y la cordialidad entre los pueblos.

Entona con entusiasmo y efusividad el último verso donde el profeta insta a su pueblo a caminar bajo la luz de su Señor.

II LECTURA Romanos 13,11–14 LEU

Lectura de la carta del apóstol san Pablo a los romanos

Ustedes *saben* en qué tiempo *vivimos*
y que ya es hora de *despertar*.
Nuestra *salvación* está ahora más *cerca*
que cuando *comenzamos* a tener fe:
la noche *avanza*; está *cerca* el *día*
y tomemos las armas de la *luz*.
Como en *pleno* día, andemos *decentemente*;
así pues, *nada* de banquetes con borracheras,
nada de prostitución o de vicios, o de pleitos, o de envidias.
Más bien, *revístanse* de Cristo Jesús el *Señor*.
No se *conduzcan* por la *carne*
poniéndose al *servicio* de sus impulsos.

Dirígete a la asamblea recordando una verdad de sobra conocida por los primeros cristianos: la de la cercanía de la llegada del Señor.

Remarca con mayor certidumbre la segunda parte de la afirmación: ya despunta el alba de la salvación definitiva.

Haz una breve pausa para mostrar el cambio de tono; pasa de la afirmación a la exhortación. Resalta pausadamente cada una de las advertencias concretas hechas por el apóstol.

EVANGELIO **Los capítulos 24 y 25 del Evangelio de san Mateo recogen un discurso escatológico (referido a los acontecimientos finales y decisivos de la historia de salvación) dirigido particularmente a los discípulos de Jesús, y no al pueblo en general (ver Mateo 24,1). El evangelista enmarca esta enseñanza en las afueras del templo, como aludiendo simbólicamente a la desaparición de esta institución. Con sus palabras confirmará el mismo mensaje: el templo, la ciudad de Jerusalén, el mundo entero, las generaciones presentes y futuras se encaminan a su desaparición. Unos sucesos ocurrirán primero que otros, y no es posible establecer cronología ni orden en la verificación de esos eventos.**

Lo único cierto es lo que puntualiza el trozo evangélico proclamado este domingo: el carácter incierto e imprevisible de esos sucesos. No hay manera de hacer deducciones ni extraer cálculos sobre el plazo en que sobrevendrá el día final. Por lo tanto, no tiene sentido ponerse a curiosear ni a divagar en la búsqueda de claves para desentrañar ese misterio. La única actitud sensata que Jesús recomienda a los suyos es la de la vigilancia, para que su llegada definitiva no les tome por sorpresa.

En las condiciones presentes en que vivimos no existe la misma ansia y preocupación por la llegada de los eventos finales. Por eso, se vuelve más urgente el reclamo de mantenernos atentos y vigilantes.

EVANGELIO Mateo 24,37–44 LM

Lectura del santo Evangelio según san Mateo

En aquel tiempo, Jesús dijo a sus discípulos:
"*Así* como sucedió en tiempos de Noé,
así también sucederá cuando venga el *Hijo* del hombre.
Antes del diluvio, la gente comía, bebía y se casaba,
hasta el día en que Noé *entró* en el arca.
Y cuando *menos* lo esperaban,
sobrevino el diluvio y se llevó *a todos*.
Lo mismo sucederá cuando venga el *Hijo del hombre*.
Entonces, de *dos hombres* que estén en el campo,
uno será llevado y *el otro* será dejado;
de *dos mujeres* que estén juntas moliendo trigo,
una será tomada y la otra *dejada*.
Velen, pues, y *estén* preparados,
porque no saben *qué día* va a venir su Señor.
Tengan por cierto que si un padre de familia
supiera *a qué hora* va a venir el ladrón,
estaría *vigilando* y *no dejaría*
que se le metiera por un boquete *en su casa*.
También ustedes *estén preparados*,
porque a la hora que *menos lo piensen*,
vendrá el Hijo del hombre".

EVANGELIO Mateo 24,37–44 LEU

Lectura del santo Evangelio según san Mateo

En aquel tiempo dijo Jesús a sus discípulos:
"Cuando *venga* el Hijo del *Hombre*
sucederá lo *mismo* que aconteció en tiempos de Noé.
En aquellos días del diluvio
los hombres seguían comiendo, bebiendo y *casándose*,
hasta el *mismo* día en que Noé entró en el arca,
y no se daban cuenta.
De *repente*, vino el *diluvio* y se los llevó a *todos*.
Lo *mismo* sucederá cuando *venga* el Hijo del Hombre.
Entonces, de dos mujeres que están juntas moliendo trigo,
una será tomada, y la otra *no*.
Por *eso*, estén ustedes *prevenidos*,
porque no saben en qué día *vendrá* su Señor.
Fíjense bien,
si un dueño de casa *supiera* a qué hora lo va a *asaltar* un *ladrón*,
seguramente permanecería *despierto*
para *impedir* el asalto de su casa.
Por eso, *estén alerta*;
porque el Hijo del Hombre
vendrá a la hora que *menos* piensan".

Recita estas revelaciones con un tono cierto y convincente. Refiere la alusión a los tiempos de Noé con la voz propia de un narrador que evoca acontecimientos lejanos y distantes.

Resalta estas exhortaciones a la vigilancia con un tono familiar y directo, como el que usarías para aconsejar a un amigo muy querido.

Con la actitud propia de un maestro que enseña pacientemente a sus alumnos, formula estas urgentes recomendaciones dirigidas por Jesús a sus discípulos.

2º DOMINGO DE ADVIENTO

I LECTURA Isaías 11,1–10 LM

Lectura del libro del profeta Isaías

En aquel día *brotará* un renuevo del tronco de Jesé,
un vástago *florecerá* de su raíz.
Sobre él *se posará* el espíritu *del Señor*,
espíritu de sabiduría e inteligencia,
espíritu de consejo y fortaleza,
espíritu de piedad y temor de Dios.
No juzgará por apariencias, *ni sentenciará* de oídas;
defenderá con justicia *al desamparado*
y con equidad *dará* sentencia al pobre;
herirá al violento con el *látigo* de su boca,
con el *soplo* de sus labios *matará* al impío.
Será la justicia su *ceñidor*, la fidelidad *apretará* su cintura.
Habitará el lobo con el cordero,
la pantera *se echará* con el cabrito,
el novillo y el león pacerán *juntos*
y un muchachito los apacentará.
La vaca pastará *con la osa* y sus crías *vivirán juntas*.
El león comerá paja *con el buey*.
El niño *jugará* sobre el agujero de la *víbora*;
la creatura *meterá* la mano en el *escondrijo* de la serpiente.
No hará daño ni estrago por *todo* mi monte santo,
porque *así* como las aguas *colman* el mar,
así está *lleno* el país de la *ciencia* del Señor.
Aquel día la raíz de Jesé *se alzará* como bandera de los pueblos,
la buscarán *todas* las naciones y *será gloriosa* su morada.

I LECTURA **Nadie como el profeta Isaías ha escrito tantas páginas tan llenas de poesía y de esperanza ante la aparición de un mundo transfigurado por la virtuosa sabiduría de un excelso gobernante que haría llover la paz y la justicia sobre su pueblo. Este poema mesiánico celebra el resurgimiento de un vástago de la misma raíz de donde brotó la dinastía de David. Este nuevo gobernante superará con creces al hijo de Jesé porque estará provisto de la plenitud de carismas necesarios para el difícil arte de gobernar.**

Con su arribo al trono comenzará a instalarse una verdadera justicia, que sancionará con rectitud el proceder de justos y malvados. Más aún, eliminará de su reino a aquellos que son una amenaza para la paz. Esta paz mesiánica sobrepasará el ámbito humano y alcanzará el mundo animal, de manera que ya no será la "ley del más fuerte" la que regirá la convivencia, sino el principio del derecho y la justicia.

Todo esto será posible porque Dios llenará a su pueblo del conocimiento, que un día la primera pareja quiso alcanzar por propia iniciativa. Adornado con ese conocimiento el mundo recuperará su condición paradisíaca y se anegará de la concordia que reinará en todo el monte del Señor.

Esta maravillosa utopía no ha perdido su vigencia. Al contrario, tiene que seguir jalonando los sueños, los anhelos y los proyectos que entusiasman a los cristianos amantes de la paz y la justicia.

I LECTURA Isaías 11,1–10 LEU

Lectura del libro del profeta Isaías

En aquel día una rama *saldrá* del tronco de Jesé,
un brote *surgirá* de sus raíces.
Sobre él *reposará* el Espíritu del Señor,
espíritu de sabiduría e inteligencia,
espíritu de prudencia y valentía,
espíritu para *conocer* al Señor, y para *respetarlo,*
y para *gobernar* conforme a sus preceptos.

Proclama con enorme esperanza este formidable anuncio. Recita de manera lenta cada uno de los dones que serán otorgados a este vástago del tronco de Jesé.

No juzgará por las *apariencias*
ni se *decidirá* por lo que se dice,
sino que hará *justicia* a los *débiles*
y dictará sentencias *justas* a *favor* de la gente pobre.
Su palabra *derribará* al opresor,
el soplo de sus labios *matará* al malvado.
Tendrá como cinturón la *justicia,*
y la *lealtad* será el ceñidor de sus caderas.

Describe con emoción cada uno de los quehaceres y atribuciones que deberá cumplir este juez justo y sabio.

El lobo *habitará* con el cordero,
el puma se *acostará* junto al cabrito,
el ternero *comerá* al lado del *león*
y un niño chiquito los *cuidará.*
La vaca y el oso *pastarán* en compañía
y sus crías reposarán *juntas,*
pues el león *también* comerá pasto, igual que el buey.
El niño de pecho *pisará* el hoyo de la víbora,
y sobre la cueva de la culebra
el pequeñuelo *colocará* su mano.

Apropiate previamente de esta magnífica pintura de la naturaleza reconciliada. Procura leer con mucha fluidez cada uno de los pares de animales mencionados. Observa que son dos series de tres parejas cada una. Haz una breve pausa al concluir la primera de las series.

Resalta de manera especial la mención de cada una de las criaturas que aparecen al final de cada serie.

No cometerán el mal, ni *dañarán* a su prójimo
en *todo* mi Cerro santo,
pues, como llenan las aguas el mar,
se *llenará* la tierra del *conocimiento* del Señor.

Afirma con mucha fuerza la certeza de la desaparición del mal y la violencia.

Aquel día la *raíz* de Jesé se *levantará*
como una *bandera* para las naciones,
los pueblos *irán* en su busca y su casa se hará *famosa.*

Concluye la proclamación de manera vibrante, reafirmando la vocación de Judá hacia todas las naciones.

II LECTURA Luego de que san Pablo ha instado al comienzo del capítulo 15 de su carta a los Romanos, a que los fuertes sobrelleven las limitaciones de los débiles, este criterio básico servirá para ilustrar el asunto concreto de la relación y la convivencia entre cristianos de origen judío y aquellos de origen pagano.

Por lo que podemos apreciar a lo largo de lo expuesto en la parte doctrinal de la carta, la comunidad cristiana de Roma estaba conformada por miembros provenientes tanto del mundo pagano como del mundo judío. El apóstol trata de convencerles de la igualdad de derechos y deberes que unos y otros tienen delante de Dios, gracias a la fe en Jesucristo. En la práctica sin embargo, seguían existiendo prejuicios heredados y aprendidos que dificultaban la comunión de mesa, la participación y el intercambio entre ambos grupos. Es por eso que en esta exhortación final Pablo retoma este asunto e invita a ambos grupos a acogerse entre sí, a sabiendas de que su Señor acogió y dispensó igual misericordia a paganos y judíos.

Si el proceder de Jesús es abierto e indiscriminado hacia los hombres y mujeres de cualquier raza y condición social, los seguidores y discípulos de Cristo estamos urgidos de ser abiertos y tolerantes hacia los que, siendo diferentes, viven y se relacionan con nosotros.

EVANGELIO Los profetas de Israel nunca fueron bien vistos por los sacerdotes y reyes de Israel; los consideraban sujetos peligrosos y demasiado fieles a Dios, como para poderlos manipular. Al darse cuenta los gobernantes de que los profetas enviados por Dios podían competir con ellos y desgastar su autoridad, reaccionaron con recelo y miedo hacia estos hombres de palabra dura y fuerte.

II LECTURA Romanos 15,4–9 L M

Lectura de la carta del apóstol san Pablo a los romanos

Hermanos:
Todo lo que en el pasado *ha sido escrito* en los libros santos,
se escribió para instrucción *nuestra*, a fin de que,
por la paciencia y el consuelo *que dan las Escrituras*,
mantengamos la esperanza.
Que Dios, fuente de *toda* paciencia y consuelo,
les *conceda* a ustedes *vivir* en *perfecta* armonía
unos con otros,
conforme al espíritu de Cristo Jesús,
para que, con un *solo* corazón y una *sola* voz
alaben a Dios, *Padre* de nuestro Señor *Jesucristo*.
Por lo tanto,
acójanse los unos a los otros como *Cristo* los acogió a ustedes,
para *gloria* de Dios.
Quiero decir con esto,
que Cristo *se puso al servicio* del pueblo judío,
para *demostrar* la fidelidad de Dios,
cumpliendo las promesas hechas a los patriarcas
y que por *su misericordia* los paganos *alaban* a Dios,
según aquello que dice la Escritura:
"Por eso te *alabaré* y *cantaré* himnos a tu nombre".

II LECTURA Romanos 15,4–9 LEU

Lectura de la carta del apóstol san Pablo a los romanos

La *Biblia* fue escrita para nuestra *instrucción*,
y en ella *encontramos* constancia y ánimo
para que tengamos *esperanza*.
Que *Dios*, de quien *viene* la constancia y el ánimo,
les *conceda* tener, los unos para con los otros,
los sentimientos del *propio* Cristo Jesús,
de manera que puedan *unánimemente* dar gloria a *Dios*,
Padre de Cristo Jesús nuestro Señor.
Por tanto, sean *atentos* unos con *otros*
como Cristo los *acogió* para la gloria de Dios.
Les digo lo siguiente:
Cristo se puso al *servicio* de los circuncisos judíos
para *cumplir* las promesas que Dios hizo a sus antepasados,
y *enseñar* que Dios es *fiel*.
Por su parte, los paganos deben dar *gracias* a Dios
porque *él* los ama,
como la Biblia dice:
"Por eso te cantaré y alabaré entre *todos* los pueblos".

Con tono paciente y reposado recuérdale a la asamblea los beneficios que nos aporta la escucha de la Palabra de Dios. Expresa con sinceridad cada uno de los deseos manifiestos por el apóstol.

Aborda en primer lugar la condición de los cristianos de origen judío. Resalta su condición de herederos de las promesas hechas a sus antepasados.

Haz una ligera pausa y resalta la peculiar condición de los paganos. Destaca suficientemente la cita bíblica con que concluye la lectura.

Algunos profetas se unieron a las presiones de sacerdotes y reyes y acabaron siendo dóciles a los dictados humanos. La mayoría de esos heraldos sin embargo se mantuvieron libres y fieles, algunos fueron perseguidos, exiliados o reducidos a la condición de voces marginales y silenciadas (ver 1 Reyes 22,8).

Los controladores y guardianes de los espacios sacros oficiales ahuyentaron a los profetas auténticos, y éstos partieron una y otra vez al desierto para mantenerse a salvo (ver 1 Reyes 19,3–4).

En continuidad con esa tradición profética aparece Juan Bautista y también vive y profetiza en las márgenes del mundo oficial de su tiempo. El no predica ni en el templo, ni en el palacio, ni en la plaza, sino en el desierto. Juan no gusta de los espacios cerrados; por eso, sale hacia el desierto, reúne discípulos, entusiasma a las multitudes con su vida austera y trasparente, y sobre todo con su exigente predica sobre la cercanía del Reino de Dios. Es tanto el arrastre de este profeta que aún los autosuficientes escribas y fariseos se presentan ante él para confesar sus pecados.

Lo más sobresaliente de este relato es el anuncio final, donde Juan comunica de manera velada la inminente aparición "del más fuerte" que bautizará con Espíritu Santo y fuego a los hijos de Israel. Juan contempla a este "otro que viene" como alguien que implementará una crisis o juicio en Israel, y separará al trigo de la paja, al justo del malvado.

Las expectativas con que el pueblo aguardó a ese definitivo enviado de Dios fueron enormes. De ese modo, Juan cumplió su misión, preparándole el camino al enviado del Señor. Esto se verificó cuando Juan despejó el camino ante Jesús, se hizo a un lado y encaminó a algunos de sus discípulos para que siguieran al nuevo maestro llamado Jesús.

EVANGELIO Mateo 3,1–12 L M

Lectura del santo Evangelio según san Mateo

En aquel tiempo,
comenzó *Juan el Bautista* a predicar
en el *desierto* de Judea, diciendo:
"*Arrepiéntanse*, porque el Reino de los cielos *está cerca*".
Juan es aquel de quien el profeta Isaías hablaba, *cuando dijo*:
"Una voz *clama* en el desierto:
Preparen el camino del Señor, *enderecen* sus senderos".
Juan usaba una túnica de pelo de camello,
ceñida con un cinturón de cuero,
y se alimentaba de saltamontes y de miel silvestre.
Acudían a oírlo los habitantes de Jerusalén,
de *toda* Judea y *de toda* la región cercana al Jordán;
confesaban sus pecados y *él* los bautizaba en el río.
Al ver que muchos *fariseos y saduceos*
iban a que *los bautizara*, les dijo:
"*Raza de víboras,*
¿quién les ha dicho que *podrán escapar*
al castigo que les aguarda?
Hagan ver con obras *su arrepentimiento*
y no se hagan *ilusiones* pensando que tienen
por *padre* a Abraham,
porque *yo les aseguro* que *hasta* de estas piedras *puede* Dios
sacar *hijos* de Abraham.
Ya el hacha *está puesta* a la raíz de los árboles,
y *todo* árbol que no dé fruto, será *cortado* y *arrojado* al fuego.
Yo los bautizo *con agua,*
en señal de que ustedes se *han arrepentido*;
pero el que viene *después* de mí, es *más fuerte* que yo,
y yo *ni siquiera* soy digno de quitarle las sandalias.
Él los bautizará en el *Espíritu Santo* y su fuego.
Él tiene el bieldo en su mano para *separar* el trigo de la paja.
Guardará el trigo en su granero
y *quemará* la paja en un fuego que *no se extingue*".

EVANGELIO Mateo 3,1–12 LEU

Lectura del santo Evangelio según san Mateo

En ese tiempo se presentó *Juan Bautista* en el desierto de Judea
predicando de esta forma:
"*Cambien* su vida y su *corazón*,
porque está *cerca* el Reino de los Cielos".
De él hablaba el profeta Isaías al decir:
"Una voz *grita* en el desierto:
preparen el camino del Señor, *enderecen* sus senderos".
Juan vestía un manto de pelo de *camello*,
con un cinturón de cuero,
y *se alimentaba* con langostas y miel de abeja silvestre.
Entonces iban a verlo los judíos de Jerusalén, de Judea
y de *toda* la región del Jordán.
Confesaban sus pecados y Juan los *bautizaba* en el río Jordán.
Al *ver* que *muchos* fariseos y saduceos
venían a bautizarse, les dijo:
"Raza de víboras,
¿acaso podrán *escapar* al castigo que se les viene *encima*?
Muestren, pues, los frutos de una sincera *conversión*,
en vez de *confiarse* en que son los hijos de Abraham.
Yo les *aseguro* que Dios es *capaz* de sacar hijos de *Abraham*
aun de estas piedras.
Fíjense que el hacha llega a la *raíz*.
Y están *cortando* a todo árbol que *no* da buen fruto
y lo *arrojan* al fuego.
Mi bautismo es bautismo de *agua*
y significa un *cambio* de vida.
Pero *otro* viene *después* de mí, y más *poderoso* que yo
y yo ni siquiera soy *digno* de llevarle los zapatos.
Él los bautizará en el *fuego*
o bien en el *soplo* del Espíritu Santo.
Él tiene en sus manos el *harnero*
y *limpiará* su trigo, que guardará en sus *bodegas*,
quemando la paja en un *fuego* que no se apaga".

Enmarca con cuidado la introducción inicial con la que el evangelista mete en escena a Juan Bautista. Destaca con fuerza las citas directas de sus palabras proféticas.

Haz este retrato hablado del Bautista con la familiaridad con que presentarías a uno de tus amigos más conocidos.

Antes de referir el ingreso a escena de escribas y fariseos, se impone hacer una breve pausa. Al recitar las duras palabras con que Juan los amonesta, hazlo con gran fuerza y energía.

Concluye la proclamación utilizando un tono reflexivo y tranquilo para presentar al "otro que viene . . . a bautizar con fuego a Israel". Destaca con vigor el oficio de juez que cumplirá este enviado de Dios.

8 DE DICIEMBRE DE 2004

LA INMACULADA CONCEPCIÓN DE SANTA MARÍA VIRGEN

I LECTURA Génesis 3,9–15.20 L M

Lectura del libro del Génesis

Después de que el hombre y la mujer *comieron*
del fruto del árbol *prohibido,*
el Señor Dios *llamó* al hombre y *le preguntó*:
"¿*Dónde estás*?" *Éste* le respondió:
"*Oí* tus pasos en el jardín; y *tuve miedo,*
porque estoy *desnudo,* y me *escondí*".
Entonces le dijo Dios:
"¿Y *quién* te ha dicho que *estabas desnudo*?
¿*Has comido* acaso del árbol del que te *prohibí* comer?"
Respondió *Adán*:
"*La mujer* que me diste por compañera
me ofreció del fruto del árbol y *comí*".
El Señor Dios dijo *a la mujer*: "¿*Por qué* has hecho *esto*?"
Repuso la mujer: "La serpiente *me engañó* y *comí*".
Entonces dijo el Señor Dios *a la serpiente*:
"Porque has *hecho esto,* serás *maldita* entre *todos* los animales
y entre *todas* las bestias salvajes.
Te *arrastrarás* sobre tu vientre
y *comerás* polvo *todos* los días de tu vida.
Pondré *enemistad* entre ti *y la mujer,*
entre tu descendencia *y la suya*;
y su descendencia te *aplastará* la cabeza,
mientras tú *tratarás* de morder su talón".
El hombre le puso a su mujer el nombre de "*Eva*",
porque ella fue *la madre* de *todos* los vivientes.

I LECTURA **Este trozo que nos presenta la liturgia constituye el cuarto y penúltimo acto de un relato más amplio (ver Génesis 3,1–24) que refiere el desacato primero y fundamental de los seres humanos ante su Dios y Creador. En los versos que nos ocupan, el autor nos presenta a Dios sometiendo a la primera pareja a un interrogatorio judicial, donde quedan establecidas las responsabilidades de ambos seres humanos y también la de la serpiente. Una vez concluido el diálogo judicial, Dios impone la sentencia y los castigos correspondientes.**

Momentáneamente ha salido victoriosa la serpiente, porque ha conseguido camuflarse y disfrazar ante los ojos de los mortales el mal con la envoltura brillante del bien. La serpiente al ponerse a señalar a los humanos lo que es bueno y lo que es malo ha pretendido usurpar el oficio exclusivo de Dios: el de salvaguardar la vida y la libertad, poniéndole límites al abuso y al egoísmo de los humanos, indicando los caminos que conducen a la vida y aquellos que conducen a la muerte.

Esta victoria es pasajera porque en adelante la serpiente y todas las fuerzas hostiles a Dios quedarán sujetas al predominio del descendiente de la mujer. Para los que confesamos la fe católica, el primero de los descendientes de María, Nueva Eva, y verdadera Madre de los vivientes, es Jesús. Él es quien con su triunfo sobre la muerte ha dado cumplimiento pleno a las promesas que auguraban el aniquilamiento definitivo del mal.

I LECTURA Génesis 3,9–15.20 LEU

Lectura del libro del Génesis

Después que Adán comió del árbol, el Señor Dios lo llamó:
"¿Dónde estás?"
Éste contestó:
"Oí tu voz en el jardín y tuve miedo, porque estoy desnudo,
por eso me escondí".
El Señor replicó: "¿Quién te ha hecho ver que estabas desnudo?
¿Has comido acaso del árbol que te prohibí?"
El hombre respondió:
"La mujer que me diste por compañera me dio del árbol
y comí".
El Señor dijo a la mujer: "¿Qué es lo que has hecho?",
y la mujer respondió:
"La serpiente me ha engañado y comí".
Entonces el Señor Dios dijo a la serpiente:
"Por haber hecho esto, maldita seas entre todas las *bestias*
y entre todos los animales del campo.
Andarás *arrastrándote*,
y comerás tierra todos los días de tu vida.
Haré que haya enemistad entre ti y la mujer,
entre tu descendencia y la suya,
ésta te pisará la cabeza mientras tú te *abalanzarás*
sobre su talón".
El hombre llamó a su *mujer "Eva"*
por ser la madre de todo viviente.

Procura utilizar distintos tonos de voz, usa un tono severo y exigente para las preguntas planteadas por Dios a la primera pareja, aumenta la severidad de tu voz al formular las sentencias dictada a la serpiente.

Pronuncia las respuestas de Adán y Eva con tono evasivo, como eludiendo su verdadera responsabilidad en el asunto.

Recita de manera lenta y pausada cada una de las afirmaciones con las cuales Dios impone enemistad entre la serpiente y la mujer.

Al concluir la recitación de la sentencia dictada a la serpiente, haz una breve pausa. Apropiándote del papel del narrador, pronuncia solemnemente el comentario final.

II LECTURA Estos versículos constituyen la bendición acostumbrada con que san Pablo reconoce los grandes eventos salvíficos cumplidos por Dios a favor de su pueblo elegido. De modo particular, la carta a los Efesios, que probablemente sirvió como una carta circular enviada a las distintas Iglesias fundadas y animadas por Pablo, pondera y celebra el designio salvador de Dios por medio del cual ha incorporado en un único pueblo a los hijos de Israel, que reconocieron en Jesús al Mesías que durante siglos habían esperado, y a los gentiles, que, acogiendo el mensaje de la verdad, recibieron el bautismo para ser incorporados como hijos adoptivos de Dios.

Este gesto misericordioso, por el cual Dios engrandeció el número de sus elegidos, sólo fue alcanzado por la encarnación del Verbo en el seno de María. En esta celebración, en sintonía con Pablo, alabamos también a Dios por la acogida amorosa con que María respondió al llamado a convertirse en la madre de Jesús.

II LECTURA Efesios 1,3–6.11–12 L M

Lectura de la carta del apóstol san Pablo a los efesios

Bendito sea Dios, *Padre* de nuestro *Señor Jesucristo,*
que nos ha bendecido *en él* con *toda clase* de bienes
espirituales y *celestiales.*
Él *nos eligió* en Cristo, *antes* de crear el mundo,
para que fuéramos *santos* e irreprochables *a sus ojos,*
por el amor,
y *determinó,* porque *así* lo quiso,
que, por medio de *Jesucristo, fuéramos* sus hijos,
para que *alabemos* y glorifiquemos la gracia
con que nos *ha favorecido*
por medio de su *Hijo amado.*
Con Cristo somos *herederos* también nosotros.
Para esto estábamos *destinados,*
por *decisión* del que lo hace todo *según* su voluntad:
para que *fuéramos* una alabanza *continua* de su gloria,
nosotros, los que ya antes *esperábamos* en Cristo.

II LECTURA Efesios 1,3–6.11–12 LEU

Lectura de la carta del apóstol san Pablo a los efesios

Bendito sea Dios, Padre de *Cristo Jesús* nuestro *Señor*,
que nos *bendijo* desde el *cielo*, en *Cristo*,
con *toda* clase de *bendiciones* espirituales.
En Cristo, Dios *nos eligió* desde antes de la *creación* del *mundo*,
para *andar* en el *amor* y estar en su *presencia*
sin culpa *ni mancha*.
Determinó *desde la eternidad* que nosotros *fuéramos*
sus *hijos* adoptivos por medio de *Cristo Jesús*.
Eso es lo *que quiso* y más le *gustó*
para que *se alabe* siempre y *por encima* de todo
esa *gracia* suya que nos *manifiesta* en el *Bien Amado*.
En Cristo, Dios *nos apartó* a los que estábamos
esperando al Mesías.
Él, que *dispone* de todas las cosas *como quiere*,
nos *eligió* para ser su *pueblo*,
para *alabanza* de su *gloria*.

Con voz festiva y jubilosa, celebra los gestos amorosos cumplidos por Dios en la persona de Jesús.

Proclama esta nueva alabanza con aire personalizado, sintiéndote parte de esa gran familia de los hijos de Dios.

Al concluir este himno de alabanza al Padre, procura abarcar con una mirada cariñosa a todos los participantes en la celebración.

EVANGELIO El autor de este relato, donde se refiere el anuncio del nacimiento de Jesús, ciertamente no tenía conocimientos sobre la pequeña e insignificante aldea donde vivía María. Tan es así que este poblado, que nunca aparece mencionado en el Antiguo Testamento (ver Juan 1,46), es designado por Lucas con el excelso título de "ciudad de Galilea llamada Nazaret". Pues bien, en ese ranchito vivía una pareja de jóvenes israelitas llamados José y María. Él era descendiente de David y ejercía el oficio de carpintero, mientras que ella cumplía los quehaceres rurales y domésticos asignados a las mujeres en los ambientes campesinos. Ambos ya estaban esposados, pero no habían aún celebrado sus bodas.

En esa situación transitoria, María es invitada por un mensajero divino a acoger en su vientre al Hijo del Altísimo. Al escuchar dicho mensaje, muestra su turbación y expresa al ángel sus dudas respecto a cómo podrá verificarse tal acontecimiento. Una vez que recibe la respuesta sobre la intervención extraordinaria del Espíritu Santo en su persona, y que se le anuncia además la señal de que su pariente Isabel ha concebido un hijo en la vejez, decide rendirse ante los ruegos del ángel, y manifiesta su completa apertura para que se cumpla y encarne la Palabra de Dios en su persona.

Esta fiesta es el reconocimiento gozoso al Padre por habernos concedido la encarnación de su Hijo en el vientre de esta joven campesina, a quien llamamos e invocamos respetuosamente con el título de la Inmaculada Concepción.

EVANGELIO Lucas 1,26–38 LM

Lectura del santo Evangelio según san Lucas

En *aquel* tiempo,
el *ángel* Gabriel fue enviado por Dios
a una ciudad de Galilea, llamada Nazaret,
a una *virgen* desposada con un varón
de la *estirpe* de David, llamado *José*.
La virgen se llamaba *María*.
Entró el ángel a donde ella estaba y *le dijo*:
"*Alégrate, llena* de gracia, *el Señor* está contigo".
Al oír *estas palabras*, ella se preocupó *mucho*
y se preguntaba *qué* querría decir *semejante* saludo.
El *ángel* le dijo:
"*No temas*, María, porque has hallado *gracia* ante Dios.
Vas a *concebir* y a *dar a luz* un hijo
y le pondrás por nombre *Jesús*.
Él será *grande* y será llamado *Hijo* del Altísimo;
el *Señor Dios* le dará el *trono* de David, su padre,
y él *reinará* sobre la casa de Jacob *por los siglos*
y su reinado *no tendrá fin*".
María le dijo entonces al ángel:
"¿*Cómo* podrá ser *esto*, puesto que yo permanezco *virgen*?"
El *ángel* le contestó:
"El Espíritu Santo *descenderá* sobre ti
y el *poder* del Altísimo *te cubrirá* con su sombra.
Por eso, el Santo, que *va a nacer de ti*,
será llamado *Hijo* de Dios.
Ahí tienes a tu parienta *Isabel*,
que *a pesar* de su vejez, *ha concebido* un hijo
y ya va en el *sexto* mes la que llamaban *estéril*,
porque *no hay nada* imposible para Dios".
María contestó:
"*Yo soy* la esclava del Señor;
cúmplase en mí lo que me has dicho".
Y el ángel *se retiró* de su presencia.

EVANGELIO Lucas 1,26–38 L E U

Lectura del santo Evangelio según san Lucas

En aquel tiempo, Dios envió al ángel *Gabriel*
donde una joven virgen
que vivía en una ciudad de Galilea llamada *Nazaret*,
y que era prometida de *José*, de la familia de *David*.
Y el nombre de la virgen era *María*.
Entró el ángel a su *casa* y le dijo:
"*Alégrate* tú, la Amada y *Favorecida*;
el Señor está contigo".
Estas palabras la *impresionaron*
y se preguntaba qué querría *decir* ese saludo.
Pero el *ángel* le dijo: "No *temas*, María,
porque has *encontrado* el favor de Dios.
Vas a quedar *embarazada* y darás a luz a un *hijo*,
al que pondrás el nombre de *Jesús*.
Lo *ensalzarán* y con razón lo llamarán: *Hijo* del Altísimo.
Dios le dará el *trono* de David, su *antepasado*.
Gobernará por siempre el *pueblo* de Jacob
y su reino no terminará *jamás*".
María entonces dijo al ángel:
"¿*Cómo* podré ser *madre* si no tengo relación
con ningún hombre?"
Contestó el ángel:
"El Espíritu *Santo* descenderá sobre ti
y el *Poder* del Altísimo te *cubrirá* con su sombra;
por eso tu hijo será *Santo*
y con razón lo llamarán *Hijo* de Dios.
Ahí tienes a tu parienta *Isabel*:
en su *vejez* ha quedado esperando un hijo,
y la que no podía tener *familia*
se encuentra ya en el *sexto* mes del *embarazo*;
porque para Dios *nada* es imposible".
Dijo María: "Yo soy la esclava del *Señor*;
que haga en *mí* lo que has *dicho*".
Después de estas *palabras* el ángel se retiró.

Narra este evento importantísimo con la seguridad de quien fue testigo presencial de tal suceso.

Refiere el saludo dirigido a María con voz animosa y entusiasta, pronunciando pausadamente los dos títulos dados a la Virgen: amada y favorecida.

Explica con paciencia y tranquilidad las razones con las cuales el ángel da respuesta al desconcierto inicial de María.

Recita con inquietud y cierta ignorancia la pregunta expuesta por María.

Nuevamente, asume un tono de voz acomedido y paciente para reafirmar los designios maravillosos que Dios prepara para la joven prometida.

Entona la respuesta final de la Virgen con mucha decisión, de modo que quede manifiesta su apertura al plan de Dios.

3er. DOMINGO DE ADVIENTO

I LECTURA Con el capítulo 35 de Isaías concluye la última sección poética de su libro; los restantes capítulos 36—39 forman una sección narrativa que refiere la invasión de Senaquerib en tiempos del rey Ezequías. Más aun, los capítulos 34 y 35 constituyen una sección escatológica que recoge los temas opuestos de castigo y salvación; estos capítulos han sido insertados en el libro de Isaías por un editor tardío que pretendió actualizar el mensaje del profeta.

Mientras que en el capítulo 34 la temática principal es la del juicio y la destrucción que Dios mismo ejecutará contra las naciones, especialmente contra Edom. En el capítulo siguiente, que es el que se proclama en la liturgia, resuena el tono jubiloso para expresar la llegada de la salvación y la vuelta de los desterrados hacia Sión.

En realidad tanto la temática como el lenguaje y el estilo de este oráculo de salvación se asemejan más bien al Segundo Isaías (Isaías 40—55). Aquí se canta la repatriación de los exiliados, que regresan animosos a su tierra. Como en otros oráculos semejantes, el profeta refiere la trasformación de la naturaleza, y la devolución de la salud a los enfermos, como símbolos validos para expresar el asunto principal: la gloria del Señor se hace manifiesta al momento de conducir sanos y salvos a los hijos de Israel hacia la tierra de sus antepasados.

II LECTURA En el último capítulo de esta breve carta, en la que Santiago comparte una serie de enseñanzas y recomendaciones de tipo sapiencial, encontramos esta concisa exhortación a la paciencia y la perseverancia.

El autor de la carta de Santiago está bien familiarizado con los temas y los personajes del Antiguo Testamento. Es por esa razón que, conociendo las adversidades

I LECTURA Isaías 35,1–6.10 LM

Lectura del libro del profeta Isaías

Esto dice el Señor:
"*Regocíjate,* yermo sediento.
Que se *alegre* el desierto y se *cubra* de flores,
que *florezca* como un campo de lirios,
que se alegre y *dé gritos* de júbilo,
porque le será dada la *gloria* del Líbano,
el *esplendor* del Carmelo y del Sarón.
Ellos *verán* la gloria del Señor, el *esplendor* de nuestro Dios.
Fortalezcan las manos cansadas, *afiancen* las rodillas vacilantes.
Digan a los de corazón apocado:
'¡*Animo*! *No teman.*
He aquí que su Dios, *vengador y justiciero,*
viene *ya* para salvarlos'.
Se *iluminarán* entonces los ojos de los ciegos,
y los oídos de los sordos *se abrirán.*
Saltará como un ciervo el cojo, y la lengua del mudo *cantará.*
Volverán a casa los *rescatados* por el Señor,
vendrán a Sión con *cánticos de júbilo,*
coronados de *perpetua* alegría;
serán su escolta el *gozo y la dicha,*
porque la pena y la aflicción *habrán terminado*".

II LECTURA Santiago 5,7–10 LM

Lectura de la carta del apóstol Santiago

Hermanos:
Sean pacientes hasta la venida del Señor.
Vean cómo el labrador, con la *esperanza* de los frutos *preciosos*
de la tierra,
aguarda *pacientemente* las lluvias tempraneras y las tardías.
Aguarden *también* ustedes *con paciencia*
y mantengan *firme* el ánimo,
porque la venida del Señor *está cerca.*

I LECTURA Isaías 35,1–6a.10 LEU

Lectura del libro del profeta Isaías

Que se *alegren* el desierto y la tierra seca,
que *reverdezca* y se *cubra* de flores la pradera.
Que se *llene* de flores como junquillos,
que *salte* y *cante* de *contenta*.
Pues le han regalado la *grandeza* del Líbano
y el *brillo* del Carmelo y de Sarón.
Allí *aparecerá* toda la *grandeza* del Señor,
todo el brillo de nuestro Dios.
Robustezcan las manos *débiles*
y *afirmen* las rodillas que se doblan.
Díganles a los que están *asustados*:
"*Calma*, no tengan *miedo*,
porque ya *viene* su Dios a vengarse,
a darles a ellos *su merecido*;
él mismo viene a *salvarlos* a ustedes".
Entonces los ojos de los ciegos se *despegarán*,
y los oídos dc los sordos se *abrirán*,
los cojos *saltarán* como *cabritos*
y la lengua de los mudos *gritará* de alegría.
Por este camino *regresarán* los libertados por el Señor
que llegarán a *Sión*, dando *gritos* de *alegría*,
y con una dicha *eterna* reflejada en sus rostros;
la *alegría* y la *felicidad* los acompañarán
y ya no *tendrán* más pena ni tristeza.

Recita con gozo y alegría esta entusiasta aclamación dirigida por el profeta a la naturaleza misma, que tiene que trasformarse para mostrar la grandeza del Señor.

Proclama cada una de estas órdenes y recomendaciones con gran optimismo, como buscando sostener la esperanza de personas desalentadas.

Afirma con gran seguridad las novedades que se manifestarán en la situación de todos los enfermos y afligidos.

Éste es el momento culminante del oráculo. Resáltalo con mucha fuerza y procura transmitir esa gran esperanza a la asamblea.

II LECTURA Santiago 5,7–10 LEU

Lectura de la carta del apóstol Santiago

Hermanos, sean *pacientes* hasta la venida del Señor.
Miren cómo el sembrador *espera* con *paciencia*
los *preciosos* productos de la tierra
mientras caen las lluvias *tempranas* y las tardías.
Ustedes sean *también* pacientes y valientes,
porque la *venida* del Señor está *cerca*.
Hermanos, no *peleen* unos con *otros*
y así no serán *juzgados*.

Dirígete a la asamblea con un tono verdaderamente fraterno, sin aires paternalistas. Estás hablando a cristianos que tienen la misma dignidad que tú.

Exhorta con voz serena y pausada a los presentes a superar los conflictos y discusiones internas.

sufridas por los profetas de Israel, los presenta ante sus lectores como modelos de paciencia en el sufrimiento.

Santiago está tan seguro de la próxima vuelta del Señor Jesús que, en estos escasos cinco versículos, se refiere a este evento en tres ocasiones. Dada su insistencia podría pensarse que sus lectores ya no esperarían con tanta firmeza la próxima llegada del Señor glorioso. Es por esto que los invita a aguardarlo con paciencia, tal como el campesino espera con calma las lluvias tempranas y tardías, sin desesperarse, y sin exigirle a Dios que se acomode a sus necesidades.

EVANGELIO **Este relato tiene como objetivo dejar bien clara la relación entre Juan Bautista y Jesús, entre la antigua alianza y la nueva alianza, entre la etapa de preparación vivida a lo largo del período del Antiguo Testamento y la plenitud del Reino inaugurado en la persona de Jesús.**

El autor del Primer Evangelio está cierto de la supremacía de Jesús en relación a Juan (ver Mateo 3,11.14), y quiere persuadir de esa certeza a sus lectores. Por eso, nos presenta a Jesús respondiendo a las preguntas de los discípulos de Juan, quien los invita a observar los signos que ha cumplido a favor de los enfermos y los pobres. Dado que ellos conocían lo prometido en las profecías mesiánicas, podrían relacionar ambos datos y alcanzar la respuesta a sus dudas y preguntas y concluir que Jesús es el que había de venir.

En la segunda parte del relato, una vez que se han marchado los emisarios del Bautista, Jesús hace un sincero elogio de aquel (nótese que no lo hace en presencia de los discípulos de Juan) y lo reconoce como el más importante de los profetas y precursores que anunciaron la llegada del Mesías. Pero a la vez, lo coloca claramente en el tiempo de las promesas. Juan no pertenece a la novedad del Reino; ésta se inaugura solamente con Jesús.

II LECTURA continuación LM

No murmuren, hermanos, los unos de los otros,
para que el día del juicio no sean *condenados*.
Miren que el juez *ya está* a la puerta.
Tomen como *ejemplo* de paciencia
en el sufrimiento *a los profetas*,
los cuales hablaron *en nombre* del Señor.

EVANGELIO Mateo 11,2–11 LM

Lectura del santo Evangelio según san Mateo

En aquel tiempo, Juan se encontraba *en la cárcel*,
y habiendo oído hablar de *las obras* de Cristo,
le mandó *preguntar* por medio de dos discípulos:
"¿*Eres tú* el que *ha de venir* o tenemos que esperar a otro?"
Jesús les respondió:
"*Vayan* a contar a Juan lo que están *viendo y oyendo*:
los ciegos *ven*, los cojos *andan*,
los leprosos *quedan limpios* de la lepra,
los sordos *oyen*, los muertos *resucitan*
y *a los pobres* se les anuncia el Evangelio.
Dichoso aquél que no se sienta *defraudado* por mí".
Cuando se fueron los discípulos,
Jesús se puso a hablar a la gente acerca *de Juan*:
"¿Qué fueron ustedes a ver *en el desierto*?
¿Una caña *sacudida* por el viento? *No*.
Pues entonces, *¿qué* fueron a ver?
¿A un hombre *lujosamente* vestido?
No, ya que los que visten con lujo *habitan* en los palacios.
¿A qué fueron, pues? ¿A ver *a un profeta*?
Sí, yo se *lo aseguro*; y a uno que es todavía *más* que profeta.
Porque de él *está escrito*:
He aquí que yo envío a *mi mensajero*
para que vaya *delante* de ti y te prepare *el camino*.
Yo les aseguro que *no ha surgido* entre los hijos de una mujer
ninguno más grande que Juan *el Bautista*.
Sin embargo, el *más pequeño* en el *Reino de los cielos*,
es todavía *más grande* que él".

II LECTURA continuación LEU

Miren que el juez está a la puerta.
Tomen como modelo de *paciencia* en el *sufrimiento*
a los *profetas* que hablaron en *nombre* del Señor.

Alude con respeto a la conducta ejemplar que asumieron los profetas ante el sufrimiento padecido por causa de su fidelidad al Señor.

EVANGELIO Mateo 11,2–11 LEU

Lectura del santo Evangelio según san Mateo

En aquel tiempo, Juan se *enteró* en la cárcel de lo que
hacía *Cristo*;
por eso *envió* a sus discípulos a preguntarle:
"¿Eres *tú* el que debe venir o *tenemos* que esperar a otro?"
Jesús les contestó:
"Vayan y *cuéntenle* a Juan lo que han *visto y oído*:
que los ciegos *ven*, que los *cojos* andan,
que los *leprosos* quedan sanos, que los sordos *oyen*,
que los *muertos resucitan*
y que se predica la *Buena Nueva* a los *desdichados*.
Feliz aquel que al *encontrarme* no se aleja desilusionado".
Una vez que se *fueron* los discípulos de Juan,
Jesús comenzó a hablar de él a la gente:
"¿*Qué* fueron a ver ustedes al desierto?
¿Una caña *agitada* por el viento?
¿Qué fueron a ver?
¿A un hombre vestido *elegantemente*?
Pero los elegantes *viven* en palacios.
Entonces, ¿*qué* fueron a ver?
¿A un *profeta*?
Eso *sí*.
Yo les *aseguro* que Juan es *más* que un *profeta*.
Porque se refiere a Juan esta *palabra* de Dios:
'Mira que yo envío a mi *mensajero* delante de ti
para que te *prepare* el camino'.
Yo les *aseguro* que *no* se ha presentado entre los *hombres*
alguien *más* grande que Juan Bautista.
Sin embargo, el más *pequeño* en el Reino de los Cielos
es *más* que él".

Proclama esta introducción con voz suave y tranquila. Enseguida formula el interrogante del Bautista con un tono de voz que denote la duda y la incertidumbre del profeta.

Pronuncia la respuesta de Jesús con gran firmeza y seguridad. Procura mantener en tu lectura el ritmo de este oráculo profético. Haz una brevísima pausa luego de cada signo ortográfico. Destaca en tono desafiante la bienaventuranza final que Jesús les dirige.

Después de una breve pausa, recita con tono suspicaz cada una de las preguntas referidas al Bautista. Destaca suficientemente las respuestas y reconocimientos finales que Jesús le dedica a Juan.

Expón a manera de conclusión la afirmación de que en Juan Bautista se cumplen los oráculos proféticos mencionados. Concluye con tono modesto y precisa el lugar subordinado que el Bautista tiene en el Reino de los cielos.

4º DOMINGO DE ADVIENTO

I LECTURA Este trozo poético constituye el segundo llamado que Dios dirige al rey Acaz en un momento de grave crisis para la dinastía davídica. El monarca está siendo amenazado por los reyes vecinos que quieren deponerlo, para instalar en el trono a un impostor, en cuyo caso quedaría truncada la promesa divina hecha a David (ver 2 Samuel 7).

Dios envía al profeta Isaías para que invite al rey a pedir una señal. Éste, en aparente actitud de plena confianza en Dios, la rechaza, pero Dios se la otorga de cualquier manera, y le anuncia que su joven esposa ha quedado encinta, con lo cual quedará asegurada la continuidad de la línea dinástica. Ese pequeño nacerá y llevará el nombre de Emanuel, con su sola presencia ese niño servirá para recordar lo que siempre han sabido: que él es un Dios cercano que siempre acompaña a su pueblo. Así como ha estado presente en el inicio de la dinastía, los asistirá en esta hora difícil que están viviendo.

Un último detalle que conviene mencionar es el referente a la joven doncella, que ya la traducción griega del Antiguo Testamento (versión bíblica que ha sido llamada "Los Setenta") tradujo por "virgen" y que en ese mismo sentido lo entendió la primera tradición cristiana para aplicarlo a la Madre del Señor.

II LECTURA En el saludo inicial con que Pablo se dirige respetuosamente a la Iglesia de Roma, a la cual no ha tenido ocasión de visitar, encontramos una concisa profesión fe sobre el papel preponderante que Jesús ha cumplido por encargo del Padre.

El autor se presenta con el original título de "esclavo del Mesías Jesús", y a la vez como apóstol o enviado para proclamar la buena nueva a los paganos. Entre los cuales se encuentran los cristianos de Roma, a los que el apóstol desea sigan gozando de la paz y el favor divinos.

I LECTURA Isaías 7,10–14 LM

Lectura del libro del profeta Isaías

En *aquellos* tiempos, *el Señor* le habló a Ajaz diciendo:
"*Pide* al Señor, tu Dios, *una señal* de abajo, en *lo profundo*
o de *arriba*, en lo alto".
Contestó Ajaz: "*No* la pediré. *No* tentaré al Señor".
Entonces dijo Isaías: "Oye, pues, *casa* de David:
¿No satisfechos con *cansar* a los hombres,
quieren cansar *también* a mi Dios?
Pues bien, *el Señor mismo* les dará por eso *una señal*:
He aquí que la virgen *concebirá* y dará a luz un hijo
y le pondrán el nombre de *Emmanuel*,
que quiere decir *Dios-con-nosotros*".

II LECTURA Romanos 1,1–7 LM

Lectura de la carta del apóstol san Pablo a los romanos

Yo, *Pablo*, siervo de Cristo Jesús,
he sido *llamado* por Dios para ser apóstol
y *elegido* por él para *proclamar* su Evangelio.
Ese Evangelio, que, *anunciado* de antemano
por los profetas en las *Sagradas Escrituras*,
se refiere a su Hijo, *Jesucristo*, nuestro Señor,
que nació, en cuanto a su condición *de hombre*,
del linaje *de David*,
y en cuanto a su condición de espíritu *santificador*,
se manifestó con *todo* su poder como *Hijo* de Dios,
a partir de su *resurrección* de entre los muertos.
Por medio *de Jesucristo*,
Dios me *concedió* la gracia del apostolado,
a fin de *llevar* a los pueblos *paganos* a la *aceptación* de la fe,
para *gloria* de su nombre.
Entre ellos, *también* se cuentan ustedes,
llamados a pertenecer a *Cristo Jesús*.

I LECTURA Isaías 7,10–14 LEU

Lectura del libro del profeta Isaías

En aquellos *días*,
el *Señor* se dirigió a Ajaz para decirle:
"*Pide al* Señor, tu Dios, una *señal*,
aunque sea en las profundidades del lugar *oscuro*,
o en las *alturas* del cielo".
Respondió Ajaz: "No la *pediré*,
porque no quiero poner a *prueba* al Señor".
Entonces *Isaías* dijo: "¡*Oigan*, herederos de David!
¿No les basta *molestar* a *todos*,
que *también* quieren cansar a mi Dios?
El Señor, pues, les dará esta *señal*:
La *Virgen* está *embarazada*,
y da a luz un *hijo* varón
a quien le pone el nombre de *Emanuel*"
(que significa "*Dios-con-nosotros*").

Recita el mensaje dado por Isaías con voz imperiosa. Hazlo con un tono desafiante de modo que quede patente la total apertura con que Dios le habla al rey.

Lee la respuesta del rey con un tono de falsa humildad, que denote la incertidumbre y vacilación que experimenta el rey.

El profeta recrimina con molestia y enfado al rey Acaz; imprímele ese tono a tu lectura. Con voz enérgica, recita el oráculo mesiánico donde Dios anuncia la señal del Emanuel.

II LECTURA Romanos 1,1–7 LEU

Lectura de la carta del apóstol san Pablo a los romanos

Pablo, siervo de Cristo Jesús y apóstol por
un *llamado* de Dios,
escogido para *proclamar* el Evangelio de Dios.
Esta Buena Nueva,
anunciada de antemano por sus profetas
en las Santas Escrituras,
se *refiere* a *su Hijo*,
que *nació* de la descendencia de David *según* la carne
y que, según el *Espíritu* Santo,
fue *constituido* Hijo de Dios, *poderoso*,
por haber *resucitado* de entre los muertos.
Por *él*, Cristo Jesús, nuestro Señor,
recibí la gracia y la *misión* de *apóstol*,
para hacer que los hombres *lleguen* a la obediencia *de la fe*
para *alabar* su nombre.
Me ha *enviado* al mundo de los paganos
al que pertenecen *también* ustedes, los de Roma
y a los que Cristo Jesús ha *llamado*;

Entona con la debida solemnidad esta sencilla presentación que el apóstol hace de sí mismo a la Iglesia de Roma.

Haz una breve pausa antes de referir esta vibrante profesión de fe en Jesús, verdadero Dios y verdadero hombre.

Resalta con un tono sincero y fraterno la confesión que Pablo hace sobre los encargos que Cristo Jesús le ha confiado.

La confesión principal que hace el apóstol versa sobre la plena humanidad, y la plena divinidad de Jesús. Éste, como verdadero hombre, procede del linaje de David, y como verdadero hijo de Dios, ha sido revestido de plenos poderes a partir de su resurrección.

EVANGELIO **Este relato que san Mateo nos transmite sobre el nacimiento de Jesús complementa la versión que sobre el particular nos ofrece el Evangelio de Lucas. Mientras que en Lucas la destinataria del anuncio es María, en esta narración el mensaje va destinado a José, el prometido de María. Esta pareja habia ya quedado prometida por la celebración de los esponsales, pero no había llegado el tiempo de que cohabitarán juntos y, sin embargo, la prometida había quedado encinta.**

Lo que pretende explicarnos esta narración es la pregunta siguiente: ¿quién es Jesús? Ya en el listado de la genealogía, que antecede a esta narración, se nos ha dicho que Jesús proviene del linaje de Abrahám y del linaje de David, por lo cual es un verdadero israelita y un legítimo heredero de las promesas hechas a David. Ahora en este anuncio de nacimiento, se nos proclama lo esencial de la fe cristiana acerca de la identidad de Jesús: él es el Hijo de Dios porque ha sido concebido no por la intervención de José, sino por la fuerza del Espíritu Santo.

José, que era un hombre justo, no podía aceptar como suyo a un hijo cuyo origen era desconocido. Por eso, había determinado repudiar a su prometida en secreto. Fue necesaria la intervención del ángel para persuadirle de que diera el respaldo legal al hijo de su prometida, y así dándole un nombre, colaboraría en el nacimiento del que sería el verdadero salvador que vendría a rescatar a su pueblo del pecado y la opresión.

II LECTURA continuación LM

A *todos* ustedes, los que viven en Roma,
a quienes Dios *ama* y ha llamado *a la santidad*,
les deseo *la gracia y la paz* de Dios, nuestro *Padre*,
y de Jesucristo, *el Señor*.

EVANGELIO Mateo 1,18–24 LM

Lectura del santo Evangelio según san Mateo

Cristo vino al mundo de la siguiente manera:
Estando *María*, su madre, *desposada* con José,
y *antes* de que vivieran juntos,
sucedió que clla, por obra *del Espíritu Santo*,
estaba *esperando* un hijo.
José, su esposo, que era hombre *justo*,
no queriendo ponerla *en evidencia*, pensó dejarla *en secreto*.
Mientras pensaba *en estas cosas*,
un ángel del Señor le dijo en sueños:
"José, *hijo* de David, *no dudes* en recibir en tu casa
a María, tu esposa,
porque ella *ha concebido* por obra *del Espíritu Santo*.
Dará a luz un hijo *y tú* le pondrás el nombre *de Jesús*,
porque *él salvará* a su pueblo de sus pecados".
Todo esto sucedió
para que *se cumpliera* lo que había *dicho* el Señor
por boca del profeta Isaías:
He aquí que la virgen *concebirá* y *dará a luz* un hijo,
a quien pondrán el nombre de *Emmanuel*,
que quiere decir *Dios-con-nosotros*.
Cuando José *despertó* de aquel sueño,
hizo lo que le *había mandado* el ángel del Señor
y *recibió* a su esposa.

II LECTURA continuación LEU

a *ustedes* a quienes Dios *quiere*
y que fueron *llamados* a ser santos.
Tengan, pues, *gracia y paz* de parte de Dios, nuestro *Padre*,
y de Cristo Jesús, el *Señor*.

Termina la lectura con un tono efusivo que exprese el sincero afecto que el apóstol siente por sus lectores.

EVANGELIO Mateo 1,18–24 LEU

Lectura del santo Evangelio según san Mateo

El *nacimiento* de Jesucristo fue así.
Su madre *María* estaba *comprometida* con José.
Pero, *antes* de que vivieran juntos,
quedó esperando por *obra* del Espíritu Santo.
José, su esposo, era un hombre *excelente*,
y *no* queriendo *desacreditarla*,
pensó firmarle en *secreto* un acta de divorcio.
Estaba *pensando* en esto,
cuando el Ángel del Señor se le apareció en *sueños* y le dijo:
"José, *descendiente* de David,
no temas llevar a tu casa a María, tu esposa,
porque la criatura que espera es *obra* del Espíritu Santo.
Y dará a luz un *hijo*,
al que *pondrás* el nombre de *Jesús*,
porque él *salvará* a su pueblo de sus pecados.
Todo esto ha pasado para que se *cumpliera* lo que había dicho *el Señor*
por boca del profeta *Isaías*:
Sepan que una *virgen concebirá*
y *dará a luz* un hijo
y los hombres to llamarán *Emanuel*,
que significa: *Dios-con-nosotros*".
Con esto,
al despertarse José, *hizo* lo que el Ángel del Señor le había *ordenado*
y *recibió* en su casa a su esposa.

Proclama este maravilloso relato con la voz convencida y segura que lo haría un testigo ocular de los eventos referidos. Refiere con calma cada uno de los detalles del drama interior que está viviendo José.

Reproduce la voz del ángel con un tono persuasivo y familiar, que transmita confianza y certidumbre al interesado.

Proclama con alegría la noticia del nombre del niño y el profundo significado que encierra.

Concluye la narración con voz satisfecha que destaque la solución positiva que alcanzaron las cosas, gracias a la buena voluntad de José.

NATIVIDAD DEL SEÑOR, MISA DE LA VIGILIA

I LECTURA Isaías 62,1–5 LM

Lectura del libro del profeta Isaías

Por *amor* a Sión *no me callaré*
y por *amor* a Jerusalén no me daré reposo,
hasta que *surja* en ella *esplendoroso* el justo
y *brille* su salvación como *una antorcha.*
Entonces las naciones *verán* tu justicia,
y tu gloria *todos* los reyes.
Te llamarán con un nombre *nuevo,*
pronunciado por la *boca del Señor.*
Serás *corona* de gloria en la mano del Señor
y *diadema real* en la palma de su mano.
Ya *no* te llamarán "*Abandonada*", ni a tu tierra, "*Desolada*";
a *ti* te llamarán "*Mi complacencia*"y a tu tierra, "*Desposada*",
porque el Señor se ha complacido *en ti*
y se *ha desposado* con tu tierra.
Como un *joven* se desposa con una doncella,
se desposará contigo tu hacedor;
como el esposo *se alegra* con la esposa,
así se alegrará tu Dios *contigo.*

I LECTURA En la primera parte de este poema nupcial una voz anónima que semeja la de un centinela que resguarda la ciudad, hace una promesa en voz alta donde se autoimpone la tarea de pregonar y cantar su amor entrañable por la amada ciudad de Sión, y efectivamente a partir del versículo segundo comienza a entonar su cántico de frente a la ciudad de Jerusalén. Lo primero que le anuncia es que será "rebautizada" con un nombre nuevo que el Señor mismo le impondrá: "mi complacencia".

Le confía además que Dios volverá a establecer con ella una relación perdurable y duradera. Por voz de este pregonero, Dios se manifiesta como un marido enamorado, que se desposa nuevamente con la mujer que había repudiado, y lo hace sin ponerle condición alguna para el reencuentro. Al proceder con esa enorme apertura, Dios manifiesta la naturaleza de su amor por Israel. Es un amor incondicional que olvida los agravios y se goza en el perdón.

Al actualizar este cántico amoroso podemos aprender que el amor humano cuando es auténtico, es un reflejo del amor de Dios, y que por tanto se sobrepone a los desengaños, se renueva y rejuvenece cuando perdona y olvida los agravios cometidos por el otro.

II LECTURA Hechos 13,16–17.22–25 LM

Lectura del libro de los Hechos de los Apóstoles

Al llegar *Pablo* a Antioquía de Pisidia,
se puso de pie en la sinagoga
y haciendo una señal para que *se callaran*, dijo:
"*Israelitas* y cuantos temen a Dios, *escuchen*:
el Dios del pueblo de Israel *eligió* a nuestros padres
y *engrandeció* al pueblo,
cuando éste vivía como *forastero* en Egipto.
Después los sacó de ahí con *todo* poder.
Les dio por rey *a David*, de quien hizo esta alabanza:
He hallado a David, hijo de Jesé, hombre *según* mi corazón,
quien realizará *todos* mis designios".
Del *linaje* de David, *conforme* a la promesa,
Dios *hizo nacer* para Israel un salvador: *Jesús*.

II LECTURA Éste es el primero de los discursos misioneros proclamados por san Pablo que nos refiere el autor de los Hechos de los Apóstoles. Esta proclama tiene lugar durante el primero de los viajes misioneros realizados por san Pablo. En esta ocasión él fue incorporado a la misión por Bernabé, a quien podemos considerar como el primero de los profetas que animaban y conducían a la dinámica Iglesia de Antioquia.

Ya en la sinagoga de Antioquia de Pisidia, es Pablo quien toma la palabra para dirigirse a sus hermanos, y les hace un

I LECTURA Isaías 62,1–5 LEU

Lectura del libro del profeta Isaías

Por amor a *Sión no* me callaré,
por *Jerusalén* no quedaré *tranquilo*
hasta que su *justicia* se haga *claridad*
y su salvación *brille* como antorcha.
Verán tu justicia las *naciones*
y los reyes *contemplarán* tu gloria
y te llamarán con tu nombre *nuevo*,
el que el *Señor* te habrá dado.
Y serás una corona *preciosa* en manos del Señor,
un *anillo* real en el dedo de tu *Dios*.
No te llamarán más "*Abandonada*",
ni a tu tierra "*Desolada*",
sino que te llamarán "*Me gusta*"
y a tu tierra "*Desposada*".
Porque el *Señor* se complacerá en ti
y tu *tierra* tendrá un esposo.
Como un joven se *casa* con una muchacha *virgen*,
así el que te *formó* se casará *contigo*,
y como el esposo goza con su *esposa*,
así harás las *delicias* de tu Dios.

Recita en voz alta y con mucha seguridad estas promesas animosas que este cantor anónimo proclama en honor de Jerusalén.

Modula de manera contrastante tu voz para que expreses una clara diferencia entre los títulos humillantes que habían sido dados a la ciudad y las nuevas expresiones cariñosas con las cuales será invocada en lo sucesivo.

Proclama estas imágenes cargadas de un amor auténtico con el optimismo de quien cree vivamente en la hermosura del gozo matrimonial.

II LECTURA Hechos 13,16–17.22–25 LEU

Lectura del libro de los Hechos de los Apóstoles

Al llegar a *Antioquía* de Pisidia,
Pablo se puso en pie en la sinagoga,
hizo señal con la mano y dijo:
"Hijos de Israel y también ustedes
que temen a Dios, escuchen:
El Dios de Israel, nuestro pueblo, eligió a nuestros padres,
y después que hizo prosperar a sus hijos
durante su permanencia en Egipto,
los sacó de allí triunfalmente.
Después Dios *rechazó* a Saúl y les dio por *rey* a *David*,
de quien dio este testimonio:
'*Encontré* a David, hijo de Jesé, un hombre a mi *gusto*,
que actuará en todo *según* mis planes'.

Recita este acercamiento de Pablo a sus hermanos judíos con la certidumbre y seguridad que lo haría un testigo presencial que recogió cuidadosamente sus palabras.

Dirígete a la asamblea con voz respetuosa, quien habla se siente hermanado con los oyentes por la vinculación con los sucesos históricos que vivieron sus antepasados.

repaso apresurado de los principales eventos salvíficos registrados en la historia de su pueblo. El predicador resalta aquellos temas y acontecimientos que le permiten exponer el anuncio central de la fe cristiana: la oferta universal de salvación que Dios regala a cuantos reciban y crean en el Mesías Jesús como su Salvador.

San Pablo concluye su discurso con un cita exacta y precisa de las palabras que el Evangelio de Lucas pone en boca del Bautista al momento de su predicación (ver Lucas 3,16). Esta cita viene al caso para confirmar, por medio de la autoridad profética que el pueblo judío reconocía a Juan Bautista, la supremacía de Jesús con relación a todos los profetas y enviados que le habían antecedido.

EVANGELIO **El relato del Evangelio de Mateo que se proclama en la celebración de la Vigilia de Navidad está compuesto de dos partes. Primero, nos encontramos con una lista de nombres célebres y famosos que recogen la genealogía de Jesús (ver Mateo 1,1–17). En la segunda parte, se nos narra la manera cómo José es advertido del próximo nacimiento de Jesús (ver Mateo 1,18–25).**

En cuanto a la genealogía, podemos afirmar que Mateo busca arraigar firmemente a Jesús en el pueblo de las promesas. Por eso, comienza presentándolo como auténtico hijo de Abraham y de David. Enseguida va conectando por vía paterna, a cada uno de los miembros de las distintas generaciones hasta llegar al nacimiento de Jesús.

En cada uno de los nexos con que va vinculando a las distintas generaciones, se usa el verbo engendrar, pero extrañamente al llegar al último versículo. Esta palabra desaparece, mostrando así un dato verdaderamente importante: José no fue el padre biológico de Jesús, sino su padre legal, tal como lo explicará la segunda parte del relato.

En la segunda parte, el anuncio de nacimiento enfatiza una convicción bastante difundida en la iglesia primitiva, según la cual

II LECTURA continuación M

Juan *preparó* su venida,
predicando *a todo* el pueblo de Israel
un bautismo *de penitencia*,
y hacia el *final* de su vida, Juan decía:
"Yo *no soy* el que ustedes piensan.
Después de mí viene uno a quien *no merezco*
desatarle las sandalias".

EVANGELIO Mateo 1,1–25 M

Lectura del santo Evangelio según san Mateo

Genealogía de Jesucristo, hijo de David, hijo *de Abraham*:
Abraham *engendró* a Isaac, Isaac a Jacob,
Jacob a Judá *y a sus hermanos*;
Judá engendró de Tamar a *Fares* y a Zará;
Fares a Esrom, *Esrom* a Aram, *Aram* a Aminadab,
Aminadab a *Naasón*, *Naasón* a Salmón,
Salmón engendró de Rajab a *Booz*;
Booz engendró de Rut a Obed, *Obed* a Jesé, y Jesé *al rey David*.
David engendró de la mujer de Urías *a Salomón*,
Salomón a Roboam, *Roboam* a Abiá, Abiá a *Asaf*, Asaf a *Josafat*,
Josafat a Joram, *Joram* a Ozías, *Ozías* a Joatam,
Joatam a Acaz, Acaz a *Ezequías*,
Ezequías a Manasés, *Manasés* a Amón, Amón *a Josías*,
Josías engendró a Jeconías y a sus hermanos,
durante e*l destierro en Babilonia*.
Después del destierro en Babilonia,
Jeconías engendró a Salatiel, *Salatiel* a Zorobabel,
Zorobabel a Abiud,
Abiud a Eliaquim, *Eliaquim* a Azor, Azor a Sadoc,
Sadoc a Aquim,
Aquim a Eliud, *Eliud* a Eleazar, *Eleazar* a Matán, Matán a *Jacob*,
y Jacob *engendró a José*, el esposo *de María*,
de la cual nació *Jesús*, llamado *Cristo*.
De modo que *el total* de generaciones
desde Abraham *hasta* David, es de *catorce*;
desde David *hasta* la deportación a Babilonia, es de *catorce*,
y de la deportación a Babilonia *hasta Cristo*, es de *catorce*.

II LECTURA continuación LEU

Ahora bien, de la *familia* de *David*,
Dios ha hecho salir un *Salvador* para Israel,
como lo había *prometido*: ése es Jesús.
Antes que se manifestara,
Juan proclamó a *todo* el pueblo de Israel un bautismo de *conversión*.
Y cuando Juan *terminaba* su carrera decía:
'No soy lo que ustedes piensan,
pero sepan que *detrás* de mí *viene*
aquél a quien no soy digno de desatarle el calzado'".

Pausa ligeramente y crea un breve compás de espera. Atrae la atención de tus oyentes y entonces proclama con gran énfasis la parte central del discurso paulino: Jesús es el Salvador de Israel.

Concluye la lectura refiriendo de manera pausada las palabras con que Juan Bautista se refiere a Jesús.

EVANGELIO Mateo 1,1–25 LEU

Lectura del santo Evangelio según san Mateo

[Éstos fueron los *antepasados* de Jesús,
hijo de David e hijo de Abraham.
Abraham fue *padre* de Isaac, y éste de Jacob.
Jacob fue *padre* de Judá y de sus hermanos.
De la unión de Judá y dc Tamar *nacieron* Farés y Zera.
Farés fue *padre* de Esrón.
Luego *encontramos* a Aram, Aminadab, Naasón y Salmón.
Salmón fue *padre* de Booz y Rahab fue la *madre*.
Booz y Rut fueron *padres* de Obed.
Obed fue *padre* de Jesé y *éste* del rey David.
David y la que había sido esposa de Urías,
fueron los padres de *Salomón*.
Salomón fue padre de *Roboam*, que fue padre de Abías,
y luego vienen los reyes Abías, Asá, Josafat, Joram,
Ocías, Joatán, Ajaz, Ezequías, Manasés, Amón y Josías.
Josías fue padre de Jeconías y de sus *hermanos*,
en tiempo del destierro a Babilonia.
Y, *después* del destierro a *Babilonia*,
Jeconías fue padre de Salatiel y éste de Zorobabel.
A continuación vienen Abiud, Eliacim, Azor, Sadoc, Aquim,
Eliud, Eleazar, Matán y Jacob.
Jacob fue padre de *José*, esposo de *María*,
y de María nació Jesús, llamado también Cristo.
De modo que las generaciones desde *Abraham* a David
son *catorce*,
catorce las de David *hasta* el destierro de Babilonia
y catorce *desde* este destierro hasta *Cristo*.]

Antes de proclamar la lectura, se recomienda que la prepares cuidadosamente, tratando de familiarizarte con los extraños nombres que aparecen en la genealogía. Procura leerlos pausadamente y sin tropiezos.

Resalta con mayor énfasis el versículo dedicado a presentar la última generación, la que va de José a Jesús.

Haz una pausa entre la lista genealógica y el anuncio referido a José. Introduce el relato pronunciando claramente el subtitulo siguiente: "El nacimiento de Jesucristo fue así".

se tenía la certidumbre de que la maternidad de María no había sido fruto natural de su unión con José, sino el resultado de la acción misteriosa del Espíritu Santo en el vientre de María.

Tal como nos refiere el evangelista la pareja formada por José y María solamente había celebrado los esponsales, es decir, habían quedado prometidos el uno al otro, sin cohabitar todavía juntos. Esto empezarían a hacer el día de la celebración de la boda.

Lo que resulta muy perturbador para José es que sin haber vivido juntos, su prometida estuviera esperando un hijo. Por esa razón, él había tomado la firme determinación de repudiarla en secreto. Esos planes quedarían frustrados cuando el ángel revela, por medio de los sueños, el origen del embarazo de María y le invita además a asumir la paternidad del hijo de su prometida.

Enseguida, el enviado celeste informa a José cuál será el nombre que deberá imponer a su hijo, y le explica la misión específicamente religiosa que el Emmanuel cumplirá: salvar a su pueblo de la opresión del pecado. Finalmente, como es costumbre en el primer evangelista, nos presenta el nacimiento de Jesús como el cumplimiento pleno de las promesas hechas en la Escritura. Jesús es el verdadero Emmanuel, la presencia efectiva de Dios en medio de su pueblo. Cabe decir que este tema abre y cierra la presentación que el Evangelio de Mateo hace de Jesús (ver Mateo 1,23 y 28,20).

EVANGELIO continuación LM

Cristo vino al mundo de la siguiente *manera*:
Estando *María*, su madre, *desposada* con José,
y *antes* de que vivieran juntos,
sucedió que *ella*, por obra del *Espíritu Santo*,
estaba esperando *un hijo*.
José, su esposo, que era *hombre justo*,
no queriendo ponerla *en evidencia*,
pensó dejarla en secreto.
Mientras pensaba en estas cosas,
un *ángel* del Señor le dijo *en sueños*:
"*José*, hijo de David,
no dudes en recibir en tu casa *a María*, tu esposa,
porque *ella* ha concebido por *obra del Espíritu Santo*.
Dará a luz *un hijo* y tú le pondrás el nombre *de Jesús*,
porque *él salvará* a su pueblo *de sus pecados*".
Todo esto sucedió
para que *se cumpliera* lo que había dicho *el Señor*
por boca del profeta *Isaías*:
He aquí que la virgen *concebirá* y *dará a luz* un hijo,
a quien pondrán el nombre de *Emmanuel*,
que quiere decir *Dios-con-nosotros*.
Cuando José *despertó* de aquel sueño,
hizo lo que *le había mandado* el ángel del Señor
y *recibió* a su esposa.
Y *sin que él* hubiera tenido *relaciones* con ella,
María dio a luz un hijo y *él* le puso por nombre *Jesús*.

EVANGELIO continuación

L E U

El nacimiento de Jesucristo fue así:
Su madre María estaba *comprometida* con *José*.
Pero, *antes* de que vivieran juntos,
quedó esperando por obra del *Espíritu* Santo.
José, su esposo, era un hombre *excelente*,
y no queriendo *desacreditarla*,
pensó firmarle en secreto un acta de *divorcio*.
Estaba pensando *en esto*,
cuando el ángel del Señor se le *apareció* en sueños y le dijo:
"*José*, descendiente de *David*,
no temas llevar a tu casa a María, tu esposa,
porque la criatura que espera es *obra* del Espíritu Santo.
Y dará a luz un *hijo*,
al que pondrás el nombre de *Jesús*,
porque él *salvará* a su pueblo de sus pecados.
Todo esto ha pasado para que se *cumpliera*
lo que había dicho el *Señor*
por boca del profeta Isaías:
Sepan que una *virgen concebirá*
y *dará a luz* un hijo
y los hombres lo llamarán *Emanuel*,
que significa: '*Dios-con-nosotros*'".
Con *esto*,
al despertarse José, hizo lo que el Ángel del Señor
le había *ordenado*
y *recibió* en su casa a su esposa.
Y sin que tuvieran *relaciones*, dio a luz a un *hijo*
al que José puso el nombre de Jesús.

Comparte las siguientes informaciones con tus lectores y explícales la situación difícil en que se debatía el prometido de María.

Proclama el mensaje transmitido por el ángel con voz persuasiva y segura. Procura convencer a José para que asuma la paternidad de Jesús.

Concluye tu proclamación con ánimo radiante y gozoso. Refleja en tu voz la alegría que produce en los cristianos el nacimiento de Jesús.

NATIVIDAD DEL SEÑOR, MISA DE MEDIANOCHE

I LECTURA El profeta Isaías proclama este oráculo considerando que tiene delante de sí diferentes interlocutores. Comienza en el versículo primero usando un tono un tanto neutral e impersonal, propio para narrar eventos ajenos. Enseguida cambia de perspectiva en los versículos 2–4, y dirige a Dios un sincero reconocimiento por los formidables hechos cumplidos a favor de su pueblo, para pasar en los versículos restantes a celebrar como portavoz de su pueblo, el evento más importante, el del nacimiento de un hijo de David, que ha venido al mundo para salvar a su pueblo.

El profeta tiene tanta certidumbre de que esos eventos salvíficos se cumplirán que decide narrarlos como si ya hubieran ocurrido en el pasado. De hecho, Isaías está entonando una oración de acción de gracias a Dios por unos beneficios que parecería ya hubieran sido recibidos por su pueblo, pero la maravillosa liberación anunciada por Isaías no llegaría a cumplirse en el contexto histórico próximo, sino que quedaría como una profecía abierta hacia el pleno cumplimiento en el futuro inaugurado por el Mesías.

El profeta nos comparte el advenimiento de un nuevo tiempo, que estará lleno de paz y consolación, en el cual cesará la guerra y la opresión. Será una victoria equiparable a la obtenida por Gedeón cuando liberó a la tribu de Manases de la terrible opresión impuesta por los madianitas. Isaías alude a esa batalla porque entonces quedó patente que fue el Señor quien les dio la victoria y no los escasos 300 soldados acaudillados por Gedeón. Este niño recién nacido también establecerá la paz y la justicia definitivas.

Los primeros cristianos aplicaron sin vacilar esta profecía a Cristo y nos heredaron esa interpretación como una pista segura para abrir las puertas a la esperanza que renace con la gozosa celebración de la Natividad del Señor.

I LECTURA Isaías 9,1–3.5–6 LM

Lectura del libro del profeta Isaías

El pueblo que caminaba en tinieblas *vio* una *gran luz*;
sobre los que *vivían* en tierra de sombras,
una luz *resplandeció*.
Engrandeciste a tu pueblo e hiciste *grande* su alegría.
Se gozan en tu presencia como gozan *al cosechar*,
como *se alegran* al repartirse el botín.
Porque tú *quebrantaste* su *pesado* yugo,
la barra que *oprimía* sus hombros
y *el cetro* de su tirano, como en el *día* de Madián.
Porque un niño *nos ha nacido, un hijo* se nos ha dado;
lleva sobre sus hombros *el signo* del imperio y su nombre será:
"Consejero *admirable*", "Dios *poderoso*",
"*Padre* sempiterno", "*Príncipe* de la paz";
para *extender* el principado con una paz *sin límites*
sobre el *trono* de David y sobre su reino;
para *establecerlo* y consolidarlo con *la justicia* y el derecho,
desde *ahora* y *para siempre*.
El *celo* del Señor lo *realizará*.

I LECTURA Isaías 9,1–6 L E U

Lectura del libro del profeta Isaías

Al pueblo de los que caminan en la *noche*,
se le apareció una luz *intensa*;
a los que vivían en el oscuro país de la muerte,
la luz se les acercó.
Tú los has bendecido y multiplicado,
los has colmado de alegría,
por eso están de fiesta y te celebran,
como los segadores al terminar la cosecha,
como los combatientes después de la victoria.
El yugo que *soportaban*, y la vara sobre sus *espaldas*,
el *látigo* de su capataz,
tú los *quiebras* como en el día de *Madián*.
Porque un niño nos ha *nacido*,
un hijo se nos ha *dado*
que vendrá con mucho *poder*.
Y de él dirán:
"*Éste* es el Consejero admirable, el Héroe *divino*,
el *Padre* que no muere, el *príncipe* de la Paz".
Su imperio no tiene *límites*,
y, en adelante, no habrá sino paz
para el Hijo de David y para su *reino*.
Él lo *establece* y lo *sostiene*
por el *derecho* y la *justicia*,
desde *ahora* y para *siempre*.
Esto se hará *realidad* por el amor *celoso* del Señor.

Presenta con voz progresivamente emocionada la serie de eventos magníficos que llenarán de luz a un pueblo atrapado en las tinieblas. Anuncia con mucho énfasis el cuarto renglón: la aparición de la luz que inunda a Israel.

Proclama esta alabanza de acción de gracias con enorme gratitud. Recuerda que estás agradeciendo a Dios un enorme regalo: la encarnación del Verbo.

Pronuncia con voz suave y reposada el anuncio central que refiere el nacimiento del niño Jesús. Celebra y pregona con voz gozosa este anuncio esperanzador que nos proclama la liturgia de la Natividad.

Describe con optimismo y seguridad las características del reino incomparable que está por inaugurarse a partir de este nacimiento.

II LECTURA Tito 2,11–14 LM

Lectura de la carta del apóstol san Pablo a Tito

Querido hermano:
La *gracia* de Dios se *ha manifestado*
para salvar a *todos* los hombres
y nos ha enseñado *a renunciar*
a la irreligiosidad y a los deseos mundanos,
para que vivamos, ya *desde ahora*,
de una manera *sobria*, justa y fiel a Dios,
en espera de la *gloriosa* venida del *gran* Dios y salvador,
Cristo Jesús, *nuestra* esperanza.
Él se entregó por nosotros para redimirnos
de *todo* pecado y purificarnos,
a fin de convertirnos en *pueblo suyo*,
fervorosamente entregado a practicar el bien.

II LECTURA **Esta breve carta, al igual que las otras dos destinadas a Timoteo, forman un conjunto armónico que ha sido denominado con el nombre de "cartas pastorales". Aunque aparecen como testamentos enviados por el apóstol san Pablo a dos de sus colaboradores más cercanos, son en realidad escritos elaborados por un discípulo anónimo del apóstol que, valiéndose de algunas tradiciones originales de san Pablo, intenta auxiliar a las comunidades cristianas de finales del primer siglo, para que superen las crisis y tensiones surgidas por la propagación de doctrinas y enseñanzas equivocadas.**

Las comunidades son instruidas por el autor a fin de que se organicen cuidadosamente y se defiendan de las amenazas que están debilitando su fidelidad al Señor. La carta de Tito en particular dedica un gran espacio a la transmisión de recomendaciones y sugerencias de tipo práctico, encaminadas a asegurar una buena organización de la vida comunitaria. Sin embargo, también contiene enseñanzas doctrinales importantes, entre las que sobresale el párrafo que se nos propone en esta celebración (Tito 2,11–14) y el que encontramos en la celebración de la misa de la Aurora (Tito 3,4–7).

Este breve párrafo es una magnífica síntesis cristológica en la cual el autor acomoda el momento actual que viven las Iglesias presididas por Tito, es decir, en medio de las dos epifanías o manifestaciones patentes de Jesús: la primera que ya ha sido cumplida en la encarnación y la segunda que se aproxima en el día de la parusía. La encarnación de Cristo es y continúa siendo un acontecimiento que acarrea salvación universal. La parusía es esperanza de gloria y felicidad para todos los creyentes que se mantienen fieles a Jesús.

II LECTURA Tito 2,11–14 LEU

Lectura de la carta del apóstol san Pablo a Tito

Vino a este mundo la *gracia* de Dios,
trayendo la *salvación* a todos los hombres
y educándonos para que *aprendamos* a rechazar la *maldad*
y los deseos *mundanos*,
y vivamos así en este mundo como seres *responsables*, *justos*
y que *sirven* a Dios.
Pues esperamos el día *feliz* en que se *manifestará* con su *gloria*
nuestro *magnífico* Dios y Salvador *Cristo* Jesús.
Él se *sacrificó* por nosotros
y, de esa manera, nos *liberó* de las fuerzas del *pecado*
y *purificó* a su pueblo,
un pueblo que le *pertenece*
y que no desea *otra cosa* que hacer el *bien*.

Habla de manera decidida, con la certeza de saber que eres uno de los que han sido salvados por el nacimiento de Jesucristo.

Manifiesta un gozo y un anhelo sincero de reencontrarte con el Señor glorioso.

Proclama este versículo final con un tono agradecido. Recítalo como una firme confesión de fe sobre el valor expiatorio de la muerte de Cristo.

PRACTICA LA PRONUNCIACIÓN

• Antes de leer frente a la asamblea, debes ensayar a solas delante de un espejo.

• Practica la pronunciación varias veces, recordando que el idioma español es silábico, es decir, que cada sílaba se pronuncia claramente, distinguiendo bien las vocales.

• Si te resulta difícil pronunciar una palabra, divídela en sílabas y empieza a pronunciar desde el final hacia el principio. Ejemplo: "Tesaloni*cen*ses" = Te-sa-lo-ni-*cen*-ses. Di: "censes" (tres veces); ni-cen-ses (tres veces); sa-lo-ni-cen-ses (tres veces); Te-sa-lo-ni-cen-ses (tres veces o más). Repite despacio cada parte hasta que te sientas cómodo diciendo la palabra a un ritmo normal.

• Los acentos escritos indican donde se encuentra la sílaba más fuerte: prác-ti-co; prac-ti-có; di-fí-cil. Si no hay acento escrito, ha de notar que:

Si la palabra termina en vocal, o "n" o "s", la sílaba más fuerte es la penúltima: ter-*mi*-na; a-*cen*-tos; in-*di*-can.

Si la palabra termina en consonante (que no sea "n" ni "s"), la sílaba fuerte es la última: vo-*cal;* lu-*gar.*

EVANGELIO **El censo ordenado por el emperador romano Augusto le sirve a san Lucas para hacer llegar a José y María hasta Belén. El mandato del césar es la ocasión oportuna para llevar a pleno cumplimiento las profecías que señalaban a la pequeña aldea llamada Belén, como el sitio donde habría de nacer el Mesías prometido (ver Miqueas 5,1). Los proyectos de dominio universal del emperador romano quedarían supeditados al proyecto divino. Según el evangelista, no fue Augusto, el supuesto artífice de la *pax romana,* quien habría de traer una paz auténtica y duradera, sino el Dios y Padre de Jesús, quien salvaría a su pueblo y llenaría de paz a la humanidad entera, sin recurrir a la fuerza. Lo estaba haciendo en cambio por la presencia modesta de un niño, nacido en la sencilla familia de unos viajeros que pasan la noche en una cueva, donde se acostumbraba encerrar al ganado.**

Lucas presenta a Jesús como una persona pobre y humilde desde el primer instante de su vida, y así continuará haciéndolo a lo largo de todo el Evangelio. El hecho de que los primeros destinatarios del mensaje de salvación sean los pastores está en continuidad con esa predilección del Evangelio de Lucas por presentar a las personas de condición humilde, como los oyentes más receptivos de la buena nueva de liberación traída por Jesús.

El anuncio angélico transmitido a los pastores invita a alegrarse, y el motivo es digno de entusiasmo. Por fin han llegado a su pleno cumplimiento las profecías antiguas que anunciaban el nacimiento de un Mesías que salvaría al pueblo de todas las penas y humillaciones sufridas durante siglos de dominio y opresión. Ese niño recién nacido empezaría a salvar sin humillar, a rescatar sin aniquilar al adversario, su nacimiento es el comienzo de la paz universal, no la paz mentirosa impuesta por los césares romanos o por los presidentes del país más poderoso del mundo, sino la paz de Dios, fincada en el respeto y la dignidad de cada persona y cada pueblo.

EVANGELIO Lucas 2,1–14 L M

Lectura del santo Evangelio según san Lucas

Por *aquellos* días,
se *promulgó* un edicto de César Augusto,
que *ordenaba* un censo de *todo* el imperio.
Este *primer* censo se hizo cuando *Quirino*
era gobernador de Siria.
Todos iban a empadronarse, *cada uno* en su *propia* ciudad;
así es que *también* José,
perteneciente a la casa y familia *de David*,
se dirigió *desde* la ciudad de *Nazaret*, en Galilea,
a la ciudad de David, llamada *Belén*, para *empadronarse*,
juntamente con María, *su esposa*, que estaba *encinta*.
Mientras estaban ahí, *le llegó* a María el tiempo de *dar a luz*
y tuvo a su hijo *primogénito*;
lo *envolvió* en pañales y *lo recostó* en un pesebre,
porque *no hubo* lugar para ellos en la posada.
En *aquella* región había unos pastores
que pasaban la noche en el campo,
vigilando *por turno* sus rebaños.
Un *ángel* del Señor se les apareció
y *la gloria* de Dios los *envolvió* con su luz
y *se llenaron* de temor.
El *ángel* les dijo: "*No teman*. Les traigo una *buena* noticia,
que causará *gran* alegría a *todo* el pueblo:
hoy les ha nacido, en la ciudad de David, *un salvador*,
que es el *Mesías, el Señor*.
Esto les servirá *de señal*:
encontrarán al niño *envuelto* en pañales
y *recostado* en un pesebre".
De pronto se le unió al ángel *una multitud* del ejército celestial,
que *alababa* a Dios, diciendo: "¡*Gloria* a Dios en el cielo,
y en la tierra *paz* a los hombres *de buena* voluntad!"

EVANGELIO Lucas 2,1–14 LEU

Lectura del santo Evangelio según san Lucas

En esos días, el *emperador* dictó *una ley*
que *ordenaba* hacer un censo en *todo* el imperio.
Este *primer* censo se hizo cuando Quirino
era gobernador de la Siria.
Todos iban a inscribirse a sus respectivas ciudades.
También José, como era *descendiente* de *David*,
salió de la ciudad de *Nazaret* de Galilea y *subió* a *Judea*,
a la ciudad de *David*, llamada *Belén*,
para *inscribirse* con María, su esposa,
que estaba *embarazada*.
Cuando estaban en Belén, le llegó el *día*
en que debía tener su hijo.
Y dio a luz a su *primogénito*,
lo *envolvió* en pañales y lo *acostó* en un *pesebre*,
porque no habían hallado *lugar* en la posada.
En la región había *pastores* que vivían en el *campo*
y que por la noche se turnaban para *cuidar* sus rebaños.
El *ángel* del Señor se les *apareció*,
y los rodeó de claridad la *gloria* del *Señor*,
y todo esto les produjo un *miedo* enorme.
Pero el ángel les dijo: "*No teman*,
porque yo vengo a *comunicarles* una buena *nueva*
que será motivo de *mucha* alegría para *todo* el pueblo.
Hoy *nació* para ustedes en la *ciudad* de David un *Salvador*
que es *Cristo* Señor.
En esto lo reconocerán:
hallarán a un niño recién nacido, envuelto en pañales
y *acostado* en un pesebre".
De pronto aparecieron otros *ángeles*
y *todos* alababan a Dios, diciendo:
"*Gloria* a Dios en lo más alto del cielo,
y en la tierra *gracia y paz* a los hombres".

Recita esta introducción inicial con la voz propia de un narrador que registra acontecimientos verdaderamente trascendentales.

Relata estos sucesos ocurridos en Belén con la familiaridad que te da el haber sido testigo ocular de los mismos.

Haz una breve pausa antes de pasar a la escena de los pastores. Resalta con voz jubilosa el anuncio transmitido por el ángel a los pastores.

Comparte con voz amigable la señal que el ángel ofrece a los pastores para que encuentren al niño.

Culmina la lectura, proclamando con mucho vigor el sonoro verso final con que los ángeles glorifican a Dios.

25 DE DICIEMBRE DE 2004

NATIVIDAD DEL SEÑOR, MISA DE LA AURORA

I LECTURA En continuidad con el oráculo de salvación proclamado en la Misa de la Vigilia de la Natividad del Señor, escuchamos la feliz conclusión de este cántico matinal que entona el pregonero enviado por Dios, para resguardar y despertar a la ciudad de Sión. Particularmente, es el último versículo el que retoma algunos de los títulos referidos al inicio del capítulo.

El mensajero que había prometido no callar hasta que despuntara la aurora de la salvación está viendo colmadas sus esperanzas, porque finalmente el Señor victorioso está a las puertas de la ciudad, trayéndose consigo el preciado trofeo que consiguió al rescatar a sus hijos del oprobioso exilio en que vivían abandonados. No hay más tiempo que esperar. Los repatriados están en el umbral de las puertas de Jerusalén, y ahora sí podrá dejar de considerarse a Sión como una ciudad escarnecida y humillada.

En cada asamblea litúrgica donde se celebra el nacimiento de Jesús, se está rindiendo un homenaje de gratitud al Salvador del mundo que acaba de nacer y que llega para quedarse en medio de su pueblo.

II LECTURA En el segundo de los trozos doctrinales contenidos en la carta de Tito, Pablo celebra la abundante efusión de la misericordia y bondad divinas manifestadas con particular fuerza en el momento decisivo de la historia de salvación: la encarnación del Verbo en el vientre de María. Tal como lo expone el apóstol en todas sus cartas auténticas, aquí también destaca una de las características centrales de la salvación otorgada por Dios Padre por mediación de Cristo: la gratuidad.

Efectivamente ha sido tanta la bondad del Padre que sin fijarse en los merecimientos humanos nos llamó a participar de su vida divina. Este ofrecimiento, abierto a todos los que escuchan el pregón evangélico, es una invitación clara a participar y gozar de

I LECTURA Isaías 62,11–12 LM

Lectura del libro del profeta Isaías

Escuchen lo que el Señor hace oír
hasta el *último* rincón de la tierra:
"*Digan* a la hija de Sión:
Mira que *ya llega* tu salvador.
El premio de su victoria lo acompaña
y su *recompensa* lo precede.
Tus hijos serán llamados '*Pueblo santo*', '*Redimidos* del Señor',
y a ti te llamarán 'Ciudad *deseada*, Ciudad no abandonada'".

II LECTURA Tito 3,4–7 LM

Lectura de la carta del apóstol san Pablo a Tito

Hermano:
Al *manifestarse* la bondad de Dios, nuestro salvador,
y su *amor* a los hombres, *él* nos salvó,
no porque nosotros *hubiéramos hecho* algo *digno*
de merecerlo, sino por *su misericordia*.
Lo hizo mediante el bautismo,
que *nos regenera* y nos renueva,
por la *acción* del Espíritu Santo,
a quien Dios *derramó* abundantemente sobre nosotros,
por Cristo, *nuestro salvador*.
Así, *justificados* por su gracia, nos convertiremos en *herederos*,
cuando se realice la esperanza de la *vida eterna*.

I LECTURA Isaías 62,11–12 LEU

Lectura del libro del profeta Isaías

Oigan lo que el Señor manda publicar
hasta en el último rincón de la tierra:
Díganle a la hija de Sión:
Mira cómo ya llega tu Salvador.
Anda trayendo el premio por su victoria
y delante de él van sus trofeos.
Los llamarán a ustedes "Pueblo Santo",
"Rescatados por el Señor",
y a ti te dirán "La deseada", "Ciudad no Abandonada".

Invita a la asamblea a contagiarse de la alegría y el entusiasmo que desborda este centinela que contempla la aurora radiante de la salvación.

Entona este mensaje con ánimo gozoso, como lo harías al anunciarle a una madre el regreso de los hijos que se le habían extraviado.

Pronuncia de manera solemne y pausada cada uno de los nuevos títulos dados a la ciudad de Jerusalén.

II LECTURA Tito 3,4–7 LEU

Lectura de la carta del apóstol san Pablo a Tito

Se *manifestó* la bondad de Dios, *salvador* nuestro,
y su *amor* por los hombres.
No se fijó en lo *bueno* que hubiéramos *hecho*,
sino que solamente tuvo *misericordia* y nos salvó:
en el bautismo *nacimos* a *la Vida*,
renovados por el Espíritu Santo.
Después de que su gracia nos hizo *justos*
por medio de *Cristo* Jesús nuestro *Salvador*,
derramó *abundantemente* sobre nosotros el Espíritu Santo
para que *alcanzáramos* la vida eterna
conforme a *nuestra* esperanza.

Recita este cántico de alabanza al Padre con profunda gratitud, recuerda que tú también eres partícipe y beneficiario de la enorme misericordia divina.

Resalta con especial énfasis cada uno de los verbos que describen las acciones benéficas cumplidas por Dios a favor de sus fieles.

la bondad y misericordia de Dios hacia el género humano.

Esta manifestación de bondad divina es acogida por el ser humano al momento de profesar su fe en Jesucristo y solicitar el bautismo. Por medio del baño bautismal, se realiza el nuevo nacimiento y la infusión del Espíritu Santo en cada creyente.

EVANGELIO **Este trozo evangélico es la continuación directa del relato proclamado durante la celebración de la Misa de Medianoche. Esta escena final reporta a los lectores del Evangelio de Lucas la reacción entusiasta de los pastores que marchan decididos y presurosos a confirmar la veracidad del mensaje que les acababan de transmitir los mensajeros celestes. Al llegar al sitio señalado, confirman inmediatamente la certidumbre del extraordinario anuncio, con sus ojos azorados contemplan al recién nacido que yace humildemente en el pesebre de Belén.**

De acuerdo a la lógica misma del testimonio cristiano, los pastores, que han sido testigos oculares del nacimiento del Salvador y oyentes atentos del mensaje referido por los ángeles, se convierten de inmediato en propagadores que proclaman y comparten con los demás la experiencia gozosa de su encuentro personal con el Mesías nacido en Belén.

María aparece formando un contrapunto con la actitud de los pastores. Ella no pronuncia palabra alguna sobre lo ocurrido, sino que medita e interioriza todo cuanto ocurre. Es por eso que la reconocemos como modelo de la Iglesia, porque cumple anticipadamente la tarea de contemplar el misterio manifiesto en la persona de su Hijo Jesús.

EVANGELIO Lucas 2,15–20 LM

Lectura del santo Evangelio según san Lucas

Cuando los ángeles los dejaron para *volver* al cielo,
los pastores se dijeron *unos a otros*:
"*Vayamos* hasta Belén,
para ver *eso* que el Señor nos *ha anunciado*".
Se fueron, pues, *a toda prisa*
y encontraron a *María*, a *José*
y *al niño*, recostado en el pesebre.
Después de verlo, contaron lo que se les había dicho
de *aquel niño*, y *cuantos* los oían quedaban *maravillados*.
María, por su parte, *guardaba* todas estas cosas
y las meditaba *en su corazón*.
Los pastores se volvieron a sus campos,
alabando y glorificando a Dios
por *todo* cuanto habían *visto y oído*,
según lo que se les *había anunciado*.

EVANGELIO Lucas 2,15–20 LEU

Lectura del santo Evangelio según san Lucas

Después que los *ángeles* volvieron al cielo,
los *pastores* comenzaron a decirse unos a otros:
"*Vamos*, pues, hasta Belén y veamos lo que ha *sucedido*
y que el *Señor* nos dio a conocer".
Fueron *apresuradamente*
y hallaron a *María*, a *José* y al recién *nacido*
acostado en un pesebre.
Entonces contaron lo que los ángeles les habían *dicho*
de este niño,
y todos se *maravillaron* de lo que *decían* los pastores.
María, por su parte,
observaba *cuidadosamente* todos estos acontecimientos
y los *guardaba* en su corazón.
Después los pastores se *fueron* glorificando
y *alabando* a Dios,
porque *todo* lo que habían visto y *oído*
era *tal* como se lo habían *anunciado*.

Relata con gran entusiasmo y esperanza el exhorto recíproco que se lanzan entre sí los pastores antes de marchar a Belén.

Reporta el maravilloso encuentro de los pastores con Jesús con la certidumbre y confianza de haber sido uno de los testigos de tan singular evento.

Después de hacer una breve pausa, destaca con voz tranquila y suave la actitud contemplativa de María, la madre del Señor, que interioriza los hechos recién vividos.

Concluye la narración con voz jubilosa. Presenta a los pastores de Belén como prototipos del gozo y la gratitud. Refiere con entusiasmo la reacción gozosa y agradecida de los pastores que se marchan dando gloria a Dios.

NATIVIDAD DEL SEÑOR, MISA DEL DÍA

I LECTURA Isaías 52,7–10 L M

Lectura del libro del profeta Isaías

¡*Qué hermoso* es ver correr sobre los montes
al mensajero que *anuncia* la paz,
al mensajero que trae *la buena nueva*,
que *pregona* la salvación,
que dice *a Sión*: "Tu Dios es rey"!
Escucha:
Tus centinelas *alzan la voz* y todos a una gritan *alborozados*,
porque ven *con sus propios ojos* al Señor, que *retorna* a Sión.
Prorrumpan en gritos de alegría, *ruinas* de Jerusalén,
porque el Señor *rescata* a su pueblo, *consuela* a Jerusalén.
Descubre el Señor su santo brazo a la vista de *todas* las naciones.
Verá la tierra entera la salvación *que viene* de nuestro Dios.

I LECTURA Este oráculo profético tiene el tono festivo y alegre de los himnos de acción de gracias con los cuales el pueblo expresa su gratitud al Señor. En esta ocasión el cantor que preside la asamblea que alaba a su Dios. Está tan animoso que no sólo invita a los mismos habitantes de Sión a unirse a su aclamación, sino que también quiere contagiar a las ruinas calcinadas de Jerusalén, para que estallen de alegría por el rescate que Dios está obrando a favor de su pueblo.

Como es común al recitar una oración de acción de gracias, el orante principal expone a los presentes los motivos y razones por los cuales conviene alabar al Señor. Entre otros motivos importantes, tales como la compasión y el rescate que Dios obra a favor de su pueblo, sobresale el motivo de la contemplación íntima de Dios en medio de su pueblo ("porque ven cara a cara al Señor regresando a Sión"). Este motivo llega a su pleno cumplimiento no sólo en el momento en que se realizó la repatriación de los deportados, sino sobre todo en el acontecimiento trascendental que celebramos hoy: el nacimiento y la encarnación del Verbo.

II LECTURA En esta famosa introducción a la carta a los Hebreos, el autor pone de relieve la condición inigualable de Jesús, el Hijo de Dios, como mediador y plenitud de la revelación. La encarnación de Jesús es un evento que se inserta en la historia concreta de un pueblo, y que viene a dar continuidad y cumplimiento a una serie de manifestaciones previas que Dios había obrado por mediación de los profetas. Todas esas revelaciones anteriores desvelaron apenas parcialmente el misterio de Dios. Solamente Jesús, quien ha estado activamente presente, auxiliando al Padre en la tarea de la creación del universo, y ahora continúa activo, dando sustento y consistencia al

I LECTURA Isaías 52,7–10 LEU

Lectura del libro del profeta Isaías

Qué *lindo* ver por los *montes*
los pasos del que viene con *buenas* noticias,
que *anuncia* la paz, que *trae* la felicidad,
que te anuncia tu *salvación* y que te dice:
"Ciudad de Sión, ya *reina* tu Dios".
Escucha, tus centinelas *alzan la voz*
y juntos *gritan jubilosos*,
porque ven *cara a cara* al Señor regresando a Sión.
Estallen en gritos de alegría, *ruinas* de *Jerusalén*,
porque el Señor se *compadece* de su *pueblo*
y *rescata* a Jerusalén.
El Señor *desnuda* su brazo santo
a la vista de las *naciones*,
y *todos* los hombres, hasta los *extremos* del mundo,
ven a nuestro Dios que nos viene a *salvar*.

Pregona con voz sonora y efusiva este mensaje entusiasta que el profeta dirige a los habitantes de Jerusalén.

Baja levemente el tono de tu voz e invita a la asamblea a escuchar con atención los gritos de los centinelas.

Exhorta a los presentes a contagiarse de la alegría de la Navidad, y a proclamar su gratitud por el nacimiento de Jesús.

universo, puede hablarnos y revelarnos con propiedad el secreto íntimo de Dios.

Para el autor de la carta, el punto culminante de esa revelación se ha verificado no solamente al momento del nacimiento de Jesús, sino sobre todo en la obediencia mostrada al entregarse a la muerte. Es esa fidelidad la que le ha alcanzado la exaltación a la diestra de Dios y le ha colocado por encima de todas las criaturas angélicas.

EVANGELIO **Como bien sabemos, el prólogo o himno introductorio con que se abre el Cuarto Evangelio es un himno de alabanza compuesto en honor del Logos, el Verbo de Dios. Para el poeta anónimo, que nos expone su elogio vibrante sobre la Palabra de Dios, lo primero que hay que cantar es que esta Palabra divina ha estado siempre junto a Dios, que es Dios y que ha sido su dinamismo y su poder el que convocó a la existencia a toda la creación.**

Este cantor escoge las imágenes de la luz y la vida, como rasgos esenciales, para presentar la oferta de salvación propuesta por el Verbo de Dios a toda la humanidad, y particularmente y en primer lugar al pueblo elegido. Enseguida el poeta registra dos sucesos decisivos; uno de los cuales es el rechazo del Verbo por parte de los suyos y la incorporación a la condición de Hijos de Dios de todos los que han creído en él.

Encontramos en este prólogo dos breves inserciones que interrumpen el ritmo poético del himno. Las dos interrupciones sirven para enganchar al Verbo de Dios con su precursor, con Juan Bautista, el testigo de la luz (ver Juan 1,6–8.15). Con esas dos anotaciones queda aclarado, desde el comienzo mismo del Cuarto Evangelio, el papel decisivo que como testigo de la Palabra desempeñó Juan Bautista (versículos 7 y 15).

Juan 1,9–13 retrata las actitudes contrastantes de rechazo y acogida con las cuales la humanidad se ha pronunciado ante Jesús, la única luz verdadera. Esas dos respuestas no se reducen a dos episodios aislados verificados en el pasado

II LECTURA Hebreos 1,1–6 LM

Lectura de la carta a los hebreos

En *distintas* ocasiones y de *muchas* maneras
habló Dios en el pasado a *nuestros padres*,
por *boca* de los profetas.
Ahora, en estos tiempos, nos ha hablado *por medio* de su Hijo,
a quien *constituyó* heredero de *todas* las cosas
y *por medio* del cual *hizo* el universo.
El Hijo es el *resplandor* de la gloria de Dios,
la *imagen fiel* de su ser
y *el sostén* de *todas* las cosas con su palabra *poderosa*.
Él mismo, después de efectuar la *purificación* de los pecados,
se sentó a la diestra de la majestad de Dios, *en las alturas*,
tanto *más encumbrado* sobre los ángeles,
cuanto *más excelso* es el nombre que,
como herencia, *le corresponde*.
Porque *¿a cuál* de los ángeles le dijo Dios:
Tú eres mi Hijo; yo te he engendrado *hoy*?
¿O de *qué* ángel dijo Dios:
Yo seré para él *un padre* y él será para mí *un hijo*?
Además, en *otro* pasaje,
cuando *introduce* en el mundo a su *primogénito*, dice:
Adórenlo todos los ángeles de Dios.

EVANGELIO Juan 1,1–18 LM

Lectura del santo Evangelio según san Juan

En el principio *ya existía* aquel que es *la Palabra*,
y *aquél* que es la Palabra *estaba* con Dios y era Dios.
Ya en el principio *él estaba* con Dios.
Todas las cosas vinieron a la existencia *por él*
y sin él *nada* empezó de cuanto existe.
Él *era* la vida, y la vida era *la luz* de los hombres.
La luz *brilla* en las tinieblas y las tinieblas *no la recibieron*.
Hubo un hombre enviado por Dios, que se llamaba *Juan*.
Éste vino *como testigo*, para dar *testimonio* de la luz,
para que todos *creyeran* por medio *de él*.
Él *no era* la luz, sino *testigo* de la luz.
Aquél que es *la Palabra* era la luz *verdadera*,
que ilumina a *todo* hombre que viene a *este mundo*.

II LECTURA Hebreos 1,1–6 LEU

Lectura de la carta a los hebreos

En *diversas* ocasiones y bajo *diferentes* formas,
Dios *habló* a nuestros padres, por medio de los *profetas*,
hasta que en *estos* días, que son los *últimos*,
nos habló a *nosotros* por medio de su *Hijo*.
Éste es el que Dios *constituyó* heredero de *todas* las cosas,
ya que por él *creó* el mundo.
Éste es el *resplandor* de la Gloria de Dios
y en él expresó Dios lo que es en *sí mismo*.
Él es el que *mantiene* el universo por su palabra *poderosa*.
Él es el que *purificó* al mundo de sus *pecados*
y después se fue a sentar a la *derecha* del trono de Dios
en los cielos.
Él está tan por *encima* de los *ángeles*,
cuanto es más excelente el *nombre* que heredó.
En efecto, ¿a qué ángel *jamás* le dijo Dios: "Tú eres mi *Hijo*;
en este día yo te he *dado* la vida"?
Y cuando Dios manda a su *Primogénito* al mundo,
la Escritura dice:
"Que *todos* los ángeles de Dios lo adoren".

Proclama este denso párrafo introductorio con la actitud serena de un maestro que explica pacientemente una nueva lección a sus discípulos.

Recita de manera lenta cada una de las oraciones dedicadas a presentar al Hijo. Destaca en particular las tres frases que empiezan de manera idéntica: "Él es . . . Él está . . .", con los cuales el autor confiesa y reconoce los atributos propios del Hijo de Dios.

Reitera con gran seguridad la convicción del autor, según la cual Dios ha puesto a su Hijo por encima de todas las criaturas angélicas.

EVANGELIO Juan 1,1–18 LEU

Lectura del santo Evangelio según san Juan

En el principio era el *Verbo*
y el Verbo estaba *frente* a Dios,
y el Verbo *era* Dios.
El Verbo estaba en el *principio* frente a Dios.
Todo se hizo por él
y sin *él* no existe *nada* de lo que se ha hecho.
En él había *vida*
y la vida es la *luz* de los hombres.
La luz *brilla* en medio de las *tinieblas*
pero las tinieblas no pueden hacer *presa* de la luz.
Vino un hombre, de parte de Dios; éste se llamaba *Juan*.
Vino para dar *testimonio*,
para declarar en favor de la *luz*,
para que todos *creyeran* por medio de él.

Resalta con la debida fuerza cada una de las menciones del término "Verbo", aparecidas al inicio del prólogo evangélico.

Después de una breve pausa, introduce la presentación Juan, "el testigo de la luz".

remoto en que vivió el autor. Se trata de las dos actitudes fundamentales con las cuales podemos reaccionar los actuales oyentes de la Palabra.

La afirmación culminante de este himno se encuentra en el versículo 14, cuando el autor se refiere al hecho fundamental de la encarnación del Verbo, que toma carne y sangre de un pueblo muy particular. Jesús de Nazaret se encarna en la cultura, la mentalidad, las esperanzas y los anhelos del pueblo judío. Más en concreto, Jesús se hace hombre, y más precisamente, un hombre judío del siglo primero, condicionado por unas determinadas circunstancias históricas precisas.

En el versículo final sobresale una contundente afirmación teológica, que proclama la condición privilegiada e incomparable de Jesús, quien es confesado como el único intérprete del Padre, el único que puede hablar autorizadamente del Padre, porque ha gozado y vivido en intimidad con él.

EVANGELIO continuación LM

En el mundo *estaba*;
el mundo había sido hecho *por él*
y, sin embargo, el mundo *no lo conoció*.
Vino a los suyos y los suyos *no lo recibieron*;
pero *a todos* los que lo recibieron
les *concedió* poder llegar a ser *hijos de Dios*,
a los que creen *en su nombre*,
los cuales *no nacieron* de la sangre, *ni* del deseo de la carne,
ni por voluntad *del hombre*,
sino que *nacieron* de Dios.
Y *aquél* que es la Palabra *se hizo* hombre
y *habitó* entre nosotros.
Hemos visto su gloria,
gloria que *le corresponde* como a *Unigénito* del Padre,
lleno de gracia y de verdad.
Juan el Bautista *dio testimonio* de él, clamando:
"*A éste* me refería cuando dije:
'El que viene *después* de mí,
tiene *precedencia* sobre mí,
porque *ya existía* antes que yo'".
De su plenitud hemos recibido *todos* gracia sobre gracia.
Porque *la ley* fue dada por medio *de Moisés*,
mientras que la gracia y la verdad *vinieron* por Jesucristo.
A Dios *nadie* lo ha visto *jamás*.
El Hijo *unigénito*, que está en el *seno* del Padre,
es quien lo *ha revelado*.

EVANGELIO continuación LEU

No era él la *luz*,
sino que venía para *presentar* al que es la luz.
Porque la *luz*, la luz verdadera
que ilumina a *todo hombre*,
estaba para *entrar* a este mundo.
En realidad, ya *estaba* en el mundo,
pues el mundo fue *hecho* por medio de *él*,
este *mundo* que no lo conocía.
Vino a su *propia* casa,
y los *suyos* no lo recibieron.
Pero a todos los que lo han *recibido*
y que *creen* en su *nombre*,
les ha concedido que fueran *hijos* de Dios.
Pues al hombre le nacen *hijos* de su *misma* sangre,
o bien tiene hijos *adoptivos*;
éstos en cambio han *nacido* de Dios.
Y el Verbo se hizo *carne*,
y *habitó* entre nosotros;
y *nosotros* hemos visto su *gloria*,
la que corresponde al Hijo *Único* del Padre:
en él todo era *amor* y fidelidad.
Juan dio testimonio de él, *declarando*:
"Éste es *aquél* de quien yo les *decía*:
'El viene *después* de mí
pero ya está *delante* de *mí*,
porque existía *antes* que yo'".
En él estaba toda la *plenitud* de Dios
y todos recibimos de *él* en una sucesión de
gracias sin número.
Ya Dios nos había dado la *Ley* por medio de Moisés,
pero el *amor* y la *fidelidad* llegaron por Cristo Jesús.
A Dios, *nadie* lo ha visto jamás,
pero el Hijo único que comparte la intimidad del *Padre*:
éste nos lo dio a conocer.

Proclama la siguiente aclaración con un tono mesurado, como el que usarías para explicar una lección importante.

Refiere con tono de cierta pesadumbre el dato sobre el rechazo sufrido por el Verbo de Dios ante sus contemporáneos.

Se impone hacer otra pausa en este momento. Remarca con extraordinaria fuerza y emoción estos versos que proclaman el nacimiento de Jesús, recuerda que son el suceso central que estamos celebrando.

Haz una ligera pausa antes de presentar el testimonio referido por Juan. Pronúncialo con sencillez y modestia.

Concluye la proclamación del himno resaltando la condición inigualable de Jesús. Enfatiza con mucha fuerza cada una de las contundentes frases con que el autor cierra este himno.

LA SAGRADA FAMILIA

I LECTURA Eclesiástico (Sirácide) 3,2–7.12–14 LM

Lectura del libro del Eclesiástico (Sirácide)

El Señor *honra* al padre *en los hijos*
y *respalda* la autoridad de la madre *sobre* la prole.
El que *honra* a su padre queda *limpio* de pecado;
y *acumula* tesoros, el que *respeta* a su madre.
Quien *honra* a su padre, encontrará *alegría* en sus hijos
y su oración *será escuchada*;
el que *enaltece* a su padre, tendrá *larga vida*
y el que *obedece* al Señor, *es consuelo* de su madre.
Hijo, *cuida* de tu padre *en la vejez*
y en su vida *no* le causes tristeza; aunque chochee,
ten paciencia con él y *no* lo menosprecies
por estar tú en *pleno* vigor.
El bien hecho al padre *no quedará* en el olvido
y se tomará a cuenta de tus pecados.

I LECTURA La "Sabiduría de Jesús Ben Sira", o Sirácide, forma parte de los libros que no fueron aceptados por el pueblo judío como canónicos. Aunque también algunos padres de la Iglesia antigua ponían en duda su canonicidad, finalmente fue aceptado y acogido entre los libros canónicos. Fue tanta la veneración que posteriormente alcanzó este libro en la Iglesia que fue designado con el nombre más usual que hasta el día de hoy sigue llevando: el libro del Eclesiástico.

Para el autor del Eclesiástico, la certeza fundamental es única: la fuente de la verdadera sabiduría consiste en el respeto a Dios, el cual se traduce en una observancia fiel y cuidadosa de los preceptos de su santa ley. Es por eso que en los primeros dos capítulos expone esta tesis básica que reaparecerá a lo largo de toda su obra: "La raíz de la sabiduría es respetar al Señor".

Una vez que ha dejado bien sentado el aspecto primordial del respeto debido a Dios, se ocupará en el capítulo tercero de instruir a sus discípulos sobre el honor y respeto debidos a los padres. La argumentación empleada por el autor para inculcar en sus lectores el trato respetuoso hacia los padres es muy simple. Consiste en enumerar una serie de beneficios que Dios otorga a quienes se conducen respetuosamente con sus padres. Cabe aclarar que pese a la mentalidad marcadamente patriarcal y machista en que vivía nuestro autor, él demanda el mismo trato respetuoso para el padre y la madre (ver 3,3). Entre las principales promesas que Jesús Ben Sira hace, sobresale la triple afirmación de que el perdón de los pecados está asegurado para quien respete a sus padres.

II LECTURA En la primera parte de la obra, el autor de la carta a los Colosenses ha ventilado las cuestiones doctrinales que le parecieron más importantes (ver Colosenses 1,5–3.11). Ahora

I LECTURA Eclesiástico (Sirácide) 3,2 –7.12 –14 L E U

Lectura del libro del Eclesiástico (Sirácide)

Dios estableció que los hijos respetaran a su padre
y *confirmó* sobre ellos la autoridad de su madre.
Quien *honra* a su padre *paga* sus pecados;
y el que da *gloria* a su madre se prepara un *tesoro*.
El que *honra* a su padre recibirá *alegría* de sus hijos
y cuando ruegue será *escuchado*.
El que *glorifica* a su padre tendrá *larga* vida.
El que *obedece* al Señor da *descanso* a su madre.
Hijo, *cuida* de tu padre en su *vejez*,
y *mientras* viva no le causes *tristeza*.
Si se debilita su espíritu, *perdónale* y no lo *desprecies*,
tú que estás en plena juventud.
Pues la *caridad* para con el padre no será *olvidada*,
te *servirá* como *reparación* de tus pecados.
Cuando estés *sufriendo*, Dios se *acordará* de *ti*;
y como el calor *derrite* el *hielo*,
se *disolverán* tus pecados.

Proclama cada una de estas reflexiones introductorias con la voz cierta y segura de un reconocido maestro que conoce la voluntad del Señor.

Recita de modo pausado cada una de las sentencias sapienciales acuñadas por el autor. Haz una pequeña pausa luego de leer cada una de ellas, de manera que la asamblea pueda irlas meditando.

Refiere cada una de estas exhortaciones con ánimo persuasivo. Procura convencer a la asamblea de que estás hablando de esos temas desde la gran experiencia y sabiduría que ellos te reconocen.

en la segunda parte (3,12–4.18), extrae las consecuencias y consejos prácticos que se derivan de la fe profesada.

En la primera media docena de versículos con que se abre la sección exhortativa (3,12–17), el autor se ocupa de presentar consejos generales sobre el perdón, el amor fraterno y la humildad, valores y actitudes demandados por igual a todos los que han quedado consagrados a Cristo Jesús por su bautismo. Mención aparte merece la recomendación a dedicarse a la enseñanza de la Palabra, y la entonación de himnos de alabanza dirigidos al Padre.

En la segunda parte (Colosenses 3,18–21), se concentra en el asunto particular de las relaciones familiares, y ahí nos ofrece algunas recomendaciones sobre el respeto recíproco que deben darse los maridos y sus esposas, los padres y sus hijos. Aunque se nota que la exigencia de sometimiento se le reclama solamente a la mujer, respecto del marido, también a éstos se les demanda una conducta ejemplar, un trato lleno de amor hacia sus esposas.

De esta manera, se vinculan la primera y la segunda lectura, el Primer y Segundo Testamento, y de ese modo ambas lecturas sirven como una exhortación oportuna para la fiesta de la Sagrada Familia que estamos celebrando. El criterio de reciprocidad y la correspondencia, afirmado por el apóstol Pablo, es válido para cada uno de los miembros de la familia, a quienes les exige sin excepción alguna. Esta recomendación no ha perdido vigencia, aunque date de hace dos milenios, sigue siendo un recordatorio válido para todas las familias que se reconocen como seguidoras de Jesús.

EVANGELIO **En esta festividad de la Sagrada Familia, la liturgia nos proclama el relato mateano de la así llamada "huida a Egipto". Parecería que podrían proclamarse otras lecturas evangélicas más a propósito para esta celebración. Sin embargo, hemos de reconocer que en este relato se encuentran varios aspectos**

II LECTURA Colosenses 3,12–21 L M

Lectura de la carta del apóstol san Pablo a los colosenses

Hermanos:
Puesto que Dios los ha elegido *a ustedes*,
los ha consagrado *a él* y les ha dado *su amor*,
sean *compasivos*, magnánimos, *humildes*, afables y *pacientes*.
Sopórtense *mutuamente*
y *perdónense* cuando tengan quejas contra otro,
como el Señor *los ha perdonado* a ustedes.
Y sobre *todas* estas virtudes, tengan *amor*,
que es el vínculo de la *perfecta* unión.
Que en sus corazones *reine* la paz de Cristo,
esa paz a la que han sido *llamados*,
como miembros de un *solo* cuerpo.
Finalmente, sean *agradecidos*.
Que la palabra de Cristo *habite* en ustedes con *toda* su riqueza.
Enséñense y aconséjense *unos a otros* lo mejor que sepan.
Con el corazón *lleno* de gratitud, *alaben* a Dios
con salmos, himnos y *cánticos espirituales*;
y *todo* lo que digan y *todo* lo que hagan,
háganlo en el nombre del *Señor Jesús*,
dándole gracias a *Dios Padre*, por medio *de Cristo*.
Mujeres, *respeten* la autoridad de sus maridos,
como lo quiere el Señor.
Maridos, *amen* a sus esposas y *no sean* rudos con ellas.
Hijos, obedezcan *en todo* a sus padres,
porque eso es *agradable* al Señor.
Padres, no exijan *demasiado* a sus hijos,
para que *no se depriman*.

II LECTURA Colosenses 3,12–21 LEU

Lectura de la carta del apóstol san Pablo a los colosenses

Pónganse el vestido *nuevo*,
como *conviene* a los elegidos de Dios,
por ser sus *santos* muy queridos.
Revístanse de sentimientos de tierna *compasión*,
de *bondad*, de *humildad*, de *mansedumbre*, de *paciencia*.
Sopórtense y perdónense unos a *otros*,
si uno tiene *motivo* de queja contra otro.
Como el Señor los *perdonó*,
a su vez, hagan lo *mismo*.
Pero, por *encima* de todo, tengan el *amor*,
que reúne *todo* y todo lo hace *perfecto*.
Que la paz de Cristo *reine* en sus corazones,
ya que fueron *unidos* en un *mismo* cuerpo para encontrarla.
Finalmente sean *agradecidos*.
Que la *palabra* de Cristo *habite* en ustedes con
todas sus riquezas.
Que sepan *aconsejarse* unos a *otros*
y enseñarse *mutuamente* con palabras y consejos sabios.
Con el corazón *agradecido*,
canten a Dios salmos, himnos y cánticos inspirados.
Y *todo* lo que puedan decir o hacer,
háganlo en *nombre* del Señor *Jesús*,
dando *gracias* a Dios Padre por *medio* de él.
Esposas, *sométanse* a sus *maridos*,
como *corresponde* a creyentes.
Maridos, *amen* a sus *esposas*
y *no se disgusten* con ellas.
Hijos, *obedezcan* a sus padres en *todo*,
porque eso *agrada* al Señor.
Padres, *no exasperen* a sus *hijos*,
no sea que se *desanimen*.

Anima a la asamblea a asumir el comportamiento exigido a quienes se saben y son los elegidos de Dios.

Invita a los presentes a disponerse a emular el trato misericordioso que Dios les ha dispensado. Hazles caer en la cuenta del compromiso que incluye recitar a diario la oración del Padrenuestro: "Perdónanos como nosotros perdonamos".

Expón de manera sugerente y fraterna, sin querer aparecer como superior a tus hermanos, cada una de las recomendaciones siguientes. Enfatízales la invitación a realizar todo en nombre de Jesús.

Al leer las exhortaciones dirigidas a cada uno de los miembros de la familia, procura mirar de frente a los respectivos destinatarios presentes en la asamblea.

y actitudes que podemos acoger y considerar como una enseñanza permanente para las familias cristianas.

El episodio contado por san Mateo nos asegura que la familia de Jesús vivió como todas las demás familias judías, expuesta a los abusos y arbitrariedades de la sanguinaria dinastía herodiana. No eran, en manera alguna, miembros privilegiados que gozaban de una especie de salvoconducto dado por Dios.

José, como todos los padres de familia de su época, debía tomar las decisiones oportunas para resguardar la paz y tranquilidad de su hogar. Así cuando José es advertido por un mensajero celestial de que peligra la vida de su Hijo, cumple con la orden de marcharse hacia Egipto. Allá vivirá como un refugiado, ganándose el pan con su propio trabajo, recorriendo el mismo camino que habían tomado sus antepasados, en particular José y sus hermanos al marchar a Egipto en busca de comida.

Cuando ha fallecido el así llamado "Herodes el Grande", José es informado una vez más por el ángel del Señor de ese suceso y reemprende el camino de vuelta hacia la tierra de Israel. Al percatarse de que en Judea gobernaba un descendiente de Herodes, llamado Arquéalo, decide "emigrar" hacia la modesta aldea de Nazaret, ubicada en la norteña región de Galilea, donde también (aunque no lo refiera el evangelista Mateo) gobernaba otro descendiente de Herodes, el llamado Herodes Antipas.

Ahí transcurriría la infancia y adolescencia de Jesús, aprendiendo como todos los niños y jóvenes de su época, el oficio heredado de sus padres. Siendo José un carpintero, habría de instruir a su hijo Jesús en ese oficio, al punto que él también sería llamado "el hijo del carpintero" (ver Mateo 13,55).

De esa manera, Mateo nos explica que llegaría a su cumplimiento el oráculo que encontramos en el libro de los Jueces (13,5), según el cual a Jesús se le habría de llamar "nazareno".

EVANGELIO Mateo 2,13–15.19–23 LM

Lectura del santo Evangelio según san Mateo

Después de que los magos *partieron* de Belén,
el *ángel* del Señor se le apareció *en sueños* a José y le dijo:
"*Levántate*, *toma* al niño y a su madre, y *huye* a Egipto.
Quédate allá *hasta* que yo te avise,
porque *Herodes* va a buscar al niño *para matarlo*".
José *se levantó* y *esa misma* noche
tomó al niño y a su madre y *partió* para Egipto,
donde *permaneció* hasta la muerte de Herodes.
Así se cumplió lo que dijo el Señor por medio del profeta:
De Egipto *llamé* a mi hijo.
Después de muerto Herodes,
el *ángel* del Señor se le *apareció* en sueños a José y le dijo:
"*Levántate*, toma al niño y a su madre
y *regresa* a la tierra de Israel,
porque *ya murieron* los que intentaban
quitarle la vida al niño".
Se levantó José, *tomó* al niño y a su madre
y *regresó* a tierra de Israel.
Pero, habiendo oído decir que *Arquelao* reinaba en Judea
en lugar de su padre, Herodes,
tuvo *miedo* de ir allá, y advertido en sueños,
se *retiró* a Galilea
y se fue a vivir en una población llamada *Nazaret*.
Así se cumplió lo que habían dicho los profetas:
Se le llamará *nazareno*.

EVANGELIO Mateo 2,13–15.19–23 LEU

Lectura del santo Evangelio según san Mateo

Después que *partieron* los *Magos*,
el Ángel del Señor se le apareció en *sueños* a José y le dijo:
"*Levántate*, toma al niño y a su madre, y *huye a* Egipto.
Quédate allí *hasta* que yo te *avise*,
porque *Herodes* buscará al niño para *matarlo*".
José se levantó,
tomó de noche al niño y a su madre y se *retiró* a Egipto.
Permaneció allí *hasta* la muerte de Herodes.
De este modo se cumplió
lo que había dicho el Señor por *boca* del profeta:
"Yo *llamé* de Egipto a mi hijo".
Después de la muerte de *Herodes*,
el Ángel del Señor se apareció en *sueños* a José, en Egipto.
Le dijo:
"Levántate y *regresa* con el niño y su madre
a la tierra de *Israel*,
porque ya han muerto los que querían *matar* al niño".
José, pues, se levantó, *tomó* al niño y a su *madre*,
y se vino a la tierra de *Israel*.
Pero *temió* ir a *Judea*,
sabiendo que allí *reinaba* Arquelao en reemplazo
de Herodes, su padre.
Siguiendo un *aviso* que recibió en sueños, se *retiró* a *Galilea*,
y fue a vivir en un pueblo llamado *Nazaret*.
Así había de cumplirse lo que *dijeron* los profetas:
"Le dirán *nazareno*".

Relata con voz autorizada estos sucesos extraordinarios que vivió la familia de Jesús. Al reportar las órdenes y mensajes dados por el mensajero celeste, utiliza un tono de voz firme e imperioso.

Al referir la ejecución o cumplimiento inmediato que José hace de las dos órdenes divinas, hazlo con un tono satisfecho y ufano que ponga de manifiesto la presteza y la total docilidad con que José obedece el mandato de Dios.

Concluye la narración informando de la nueva situación de peligro que percibe José al llegar a la tierra de Israel. Informa detalladamente a tus lectores de la nueva provisión que él tomó para poner a salvo a su familia.

SANTA MARÍA, MADRE DE DIOS

I LECTURA Aunque el libro de los Números fue compuesto durante el período de la restauración que vivió Israel al regresar del destierro, su autor nos quiere dar la sensación de que estamos leyendo la crónica del peregrinaje que los hijos de Israel emprendieron desde el Sinaí, pasando por Cadés, hasta llegar a la tierra de Canáan.

En los primeros diez capítulos del libro de los Números, escoge como escenario el monte Sinaí, donde Moisés recibe una serie de reglamentaciones relacionadas particularmente con cuestiones ligadas al culto. Al final del capítulo seis se le propone la fórmula de bendición con la cual Aarón y los demás sacerdotes bendecirían a Israel.

Fijándonos en esta bella fórmula bendicional, apreciamos en primer lugar una triple mención del nombre santo de Dios. Esta invocación hecha por el sacerdote resultaría una palabra eficaz, por la sencilla razón de que éste la proclamaba revestido de la autoridad de Dios.

II LECTURA El apóstol san Pablo ha rebatido vigorosa y apasionadamente, a lo largo de toda su carta, la postura errada de los perturbadores, que estaban sembrando división en la comunidad cristiana de Galacia. Les ha expuesto argumentos variados para convencerles de la caducidad de la ley y de la supremacía de la fe en Cristo.

El argumento que ahora les expone es el del paso de la esclavitud a la libertad filial, y nos muestra que el mismo Jesús, siendo Hijo de Dios, vivió sometido durante un tiempo al imperio de la ley para alcanzar, gracias a su fidelidad, la liberación de la muerte y la filiación divina para cuantos creen en él.

I LECTURA Números 6,22–27 — LM

Lectura del libro de los Números

En *aquel* tiempo, el Señor *habló* a Moisés y le dijo:
"Di a Aarón y a sus hijos:
"De *esta manera* bendecirán a los israelitas:
El Señor te bendiga y te proteja,
haga *resplandecer* su rostro sobre ti y te conceda su favor.
Que el Señor te mire con *benevolencia*
y te conceda la paz".
Así invocarán mi nombre sobre los israelitas
y yo los bendeciré".

II LECTURA Gálatas 4,4–7 — LM

Lectura de la carta del apóstol san Pablo a los gálatas

Hermanos:
Al llegar la *plenitud* de los tiempos,
envió Dios a su Hijo, nacido *de una mujer*,
nacido *bajo la ley*,
para *rescatar* a los que *estábamos* bajo la ley,
a fin de hacernos *hijos suyos*.
Puesto que *ya son ustedes hijos*,
Dios envió a sus corazones *el Espíritu* de su Hijo,
que clama "¡*Abbá*!", es decir, ¡Padre!
Así que ya *no eres siervo*, sino hijo;
y siendo hijo, eres también *heredero* por voluntad de Dios.

I LECTURA Números 6,22–27 LEU

Lectura del libro de los Números

El Señor dijo a *Moisés*:
"Di a *Aarón* y a sus hijos:
Así *bendecirán* a los hijos de Israel.
Dirán: 'El Señor te *bendiga* y te *guarde*,
el Señor haga *resplandecer* su rostro sobre ti
y te *conceda* lo que pidas,
vuelva hacia ti su *rostro* y te *dé* la paz'.
Así invocarán mi *nombre* sobre los hijos de Israel
y yo los *bendeciré*".

Introduce esta orden divina con la debida fuerza y solemnidad que el momento y el asunto exigen.

Antes de proclamar la lectura, procura familiarizarte tanto con la fórmula de bendición que la recites de manera fluida y sin tropiezos.

En el verso conclusivo Dios reafirma el poder y la eficacia que acarrea la invocación de su Santo Nombre. Retoma el tono solemne del inicio y culmina con optimismo esta proclamación.

II LECTURA Gálatas 4,4–7 LEU

Lectura de la carta del apóstol san Pablo a los gálatas

Cuando llegó la *plenitud* de los tiempos, Dios *envió* a su Hijo,
el cual *nació* de mujer y fue *sometido* a *la Ley*,
para ser el que *libertara* de la Ley
a *todos* los que estaban *sometidos*.
Así llegamos a ser hijos *adoptivos* de Dios.
Y porque somos hijos,
Dios mandó a nuestro corazón el *Espíritu* de su propio *Hijo*,
que clama así: "Padre mío".
Así pues, ya no eres un *esclavo*, sino un *hijo*,
y por eso recibirás la herencia por la *gracia* de Dios.

Proclama este denso párrafo paulino con voz emocionada. Recuerda que estas refiriendo un acontecimiento que te involucra personalmente.

Con tonos contrastantes, recita los términos referentes a la libertad y la esclavitud, a la filiación y al sometimiento.

Concluye la proclamación reiterando en la asamblea su dignidad filial. Exhórtalos a mantenerse libres a fin de alcanzar la herencia prometida.

EVANGELIO Lucas 2,16–21 L M

Lectura del santo Evangelio según san Lucas

En *aquel* tiempo,
los pastores fueron a *toda prisa* hacia Belén
y encontraron a *María*, a José y al *niño*,
recostado en el pesebre.
Después de verlo,
contaron lo que se les *había dicho* de aquel niño
y *cuantos* los oían, quedaban *maravillados*.
María, por su parte, guardaba *todas* estas cosas
y las meditaba *en su corazón*.
Los pastores se volvieron a sus campos,
alabando y *glorificando* a Dios
por *todo* cuanto habían *visto y oído*,
según lo que se les *había anunciado*.
Cumplidos los *ocho* días, *circuncidaron* al niño
y le pusieron el nombre *de Jesús*,
aquel mismo que había dicho el ángel,
antes de que el niño fuera concebido.

EVANGELIO **En este relato sobresalen tres personajes principales. En primer lugar, encontramos a los pastores. Éstos son quienes cumplen las acciones centrales que se nos narran. Ellos corren hacia Belén, encuentran al recién nacido, comunican el mensaje angélico y glorifican a Dios por las maravillas contempladas. En segundo lugar, y si bien de manera un tanto marginal, aparecen los vecinos de Belén que sólo atinan a mostrar asombro y admiración ante el relato de los pastores. Culminando la escena encontramos a María, la madre de Jesús, que encarna la actitud contemplativa y que va interiorizando detenidamente los eventos que acaban de ocurrirle.**

San Lucas nos hace contemplar variadas reacciones ante un mismo suceso. Comienza por describirnos la credulidad espontánea y natural de los pastores que reaccionan con una gran sencillez, y que cumplen la función de testigos de la buena nueva y de orantes agradecidos que alaban a Dios por sus maravillas, para exhibir enseguida la actitud superficial y curiosa de la gente del lugar que permanece en el asombro, hasta llegar a compartirnos el comportamiento ejemplar de la madre del Señor, que asimila como verdadera creyente el significado de los hechos.

EVANGELIO Lucas 2,16–21 LEU

Lectura del santo Evangelio según san Lucas

En aquel tiempo,
los pastores fueron *apresuradamente*
y hallaron a María, a José
y al *recién* nacido acostado en el pesebre.
Entonces contaron lo que los *ángeles* les habían
dicho de *este* niño,
y *todos* se maravillaron de lo que decían los pastores.
María, por su parte,
observaba *cuidadosamente* todos estos acontecimientos
y los *guardaba* en su corazón.
Después los pastores se fueron *glorificando* y alabando *a Dios*,
porque *todo* lo que habían visto y oído
era tal como se lo habían anunciado.
Al octavo día, *circuncidaron* al niño *según* la ley,
y le pusieron el nombre de *Jesús*,
nombre que había indicado el ángel
antes que su madre quedara embarazada.

Refiere este relato de viaje emprendido por los pastores con el entusiasmo y el frenesí que lo vivieron sus protagonistas.

Informa detenidamente a la asamblea de las reacciones espontáneas que provocó el mensaje difundido por los pastores.

Haz una ligera pausa antes de presentar la reacción reposada y contemplativa de María. Destaca los verbos con los cuales se describe su proceder.

Retoma la voz jubilosa al referir la partida entusiasta con la cual se marchan los pastores.

Haz una pausa más amplia, para que se note el cambio de escena, y resalta las dos acciones decisivas cumplidas por los padres de Jesús: la circuncisión y la imposición del nombre.

2 DE ENERO DE 2005

LA EPIFANÍA DEL SEÑOR

I LECTURA Isaías 60,1–6 LM

Lectura del libro del profeta Isaías

Levántate y resplandece, *Jerusalén*,
porque *ha llegado* tu luz
y *la gloria* del Señor alborea sobre ti.
Mira: las tinieblas *cubren* la tierra
y *espesa* niebla *envuelve* a los pueblos;
pero sobre ti *resplandece* el Señor
y *en ti* se manifiesta su gloria.
Caminarán los pueblos *a tu luz*
y los reyes, *al resplandor* de tu aurora.
Levanta los ojos y mira *alrededor*:
todos se reúnen y *vienen* a ti;
tus hijos llegan *de lejos*, a tus hijas las traen *en brazos*.
Entonces verás esto *radiante* de alegría;
tu corazón *se alegrará*, y se ensanchará,
cuando se *vuelquen* sobre ti los *tesoros* del mar
y te traigan *las riquezas* de los pueblos.
Te *inundará* una multitud de camellos y dromedarios,
procedentes de *Madián* y de *Efá*.
Vendrán *todos* los de Sabá trayendo *incienso y oro*
y proclamando *las alabanzas* del Señor.

II LECTURA Efesios 3,2–3.5–6 LM

Lectura de la carta del apóstol san Pablo a los efesios

Hermanos:
Han oído hablar de la *distribución* de la *gracia* de Dios,
que se me ha *confiado* en favor de ustedes.
Por revelación se me *dio a conocer* este misterio,
que *no había sido* manifestado a los hombres
en otros tiempos,
pero que ha sido revelado *ahora* por el Espíritu
a sus *santos* apóstoles y profetas:
es decir, que por el Evangelio,
también los paganos son *coherederos* de *la misma* herencia,
miembros del *mismo* cuerpo
y *partícipes* de *la misma* promesa en Jesucristo.

I LECTURA Este poeta anónimo, que se ha cobijado bajo el afamado nombre del gran profeta Isaías, nos ha compuesto una serie de oráculos de salvación particularmente esperanzadores. En Isaías 60—62 encontramos esta amplia unidad temática sobre la llegada del salvador a la Nueva Jerusalén.

La voz del poeta anónimo que entona este cántico personifica a un centinela que desde su atalaya observa anticipadamente los signos que aparecen a su alrededor. Al ver la llegada de la luz radiante que se dibuja en el horizonte, él cumple con su misión de vigía y prorrumpe en gritos alborozados para despertar a la ciudad del letargo que la tiene adormecida.

Cabe aclarar que más allá de las imágenes poéticas, la luz que brilla sobre la ciudad de Jerusalén no proviene del reflejo de los astros, ni procede tampoco de las lumbreras celestes. Es la luz perpetua del mismo Señor que trae consigo a los hijos que había exiliado, y que con su ingreso triunfal llenará con su esplendor a la ciudad, inundándola de paz y justicia (ver Isaías 60,19). Dios se acerca tanto a la humanidad que se convierte en la luz verdadera que atrae y pone en movimiento a los pueblos que se deciden a subir a Jerusalén para encontrarle.

II LECTURA Al inicio del capítulo tercero, san Pablo comienza a presentarse ante los cristianos de Efeso como el beneficiario de una particular gracia de Dios que lo ha constituido como depositario de un misterio largamente mantenido en secreto. A él le ha sido encomendada la misión de desvelar ante los pueblos el secreto que Dios tenía reservado para ellos, a saber, que Dios ha llamado por medio de su Hijo a todas las razas y naciones para incorporarlas a su pueblo elegido. Jesús congregará a cuantos crean en él y los constituirá en un único pueblo que gozará por igual de la herencia divina.

I LECTURA Isaías 60,1–6 LEU

Lectura del libro del profeta Isaías

Levántate y *brilla*, que ha llegado tu *luz*
y la gloria del Señor *amaneció* sobre ti.
La oscuridad *cubre* la *tierra*
y los pueblos están en la *noche*,
pero sobre ti se *levanta* el *Señor*,
y sobre ti *aparece* su gloria.
Los *pueblos* se dirigen hacia tu *luz*
y los *reyes*, al resplandor de tu *aurora*.
Levanta los ojos a tu alrededor y *contempla*:
todos se *reúnen* y vienen a ti;
tus hijos llegan de *lejos*
y tus hijas son traídas en *brazos*.
Tú entonces, al verlo, te pondrás *radiante*,
palpitará tu corazón muy *emocionado*;
traerán a ti *tesoros* del otro lado del mar
y llegarán a ti las *riquezas* de las naciones.
Te *inundará* una multitud de camellos:
llegarán los de *Medián* y Efa.
Los de Sabá vendrán todos trayendo *oro* e *incienso*,
y *proclamando* las alabanzas del Señor.

Entona con voz alegre y jubilosa este pregón con el cual el centinela que resguarda a Jerusalén anuncia la transformación que Dios realizará a favor de sus hijos. Esfuérzate por reanimar a esos hombres y mujeres que vivían desalentados.

Anima con un tono de voz exigente e imperioso a los habitantes de Jerusalén para que se pongan de pie y contemplen el creciente movimiento de los peregrinos que se arremolinan y que suben hacia Jerusalén.

Llénate de la alegría que produce la llegada del salvador y contagia del gozo que desborda el poema a los miembros de la asamblea.

II LECTURA Efesios 3,2–3a.5–6 LEU

Lectura de la carta del apóstol san Pablo a los efesios

A lo mejor han sabido de las *gracias*
que Dios me *concedió* para el bien de ustedes.
Este *Misterio* no fue dado a conocer a los hombres
de tiempos *pasados*.
Mas ahora, los apóstoles y los profetas que Dios *eligió*
acaban de saber por *revelaciones* del *Espíritu*
lo que el *Evangelio* da a los no judíos:
ellos han de *compartir* en Cristo Jesús la *misma* herencia,
pertenecer al *mismo* cuerpo,
y recibir las *mismas* promesas de Dios.

Comparte con ánimo familiar este secreto que Pablo participa a los cristianos de Efeso. Inicia la lectura de este breve párrafo con el tono sugerente que acostumbras usar al compartir mensajes reservados a unos pocos elegidos.

Anticipa con certidumbre la promesa hecha por el apóstol, según la cual todos los discípulos de Jesús, de cualquier raza o cultura, serán incorporados por medio de Cristo en un solo cuerpo para participar de la herencia que Dios les ha prometido.

EVANGELIO

El relato de la peregrinación de los magos que, atraídos por una estrella, vienen a rendir un homenaje de adoración al rey de los judíos, nacido en Belén, tiene muchas vertientes que podemos apreciar. En primer lugar, sobresale la convicción de que Cristo es la luz verdadera que supera todo el saber mundano, mediante la luz de su Evangelio ofrecida a todas las naciones, representadas en los magos venidos de Oriente.

Estos magos son las primicias de las muchas naciones que un día acogerán gozosas el mensaje cristiano anunciado por los discípulos de Jesús. Éste es un pasaje programático que prefigura la misión universal de la Iglesia, inaugurada a partir de la decidida actitud de san Pablo y los misioneros más animosos, que anunciaron indistintamente la resurrección de Jesús a todas las gentes.

El momento culminante del relato es el de la postración de los magos ante el niño Jesús. Para san Mateo, éste es un gesto que sólo muestran quienes se relacionan de manera creyente con Jesús. Así lo podemos observar a lo largo de todo su Evangelio, cuando constatamos como los enfermos o sus mismos discípulos reconocen su poder y solicitan su ayuda.

La adoración de los magos es una escena que preludia de manera genial dos temas fundamentales e inseparables del Primer Evangelio. Por un lado, el tema de la conversión de los gentiles y la consecuente incorporación de los mismos al único cuerpo de Cristo, a la única Iglesia convocada por Jesús. Por otra parte, anticipa veladamente el tema del rechazo de Israel, prefigurado en la actitud hostil de Herodes y de los habitantes de Jerusalén, quienes con su conducta negativa anticipan la actitud de repulsa, que la mayoría del pueblo mostró hacia Jesús durante todo su ministerio.

EVANGELIO Mateo 2,1–12 LM

Lectura del santo Evangelio según san Mateo

Jesús nació en *Belén de Judá*, en tiempos del rey Herodes.
Unos *magos* de Oriente
llegaron entonces a Jerusalén y *preguntaron*:
"*¿Dónde* está el rey de los judíos que *acaba* de nacer?
Porque *vimos surgir* su estrella y *hemos venido* a adorarlo".
Al enterarse *de esto*,
el rey Herodes *se sobresaltó* y *toda* Jerusalén con él.
Convocó entonces a los sumos sacerdotes
y a los escribas del pueblo
y les preguntó *dónde* tenía que nacer el Mesías.
Ellos le contestaron:
"*En Belén de Judá*, porque *así* lo ha escrito el profeta:
Y tú, *Belén*, tierra de Judá,
no eres *en manera alguna* la menor
entre las ciudades *ilustres* de Judá, pues *de ti* saldrá un jefe,
que será *el pastor* de mi pueblo, *Israel*".
Entonces Herodes llamó *en secreto* a los magos,
para que le *precisaran* el tiempo
en que se les había aparecido la estrella
y los mandó a Belén, *diciéndoles*:
"*Vayan* a averiguar *cuidadosamente qué hay* de ese niño,
y *cuando* lo encuentren, *avísenme*
para que *yo también* vaya a adorarlo".
Después de oír al rey, los magos se pusieron *en camino*,
y *de pronto* la estrella que habían visto surgir,
comenzó a guiarlos,
hasta que se detuvo *encima* de donde estaba el niño.
Al ver *de nuevo* la estrella, se llenaron de *inmensa* alegría.
Entraron en la casa y *vieron* al niño con *María*, su madre,
y *postrándose*, lo adoraron.
Después, abriendo sus cofres, le ofrecieron regalos:
oro, incienso y mirra.
Advertidos durante el sueño de que *no volvieran* a Herodes,
regresaron a su tierra por *otro* camino.

EVANGELIO Mateo 2,1–12 L E U

Lectura del santo Evangelio según san Mateo

Habiendo nacido *Jesús* en Belén de *Judá*,
durante el reinado de Herodes,
vinieron unos *Magos* de Oriente a Jerusalén, preguntando:
"¿*Dónde* está el *rey* de los judíos que ha nacido?,
porque hemos *visto* su estrella en *Oriente*
y venimos a *adorarlo*".

Refiere estos eventos conforme al estilo popular que fueron compuestos. Utiliza el tono llano que acostumbran usar los narradores populares.

Herodes y todo Jerusalén quedaron muy *intranquilos*
con la noticia.

Al relatar la reacción desconcertada de Herodes, hazlo con la voz intranquila de alguien que se siente amenazado al saber del nacimiento del rey de los judíos.

Reunió el rey a *todos* los sacerdotes *principales*
y a los maestros de *la Ley*
para preguntarles *dónde* debía nacer el Cristo.
Ellos le *contestaron* que en *Belén* de Judá,
ya que así lo *anunció* el profeta que escribió:
"*Belén* en la tierra de Judá,
tú no eres el más pequeño entre los principales pueblos de *Judá*,
porque de ti *saldrá* un jefe,
el *pastor* de mi pueblo de Israel".
Herodes, entonces, llamó *privadamente* a los *Magos*
para saber la fecha exacta en que se les había aparecido
la estrella.

Retrata con fidelidad las intenciones malsanas de Herodes, que busca aprovechar las informaciones de los magos para sus fines perversos.

Encaminándose a Belén les dijo:
"*Vayan* y *averigüen* bien lo que se refiere a este niño.
Cuando lo hayan encontrado avísenme
para ir yo también a adorarlo".
Después de esta entrevista, los Magos *prosiguieron* su camino.
La estrella que habían visto en Oriente iba *delante* de *ellos*,
hasta que se paró sobre el lugar en que estaba el niño.
Al ver la estrella, se *alegraron mucho*,
y habiendo entrado en la casa,
hallaron al niño que estaba con María, su madre.

Haz una pausa. Cambia el ritmo de la narración e introduce con tono gozoso y satisfecho el encuentro de los magos con Jesús.

Se postraron para *adorarlo*
y, abriendo sus cofres, le *ofrecieron* regalos:
oro, incienso y mirra.

El momento de la postración es el más importante del relato. Procura referirlo con la reverencia y solemnidad con que lo viven sus protagonistas.

Luego regresaron a su país por *otro camino*,
porque se les *avisó* en sueños que *no* volvieran
donde Herodes.

EL BAUTISMO DEL SEÑOR

I LECTURA Isaías 42,1–4.6–7 LM

Lectura del libro del profeta Isaías

Esto dice el Señor:
"*Miren* a mi siervo, a quien *sostengo*,
a mi *elegido*, en quien tengo *mis complacencias*.
En él he puesto mi espíritu
para que *haga brillar* la justicia sobre las naciones.
No gritará, *no clamará*, *no hará oír* su voz por las calles;
no romperá la caña *resquebrajada*,
ni apagará la mecha que *aún* humea.
Promoverá con firmeza la justicia,
no titubeará ni se doblegará hasta *haber establecido* el derecho sobre la tierra
y hasta que las islas *escuchen* su enseñanza.
Yo, el Señor, *fiel* a mi designio de salvación,
te llamé, te tomé de la mano,
te he formado y te he constituido *alianza* de un pueblo,
luz de las naciones,
para que *abras* los ojos de los ciegos,
saques a los cautivos de la prisión
y de la mazmorra a los que *habitan* en tinieblas".

I LECTURA **Este poema es el primero de una serie de cánticos dedicados a presentar al Siervo de Israel. Aunque la identificación de dicho personaje es demasiado incierta y no se ha logrado aclarar si su autor estaría describiendo a Ciro, a un profeta en especial, a los justos en general o al pueblo que sufre el exilio, lo que sí podemos afirmar es que este primer cántico sirve para que Dios haga la solemne presentación de este singular personaje: el Siervo del Señor.**

Este Siervo ha sido elegido por Dios y fortalecido con el Espíritu de Dios, para cumplir una misión muy exigente: implantar entre las naciones la vigencia del derecho divino y garantizar el cumplimiento fiel de la voluntad de Dios en las relaciones entre los pueblos. Si relees otra vez el pasaje puedes fijarte que el término "derecho" aparece tres ocasiones en Isaías 42,1–4. Este primer cántico nos asegura firmemente que a partir de que el Siervo empiece a realizar su misión comenzará a brillar la justicia como fruto precioso de la vigencia efectiva de la ley.

El encargo asignado a este Siervo tendrá un alcance verdaderamente universal, y no quedará restringido a las estrechas fronteras de Israel. Este misterioso personaje estará lleno del Espíritu del Señor, y por esa misma razón podrá devolver la vista y la capacidad de mirar y contemplar a cuantos la habían perdido. Es por eso que recibirá el título de "Luz de las naciones".

Indudablemente, los lectores cristianos estamos persuadidos de que este esperanzador oráculo profético no alcanzó su cumplimiento pleno antes de la venida de Jesús, y que por lo tanto tiene que ser interpretado como una profecía que llegaría a su plenitud en la persona de Jesús, el que verdaderamente nos ha sido presentado en el momento de su bautismo como el Hijo amado y el preferido del Señor.

I LECTURA Isaías 42,1–4.6–7 LEU

Lectura del libro del profeta Isaías

Esto dice el Señor:
He aquí mi siervo a quien yo *sostengo*,
mi elegido, el *preferido* de mi corazón.
He puesto mi *espíritu* sobre él,
él les *enseñará* mis juicios a las naciones.
No *clamará*, no *gritará*,
ni alzará en las calles su voz.
No *romperá* la caña *quebrada*
ni *aplastará* la mecha que está por apagarse.
Enseñará mis juicios *según* la verdad,
sin dejarse *quebrar* ni *aplastar*,
hasta que *reine* el derecho en la tierra.
Los países lejanos *esperan* sus ordenanzas.
Yo, el Señor, te he llamado para *cumplir* mi justicia,
te he *formado* y tomado de la mano,
te he *destinado* para que unas a mi *pueblo*
y seas *luz* para *todas* las naciones.
Para *abrir* los ojos a los ciegos,
para *sacar* a los presos de *la cárcel*,
y del calabozo a los que estaban en *la oscuridad*.

Realiza la proclamación de la presentación de este misterioso personaje con un aire ufano y satisfecho. Estás haciendo comparecer públicamente a alguien en quien depositas toda tu confianza.

Enfatiza con toda la fuerza necesaria cada una de estas rotundas negaciones. Hazlo con pleno aplomo para que no quede duda de la veracidad de lo que afirmas.

Haz una ligera pausa al concluir la presentación del Siervo. Refiere con más solemnidad el discurso que Dios mismo le dirige personalmente al Siervo. Remarca suficientemente el "tú" a quien Dios le habla con tanto entusiasmo. Dirígete de manera personal al propio Siervo, explicándole los cometidos que cumplirá de frente a Israel y al resto de las naciones.

II LECTURA El décimo capítulo del libro de los Hechos de los Apóstoles ocupa un lugar muy destacado en el conjunto de dicha obra. Su importancia reside en que recoge un suceso que cambió drásticamente la misión emprendida por los discípulos de Jesús. Fueron necesarias dos o tres décadas de ensayos misioneros, de confrontaciones entre las distintas corrientes misioneras que había en la Iglesia para lograr que los misioneros abrieran el mensaje cristiano a todos por igual. Mientras que algunos de los apóstoles lograrían comprender rápidamente la dimensión universal del Evangelio, otros mantendrían una clara resistencia ante el ingreso y la convivencia abierta con los paganos convertidos.

La sección que nos presenta la liturgia es parte del discurso pronunciado por Pedro en casa del centurión romano Cornelio. Esa declaración es considerada por san Lucas como el parteaguas en la evolución misionera del apóstol, quien a partir de este acontecimiento logrará abrir su mentalidad y ofrecer indiscriminadamente el Evangelio ante hombres y mujeres de cualquier raza o condición social.

El pasaje es invocado en la liturgia del Bautismo del Señor por la alusión implícita que hace Pedro a la acción bautismal cumplida por Juan en la persona de Jesús. El primero de los apóstoles considera dicho acontecimiento como la apertura del ministerio de Jesús, y recuerda en particular que en ese momento Jesús fue revestido de la fuerza y el poder del Espíritu para desempeñar su ministerio y poder cumplir la misión de aliviar y mostrar misericordia con todos los atribulados y afligidos.

No se confunda nadie creyendo que antes de su bautismo Jesús estaría desprovisto de la presencia del Espíritu de Dios, pues ya los mismos Evangelios nos informan en los relatos donde se anuncia su nacimiento que Jesús fue engendrado por el poder del Espíritu. En la escena bautismal simplemente se le presenta de manera pública como lo que es y ha sido siempre: el Hijo Amado del Padre.

II LECTURA Hechos 10, 34–38 LM

Lectura del libro de los Hechos de los Apóstoles

En aquellos días,
Pedro se dirigió a *Cornelio* y a los que estaban en su casa,
con *estas* palabras:
"Ahora caigo en la cuenta de que Dios
no hace distinción de personas,
sino que *acepta* al que lo teme y practica la justicia,
sea de la nación que fuere.
Él *envió* su palabra a los hijos de Israel,
para *anunciarles* la paz por medio de Jesucristo,
Señor de todos.
Ya saben ustedes lo sucedido *en toda Judea*,
que tuvo principio *en Galilea*,
después del bautismo *predicado* por Juan:
cómo Dios *ungió* con el *poder* del Espíritu Santo
a *Jesús de Nazaret*
y cómo éste pasó haciendo el bien,
sanando *a todos* los oprimidos por el diablo,
porque Dios *estaba con él*".

II LECTURA Hechos 10,34–38 LEU

Lectura del libro de los Hechos de los Apóstoles

En aquellos días, *Pedro* tomó la palabra y dijo:
"*Verdaderamente* reconozco
que Dios no hace diferencia entre las personas,
sino que *acepta* a todo el que lo honra y obra *justamente*,
sea cual sea su *raza*.
El ha *enviado* su palabra a los hijos de *Israel*,
anunciándoles la paz por medio de Jesucristo,
que es el *Señor* de todos.
Ustedes *saben* lo sucedido en *toda* Judea, comenzando por Galilea,
después que *Juan* predicó el bautismo.
Cómo Dios *consagró* a Jesús de Nazaret con el *Espíritu Santo*,
comunicándole su *poder*.
Éste pasó *haciendo* el bien
y *sanando* a cuantos estaban *dominados* por el diablo,
porque Dios *estaba* con él".

Comparte con gran modestia y sinceridad esta confesión íntima que Pedro participa a los hermanos reunidos en la casa de Cornelio. Resalta debidamente la afirmación universalista que contiene su confesión.

Recuerda de manera familiar estos acontecimientos a la asamblea. Hazlo de manera novedosa y original, aunque esos sucesos sean de sobra conocidos por tus oyentes.

Mira directamente a la asamblea al pronunciar la palabra "ustedes". Involúcralos con tu mirada y hazles sentir que son testigos de los sucesos aludidos. Culmina tu exposición remarcando vigorosamente el verso final, donde el apóstol hace una confesión del ministerio liberador realizado por Jesús.

EVANGELIO El primero de los Evangelios en ser escrito fue el de san Marcos. Éste no dudó en relatar de manera escueta y con toda crudeza la escena bautismal (Marcos 1,9–11). En ese relato Juan Bautista no muestra resistencia alguna y bautiza a Jesús sin poner reparo alguno. En los tres Evangelios restantes, encontramos las huellas de lo conflictivo que les resultaba relatar ese suceso.

El relato de san Mateo presenta a Juan Bautista oponiendo clara resistencia. Más aún, éste solicita una inversión de posiciones, y sugiere que sea Jesús quien lo bautice a él, y si finalmente accede a bautizarle, es porque Jesús le explica que de esa manera se cumpliría el designio de Dios. Lucas apenas le dedica un par de versículos a la presentación de ese suceso (Lucas 3,21–22). Finalmente, el Cuarto Evangelio, al referir la escena bautismal, no narra expresamente que Jesús haya sido bautizado por Juan; más aún, aprovecha la alusión a su bautismo para presentarlo como el Hijo de Dios.

Volviendo al relato ofrecido por san Mateo, se aprecia que en este episodio se cumple una segunda manifestación o epifanía de Jesús. La primera había tenido lugar al momento que el pequeño Jesús fue homenajeado por los magos (ver 2,1–12). En esta segunda manifestación, el alcance es mayor que en la primera. Ahora no son solamente unos cuantos extranjeros los que acceden al misterio de Jesús. La declaración pública que se escucha desde los cielos no es transmitida de manera secreta, sino abiertamente ante todos los presentes, que no serían pocos, pues como nos informa el mismo Mateo: "Acudían a él de Jerusalén, de toda la Judea, y de la comarca del Jordán y se hacían bautizar por él en el Jordán confesando sus pecados" (ver 3,5–6).

EVANGELIO Mateo 3,13–17 L M

Lectura del santo Evangelio según san Mateo

En aquel tiempo,
Jesús llegó de Galilea al río *Jordán*
y le pidió a Juan que *lo bautizara*.
Pero *Juan* se resistía, *diciendo*:
"*Yo soy* quien debe *ser bautizado* por ti,
¿y tú vienes a que yo te bautice?"
Jesús le respondió:
"*Haz* ahora lo que te digo, porque *es necesario*
que *así* cumplamos *todo* lo que Dios quiere".
Entonces Juan *accedió* a bautizarlo.
Al *salir* Jesús del agua, una vez *bautizado*,
se le *abrieron* los cielos y *vio* al Espíritu de Dios,
que *descendía* sobre él en forma de *paloma*
y *oyó* una voz que decía, desde *el cielo*:
"*Éste* es mi Hijo *muy amado*,
en quien tengo mis complacencias".

EVANGELIO Mateo 3,13–17 LEU

Lectura del santo Evangelio según san Mateo

En aquel tiempo, vino Jesús, de Galilea al río Jordán,
en busca de Juan para que lo *bautizara*.
Pero Juan se *oponía*, diciendo:
"Yo *necesito* tu bautismo
¿y tú *quieres* que yo te bautice?"
Jesús le respondió: "*Déjame* hacer por el momento;
porque es *necesario* que así *cumplamos*
lo ordenado por Dios".
Entonces Juan *aceptó*.
Una vez *bautizado*, Jesús *salió* del río.
De repente se *abrió* el cielo
y vio al *Espíritu* de Dios que bajaba como Paloma
y *venía* sobre él.
Y se oyó una voz celestial que decía:
"*Éste* es mi Hijo, el *Amado*,
al que miro con *cariño*".

Relata de manera breve y concisa este versículo introductorio con el cual Mateo encuadra el suceso que celebramos: el Bautismo del Señor.

Recita vigorosamente la reacción extrañada del Bautista al formular su pregunta. Enfatiza el "yo" del Bautista y el "tú" de Jesús.

Haz una breve pausa antes de presentar la respuesta sensata con la cual Jesús tranquiliza y persuade a Juan de que le bautice.

Introduce de modo pausado el marco bautismal y la reapertura de los cielos. Realza con voz vibrante la declaración celestial sobre la condición filial de Jesús.

2º DOMINGO DEL TIEMPO ORDINARIO

I LECTURA En este oráculo, que es considerado como el Segundo Cántico del Siervo de Yavé, encontramos la complementación del primero de los cánticos. En aquél, era Dios quien tomaba la palabra para presentar a su Siervo ante Israel; en éste, es el Siervo mismo es quien se autopresenta ante los pueblos y regiones más remotas (ver Isaías 49,1) para explicar cuál es el alcance y naturaleza de la misión que Dios le ha asignado.

El primer encargo que este Siervo ejecutará será el de congregar a los israelitas que habían sido dispersados durante el exilio. Una vez que los haya reunido y animado, tendrá que conducirlos a la tierra de Israel. Cumplida esta primera misión en el ámbito doméstico, el Siervo tendría que ampliar el alcance de su servicio, para dirigirse hacia todos los pueblos e iluminarles con la luz de la palabra divina.

II LECTURA La comunicación escrita que el apóstol Pablo y sus colaboradores (Sóstenes y Timoteo aparecen como coautores de cada una de las cartas enviadas a Corinto) sostuvieron con la Iglesia de Corinto fue muy abundante. Si nos fijamos en los capítulos que suman esas dos cartas reunimos 29, que comparados con los que fueron dirigidos a otras Iglesias, se convierten en la composición más amplia que el haya dirigido a cualquier Iglesia.

La conclusión es sencilla. Ninguna otra comunidad cristiana mereció tantos cuidados y atenciones de parte de san Pablo, como los que recibió la Iglesia de Corinto. Y es que esa ciudad, rebosante de un gran dinamismo comercial, estaba también muy influenciada por la mentalidad pagana que ahí predominaba. Los recién conversos no conseguían dejar atrás los hábitos y costumbres que habían practicado cuando eran paganos. Es por esa razón que una vez que el apóstol había concluido su misión

I LECTURA Isaías 49,3.5–6 L M

Lectura del libro del profeta Isaías

El *Señor* me dijo:
"*Tú eres* mi siervo, *Israel*; en ti *manifestaré* mi gloria".
Ahora habla el Señor,
el que *me formó* desde el seno materno,
para que fuera su servidor,
para *hacer* que Jacob *volviera* a él
y *congregar* a Israel en *torno* suyo
—tanto *así* me honró el *Señor* y *mi Dios* fue *mi fuerza*.
Ahora, pues, dice el Señor:
"*Es poco* que seas mi siervo sólo
para restablecer a las tribus de Jacob
y *reunir* a los *sobrevivientes* de Israel;
te voy a *convertir* en *luz* de las naciones,
para que mi salvación *llegue* hasta
los *últimos* rincones de la tierra".

II LECTURA 1 Corintios 1,1–3 L M

Lectura de la primera carta del apóstol san Pablo a los corintios

Yo, Pablo, *apóstol* de Jesucristo por *voluntad* de Dios,
y *Sóstenes*, mi colaborador,
saludamos a la comunidad cristiana que está en Corinto.
A *todos* ustedes,
a quienes Dios *santificó* en Cristo Jesús
y que son su pueblo santo,
así como a *todos* aquellos que en *cualquier* lugar
invocan el nombre de Cristo Jesús,
Señor nuestro y Señor de ellos,
les deseo la gracia y la paz de *parte* de Dios, nuestro Padre,
y de Cristo Jesús, *el Señor*.

I LECTURA Isaías 49,3.5–6 L E U.

Lectura del libro del profeta Isaías

Me dijo el Señor:
"*Tú* eres mi *servidor*, Israel,
tú me vas a hacer *famoso*".
Y *ahora*, el *Señor* ha hablado,
el que me *formó* desde el seno materno
para que fuera su *servidor*,
para que le *traiga* a Jacob
y le *junte* a Israel:
"No vale la pena que seas mi *servidor*
únicamente para *restablecer* a las tribus de *Jacob*,
o *traer* a sus sobrevivientes a su patria.
Te voy a poner, *además*, como una *luz* para el mundo,
para que mi *salvación* llegue hasta el *último* extremo
de la tierra".

Comparte con voz firme y segura este momento íntimo que has vivido con el Señor. Hazlo con sencillez, sin que tu palabra suene vanidosa o petulante. Recuerda que estás consciente de que eres un siervo de Dios y no un privilegiado.

Haz una ligera pausa y cambia el tono de voz. Utiliza uno más solemne y grave. Ahora proclamarás en directo un mensaje que Dios te está comunicando.

Concluye con gran entusiasmo la recitación de este último verso. Haz resonar con fuerza esta misión universalista que Dios te ha confiado.

II LECTURA 1 Corintios 1,1–3 L E U

Lectura de la primera carta del apóstol san Pablo a los corintios

Pablo, *llamado* por Dios,
apóstol de Cristo Jesús por la *voluntad* de Dios,
y el hermano *Sóstenes*,
a la *Iglesia* de Dios que está en *Corinto*,
a *ustedes* a quienes Dios *santificó* en Cristo *Jesús*
y que son su *pueblo* santo,
junto a *todos* aquellos que por *todas* partes
invocan el *nombre* de Cristo *Jesús*,
Señor nuestro, *Señor* de ellos y de *nosotros*,
tengan *bendición y paz* de parte de Dios *Padre*
y de *Cristo* Jesús, el *Señor*.

Recita este saludo inicial con ánimo sereno. Estás hablando como el padre de familia que se dirige cariñosamente a sus queridos hijos. Menciona con el mismo respeto al hermano Sóstenes colaborador del apóstol Pablo.

Dirígete directamente a la asamblea e inclúyelos dentro del "ustedes". Habla con tono persuasivo y procura convencerlos de su condición de consagrados a Cristo Jesús.

Expresa con voz anhelante y jubilosa tus sinceros deseos de bendición y paz para los cristianos reunidos en asamblea eucarística.

evangelizadora en Corinto, empieza a recibir noticias del debilitamiento de la fe y de las divisiones y dudas que habían surgido en esa Iglesia. Cuando los corintios le envían a un mensajero que le presenta una serie de consultas de tipo doctrinal y práctico que están preocupando a la comunidad, se decide a enviarles la primera de una serie de cartas.

EVANGELIO **El relato del bautismo de Jesús ofrecido por Juan se ubicada en el segundo día de actividades de Juan Bautista. En el primer día, el profeta del Jordán había estado bautizando en Betania en las cercanías del Jordán, y hasta allá habían llegado los sacerdotes y levitas para interrogarle acerca de su identidad. Juan había rendido su testimonio sobre sí mismo y había confesado que la modesta función que Dios le había asignado era la de ser precursor del que había de venir, y que ya estaba llegando.**

Justamente por eso, en el segundo día el autor nos presenta a Jesús "viniendo" hacia Juan, alertando ya desde el primer versículo al lector para que reconozca a Jesús como el enviado que viene. De hecho, ésta es la primera mención expresa del nombre de Jesús en este Evangelio, y ya desde esta primera comparecencia de Jesús en la narración evangélica, aparece caracterizado como "el que viene".

Antes de que Juan reconociera que Jesús era el enviado, había sido alertado por Dios por medio de una señal precisa. El Espíritu Santo se posaría sobre aquél que vendría a bautizar con Espíritu Santo. Se supone que antes de que Juan presentara a Jesús como el Cordero de Dios habría tenido lugar el bautismo de Jesús. Por razones que no viene al caso explicar aquí, Juan decidió no narrar de manera expresar ese acontecimiento, pero se sobreentiende por el testimonio que él ofrece en el versículo 32, que fue justamente al momento de bautizarle, que percibió la señal del Espíritu posándose sobre Jesús.

EVANGELIO Juan 1,29–34 L M

Lectura del santo Evangelio según san Juan

En *aquel* tiempo,
vio Juan el Bautista a Jesús, que venía *hacia él*, y *exclamó*:
"*Éste* es el *Cordero* de Dios, el que quita el pecado del mundo.
Éste es *aquél* de *quien yo* he dicho:
'El que viene *después* de mí,
tiene precedencia sobre mí, porque *ya existía antes* que yo'.
Yo *no lo conocía*,
pero he venido a bautizar *con agua*,
para *que él* sea dado a conocer a Israel".
Entonces *Juan* dio este testimonio:
"*Vi* al Espíritu *descender* del cielo
en *forma* de paloma y posarse *sobre él*.
Yo *no* lo conocía,
pero el que me envió a bautizar con agua me dijo:
'*Aquél* sobre quien veas *que baja* y *se posa* el Espíritu Santo,
ése es el que *ha de bautizar* con el Espíritu Santo'.
Pues bien, *yo lo vi* y *doy* testimonio
de que éste es el Hijo de Dios".

EVANGELIO Juan 1,29–34 LEU

Lectura del santo Evangelio según san Juan

En *aquel* tiempo, Juan vio a *Jesús* que venía a su encuentro
y *exclamó*:
"Ahí viene el *Cordero* de Dios,
el que *quita* el pecado del mundo.
De *él* yo decía:
'*Detrás* de mí viene un hombre que ya está *delante de mí*
porque existía *antes* que yo'.
Yo *no lo conocía,*
pero me correspondía *bautizar* con agua con miras a él,
para que se diera a *conocer* a Israel".
Y *Juan* dio este *testimonio*:
"He visto al Espíritu *bajar* del cielo como *paloma*
y *quedarse sobre él.*
Yo *no lo conocía,*
pero Dios, que me *envió* a bautizar con agua,
me dijo *también*:
'*Verás* al Espíritu *bajar* sobre *aquél*
que ha de *bautizar* con el *Espíritu* Santo,
y se *quedará* en él'.
¡Y yo lo he visto!
Por eso *puedo* decir que éste es el *elegido* de Dios".

Introduce esta escena con voz entusiasta, como lo harías al dar una noticia especialmente importante y esperada por todos. Procura acompañar tus palabras con gestos corporales que denoten la importancia del evento que anuncias.

Con tono reflexivo, recita la confesión que Juan hace sobre la función que Dios le había asignado: preparar a Israel para que conociera al que había de venir.

Resalta con gran énfasis y seguridad esta declaración. Es el testimonio central que Juan ofrece sobre Jesús.

Proclama esta cita del mensaje divino con voz solemne y grave. Juan está recordando de manera exacta un importante mensaje que Dios le había revelado.

Concluye tu proclamación, presentando de manera contundente la declaración final del Bautista. Imprímele a tu voz un aire de certidumbre y entusiasmo.

3er. DOMINGO DEL TIEMPO ORDINARIO

I LECTURA A mediados del siglo VIII a.C., el imperio asirio retomó un segundo aire y se constituyó en el país más poderoso de todo el Cercano Oriente durante un siglo y medio. Hacia el año 745, el rey asirio Tiglatpileser III emprendió una amplia campaña de conquista de todos los pueblos ubicados al sur de sus territorios. Una década más tarde el reino de Damasco caería en su poder, y enseguida le tocaría el turno a las poblaciones fronterizas del reino de Israel que serían deportadas a Asiria.

Es a ese evento ruinoso que padecieron las dos tribus norteñas de Zabulón y Neftalí al que se refiere metafóricamente el profeta Isaías en el inicio de este oráculo mesiánico. El poeta contrasta la época de humillación y tinieblas con el advenimiento de un período de luz y salvación que tendrá como consecuencias directas, la desaparición de la guerra y la opresión.

Aunque la proclamación que nos propone la liturgia queda extrañamente incompleta al omitir la lectura de los tres últimos versículos, debemos aludir a ellos, porque es justamente a partir del cuarto versículo que se anuncia el nacimiento de un descendiente de David, que será visto como la garantía dada por Dios de que sus promesas se cumplirán, y de que pese al enorme poderío asirio que les amenaza, Dios nunca dejará de asistir y sostener a su pueblo.

En la segunda mitad del oráculo, el profeta se dirige directamente y con toda confianza a Dios para alabarle por la victoria memorable que ha obtenido a favor de Israel. Está tan cierto el profeta del pronto cumplimiento de ese anuncio que lo presenta como un hecho ya cumplido, por el cual conviene dar rendidas gracias a Dios.

I LECTURA Isaías 8,23—9,3 LM

Lectura del libro del profeta Isaías

En otro tiempo el Señor *humilló*
al país de Zabulón y al país de Neftalí;
pero en el futuro *llenará* de gloria el camino del mar,
más allá del Jordán, en la región de los paganos.
El pueblo que *caminaba* en tinieblas *vio* una gran luz.
Sobre los que *vivían* en tierra de sombras, una luz *resplandeció*.
Engrandeciste a tu pueblo e hiciste grande su alegría.
Se gozan *en tu presencia* como gozan *al cosechar*,
como *se alegran* al repartirse el botín.
Porque tú *quebrantaste* su pesado yugo,
la barra que *oprimía* sus hombros y el cetro de su tirano,
como en el *día de Madián*.

I LECTURA Isaías 8,23—9,3 LEU

Lectura del libro del profeta Isaías

El *primer* período casi *aniquiló* al país de Zabulón
y al país de Neftalí,
pero en el *futuro*, se *llenará* de gloria la *carretera* del mar,
más allá del Jordán, en la región de los *paganos*.
Al *pueblo* de los que *caminan* en la *noche*,
se le *apareció* una luz *intensa*;
a los que vivían en el *oscuro* país de la *muerte*,
la luz se les *acercó*.
Tú los has *bendecido* y *multiplicado*,
los has *colmado* de alegría,
por eso *están* de fiesta y te *celebran*,
como los segadores al *terminar* la cosecha,
como los combatientes *después* de la victoria.
El yugo que *soportaban*, y la *vara* sobre sus espaldas,
el *látigo* de su capataz,
tú los *quiebras* como en *el día* de Madián.

Refiere estos sucesos trascurridos en el pasado con tonos de voz alternos y contrastantes. Con cierta pesadumbre alude al período de sombras, y con una gran esperanza al período de salvación que está por comenzar.

Al proclamar el advenimiento de la luz que reanimará al Israel moribundo, hazlo con voz gozosa y entusiasta.

Haz una pequeña pausa antes de dirigir esta plegaria de acción de gracias a Dios. Se impone hacerlo con un tono de reconocimiento y gratitud.

II LECTURA Apenas concluido el prólogo de la carta, y luego de haber saludado a los cristianos de Corinto y haber expresado su agradecimiento al Padre, después de haber hecho un reconocimiento de la abundante manifestación de carismas con que Dios los ha distinguido, el apóstol Pablo aborda sin muchos preámbulos el tema de las divisiones existentes en la Iglesia corintia. Este problema estaba complicando seriamente la buena marcha de la comunidad.

Pablo, como padre y fundador de esa Iglesia, tenía un conocimiento profundo de ellos. Es por eso que en otra sección de la carta asevera que los corintios son gente de carácter separatista: "porque es inevitable que llegue a haber partidos entre ustedes" (1 Corintios 11,19), amante de confrontarse entre sí, bajo cualquier pretexto.

Ellos compiten entre sí tratando de mostrar que han recibido carismas superiores a los demás (1 Corintios 12). Se precian de ser gente sabia y notable, cuando en realidad son gente de origen discreto y humilde. Y ahora han llegado a tomar a algunos de los dirigentes eclesiales más reconocidos (Pablo, Pedro, Apolo), y aún al mismo Cristo Jesús, como cabecilla o bandera de una determinada fracción existente en la comunidad cristiana.

Con variados argumentos, el apóstol intenta explicarles lo errado de su proceder. En primer lugar, les plantea una terna de preguntas retóricas que sirven para demostrar lo insensato de su proceder. Así que si Cristo no está dividido, y como no han sido salvados ni bautizados gracias a los méritos paulinos o petrinos, no tiene caso andar discutiendo si es superior la autoridad de Pedro a la elocuencia de Apolo o a la laboriosidad y dedicación de san Pablo.

II LECTURA 1 Corintios 1,10–13.17 L M

Lectura de la primera carta del apóstol san Pablo a los corintios

Hermanos:
Los exhorto, *en nombre* de nuestro Señor Jesucristo,
a que *todos* vivan en *concordia*
y *no haya* divisiones entre ustedes,
a que estén *perfectamente* unidos
en un *mismo* sentir y en un *mismo* pensar.
Me *he enterado*, hermanos, por algunos servidores de Cloe,
de que *hay discordia* entre ustedes.
Les digo *esto*, porque *cada uno* de ustedes
ha tomado partido, diciendo:
"*Yo soy* de Pablo", "*Yo soy* de Apolo",
"*Yo soy* de Pedro", "*Yo soy* de Cristo".
¿*Acaso* Cristo *está dividido*?
¿Es que Pablo *fue crucificado* por ustedes?
¿O han sido bautizados ustedes *en nombre* de Pablo?
Por lo demás, no me envió Cristo a bautizar,
sino *a predicar* el Evangelio,
y *eso*, no con sabiduría *de palabras*,
para no *hacer ineficaz* la cruz de Cristo.

II LECTURA 1 Corintios 1,10–13.17 LEU

Lectura de la primera carta del apóstol san Pablo a los corintios

Les ruego, *hermanos*, en el *nombre* de Cristo Jesús,
nuestro Señor,
que se pongan de *acuerdo* y que no haya *divisiones*
entre ustedes.
Vivan *unidos* en el *mismo* pensar y sentir.
La familia de Cloe me ha *informado* que hay *rivalidades*
entre ustedes.
Me refiero a que *cada uno* va proclamando:
yo *soy* de Pablo, yo *soy* de Apolo, yo *soy* de Pedro,
yo *soy* de Cristo.
¿Acaso está *dividido* Cristo?
¿O yo, *Pablo*, he sido *crucificado* por ustedes?
¿O fueron ustedes *bautizados* en nombre de *Pablo*?
Porque Cristo *no* me envió a *bautizar*
sino a *anunciar* su Evangelio,
y *no* lo predico con discursos *sabios* para no *desvirtuar*
la cruz de Cristo.

Dirígete a la asamblea con tono persuasivo y cariñoso, procurando animarlos a que superen los conflictos internos que están viviendo. Destaca suficientemente el criterio propuesto: vivir unidos en una misma mentalidad.

Recita estas palabras a manera de una cita entrecomillada. Hazlo también con cierto tono irónico, para que quede en evidencia la actitud errónea que están mostrando.

Plantea con gran exigencia esta terna de preguntas. Hazlo con la seguridad de saber que llevas razón en lo que afirmas.

Concluye con mucha decisión la lectura y muestra la serena convicción con que estás realizando tu ministerio evangelizador.

EVANGELIO La tónica viajera con que Jesús se presenta en los dos primeros versículos de este episodio del Evangelio de Mateo (Jesús marcha de Judea a Galilea, llega a Nazaret, sale de su pueblo y se establece en Cafarnaúm) continuará durante todo el período de su ministerio galileo. En la primera síntesis con la cual Mateo cierra la primera sección del peregrinar de Jesús, lo presenta en continuo movimiento, recorriendo todos los poblados de Galilea, enseñando, proclamando el Evangelio del Reino y curando.

De hecho, al igual que en la secuencia presentada por Marcos, también Mateo ubica el llamado de los cuatro primeros discípulos, como el comienzo mismo de la actividad pública de Jesús. Estos cuatro pescadores serán el núcleo central del grupo de los discípulos. A estos hombres que abandonaron su oficio, familia y pueblo para seguir a Jesús, les corresponderá vivir en adelante como testigos y acompañantes inseparables de su maestro.

A cualquiera de nosotros nos parecerá excesivo escuchar este relato de vocación, donde se nos cuenta que cuatro hombres maduros decidieron repentinamente modificar de manera sustancial el rumbo de sus vidas para convertirse "en pescadores de hombres". La llamada de Jesús es tajante y exigente: "Vénganse conmigo". Él, recién llegado, no les da demasiadas explicaciones, ni les ofrece participar, de recompensa o premio alguno.

A todas luces el relato de san Mateo resulta muy escueto en lo que informa. Ante el imponente llamado de Jesús, los pescadores responden con prontitud y disponibilidad totales. No es sencillo encontrar a diario personas desconocidas entre sí, que lleguen a identificarse tanto, que realicen una ruptura total en sus vidas, para fundirse en la búsqueda de un proyecto común.

La prédica de Jesús sobre la cercanía del Reino de Dios, acompañada de los consecuentes signos y curaciones (ver 4,23), es el factor que da razón de esta sacudida que empezó a sentirse en el pequeño puerto de Cafarnaúm.

EVANGELIO Mateo 4,12–23 L M

Lectura del santo Evangelio según san Mateo

Al *enterarse* Jesús de que Juan había sido *arrestado*,
se retiró a Galilea, y dejando el pueblo de Nazaret,
se fue a vivir a *Cafarnaúm*, junto al lago,
en territorio de Zabulón y Neftalí,
para que así *se cumpliera* lo que había
anunciado el profeta Isaías:
Tierra de Zabulón y Neftalí, *camino del mar*,
al *otro* lado del Jordán, Galilea de los paganos.
El pueblo que caminaba *en tinieblas* vio una *gran* luz.
Sobre los que *vivían* en tierra *de sombras* una luz resplandeció.
Desde entonces *comenzó* Jesús a *predicar*, diciendo:
"*Conviértanse*, porque *ya está cerca* el Reino de los cielos".
Una vez que Jesús *caminaba* por la ribera del mar de Galilea,
vio a dos hermanos, *Simón*, llamado después *Pedro*, y *Andrés*,
los cuales estaban *echando* las redes al mar,
porque eran pescadores.
Jesús les *dijo*:
"*Síganme* y los haré *pescadores* de hombres".
Ellos *inmediatamente* dejaron las redes y lo *siguieron*.
Pasando *más adelante*, vio *a otros* dos hermanos,
Santiago y Juan, hijos de Zebedeo,
que estaban con su padre en la barca,
remendando las redes, y *los llamó* también.
Ellos, dejando *enseguida* la barca y a su padre, *lo siguieron*.
Andaba por *toda* Galilea, *enseñando* en las sinagogas
y *proclamando* la *buena nueva* del Reino de Dios
y *curando* a la gente de *toda* enfermedad y dolencia.

EVANGELIO Mateo 4,12–23 LEU

Lectura del santo Evangelio según san Mateo

Oyó Jesús que habían *encarcelado* a Juan,
por lo que se fue a *Galilea*.
Dejó la ciudad de Nazaret y fue a *vivir* a Cafarnaún,
cerca del lago, en los *límites* de Zabulón y Neftalí.
Así se *cumplió* lo que dijo el profeta *Isaías*:
"*Oigan*, territorios de *Zabulón* y *Neftalí*
y los de las *orillas* del Mar y de *más allá* del Jordán;
escúchame, Galilea, tierra de *paganos*.
A tus habitantes *postrados* en tinieblas los *iluminó*
una luz grande.
Estaban *sentados* en la región *sombría* de la muerte,
pero *apareció* para ellos una luz".
Entonces fue cuando Jesús *empezó* a *predicar*.
Y les decía: "*Cambien* su vida y su corazón,
porque está *cerca* el *Reino* de los Cielos".
[*Caminaba* Jesús a orillas del lago de Galilea *y vio*
a dos hermanos:
Simón, llamado después *Pedro*, y a *Andrés*,
que *echaban* las redes al agua porque eran *pescadores*.
Jesús les dijo: "*Síganme*, y los haré *pescadores*
de *hombres*".
Los dos dejaron *inmediatamente* las redes y lo *siguieron*.
Más allá *vio* a otros dos hermanos: *Santiago y Juan*,
que con Zebedeo, su padre, *estaban* en su barca,
zurciendo las redes.
Jesús los *llamó*,
y ellos *también* dejaron la barca y al padre y *lo siguieron*.
Jesús recorría *toda* la Galilea, *enseñando* en las sinagogas.
Predicaba la *Buena Nueva del Reino*
y sanaba *todas* las dolencias y *enfermedades* de la gente.]

Relata vivencialmente con la seguridad de haber sido testigo ocular de los hechos.

Modifica el tono de tu voz. Ahora quien habla es el narrador que quiere llamar la atención de sus lectores para mostrarles a Jesús como el cumplimiento de la profecía de Isaías. Lee la cita de Isaías con voz vibrante y animosa.

Haz una pausa regular antes de introducir en escena al protagonista principal de la narración. Subraya con suficiente énfasis esta proclama que no sólo es la primera que pronuncia Jesús en el Evangelio, sino que es el centro de su predicación.

Presenta con un ritmo más lento esta escena del llamado de los dos primeros discípulos. Al formular el mandato dado por Jesús, hazlo con voz exigente y firme.

Se impone hacer una breve pausa antes de presentar el llamado de esta segunda pareja de hermanos. En ambos relatos vocacionales conviene remarcar con gran fuerza los verbos sobre el seguimiento.

Al recitar esta breve síntesis del ministerio, debes hacerlo con tono más tranquilo, de manera que la asamblea visualice lo que informas.

4º DOMINGO DEL TIEMPO ORDINARIO

I LECTURA Sofonías 2,3; 3,12–13 L M

Lectura del libro del profeta Sofonías

Busquen al Señor, *ustedes* los humildes de la tierra,
los que *cumplen* los mandamientos de Dios.
Busquen la justicia, busquen la humildad.
Quizá puedan *así* quedar a cubierto el *día de la ira* del Señor.
"*Aquel* día, dice el Señor,
yo *dejaré* en *medio* de ti, pueblo mío,
un *puñado* de gente *pobre* y humilde.
Este *resto* de Israel *confiará* en el nombre del *Señor*.
No *cometerá* maldades *ni dirá* mentiras;
no se hallará en su boca una lengua *embustera*.
Permanecerán tranquilos y *descansarán*
sin que *nadie* los moleste".

II LECTURA 1 Corintios 1,26–31 L M

Lectura de la primera carta del apóstol san Pablo a los corintios

Hermanos:
Consideren que entre ustedes,
los que han sido *llamados* por Dios,
no hay *muchos* sabios, ni *muchos* poderosos,
ni *muchos* nobles, según los *criterios* humanos.
Pues Dios *ha elegido* a los ignorantes de este mundo,
para *humillar* a los sabios;
a los *débiles* del mundo, para *avergonzar* a los fuertes;
a los *insignificantes* y despreciados *del mundo*,
es decir, a los que no *valen nada*,
para reducir a la nada a los *que valen*;
de manera que *nadie* pueda presumir *delante* de Dios.
En efecto, por obra de Dios,
ustedes están *injertados* en Cristo Jesús,
a quien Dios hizo *nuestra* sabiduría, *nuestra* justicia,
nuestra santificación y *nuestra redención*.
Por lo tanto, como *dice* la Escritura:
El que *se gloría*, que se glorie *en el Señor*.

I LECTURA **Sofonías fue un animoso y entusiasta colaborador de Josías, el rey fiel que pretendió renovar a Israel y que realizó reformas religiosas y políticas para devolver al pueblo al camino de la fidelidad al Señor. Sofonías presintió la terrible amenaza que sobrevenía sobre Jerusalén e invitó al pueblo a buscar la conversión para escapar al castigo. Como no era un visionario ingenuo alcanzó a comprender que, solamente aquellos hombres y mujeres humildes que practicaran la justicia podrían ponerse a salvo en el inminente "día de la ira" del Señor.**

Aunque la terna de versículos que nos proclama la liturgia se encuentran en oráculos diferentes, están íntimamente ligados en cuanto al tema que presentan. El primero está formulado en un tono exigente y sirve como un llamado dirigido a la clase pobre y humilde, que no se ha asociado a la perniciosa moda impuesta por la clase dirigente, sino que se ha mantenido en la senda de la obediencia a ley de Dios. El segundo está inserto en un amplio oráculo de restauración y describe las características del resto fiel de Israel que será salvado por Dios.

II LECTURA **En este capítulo, san Pablo contrasta la sabiduría humana con la divina, y muestra la superioridad de esta última.**

En la parte conclusiva de este primer capítulo, Pablo recurre a la experiencia e invita a sus lectores a analizar cuál es su origen y procedencia, haciéndoles caer en la cuenta de que son gente perteneciente a las clases humildes de Corinto. Por eso, entre los cristianos de esa comunidad no abundan los poderosos, ni los sabios o nobles. Esta situación no es debida al azar o la casualidad. Al contrario, Dios ha elegido intencionalmente a los débiles para fortalecerlos con su gracia, y anular la pretendida potencia de los fuertes.

La recomendación final es clara y tajante. Los cristianos de Corinto no pueden

I LECTURA Sofonías 2,3; 3,12–13 LEU

Lectura del libro del profeta Sofonías

Busquen al Señor *todos* ustedes,
los *pobres* del país, que *cumplen* sus mandatos,
practiquen la justicia y sean *humildes*
y así *tal vez* encontrarán *refugio* el día en que el Señor
venga a juzgarlos.
Dejaré subsistir *dentro* de ti a un pueblo *humilde* y *pobre*,
que *buscará* refugio *sólo* en Dios.
Aquellos que *queden* de Israel no se portarán *injustamente*
ni dirán más *mentiras*, ni hallarán en su boca
palabras *engañosas*.
Podrán alimentarse y *descansar* sin que *nadie* los moleste.

Llama con voz urgente a los presentes para que permanezcan activos cumpliendo los mandatos del Señor. Concluye esta exhortación con un tono incierto que deje abierta la posibilidad de escapar al castigo.

Cambia el tono de voz. Ahora estás proclamando una palabra pronunciada por el mismo Señor, que asegura la sobrevivencia de un resto fiel.

Describe pausadamente las características de ese resto elegido que se mantendrá seguro bajo la protección de Dios.

II LECTURA 1 Corintios 1,26–31 LEU

Lectura de la primera carta del apóstol san Pablo a los corintios

Hermanos, *fíjense* a quiénes *llamó* Dios.
Entre ustedes hay *pocos* hombres *cultos*
según la manera común de *pensar*;
pocos hombres *poderosos* o que vienen de
familias *famosas*.
Bien se puede decir que Dios ha *elegido* lo que
el mundo *tiene* por necio
con el fin de *avergonzar* a los fuertes.
Dios ha *elegido* a la gente común y *despreciada*;
ha *elegido* lo que no es *nada* para *rebajar* a lo *que es*,
y así *nadie* ya se podrá *alabar* a sí mismo *delante* de Dios.
Ustedes *mismos*, por gracia de Dios, *están* en Cristo *Jesús*,
el cual ha llegado a ser *nuestra* sabiduría, *venida* de Dios,
y nos ha hecho *agradables* a Dios, santos y libres.
Así, pues, vale lo que *dice* la Escritura:
"No se sientan *orgullosos*;
más bien *estén* orgullosos del Señor".

Observa directamente a los presentes e interpélalos con voz suave y serena. No se trata de ofenderlos ni humillarlos. Por eso, debes confrontarlos con todo paciente y comedido.

Comparte con ánimo reposado esta reflexión sapiencial hecha por el apóstol. Marca el contraste entre exaltación y humillación, entre lo fuerte y lo débil.

Recita esta última exhortación mirando de frente a la asamblea y úrgelos, en nombre del apóstol Pablo, a poner su gloria en el Señor.

seguir enorgulleciéndose, porque no tienen motivos para hacerlo. Su verdadera gloria la han recibido y seguirán recibiendo de Dios, que los ha elegido por medio de Cristo.

EVANGELIO **Esta proclamación ha sido atinadamente denominada con el nombre del "Sermón del Monte". Jesús aparece como el verdadero maestro que enseña el camino de la verdadera dicha a cuantos están dispuestos a escucharle. Esta serie de bienaventuranzas es más amplia que la versión ofrecida por Lucas, quien sólo transmite cuatro bienaventuranzas, mientras que Mateo ofrece nueve. Las bienaventuranzas proclamadas por Jesús en Mateo colocan el acento en las disposiciones espirituales con las cuales los discípulos viven su adhesión al Reino de los cielos.**

Las primeras ocho bienaventuranzas describen actitudes y disposiciones interiores asumidas por cualquier persona. Hablan en un tono un tanto impersonal (los pobres de espíritu, los compasivos, etcétera). En cambio, la última está formulada de manera personalizada. Jesús habla refiriéndose expresamente a sus discípulos (dichosos ustedes) que son maltratados por causa de su fe cristiana.

La dicha y la bienaventuranza prometida por Jesús a sus oyentes no serán otorgadas en el momento mismo que los discípulos asuman las actitudes descritas, ni cuando enfrenten las persecuciones mencionadas. Es una dicha que sobrevendrá en el futuro, pero no se crea que estas felicitaciones son un consuelo vano que sirve para adormilar y manipular más fácilmente a los cristianos. Es una promesa que Dios ha empezado a cumplir al resucitar a su Hijo. Con esa garantía, podemos estar seguros de que estas felicitaciones no son promesas engañosas, sino reconocimientos que llevan el aval confiable de Dios mismo.

EVANGELIO Mateo 5,1–12 LM

Lectura del santo Evangelio según san Mateo

En *aquel* tiempo,
cuando Jesús *vio* a la muchedumbre,
subió al *monte* y se sentó.
Entonces se le acercaron sus discípulos.
Enseguida comenzó a *enseñarles*, hablándoles *así*:
"*Dichosos* los pobres de espíritu,
porque de ellos es el Reino de los cielos.
Dichosos los *que lloran*, porque *serán consolados*.
Dichosos los sufridos, porque *heredarán* la tierra.
Dichosos los que tienen hambre y *sed de justicia*,
porque serán *saciados*.
Dichosos los misericordiosos, porque obtendrán misericordia.
Dichosos los limpios de corazón, porque *verán* a Dios.
Dichosos los que *trabajan por la paz*,
porque se les llamará *hijos de Dios*.
Dichosos los perseguidos *por causa de la justicia*,
porque *de ellos* es el Reino de los cielos.
Dichosos serán *ustedes* cuando los injurien, los persigan
y digan *cosas falsas* de ustedes por *causa mía*.
Alégrense y salten de contento,
porque su premio *será grande* en los cielos".

EVANGELIO Mateo 5,1–12a LEU

Lectura del santo Evangelio según san Mateo

En aquel tiempo, *Jesús*, al ver a *toda* esa muchedumbre,
subió al cerro.
Allí se *sentó* y sus discípulos se le *acercaron*.
Comenzó a hablar, y les *enseñaba* así:
"*Felices* los que tienen *espíritu* de pobre,
porque de ellos es el *Reino* de los Cielos.
Felices los que *lloran*, porque recibirán *consuelo*.
Felices los *pacientes*, porque *recibirán* la tierra en herencia.
Felices los que tienen *hambre* y sed de justicia,
porque serán *saciados*.
Felices los *compasivos*, porque obtendrán *misericordia*.
Felices los de corazón *limpio*, porque ellos *verán* a Dios.
Felices los que trabajan por la *paz*,
porque serán *reconocidos* como *hijos* de Dios.
Felices los que son *perseguidos* por causa del bien,
porque *de ellos* es el Reino de los Cielos.
Dichosos ustedes cuando por causa *mía* los maldigan,
los persigan
y les levanten *toda clase* de calumnias.
Alégrense y muéstrense *contentos*,
porque será *grande* la recompensa que *recibirán* en el cielo".

Introduce con voz pausada esta solemne introducción al Sermón del Monte. Resalta los verbos relativos a la escucha y la enseñanza.

Al proclamar, procura mantener el ritmo y el tono gozoso de las felicitaciones. Se impone hacer una breve pausa al concluir la lectura de cada bienaventuranza. Pronuncia la primera parte (donde se describe una determinada actitud) y deja un instante en silencio para crear el suspenso antes de pronunciar la promesa correspondiente (los verbos están en futuro).

Recita esta última bienaventuranza en tono directo. Aborda con tu mirada a los presentes e invítalos a asumir las adversidades que les sobrevengan por causa de su fidelidad a Jesucristo.

5º DOMINGO DEL TIEMPO ORDINARIO

I LECTURA Isaías 58,7–10 LM

Lectura del libro del profeta Isaías

Esto dice el Señor:
"*Comparte* tu pan con el hambriento,
abre tu casa al pobre sin techo,
viste al desnudo y *no des* la espalda a tu *propio* hermano.
Entonces *surgirá* tu luz como la aurora
y *cicatrizarán* de prisa tus heridas;
te *abrirá* camino la justicia
y la *gloria* del Señor *cerrará* tu marcha.
Entonces *clamarás* al Señor y él te responderá;
lo llamarás, y *él te dirá*: 'Aquí *estoy*'.
Cuando renuncies a *oprimir* a los demás
y *destierres* de ti el gesto *amenazador* y la palabra *ofensiva*;
cuando *compartas* tu pan con el hambriento
y *sacies* la necesidad del humillado,
brillará tu luz en las tinieblas
y tu oscuridad *será* como el mediodía".

I LECTURA **Conforme al más puro estilo del primer Isaías (ver 1,10–17), este discípulo suyo continúa asociando la fidelidad al Señor con la correspondiente actitud ética mostrada hacia el inocente y oprimido. En este capítulo, el profeta responde a las quejas del pueblo que imaginaba que con la práctica penitencial del ayuno le bastaría para tener contento a Dios. El autor, en plena continuidad con la enseñanza más reiterada por el Primer Isaías, les recuerda un dato esencial: no se puede mantener una relación justa con Dios, cuando la persona se desentiende de practicar la justicia y la misericordia con los necesitados.**

El pueblo que ha ido reinstalándose penosamente en la tierra de Israel, después de sufrir un prolongado exilio en Babilonia, sigue padeciendo y provocando la opresión y la desigualdad. El nuevo comienzo que supuso la vuelta del destierro no ha significado una reordenación justa de las relaciones sociales. Por eso, el profeta condiciona el otorgamiento de los favores divinos a la práctica de la solidaridad con el necesitado, a la vivencia de la fraternidad, a la eliminación de las estrategias abusivas en contra del hermano.

Si los hijos de Israel desean aprender la lección del fracaso que significó el exilio, deben convencerse de que no se puede engañar a Dios, ni se le puede contentar con ofrendas y dones exteriores: es la puesta en práctica de su voluntad lo que hará que renazcan de sus cenizas, y vuelvan a ser el pueblo elegido que goza del privilegio de llamar a su Dios y ser atendido con prontitud (58,9).

I LECTURA Isaías 58,7–10 L E U

Lectura del libro del profeta Isaías

Esto *dice* el Señor:
Compartirás tu pan con el *hambriento,*
los *pobres* sin techo *entrarán* en tu casa,
vestirás al que veas desnudo
y no volverás la espalda a tu *hermano.*
Entonces tu luz *surgirá* como la *aurora*
y tus heridas sanarán *rápidamente.*
Tu *recto* obrar marchará *delante* de ti
y la *gloria* del Señor te *seguirá* por detrás.
Entonces, si llamas al Señor, *responderá.*
Cuando lo llames, dirá: "*Aquí estoy*".
Si en tu casa *no* hay más gente *explotada,*
si *apartas* el gesto *amenazante* y las palabras *perversas*;
si *das* al hambriento lo que deseas *para ti*
y *sacias* al hombre *oprimido*;
brillará tu luz en las *tinieblas,*
y tu *oscuridad* se volverá como *la claridad* del mediodía.

Entona en voz alta este oráculo. Hazlo con la actitud propia de un maestro que instruye a sus discípulos sobre cuál es el camino grato a Dios.

Enfatiza con mucha seguridad la serie de promesas que acompañarán a quien practique la solidaridad con el necesitado. Habla con la convicción que te da el haber experimentado lo que estás enseñando.

Haz una ligera pausa antes de introducir esta serie de proposiciones condicionales. Con una mirada penetrante y levantando levemente el dedo índice, proclama las consecuencias que te acarreará el cumplimiento de tales actitudes.

II LECTURA **Todo el capítulo segundo de la primera carta a los Corintios es una profunda exposición sobre el tema de la sabiduría divina. El autor establece una clara oposición entre la sabiduría humana y la divina. Mientras que aquélla estaba basada en la habilidad e inteligencia del orador que convence a la asamblea con razonamientos atinados, la sabiduría divina no se fundamenta en la elocuencia del orador, ni en sus dotes y habilidades poéticas. Ésta se atiene a la fuerza del Espíritu que va demostrando eficazmente el misterio de Cristo.**

En esta lectura, Pablo rememora ante los corintios el modo inseguro con que se presentó por primera vez en medio de ellos. Indudablemente, la magnitud de la ciudad, los muchos cultos paganos y la mentalidad marcadamente racionalista de los corintios inhibieron al apóstol Pablo al momento de su arribo a la ciudad, pero afortunadamente no iba a realizar la evangelización de Corinto con sus puras fuerzas humanas.

Sensatamente, el apóstol había puesto su confianza en la fuerza del Espíritu, y fue gracias a sus múltiples manifestaciones ("El testimonio sobre el Mesías se ha confirmado en ustedes, hasta el punto de que no les falta ningún don" [ver 1 Corintios 1,6–7]) que san Pablo logró persuadir a los cristianos de Corinto para que acogieran el Evangelio.

EVANGELIO **Una vez que Mateo ha concluido la presentación de las bienaventuranzas y que ha resonado la solemne overtura de este amplio e importante discurso (Mateo 5—7), el autor nos expone en esta escueta sección la enseñanza de Jesús sobre la relación de los cristianos con la humanidad entera.**

Con la genialidad y sencillez que solía hacerlo, Jesús recurre a dos imágenes originales y familiares a la vez: la sal y la luz. Éstas son dos realidades tan comunes a cualquier persona que no es preciso ir a la escuela para poder comprender el significado que Jesús les asigna.

II LECTURA 1 Corintios 2,1–5 L M

Lectura de la primera carta del apóstol san Pablo a los corintios

Hermanos:
Cuando *llegué* a la ciudad de ustedes
para *anunciarles* el Evangelio,
no busqué hacerlo mediante la *elocuencia* del lenguaje
o la *sabiduría* humana,
sino que *resolví* no hablarles sino de *Jesucristo*,
más aún, de Jesucristo *crucificado*.
Me presenté ante ustedes *débil* y temblando *de miedo*.
Cuando les *hablé* y les *prediqué* el Evangelio,
no quise convencerlos con palabras de hombre sabio;
al contrario, los *convencí* por medio del *Espíritu*
y del *poder* de Dios,
a fin de que la fe de ustedes *dependiera* del poder de Dios
y no de la sabiduría de los hombres.

II LECTURA 1 Corintios 2,1–5 LEU

Lectura de la primera carta del apóstol san Pablo a los corintios

Yo *mismo*, hermanos,
al venir a *ustedes* no llegué con *palabras* y discursos *elevados*
para *anunciarles* el mensaje de Dios.
Me *propuse* no saber *otra* cosa entre *ustedes* sino a *Cristo* Jesús
y a éste *crucificado*.
Me presenté *débil*, iba inquieto y con *mucho* temor,
de manera que *no tenía* el lenguaje ni los discursos
de los que *saben* hablar y *conquistar* a sus oyentes.
Pero sí, *se manifestó* el Espíritu con su poder,
para que ustedes *creyeran*, no ya por la *sabiduría*
de un hombre,
sino por el *poder* de Dios.

Comparte este testimonio fraterno con un tono cariñoso y sincero. Estás participando a la asamblea un recuerdo que te involucra personalmente.

Con una actitud modesta y humilde, reconoce la manera vacilante e insegura con que ingresaste a la ciudad de Corinto.

Cambia el tono de voz al introducir la alusión a la manifestación del Espíritu. Se impone usar un tono firme y seguro.

PUNTOS PARA RECORDAR

Practica en el ambón

- Ensaya la lectura frente al espejo con gestos expresivos naturales, que no distraigan pero que acentúen ciertos puntos.
- Si es posible, proclama en el templo vacío, proyectando la voz.
- La comunicación será más exitosa si haces un esfuerzo por identificarte con lo que lees. Recuerda las imágenes mientras presentas la lectura.
- Al hablar, acuérdate de proyectar la voz desde el pecho y no dejes que sólo salga de la garganta o por la nariz.
- Ubica a una persona sentada en la última banca del templo. Extiende la voz hasta ese punto.
- Busca dos caras simpáticas, una a la izquierda y otra a la derecha. De vez en cuando, pasa la vista desde la frente de una a la de la otra, y así los miembros de la asamblea tendrán la impresión de que estás mirando a todos ellos.
- Familiarízate con el micrófono y colócalo al nivel de la boca, donde la voz adquiera más amplitud.

Más aún, se podría decir que hasta resultaría ofensivo tanto para el autor de esas comparaciones, como para los lectores del Evangelio, que éstas imágenes fueran explicadas. Se sobreentiende que Jesús prefiere expresar su mensaje con estas imágenes porque le resultan accesibles a todo mundo.

En los dos casos, Jesús procede de modo parecido. Primero identifica a sus discípulos con la luz y la sal, y luego les expone en una muy breve argumentación el alcance y el significado que se deriva de esas figuras poéticas. Las dos imágenes apuntan en la misma dirección: los cristianos están insertos en la sociedad con la vocación de manifestar la bondad de Dios.

Al cumplir esta labor testimonial, como propagadores de la luz de Cristo, los cristianos no actúan motivados por el afán de alcanzar la fama o el reconocimiento humanos, sino para que se tribute al Padre la alabanza merecida.

Tampoco se ha de pensar que este pasaje postula la creencia de que los cristianos son los superdotados de la sociedad, o los únicos poseedores de la verdad. Jesús no pretendía alentar en manera alguna esas actitudes equivocadas. Los cristianos sólo son portadores de la sabrosura que dimana del Evangelio y de la luz que irradia la Palabra de Dios. Ellos no se consideran a sí mismos como "redentores" de nadie, sino como humildes testigos de la bondad y sabiduría divina.

EVANGELIO Mateo 5,13–16 LM

Lectura del santo Evangelio según san Mateo

En *aquel* tiempo, Jesús *dijo* a sus discípulos:
"*Ustedes* son la sal de la tierra.
Si la sal se vuelve *insípida*, *¿con qué* se le *devolverá* el sabor?
Ya no sirve *para nada* y se *tira* a la calle para que la pise la gente.
Ustedes son la *luz* del mundo.
No se puede *ocultar* una ciudad construida
en *lo alto* de un monte;
y cuando se *enciende* una vela,
no se esconde *debajo* de una olla,
sino que se pone *sobre un candelero*,
para que *alumbre* a *todos* los de la casa.
Que de *igual* manera *brille* la luz de ustedes ante los hombres,
para que *viendo* las *buenas* obras que ustedes hacen,
den gloria a su Padre, que *está* en los cielos".

EVANGELIO Mateo 5,13–16 LEU

Lectura del santo Evangelio según san Mateo

En *aquel* tiempo, dijo *Jesús* a sus *discípulos*:
"*Ustedes* son la *sal* de la tierra.
Y si la *sal* se vuelve *desabrida*,
¿con *qué* se le puede *devolver* el sabor?
Ya no sirve para *nada* sino para *echarla* a la basura
o para que la *pise* la gente.
Ustedes son *luz* para el mundo.
No se puede *esconder* una ciudad *edificada* sobre un cerro.
No se *enciende* una lámpara para *esconderla* en un tiesto,
sino para *ponerla* en un *candelero*
a fin de que *alumbre* a *todos* los de la casa.
Así, *pues*, debe *brillar* su luz ante los *hombres*,
para que *vean* sus *buenas* obras
y *glorifiquen* al Padre de *ustedes* que está en los *cielos*".

Interpela con voz vibrante y sonora a la asamblea. Míralos de frente y recuérdales la vocación de ser portadores de la luz de Cristo, que han recibido desde el día de su bautismo.

Remarca con fuerza las dos afirmaciones centrales: "Ustedes son la luz del mundo" y "Ustedes son la sal de la tierra". Luego de pronunciar cada una de ellas, haz una pausa antes de ofrecer la explicación sucesiva.

Culmina la proclamación con un tono imperioso que comprometa a los oyentes a irradiar la luz de Cristo en todos los ámbitos donde viven.

9 DE FEBRERO DE 2005

MIÉRCOLES DE CENIZA

I LECTURA Joel 2,12–18 L M

Lectura del libro del profeta Joel

Esto dice el Señor:
"*Todavía* es tiempo.
Vuélvanse a mí de todo corazón,
con ayunos, con *lágrimas* y llanto;
enluten su corazón *y no* sus vestidos.
Vuélvanse al Señor Dios nuestro,
porque es compasivo y *misericordioso*,
lento a la cólera, rico en clemencia,
y *se conmueve* ante la desgracia.
Quizá se arrepienta, *se compadezca* de nosotros
y nos deje *una bendición*, que haga posibles
las ofrendas y libaciones al Señor, nuestro Dios.
Toquen la trompeta en Sión,
promulguen un ayuno, *convoquen* la asamblea,
reúnan al pueblo, *santifiquen* la reunión,
junten a los ancianos,
convoquen a los niños, aun a los niños de pecho.
Que el recién casado *deje su alcoba* y su tálamo la recién casada.
Entre el vestíbulo y el altar
lloren los sacerdotes ministros del Señor, diciendo:
'*Perdona*, Señor, *perdona* a tu pueblo.
No entregues tu heredad *a la burla* de las naciones.
Que no digan los paganos: ¿*Dónde está* el Dios de Israel?'"
Y el Señor *se llenó* de celo por su tierra
y *tuvo piedad* de su pueblo.

I LECTURA **Este conocido oráculo profético es uno de los pasajes clásicos que interpelan a los cristianos al inicio del tiempo de Cuaresma. En él, Joel exhorta insistentemente al pueblo para que se convierta y vuelva al Señor. Los dos verbos más importantes de toda esta amonestación tienen por objeto a Dios. Los israelitas son invitados a volver a Dios, es decir, a restablecer el estado y la relación original que mantenían con Dios. La conversión supone una vuelta a lo antiguo y es a la vez un nuevo comienzo.**

En el contexto histórico donde el profeta Joel hizo resonar por primera vez este llamado a la conversión, el pueblo de Israel estaba atravesando por una crisis alimenticia. Habían sufrido una serie de plagas y sequías que los habían dejado sin alimentos para ellos y sus ganados. Los más lastimados eran los campesinos; por eso, son expresamente invitados a participar en un ayuno, para implorar el cese de todas esas desgracias. Ante esa situación, Joel les aclara que no basta con realizar un ayuno exterior al estilo tradicional, sino que deben convertirse al Señor, para que él los perdone y vuelva a bendecirlos con lluvias abundantes.

Si los israelitas *vuelven* a Dios será muy probable que el Señor mismo *vuelva* y se arrepienta, detenga su ira y haga cesar el castigo. El profeta no puede asegurar con certeza que Dios le otorgará el perdón a Israel. El profeta es un simple mortal que no dispone en manera alguna de la voluntad divina; por eso, concluye su exhortación con una súplica confiada, donde implora el perdón para su pueblo.

I LECTURA Joel 2,12–18 LEU

Lectura del libro del profeta Joel

Dice el Señor: "*Vuelvan* a mí, con *todo* corazón,
con ayuno, con *llantos* y con lamentos".
Rasga tu corazón y no tus *vestidos*,
y *vuelve* al Señor tu Dios,
porque él es *bondadoso* y compasivo;
le *cuesta* enojarse, y grande es su *misericordia*;
envía la desgracia, pero luego *perdona*.

Amonesta con voz insistente al pueblo para que tome la decisión correcta y se convierta al Señor. Enumera con voz solemne y pausada cada uno de los atributos divinos referidos por el profeta.

¡Quién sabe si volverá *atrás* y nos *perdonará*
y hará producir *de nuevo* a nuestros *campos*,
de los cuales sacaremos las *ofrendas* para el Señor!

Recita esta sentencia encerrada entre signos de admiración con voz incierta, que refleje la duda del profeta sobre la posibilidad de que Dios les otorgue su perdón.

Toquen la trompeta en Sión,
ordenen el *ayuno* sagrado, y llamen a consejo.
Congreguen al pueblo,
reúnan a los ancianos y que *todos* se purifiquen.
Traigan *también* a los pequeños y a *los niños de pecho*,
y que *los recién* casados dejen su cama.

Proclama esta amplia serie de órdenes dadas Joel, que apresure la respuesta esperada de parte de los oyentes.

En el patio del santuario *lloren* los sacerdotes
ministros del *Señor*
y digan: "¡Señor, *perdona* a tu pueblo,
y no lo *entregues* al desprecio y a la *burla* de las naciones!
¿Acaso *permitirás* que los paganos digan: '*Dónde* está su Dios'?"
El Señor se mostró *lleno* de celo por *su tierra*
y tuvo *piedad* de su pueblo.

Concluye con tono humilde y suplicante. Expresa con voz afligida la súplica que los sacerdotes dirigen a Dios. Al recitar la pregunta final, hazlo con un tono desafiante y un tanto provocativo.

II LECTURA En esta interpelación, Pablo y Timoteo, que es asociado como coautor de la segunda carta a los Corintios, les recuerdan a sus lectores su condición de criaturas nuevas, renovadas interiormente por la fuerza de la reconciliación operada en Cristo Jesús. Bajo esa perspectiva, Pablo y Timoteo se conciben a sí mismos como pregoneros del mensaje de la reconciliación cristiana, y como ayudantes de Dios. Es por eso que no vacilan en animar por todos los medios a los cristianos de Corinto y a los oyentes actuales de la palabra a que aprovechen la extraordinaria oportunidad de alcanzar la salvación, que Dios ofrece a todas las personas bien dispuestas.

Dentro del esquema del juicio bilateral propio de las cortes y los tribunales, Dios coloca a su Hijo Jesús en el sitio asignado al culpable, y ubica a todos los bautizados del lado de los justos e inocentes. El perdón conseguido por la muerte de Cristo ha vuelto justos a todos los que han creído en su nombre.

En el versículo final, los apóstoles mencionados amonestan a los corintios para que no invaliden la gracia que han recibido; antes bien, les piden que aprovechen "el momento favorable" que están viviendo para convertirse al Señor.

II LECTURA 2 Corintios 5,20—6,2 LM

Lectura de la segunda carta del apóstol san Pablo a los corintios

Hermanos y hermanas:
Somos *embajadores* de Cristo,
y por nuestro medio, es *Dios mismo* el que los exhorta a ustedes.
En *nombre* de Cristo les pedimos que se *reconcilien* con Dios.
Al que *nunca* cometió pecado,
Dios lo hizo "*pecado*" por nosotros,
para que, *unidos a él* recibamos la salvación de Dios
y nos volvamos *justos* y santos.
Como *colaboradores* que somos de Dios,
los exhortamos a *no echar* su gracia en saco roto.
Porque el Señor dice:
En el tiempo favorable *te escuché*
y en el día de la salvación *te socorrí.*
Pues bien,
ahora es el tiempo favorable;
ahora es el día de la salvación.

II LECTURA 2 Corintios 5,20—6,2 LEU

Lectura de la segunda carta del apóstol san Pablo a los corintios

Nos presentamos como *mensajeros* de parte de *Cristo*,
como si Dios mismo les *rogara* por nuestra boca.
Y de parte de Cristo les *suplicamos*:
"Pónganse en *paz* con Dios".
A Cristo que *no* cometió *pecado*,
Dios lo hizo *pecado* por nosotros,
para que nosotros en él lleguemos a *participar*
de la vida santa de Dios.
Como somos los *ayudantes* de Dios, les suplicamos:
no hagan *inútil* la gracia de Dios, que han recibido.
Dice la Escritura: "En el momento fijado *te escuché*,
en el día de la salvación te *ayudé*".
Éste es el momento *favorable*,
éste es el *día* de salvación.

Inicia la proclamación presentando de manera autorizada la introducción solemne que Pablo y Timoteo hacen de sus personas.

Recita esta atrayente oferta con un tono sugestivo que anime a los oyentes a disponerse a buscar la reconciliación con Dios.

Enfatiza esas novedosas y atrevidas afirmaciones con la voz de quien pronuncia algo inaudito y fuera de lo común.

Concluye tu exhortación reiterando el ofrecimiento y la conveniencia de aprovechar la magnífica oportunidad de conversión que Dios nos regala.

ESTUDIA LAS LECTURAS QUE VAS A PROCLAMAR

- Medita sobre las Escrituras, por lo menos una semana antes de proclamarlas.
- Profundiza en el conocimiento que tienes de las lecturas. Estudia cuidadosamente el texto completo de cada una en la Biblia.
- Acompaña este estudio con la oración desde el primer momento.
- Toma en cuenta el género literario del texto. Es importante saber si es profético, lírico, narrativo, meditativo o si es letanía.
- Consulta un comentario bíblico para entender mejor el texto.
- No trates de imponer tus propios sentimientos en la lectura. Intenta manifestar el contenido del texto según la intención del autor.
- Practica las enseñanzas de la lectura en tu vida diaria.

EVANGELIO Las tres prácticas religiosas arriba aludidas eran realizadas y recomendadas por la mayoría de los judíos piadosos del tiempo de Jesús; sólo que muchos de ellos las utilizaban para ostentar públicamente su condición de personas creyentes, desvirtuando así la intención original de tales prácticas.

La limosna y el ayuno pueden ser realizadas como prácticas penitenciales que sirven para expresar la voluntad de cambio que anima a quienes las realizan. Jesús recomienda a sus discípulos que las lleven a cabo con discreción, para no vaciarlas de su auténtico significado. Cuando el hombre o la mujer que realizan un gesto solidario con el necesitado publicitan o hacen alarde de sus acciones, buscando el honor y el reconocimiento humanos, eliminan y cancelan la verdadera recompensa, la que Dios otorga a las personas generosas y bien intencionadas. Igualmente, quien convierte la oración particular en un espectáculo público encaminado a atraer la atención de turistas y curiosos antepone su propia gloria a la glorificación de Dios, que normalmente debería perseguir cualquier persona que ora para alabar al Señor.

Las mismas consideraciones tienen validez a propósito del ayuno. Cuando esta manifestación de arrepentimiento pretende hacerse notar de manera principal ante la mirada de los seres humanos, y sólo en segundo lugar ante la mirada de Dios, también queda viciada y pervertida. Se vuelve acto de circo que sólo busca arrancar las miradas de admiración de los demás.

Estas exhortaciones recogidas por san Mateo nos recuerdan la sensatez del proverbio latino: "La corrupción de lo bueno resulta detestable". Quien realiza obras de misericordia anteponiendo su propio honor y reputación pretende, inútilmente, manipular a Dios en provecho propio.

EVANGELIO Mateo 6,1–6.16–18 LM

Lectura del santo Evangelio según san Mateo

En aquel tiempo, Jesús dijo a sus discípulos:
"Tengan cuidado de *no practicar* sus obras de piedad
delante de los hombres para que *los vean.*
De lo contrario, *no tendrán* recompensa con su Padre celestial.
Por lo tanto, cuando des limosna,
no lo anuncies con trompeta,
como hacen *los hipócritas* en las sinagogas y por las calles,
para que los *alaben* los hombres.
Yo les *aseguro* que *ya recibieron* su recompensa.
Tú, *en cambio,* cuando des limosna,
que *no sepa* tu mano izquierda *lo que hace* la derecha,
para que tu limosna quede *en secreto;*
y tu Padre, que *ve* lo secreto, *te recompensará.*
Cuando ustedes hagan oración,
no sean como los hipócritas,
a quienes *les gusta* orar de pie
en las sinagogas y en *las esquinas* de las plazas,
para que *los vea* la gente.
Yo les *aseguro* que *ya recibieron* su recompensa.
Tú, *en cambio,* cuando vayas a orar,
entra en tu cuarto, *cierra* la puerta y ora ante tu Padre,
que está *allí,* en lo *secreto;*
y *tu Padre,* que *ve* lo secreto, te *recompensará.*
Cuando ustedes ayunen, *no pongan* cara triste,
como esos *hipócritas* que *descuidan* la apariencia de su rostro,
para que la gente *note* que están *ayunando.*
Yo *les aseguro* que *ya recibieron* su recompensa.
Tú, en cambio, cuando ayunes,
perfúmate la cabeza y *lávate* la cara,
para que *no sepa* la gente que estás ayunando,
sino *tu Padre,* que está en lo secreto;
y tu Padre, *que ve* lo secreto, te *recompensará*".

EVANGELIO Mateo 6,1–6.16–18 L E U

Lectura del santo Evangelio según san Mateo

En aquel tiempo dijo Jesús a sus *discípulos*:
"Tengan cuidado de no hacer el bien *delante* de la gente
para que los *vean*;
de lo contrario, el Padre que está en los cielos
no les dará *ningún* premio.
Por eso, cuando des *limosna*,
no lo publiques al son de *trompetas*,
como hacen los *hipócritas* en las sinagogas y en las *calles*,
para que los hombres los *alaben*.
Yo les digo que *ya* recibieron su premio.
Tú, en cambio, cuando des *limosna*,
no debe saber tu mano *izquierda* lo que hace tu *derecha*;
cuida que tu limosna quede en *secreto*,
y el *Padre*, que ve los secretos, te *premiará*.
Cuando *recen*, no hagan como los *hipócritas*,
que gustan orar de *pie* en las *sinagogas*
y en las esquinas de las *plazas*,
para que los hombres los *vean*.
Ellos *ya* recibieron su premio.
Tú, cuando reces, *entra* en tu pieza, *cierra* la puerta y *reza*
y tu *Padre*, que ve los secretos, te *premiará*.
Cuando ayunen, no pongan cara *triste*,
como hacen los *hipócritas*,
que se *desfiguran* la cara para mostrar a *todos* que ayunan.
Les aseguro que *ya* recibieron su recompensa.
Tú, cuando ayunes, *perfúmate* el cabello
y no dejes de *lavarte* la cara,
porque no son los *hombres* quienes deben darse cuenta
de que tú *ayunas*,
sino tu Padre que está en el *secreto*,
y tu Padre que *ve* en lo secreto te *premiará*".

Personaliza esta lectura adecuadamente. Habla con suficiente autoridad. Recuerda que estas proclamando unas amonestaciones duras y directas que Jesús lanza a sus discípulos.

Dirígete a la asamblea con tono cariñoso, como el que usarías para ofrecer recomendaciones transcendentales a tus hijos queridos.

Alterna con tonos contrastantes de voz la recitación de las conductas elogiadas y los comportamientos reprobados. Dale mayor énfasis a las recomendaciones positivas que a las conductas reprobadas.

Distingue adecuadamente las tres diferentes recomendaciones. Haz una ligera pausa entre una y otra. Acentúa el final de cada exhortación, garantizando la certeza de que Dios concederá oportunamente su premio a los que practiquen de manera discreta esas importantes prácticas religiosas.

1er. DOMINGO DE CUARESMA

I LECTURA Este relato de "crimen y castigo", como lo llaman los estudiosos del libro del Génesis, conserva bajo la forma de una narración sapiencial una enseñanza fundamental sobre la naturaleza de la condición humana. El autor explica las causas de la desarmonía y dispersión que vivimos los seres humanos, y lo hace presentando una pareja primordial que, desoyendo el mandato divino, decide apropiarse por propia iniciativa del fruto del árbol prohibido.

En los versos correspondientes al capítulo segundo, el autor del Génesis nos refiere la creación del hombre por obra de Dios, quien, como alfarero divino, modela el barro e insufla el aliento vital sobre la imagen modelada en barro y la convierte en un ser viviente.

A esta criatura Dios la coloca en un jardín delicioso, en un parque donde abunda la vegetación exuberante, y donde se destacan dos árboles en particular: el árbol de la vida y el árbol de la ciencia, del bien y del mal. En la proclamación reducida que nos propone la liturgia, no escuchamos la orden de Dios que les prohíbe comer del segundo árbol mencionado, como tampoco se nos narra la escena de la creación de la mujer.

Al comenzar el tercer capítulo entra en escena la serpiente, este nuevo personaje no es considerado por el autor simplemente como una criatura del mundo animal. La serpiente es introducida en el relato como el símbolo de las fuerzas adversas y hostiles a Dios. Apenas "habla" la serpiente por primera vez y ya está poniendo en entredicho las aseveraciones hechas por Dios; la serpiente rebate en forma directa lo que Dios les había comunicado al hombre y a la mujer. Ella se presenta como una oferta de emancipación que viene a la liberar a esta pareja del "engaño y el error" en que supuestamente Dios los tenía sumidos. La mujer olvida el mandato divino y se abandona a los encantos del fruto prohibido;

I LECTURA Génesis 2,7–9; 3,1–7 L M

Lectura del libro del Génesis

Después de haber creado el cielo y la tierra,
el Señor Dios *tomó* polvo del suelo y con él *formó* al hombre;
le *sopló* en las narices un *aliento de vida*,
y el hombre *comenzó* a vivir.
Después *plantó* el Señor *un jardín* al oriente del Edén
y *allí* puso al hombre que *había formado*.
El Señor Dios *hizo brotar* del suelo *toda* clase de árboles,
de *hermoso* aspecto *y sabrosos* frutos,
y *además*, en medio del jardín,
el árbol *de la vida* y el árbol del conocimiento
del *bien y del mal*.
La serpiente,
que era el *más astuto* de los animales del campo
que había creado el Señor Dios, dijo *a la mujer*:
"¿Conque Dios *les ha prohibido* comer *de todos*
los árboles del jardín?"
La mujer respondió:
"*Podemos* comer del fruto de *todos* los árboles del huerto,
pero del árbol que está *en el centro* del jardín, dijo Dios:
'*No comerán* de él *ni lo tocarán*, porque de lo contrario,
habrán de morir'".
La serpiente *replicó* a la mujer:
"*De ningún modo. No morirán.*
Bien sabe Dios
que *el día* que coman de los frutos de *ese árbol*,
se les *abrirán* a ustedes los ojos
y *serán como Dios*, que conoce *el bien y el mal*".
La mujer *vio* que el árbol *era bueno* para *comer*,
agradable a la vista y *codiciable*,
además, para alcanzar la sabiduría.
Tomó, pues, de su fruto, *comió* y le dio *a su marido*,
el cual *también* comió.
Entonces se les *abrieron* los ojos *a los dos*
y se dieron cuenta de que *estaban desnudos*.
Entrelazaron unas hojas de higuera
y se las ciñeron *para cubrirse*.

I LECTURA Génesis 2,7–9; 3,1–7 LEU

Lectura del libro del Génesis

El Señor Dios *formó* al hombre con *polvo* de la tierra,
y *sopló* en sus narices *aliento* de vida,
y lo *hizo* un ser *viviente*.
Luego, el Señor *plantó* un jardín en un lugar del Oriente
llamado *Edén*;
allí *colocó* al hombre que había *formado*.
El Señor hizo *brotar* del suelo *toda* clase de árboles
agradables a la *vista* y *buenos* para comer.
Y puso en medio el *árbol* de la *Vida*
y el árbol de la *Ciencia* del *bien* y del *mal*.
La *serpiente* era la más astuta de *todos* los animales del *campo*
que el Señor había *hecho*,
y *dijo* a la mujer:
"¿Es *cierto* que Dios les ha dicho:
No coman de *ninguno* de los *árboles* del jardín?"
La mujer *respondió*:
"*Podemos* comer de los frutos de los árboles del jardín,
menos del fruto del *árbol* que está en *medio* del jardín,
pues *Dios* nos ha dicho:
No coman de él ni lo toquen *siquiera*,
porque, si lo hacen, *morirán*".
La serpiente replicó: "De *ninguna* manera morirán.
Es que Dios *sabe* muy bien que el día en que *coman* de *él*,
se les *abrirán* a ustedes los ojos y *serán* como dioses
y *conocerán* el bien y el mal".
La mujer vio que el árbol era *apetitoso*,
que *atraía* la vista y que era *muy* bueno.
Tomó de su fruto y *comió*
y se lo *pasó* en seguida a su *marido*, que andaba con ella,
quien *también* comió.
Entonces se les *abrieron* los *ojos*
y se dieron cuenta que estaban *desnudos*
y se hicieron unos *taparrabos* cosiendo unas hojas de higuera.

Relata esta narración con el tono omnisciente de un testigo presencial que tuvo el privilegio de asistir al primer instante de la creación del género humano.

Refiere esta segunda escena con el ánimo de quien cuenta eventos distantes ocurridos en un lugar remoto. Describe pausadamente cada una de las acciones con las cuales Dios crea el jardín paradisíaco, enfatiza con fuerza la mención de los dos árboles extraordinarios.

Haz una pausa antes de introducir en escena a la serpiente. Proclama sus palabras con voz intrigante e insidiosa.

Lee la respuesta de la mujer con cierto tono de ingenuidad y candidez, como lo haría un niño pequeño al reproducir los mandatos dados por su Padre.

Recita con voz seductora esta nueva argumentación de la serpiente. Describe con ánimo entusiasmado el ofrecimiento que promete la serpiente a quienes coman del fruto prohibido.

Con ritmo más rápido suceden estas acciones, relátalas de manera escueta e indiferente.

Se impone hacer otra pausa antes de referir las consecuencias de la desobediencia de la primera pareja. Lee esta escueta conclusión con cierto tono de pesadumbre.

invita a comer a su marido y sobreviene algo inesperado: empiezan a mirarse con recelo y desconfianza; se sienten vulnerables y crean el primer vestido, como una defensa contra la probable agresión que representa la cercanía del otro.

Esta narración aparentemente popular, donde se personifica a la serpiente, podría ser considerada por algunos como un resabio de visiones míticas que han sido superadas. Para los cristianos, es un espejo fiel que ilustra la insensatez del género humano de cualquier época, que pretende alcanzar de manera autosuficiente el conocimiento del bien y del mal. Cuando los seres humanos desoyen la voz de Dios y se erigen como dueños absolutos de la verdad, acaban convirtiéndose en imágenes de la serpiente, y no en imágenes de Dios como fueron creados.

II LECTURA **La lectura de hoy establece una clara oposición entre la figura del primer Adán y la persona de Cristo, el segundo Adán. El autor afirma una serie de verdades trascendentales que no se necesitan explicar detenidamente. Entre otras sobresale la idea de que el pecado y la muerte, introducidos por el primer hombre, han afectado para siempre a la humanidad entera. Y por encima de esto, afirma otra enseñanza más importante, según la cual, por la fidelidad del segundo Adán, se ha cancelado el delito y ha introducido la absolución y el perdón para todos.**

Este pasaje ha influido decisivamente en la historia de la Iglesia, porque ha venido a aclarar la condición pecadora que afecta por entero a toda la humanidad. Es la explicación fundamental acerca del pecado original, del cual nos salva Cristo y nos devuelve a nuestra condición de auténticos hijos e hijas de Dios.

II LECTURA Romanos 5,12–19 LM

Lectura de la carta del apóstol san Pablo a los romanos

Hermanos:
Así como por *un solo* hombre *entró* el pecado en el mundo
y por el pecado entró *la muerte*,
así la muerte pasó *a todos* los hombres, porque *todos pecaron*.
Antes de la ley de Moisés
ya existía el pecado en el mundo y, si bien es cierto que el pecado *no se castiga* cuando *no hay ley*,
sin embargo, la muerte *reinó* desde Adán *hasta Moisés*,
aun sobre aquellos que *no pecaron* como pecó *Adán*,
cuando *desobedeció* un mandato *directo* de Dios.
Por lo demás, *Adán* era figura de Cristo, el que había *de venir*.
Ahora bien, el don de Dios *supera* con mucho al delito.
Pues si por el delito de *un solo hombre*
todos fueron castigados *con la muerte*,
por el don de *un solo hombre*, Jesucristo,
se ha *desbordado* sobre todos la *abundancia* de la vida
y la gracia de Dios.
Tampoco pueden compararse los efectos del pecado *de Adán*
con los efectos de la gracia *de Dios*.
Porque *ciertamente*, la sentencia vino a causa de *un solo pecado*
y fue sentencia *de condenación*,
pero el *don* de la gracia vino a causa de *muchos pecados*
y nos conduce a *la justificación*.
En efecto, si por el pecado de un solo hombre
estableció la muerte su reinado,
con *mucha* mayor razón *reinarán* en la vida
por un *solo* hombre, *Jesucristo*,
aquellos que reciben la gracia *sobreabundante*
que los hace *justos*.
En resumen,
así como por el pecado de un *solo* hombre, Adán,
vino la condenación *para todos*,
así por la justicia de un *solo* hombre, Jesucristo,
ha venido *para todos* la justificación que *da* la vida.
Y así como por la desobediencia de uno,
todos fueron hechos *pecadores*,
así por la obediencia *de uno solo*, *todos* serán hechos justos.

II LEÇTURA Romanos 5,12–19 LEU

Lectura de la carta del apóstol san Pablo a los romanos

Por un *solo* hombre el pecado había *entrado* en el mundo,
y por el pecado la *muerte*,
y luego la muerte se propagó a *toda* la humanidad,
ya que *todos* pecaron.
[Del mismo modo *ahora* . . .
Entiéndanme: no había *ley*
y, sin embargo, había *pecado* en el mundo;
solamente que, al no tener una *ley*, no *reconocían* el pecado.
De ahí que la muerte *reinó* desde Adán hasta Moisés
sobre *todos* ellos,
aun cuando no habían cometido una *desobediencia*
como la de Adán.
Pero después de este *primer* Adán tenía que venir *otro*.
En realidad,
no debemos *contraponer* sin más la *caída* del hombre
y el *don* de Dios.
Pues si por la *falta* de uno pudieron *morir* tantos,
es cosa más *trascendental* cuando *desborda* sobre los *hombres*
la *gracia* de Dios y el *regalo* que él nos hizo
en consideración a ese *único* hombre que es *Jesucristo*.
La *gracia* de Dios hizo mucho *más* que compensar
la *primera* falta.
Pues la *falta* que trajo la *condenación* fue asunto de *uno* solo,
mientras que la *gracia* de Dios trae el *perdón*
a un mundo de pecadores.]
Si *reinó* la muerte por la falta de *uno* solo,
será *otra* cosa cuando *reinen* en la vida
los que *reciben* sin medida la *gracia* y la *santidad*
que Dios nos *regala* gracias a *uno* solo que es *Cristo* Jesús.
De *todas* maneras así como uno *solo pecó*
y *acarreó* la sentencia de muerte para *todos* los hombres,
así *también* uno solo *cumplió* la condena
y les procuró a *todos* un indulto que los hace *vivir*.
Y como por la *desobediencia* de un solo hombre
todos los demás quedaron constituidos *pecadores*,
así por la *obediencia* de uno solo
todos serán constituidos *santos*.

Esta exposición está redactada de manera difícil y apretada, es necesario que la proclames pausadamente. Antes de recitarla, procures entender el ritmo y la secuencia de cada una de las frases.

Con el tono de cierta pesadumbre, expón este párrafo dedicado a explicar las consecuencias de la desobediencia del primer Adán.

Contrasta con tonos diametralmente opuestos las alusiones a la figura del primer Adán, con las referencias al segundo y definitivo Adán, Jesucristo.

Proclama esta afirmación positiva con una gran convicción. Estás anunciando el dato fundamental de la fe cristiana: la salvación nos ha sido otorgada a través de la gracia de Dios.

Estos versículos finales están sobrecargados de enunciados trascendentales. Recítalos con voz tranquila y clara, de manera que los oyentes vayan siguiendo el hilo de la argumentación paulina.

EVANGELIO Mateo 4,1–11 LM

Lectura del santo Evangelio según san Mateo

En *aquel* tiempo,
Jesús fue conducido por el Espíritu *al desierto*,
para ser *tentado* por el demonio.
Pasó *cuarenta* días y cuarenta noches *sin comer*
y, al final, tuvo *hambre*.
Entonces se le acercó el *tentador* y le dijo:
"Si *tú eres* el Hijo de Dios,
manda que *estas piedras* se conviertan *en panes*".
Jesús le respondió:
"*Está* escrito: No *sólo* de pan vive el hombre,
sino también *de toda* palabra que *sale* de la boca de Dios".
Entonces el diablo lo llevó a la *ciudad santa*,
lo puso en la parte *más alta* del templo y le dijo:
"*Si eres* el Hijo de Dios, *échate* para abajo, porque *está* escrito:
Mandará a sus ángeles que *te cuiden*
y *ellos* te tomarán *en sus manos*,
para que *no tropiece* tu pie en piedra *alguna*".
Jesús le contestó: "*También* está escrito:
No tentarás al Señor, tu Dios".
Luego lo llevó el diablo a un monte *muy alto*
y desde ahí *le hizo ver* la grandeza de *todos* los reinos del mundo y le dijo:
"Te daré todo esto, si te postras y *me adoras*".
Pero *Jesús* le replicó: "*Retírate*, Satanás, porque *está* escrito:
Adorarás al Señor, tu Dios, *y a él sólo* servirás".
Entonces lo dejó el diablo
y se acercaron los ángeles *para servirle*.

EVANGELIO **Así como los hijos de Israel al salir de Egipto fueron sometidos a diversas pruebas, Jesús fue conducido "al desierto". Mientras que sus antepasados se desesperaron y se quejaron amargamente ante Moisés cuando escaseó el agua y el alimento, Jesús se sostuvo firme, y con la guía de la Palabra de Dios logró sobreponerse una y otra vez a las propuestas deslumbrantes que le hacía su adversario.**

Por lo menos en las dos primeras pruebas que Satán plantea a Jesús recurre a la Escritura, y argumentando maliciosamente con citas bíblicas que no venían al caso, pretendió convencer a Jesús de que accediera a sus insinuaciones. Jesús le respondió con los mismos argumentos, y no se dejó impresionar por la pretendida "sabiduría" del maligno.

Más allá de la presentación escénica que hace el evangelista, en donde nos refiere que estas tres pruebas se sucedieron en una secuencia inmediata e ininterrumpida, como si Jesús hubiera sufrido estas pruebas solamente durante un reducido período de tiempo, hemos de decir que Jesús experimentó durante todo su ministerio público la tentación constante de usar del poder que Dios le había otorgado para realizar demostraciones deslumbrantes de su condición divina, y lograr de esa manera que sus oyentes quedarán totalmente rendidos ante las palpables manifestaciones de su grandeza.

Jesús supo discernir que el proyecto que Dios le había confiado no podía imponerse por medio de la fuerza y la presión, sino que debía ser ofrecido y acogido de manera libre. Por esta convicción, logró sobreponerse a esa constante prueba de ser "un Mesías milagrero" que realizaba prodigios espectaculares e innecesarios. Efectivamente, Jesús realizó señales y milagros, pero sólo cuando esas señales venían a remediar una verdadera carencia o necesidad de las personas.

EVANGELIO Mateo 4,1–11 . L E U

Lectura del santo Evangelio según san Mateo

En aquel tiempo, el *Espíritu* Santo condujo a Jesús al *desierto*
para que fuera *tentado* por el diablo.
Y después de estar sin comer *cuarenta* días y cuarenta noches,
tuvo *hambre*.
Entonces, se le *acercó* el tentador y le dijo:
"Si eres *Hijo* de Dios, *ordena* que esas piedras
se *conviertan* en pan".
Pero Jesús *respondió*:
"Dice la *Escritura* que el hombre no vive *solamente* de pan,
sino de *toda* palabra que *sale* de la boca de Dios".
Después de esto, el diablo lo llevó a la *Ciudad* Santa,
y lo *puso* en la parte *más* alta del templo, y le dijo:
"Si *eres* Hijo de Dios, *tírate* de aquí para *abajo*.
Puesto que la *Escritura* dice:
'Dios *ordenará* a sus ángeles que te *lleven* en sus *manos*
para que tus pies no *tropiecen* en piedra alguna'".
Jesús *replicó*: "Dice *también* la Escritura:
'No *tentarás* al Señor tu Dios'".
Enseguida lo llevó el diablo a un cerro *muy* alto,
le mostró *toda* la riqueza de las *naciones* y le dijo:
"Te daré todo esto si te *hincas* delante de mí y me *adoras*".
Entonces *Jesús* le respondió:
"*Aléjate* de mí, Satanás, porque dice la Escritura:
'Adorarás al Señor tu *Dios*, a él *solo* servirás'".
Entonces lo *dejó* el diablo
y *acercándose* los ángeles se pusieron a *servir* a Jesús.

Proclama esta breve introducción con la seguridad de saberte testigo ocular de esos eventos. Recalca la duración prolongada del período de ayuno que experimentó Jesús para que resalte la semejanza con el período cuaresmal que estamos viviendo.

Al referir las dos primeras insinuaciones del maligno, fíjate que comienzan de la misma manera, poniendo en duda la filiación divina de Jesús. Remarca en tono incierto la primera frase: "Si eres hijo de Dios . . .".

Recita las dos primeras respuestas de Jesús con un tono tajante y firme que denote la plena seguridad con que reacciona ante el tentador. Antes de leer las citas bíblicas con que Jesús responde al maligno, haz una breve pausa.

Relata la tercera insinuación del tentador con un tono más sugestivo y provocador. Al recitar la última respuesta de Jesús, usa un tono de voz que denote la molestia de Jesús. Hazlo como si estuvieras despidiendo de tu presencia a un agresor que te ha importunado en repetidas ocasiones y que ya te tiene harto. Concluye la proclamación con aire satisfecho refiriendo la victoria final de Jesús.

20 DE FEBRERO DE 2005

2º DOMINGO DE CUARESMA

I LECTURA Dios da una orden tajante, y sin mediar explicaciones le manda a Abraham que abandone su tierra y su familia para marchar en pos de una tierra y de una descendencia que Dios le alcanzará. Abraham accede de inmediato a las órdenes divinas y sale de su tierra, apoyado solamente en la fuerza de la palabra divina que ha resonado por primera vez en la historia. Sale de Jarán para caminar hacia lo desconocido. El patriarca vivirá en lo sucesivo como un creyente que caminará de manera confiada y obediente, siguiendo y esperando día a día el cumplimiento de las singulares promesas que Dios le había hecho. Contando con la presencia cercana de Dios, irá gozando de su bendición y se convertirá en fuente de bendición para cuantos bendigan su nombre.

II LECTURA En la primera exhortación dirigida a Timoteo, Pablo lo impulsa a cobrar ánimo y a llenarse de fortaleza para rendir el testimonio que Dios le ha encomendado. Luego de exhortar a Timoteo a que se decida a participar de los sufrimientos que vienen anexos al anuncio de la buena noticia, el apóstol hace una alabanza y un elogio de la bondad divina manifestada particularmente en la encarnación de su Hijo Jesús.

Este himno es una implícita acción de gracias dirigida a Dios Padre. Se le reconoce en particular el llamado a la salvación que ha extendido gratuitamente a todos. Se celebra en particular la victoria que su Hijo Jesús ha conseguido sobre la muerte al momento de su resurrección, y en segundo lugar la efusión de la vida divina que Dios nos participa por mediación del anuncio evangélico.

I LECTURA Génesis 12,1–4 LM

Lectura del libro del Génesis

En *aquellos* días, dijo el Señor a *Abram*:
"*Deja* tu país, a tu parentela y la casa de tu padre,
para *ir* a la tierra que *yo te mostraré*.
Haré nacer de ti *un gran* pueblo y te *bendeciré*.
Engrandeceré tu nombre y *tú mismo* serás una bendición.
Bendeciré a los que te bendigan,
maldeciré a los que te maldigan.
En ti serán bendecidos *todos* los pueblos de la tierra".
Abram *partió*, como se lo había *ordenado* el Señor.

II LECTURA 2 Timoteo 1,8b–10 LM

Lectura de la segunda carta del apóstol san Pablo a Timoteo

Querido *hermano*:
Comparte conmigo los *sufrimientos*
por la predicación del Evangelio,
sostenido por la fuerza de Dios.
Pues *Dios* es quien nos *ha salvado*
y nos *ha llamado* a que le consagremos *nuestra vida*,
no porque *lo merecieran* nuestras buenas obras,
sino porque *así* lo dispuso él *gratuitamente*.
Este don,
que Dios *ya* nos ha concedido por medio *de Cristo Jesús*
desde *toda* la eternidad,
ahora se ha manifestado con la venida *del mismo Cristo Jesús*,
nuestro salvador, que d*estruyó* la muerte
y ha h*echo brillar* la luz de la vida y de la inmortalidad,
por *medio* del Evangelio.

I LECTURA Génesis 12,1–4a LEU

Lectura del libro del Génesis

En aquellos días, el Señor dijo a Abram:
"*Deja* tu país, a los de tu *raza* y a la *familia* de tu padre,
y *anda* a la tierra que yo te *mostraré*.
Haré de ti una nación *grande* y te *bendeciré*.
Engrandeceré tu nombre, y *tú* serás una *bendición*.
Bendeciré a quienes te *bendigan*
y *maldeciré* a quienes te *maldigan*.
En *ti* serán benditas *todas* las razas del mundo".
Partió, pues, Abram, como se lo había *dicho* el Señor.

Relata este episodio trascendental en la vida de Abraham y sus descendientes con la emoción de estar refiriendo el momento inaugural en la gran aventura de la fe. Proclama las órdenes divinas con tono imperioso y exigente.

Concluye el relato narrando con ánimo ufano y satisfecho la inmediata ejecución que hace Abraham de las órdenes divinas.

II LECTURA 2 Timoteo 1,8b–10 LEU

Lectura de la segunda carta del apóstol san Pablo a Timoteo

Lucha *conmigo* por el Evangelio,
sostenido por la *fuerza* de Dios.
Él nos *salvó* y nos *llamó*,
destinándonos a ser *santos*,
no en consideración a lo *bueno* que hubiéramos hecho *nosotros*,
sino porque *éste* fue su *propósito*.
Ésta fue la *gracia* de *Dios*,
que nos *concedió* en Cristo Jesús desde la *eternidad*
y que *ahora* llevó a efecto
con la *aparición* de Cristo Jesús nuestro *Salvador*.
Él *destruyó* la muerte
e hizo *resplandecer* la vida y la *inmortalidad* por medio del *Evangelio*.

Recita esta animosa exhortación con optimismo. Recuerda que estás tratando de infundir ánimo y fortaleza en quienes te escuchan.

Entona estas aclamaciones con voz agradecida y sincera. Estás haciendo un reconocimiento público de los grandes beneficios que Dios te ha otorgado a ti y a todos tus hermanos.

Proclama esta segunda parte del himno con especial énfasis. Estás destacando los hechos principales de la salvación, a saber, la encarnación del Hijo de Dios y su gloriosa resurrección.

EVANGELIO El relato de la transfiguración de Jesús en presencia de sus discípulos más cercanos es colocado por los tres Evangelios sinópticos a escasa una semana del primer anuncio de la pasión, muerte y resurrección de Jesús. Mateo y Marcos lo ubican a los seis días de este doloroso comunicado, mientras que Lucas lo coloca a los ocho días de dicho evento. Como quiera que sea, los Evangelios sinópticos coinciden en presentar dichos acontecimientos en íntima conexión, y es que no puede ser de otra manera, puesto que la muerte y resurrección de Jesús (anticipada en cierta manera por el evento de la transfiguración) están inseparablemente unidas.

Jesús es contemplado por sus discípulos bajo una apariencia totalmente inusual, ya no en su habitual perfil de artesano galileo, sino bajo una luminosa apariencia que irradia por igual de su rostro y sus vestidos. Jesús es el portador que participa a sus discípulos de esta manifestación gloriosa y fugaz de su divinidad que, al igual que en las manifestaciones de Dios relatadas en el Antiguo Testamento (Éxodo 24,1–18), se verifica por mediación de los típicos elementos que sirven para revelar y velar a la vez la cercanía de la presencia divina.

Moisés y Elías aparecen junto a él, simbolizando al mediador de la antigua alianza y al primero de los profetas. Éstos participan en un diálogo íntimo con Jesús, sirviéndole de testigos que preparan la comprensión plena de su persona. Efectivamente sólo a través del testimonio de la ley y los profetas es comprensible el verdadero significado de la persona y obra de Jesús. Una vez que los discípulos bajen del monte habrán de guardar silencio, pero cuando se verifique la resurrección de Jesús, tendrán que volver su mirada al precioso testimonio ofrecido en la ley y los profetas, y entonces podrán comprender a la luz de la resurrección, el auténtico mensaje cifrado en este suceso extraordinario.

EVANGELIO Mateo 17,1–9 LM

Lectura del santo Evangelio según san Mateo

En *aquel* tiempo,
Jesús tomó consigo a Pedro, a Santiago y a Juan,
el hermano de éste,
y los *hizo subir* a solas con él a un monte *elevado*.
Ahí se *transfiguró* en su presencia:
su rostro se puso *resplandeciente* como el sol
y sus vestiduras se volvieron *blancas* como la nieve.
De pronto aparecieron ante ellos *Moisés y Elías*,
conversando con Jesús.
Entonces Pedro le dijo a Jesús:
"*Señor*, ¡*qué bueno* sería quedarnos *aquí*!
Si quieres, haremos aquí *tres chozas*,
una *para ti*, otra *para Moisés* y otra *para Elías*".
Cuando *aún* estaba hablando, una nube *luminosa* los cubrió
y de ella *salió* una voz que decía:
"*Éste* es mi Hijo *muy amado*,
en quien *tengo puestas* mis complacencias; *escúchenlo*".
Al oír *esto*, los discípulos cayeron *rostro en tierra*,
llenos de un *gran temor*.
Jesús se acercó a ellos, *los tocó* y les dijo:
"*Levántense* y no teman".
Alzando entonces los ojos, *ya no vieron a nadie* más que a Jesús.
Mientras bajaban del monte, Jesús *les ordenó*:
"No le cuenten a *nadie* lo que han visto,
hasta que el Hijo del hombre *haya resucitado*
de entre los muertos".

EVANGELIO Mateo 17,1–9 L E U

Lectura del santo Evangelio según san Mateo

En *aquel* tiempo,
Jesús *tomó* consigo a *Pedro*, a *Santiago*
y a *Juan*, su *hermano*,
y los *llevó* a un cerro alto, *lejos* de todo.
En *presencia* de ellos, Jesús *cambió* de aspecto:
su cara *brillaba* como el sol
y su ropa se puso *resplandeciente* como la luz.
En *ese* momento, se les aparecieron *Moisés* y *Elías*
hablando con Jesús.
Pedro tomó entonces la *palabra* y dijo a *Jesús*:
"*Señor*, ¡*qué bien* estamos aquí!
Si *quieres*, voy a *levantar* en este lugar *tres* chozas:
una para *ti*, otra para *Moisés* y la tercera para *Elías*".
Pedro estaba *todavía* hablando cuando una *nube*
luminosa los *envolvió*
y una *voz* que salía de la nube *decía*:
"*Éste* es mi Hijo, el *Amado*, al que miro con *cariño*;
a *él* han de *escuchar*".
Al *oír* la voz, los discípulos *cayeron* al suelo,
llenos de *gran* temor.
Jesús se *acercó*, los tocó y les *dijo*:
"*Levántense*, *no* teman".
Ellos *levantaron* los ojos, pero no vieron a *nadie* más
que a *Jesús*.
Mientras *bajaban* del cerro, Jesús les *ordenó*:
"*No* le hablen a *nadie* de lo que acaban *de ver*,
hasta que el Hijo del Hombre haya *resucitado* de
entre los muertos".

Recita esta manifestación de la divinidad de Jesús con gran seguridad. Aprópiate del papel de narrador y refiere este suceso como el testigo presencial que eres.

Introduce de manera repentina la información sobre la presencia de Moisés y Elías. Proclama la sugerencia dada por Pedro con voz entusiasta y un tanto ingenua.

Sin perder el ritmo de la narración, reporta la imprevista aparición de la nube. Destaca con voz grave y serena la revelación que Dios comunica desde la nube.

Reporta con sencillez la reacción atemorizada de los discípulos. Entona con voz paciente las palabras animosas que Jesús les dirige.

Concluye con ritmo más lento tu proclamación. Va bajando la intensidad del evento, y va llegando a su desenlace. Lee las palabras finales de Jesús como un mandato exigente.

3er. DOMINGO DE CUARESMA

I LECTURA Éxodo 17,3–7 LM

Lectura del libro del Éxodo

En *aquellos* días, el pueblo, *torturado* por la sed,
fue a *protestar* contra Moisés, diciéndole:
"¿Nos has hecho *salir* de Egipto
para *hacernos morir de sed* a nosotros,
a nuestros hijos y a nuestro ganado?"
Moisés *clamó* al Señor y le dijo:
"¿*Qué* puedo hacer con este pueblo?
Sólo falta que me apedreen".
Respondió el Señor a Moisés:
"*Preséntate* al pueblo, llevando contigo a algunos
de los ancianos de Israel,
toma en tu mano el cayado con que *golpeaste* el Nilo *y vete*.
Yo *estaré* ante ti, sobre la peña, en Horeb.
Golpea la peña y *saldrá* de ella agua para que beba el pueblo".
Así lo hizo Moisés a la vista de los ancianos de Israel
y puso por nombre a aquel lugar *Masá y Meribá*,
por la *rebelión* de los hijos de Israel
y porque habían *tentado* al Señor, diciendo:
"¿*Está o no está* el Señor en *medio* de nosotros?"

I LECTURA Este relato de las protestas de Israel en el desierto a causa de la escasez del agua, se ha convertido en uno de los principales episodios que simbolizan la testarudez de Israel y su actitud de permanente rebelión contra las órdenes de Dios. Frecuentemente, este evento es retomado a lo largo del Antiguo Testamento (Salmo 78,15–17; 8,1; 95,8; Sabiduría 11,14–17) para seguir invitando al pueblo a ser dócil con su Dios.

El relato cuenta cómo, luego de la salida de Egipto, el pueblo de Israel se interna en el desierto para emprender la marcha hacia la tierra prometida. El desierto vuelve impotente a la persona; si ésta no encuentra agua se muere. La única esperanza del ser humano en el desierto es la de encontrar algún oasis para sobrevivir. Cuando los israelitas no encuentran esto, desesperan y se pelean con Moisés: "¿Por qué nos has sacado de Egipto, para matarnos de sed a nosotros, a nuestros hijos y al ganado?" (Éxodo 17,3).

Este pueblo había salido de Egipto en medio de muchos signos de la presencia de Dios; así lo registra Éxodo 1—15. Al pueblo no le han bastado los signos para aprender a confiar en Dios. Cuando Dios no muestra los signos de esa presencia, dando agua y comida, con la prontitud que el pueblo espera, éste empieza a dudar de la compañía de Dios (Éxodo 17,7). Ante la intervención de Moisés, Dios responde dándole agua al pueblo de una manera prodigiosa, extrayéndola de la roca con el bastón de Moisés.

I LECTURA Éxodo 17,3–7 L E U

Lectura del libro del Éxodo

En aquellos días,
el pueblo, *atormentado* por la sed,
siguió murmurando *contra* Moisés:
"¿*Por qué* nos ha hecho salir de *Egipto*
para que *ahora* me muera de sed con mis hijos
y mis animales?"
Entonces *Moisés* llamó al Señor y le dijo:
"¿Qué puedo *hacer* con este pueblo?
Por poco me *apedrean*".
El *Señor* respondió a Moisés:
"*Preséntate* al pueblo,
lleva contigo algunos *jefes* de Israel,
lleva también en tu mano el *bastón* con que golpeaste
el río Nilo.
Yo estaré allá *delante* de ti, sobre la roca.
Golpearás la roca y de ella saldrá *agua*,
y el pueblo tendrá para *beber*".
Moisés lo hizo *así*, en *presencia* de los jefes de Israel.
Aquel lugar se llamó *Masá* (o sea, tentación)
y *Meribá* (o sea, *quejas*);
a causa de las *quejas* de los *israelitas*,
y por haber *tentado* al Señor diciendo:
"¿*Está* el Señor en medio de nosotros, *o no*?"

Refiere los acontecimientos con un tono testimonial.

Recita los reclamos y reproches del pueblo con un tono de enfado y malestar.

Dale un tono de gran seguridad a cada una de las órdenes dadas por Dios a Moisés. Que se note que el Señor no está impresionado por las protestas del pueblo.

La interrogante final debe resonar como una auténtica duda planteada por la incertidumbre y desconfianza del pueblo.

II LECTURA **San Pablo armoniza perfectamente en estos párrafos la relación entre la fe, la esperanza y el amor, las tres virtudes cristianas fundamentales. En efecto, comienza señalando que la existencia cristiana se origina a partir de un proceso de fe; éste acarrea al creyente no pocas dificultades y pruebas, que son las que le permiten educarse en la esperanza. Ahora bien, esa esperanza cristiana no es ingenua, ni vana, sino que es una virtud que está arraigada en un sólido fundamento: el amor manifestado ya plenamente por Dios al entregar a su hijo a la muerte.**

EVANGELIO **El diálogo que sostienen Jesús y la samaritana junto al pozo de Sicar es muy rico en su contenido y tiene muchos aspectos dignos de comentario que no se sabe por dónde empezar. La elección es algo obligado.**

Lo más comentado de este relato es el símbolo del agua viva, agua que se identifica lo mismo con la doctrina de Jesús, con Jesús mismo, y más frecuentemente con el Espíritu de Dios. Se puede realizar una lectura figurada, según la cual el agua natural, el agua que fue extraída de la roca por Moisés, o la que fue sacada del pozo, no son más que una figura de la verdadera agua viva que ofrece Jesús, y que puede identificarse con las realidades ya referidas anteriormente.

En el relato pueden apreciarse el proceso a través del cual la mujer samaritana, personaje central del relato, avanza gradualmente en el descubrimiento de la verdadera identidad de Jesús. Al principio la mujer lo considera apenas como un simple judío (verso 9) inferior a los patriarcas (verso 12), luego de que Jesús le descubre su verdad en cuanto a sus relaciones maritales lo reconoce como un profeta (verso 19). Posteriormente empieza a considerarlo como el Mesías mismo (verso 29), hasta que finalmente, gracias a la labor evangelizadora de la samaritana, los aldeanos de Samaria, que salieron al encuentro de Jesús, lo confiesan públicamente como el Salvador del mundo (verso 43).

II LECTURA Romanos 5,1–2.5–8 LM

Lectura de la carta del apóstol san Pablo a los romanos

Hermanos:
Ya que hemos sido *justificados* por la fe,
mantengámonos en paz con Dios,
por mediación de nuestro *Señor Jesucristo.*
Por él hemos obtenido, con la fe,
la entrada al mundo de la gracia, en la cual *nos encontramos*;
por él, podemos *gloriarnos* de tener la esperanza de *participar*
en la gloria de Dios.
La esperanza *no defrauda*,
porque Dios *ha infundido* su amor en *nuestros* corazones
por medio del *Espíritu Santo*, que *él mismo* nos ha dado.
En efecto, cuando *todavía* no teníamos fuerzas
para *salir* del pecado,
Cristo *murió* por los pecadores en el tiempo *señalado.*
Difícilmente habrá *alguien* que quiera morir *por un justo*,
aunque puede haber alguno que *esté dispuesto* a morir
por una persona *sumamente* buena.
Y la prueba de que Dios *nos ama*
está en que Cristo murió *por nosotros*,
cuando *aún* éramos pecadores.

EVANGELIO Juan 4,5–42 LM

Lectura del santo Evangelio según san Juan

En *aquel* tiempo, llegó *Jesús* a un pueblo de Samaria,
llamado *Sicar*,
cerca del campo que dio Jacob a su hijo *José*.
Ahí estaba el pozo de Jacob.
Jesús, que venía *cansado* del camino,
se *sentó* sin más en el brocal del pozo.
Era *cerca* del mediodía.
Entonces llegó una mujer de Samaria a *sacar agua* y Jesús le dijo:
"*Dame* de beber".
(Sus discípulos habían ido al pueblo a *comprar* comida).
La samaritana le contestó:
"¿*Cómo* es que tú, *siendo judío*, me pides de beber *a mí*,
que soy *samaritana*?"
(Porque los judíos *no tratan* a los samaritanos).

II LECTURA Romanos 5,1–2.5–8 LEU

Lectura de la carta del apóstol san Pablo a los romanos

Ya que por la fe *conseguimos* esta santidad,
estamos en *paz* con Dios *gracias* a Cristo Jesús, nuestro Señor.
Gracias a él *alcanzamos* por la fe este favor
en el que *permanecemos*,
y nos sentimos seguros
con la esperanza de tener *parte* en la gloria de Dios.
La esperanza *no* nos desengaña,
porque el *amor* que Dios nos tiene
se ha *derramado* en nuestros *corazones*
por el Espíritu Santo que *él* nos ha dado.
En efecto, cuando *todavía* no podíamos hacer nada,
vino *Cristo* en el tiempo *fijado*
y *entregó* su vida por nosotros que estábamos *alejados*
de Dios.
Ya es *difícil* encontrar a alguien que acepte *morir* por una
persona buena.
Aunque si se trata de una persona *realmente* buena,
tal vez alguien se *atreva* a morir por él.
Pero Cristo *murió* por nosotros cuando todavía
éramos *pecadores*.
Es así cómo Dios nos *demostró* su amor.

Inicia la proclamación con tono agradecido. Proclama este argumento con un tono pausado para que resalte la grandeza de la entrega martirial de Cristo.

Da un tono de sorpresa y admiración a las últimas frases, destacando el gran amor demostrado por Dios.

EVANGELIO Juan 4,5–42 LEU

Lectura del santo Evangelio según san Juan

En aquel tiempo, llegó *Jesús* a un pueblo de Samaria
llamado *Sicar*,
en la tierra que el patriarca *Jacob* había dado a su hijo *José*.
Allí se encuentra el *pozo* de Jacob.
Jesús, *cansado* por la caminata, se sentó sin más,
al *borde* del pozo.
Era *cerca* del mediodía.
Una mujer *samaritana* llegó para sacar agua, y Jesús le dijo:
"Dame de *beber*".
En ese momento se habían ido sus discípulos al *pueblo*
a hacer compras.
La samaritana le dijo:
"¿Cómo *tú*, que eres judío, me pides de beber a *mí*,
que soy una mujer *samaritana*?"
(hay que saber que los judíos no se *comunican*
con los samaritanos).

Inicia la narración de este amplio encuentro con un tono familiar, como el usado por alguien que refiere acontecimientos muy cercanos.

Presenta la pregunta de la mujer con tono de indignación.

Este diálogo de Jesús con la mujer samaritana nos enseña que el camino de la fe es un proceso lento por el cual se descubre gradualmente la identidad de Jesús; nos vamos despojando de los retratos ingenuos de Jesús adquiridos en la infancia, para llegar a descubrir un retrato más auténtico, gracias a un encuentro personal vivido a partir de la juventud, o ya en la edad de la madurez.

EVANGELIO continuación LM

Jesús le dijo: "Si *conocieras* el don de Dios
y *quién es* el que te pide de beber,
tú le pedirías *a él*, y él te daría *agua viva*".
La mujer le respondió:
"*Señor*, *ni siquiera* tienes *con qué* sacar agua
y el pozo es *profundo*,
¿*cómo* vas a darme *agua viva*?
¿*Acaso* eres tú *más* que nuestro padre Jacob,
que nos dio *este pozo*, del que bebieron él,
sus hijos y sus ganados?"
Jesús le contestó:
"El que bebe de esta agua *vuelve* a tener sed.
Pero el que beba del agua que yo le daré, *nunca más* tendrá sed;
el agua *que yo le daré* se convertirá d*entro de él* en un
manantial *capaz* de dar la *vida eterna*".
La mujer le dijo:
"Señor, *dame* de esa agua para que *no vuelva* a tener sed
ni tenga que venir *hasta aquí* a sacarla".
Él le dijo: "*Ve* a llamar a tu marido y *vuelve*".
La mujer le contestó: "*No tengo* marido".
Jesús le dijo: "*Tienes* razón en decir: '*No tengo* marido'.
Has tenido *cinco*, y el de ahora *no es* tu marido.
En eso has dicho *la verdad*".
La mujer le dijo: "*Señor*, ya veo que eres *profeta*.
Nuestros padres dieron culto *en este monte*
y *ustedes* dicen que el sitio donde *se debe dar culto*
está *en Jerusalén*".
Jesús le dijo: "*Créeme*, mujer, que se *acerca* la hora
en que *ni en este* monte *ni en Jerusalén* adorarán al Padre.
Ustedes adoran *lo que no conocen*;
nosotros adoramos *lo que conocemos*.
Porque la salvación *viene* de los judíos.
Pero se *acerca* la hora, *y ya está aquí*,
en que los que quieran dar culto *verdadero*
adorarán al Padre *en espíritu y en verdad*,
porque *así* es como el Padre *quiere* que se le dé culto.
Dios *es espíritu*, y los que lo adoran *deben hacerlo*
en espíritu y en verdad".
La mujer le dijo: "*Ya sé* que va a venir el Mesías
(*es decir*, Cristo).
Cuando venga, *él* nos dará *razón de todo*".
Jesús le dijo: "*Soy yo*, el que habla contigo".

EVANGELIO continuación LEU

Jesús le contestó: "Si conocieras lo que *Dios* te quiere *dar*,
y *quién* es el que te pide de *beber*,
tú *misma* me pedirías a *mí*,
y yo te daría agua *viva*".
Ella le dijo: "Señor, no tienes con que sacar agua y este pozo
es *profundo*,
¿*dónde* vas a conseguir esa agua viva?
¿Eres, acaso, *más* poderoso que nuestro antepasado *Jacob*,
que nos *dio* este pozo, del cual bebió *él*, su *familia*
y sus animales?"
Jesús le contestó: "El que *bebe* de esta agua, *vuelve* a tener sed,
pero el que beba del agua que yo le daré,
no *volverá* a tener sed.
Porque el agua que yo le *daré* se hará en él manantial de agua
que *brotará* para vida *eterna*".
La mujer le dijo:
"Señor, *dame* de esa agua, para que no *sufra* más *sed*,
ni tenga que volver *aquí* a sacarla".
Jesús le dijo: "*Anda* a buscar a tu marido y *vuelve* acá".
La mujer contestó: "No *tengo* marido".
[Jesús le dijo: "Es *verdad* lo que dices que no tienes marido;
has tenido *cinco* maridos, y el que tienes ahora *no*
es tu marido".]
"Señor, contestó la mujer, veo que eres *profeta*.
Nuestros padres *siempre* vinieron a este *cerro* para adorar a *Dios*
y *ustedes* los judíos,
¿no dicen que hay que adorar en *Jerusalén*?"
Jesús le dijo:
"*Créeme*, mujer, que ha llegado la hora en que ustedes,
ni en *este* cerro, ni *tampoco* en Jerusalén,
adorarán al Padre.
Ustedes samaritanos, *adoran* lo que no conocen,
mientras que nosotros los judíos *conocemos* lo que adoramos:
porque la *salvación* viene de los judíos.
Pero llega la *hora*, y *ya* estamos en *ella*,
en la que los *verdaderos* adoradores
adorarán al Padre en *Espíritu* y en Verdad.
Porque *ésos* son los adoradores que busca el Padre.
Dios es *Espíritu*
y los que lo *adoran* deben adorarlo en Espíritu y en *Verdad*".
La mujer contestó: "Yo sé que el *Cristo* está por venir.
Cuando *él* venga nos *aclarará* todo".
Jesús le dijo: "Ése soy yo, el que habla contigo".

Las respuestas de Jesús tienen un tono enigmático. Imprime ese matiz a tu lectura.

La samaritana propone un segundo interrogante. Ahora, con un tono de ironía y sarcasmo, procura reflejarlo con tu voz.

Usa un tono cariñoso y familiar para proclamar la amplia declaración iniciada a partir de la frase, "Créeme, mujer . . .", hasta la frase final, "los adoradores que busca el Padre" .

EVANGELIO continuación LM

En esto llegaron los discípulos
y *se sorprendieron* de que estuviera conversando
con una mujer;
sin embargo, *ninguno* le dijo:
'¿*Qué* le preguntas o *de qué* hablas con ella?'
Entonces la mujer *dejó* su cántaro,
se fue al pueblo y *comenzó* a decir a la gente:
"*Vengan* a ver a un hombre que me ha dicho *todo*
lo que he hecho.
¿No será éste *el Mesías*?"
Salieron del pueblo y se *pusieron en camino*
hacia donde él estaba.
Mientras tanto, sus discípulos *le insistían*: "Maestro, come".
Él les dijo:
"Yo *tengo* por comida un alimento que ustedes *no conocen*".
Los discípulos comentaban *entre sí*:
"¿Le *habrá* traído alguien *de comer*?"
Jesús les dijo:
"Mi *alimento* es *hacer* la voluntad del que *me envió*
y llevar a *término* su obra.
¿*Acaso* no dicen ustedes que *todavía* faltan *cuatro* meses
para la siega?
Pues bien, *yo* les digo:
Levanten los ojos y *contemplen* los campos,
que *ya están* dorados para la siega.
Ya el segador *recibe* su jornal y *almacena* frutos
para la *vida eterna*.
De *este modo* se alegran *por igual* el sembrador y el segador.
Aquí se cumple el dicho:
'*Uno* es el que siembra y *otro* el que cosecha'.
Yo *los envié* a cosecharlo que *no habían* trabajado.
Otros trabajaron y *ustedes* recogieron su fruto".
Muchos samaritanos de aquel poblado
creyeron en Jesús por el testimonio de la mujer:
'Me dijo *todo* lo que he hecho'.
Cuando los samaritanos llegaron a donde él estaba,
le rogaban que se *quedara* con ellos, y se quedó allí *dos días*.
Muchos más *creyeron en él* al oír su palabra.
Y decían a la mujer:
"Ya *no* creemos por lo que *tú* nos has contado,
pues *nosotros mismos* lo hemos oído
y *sabemos* que *él* es, de veras, el *salvador* del mundo".

EVANGELIO continuación LEU

[En ese *preciso* momento llegaron los *discípulos*
y se *admiraron* al verlo hablar con una samaritana.
Pero ninguno le preguntó *para* qué, ni *por* qué hablaba con ella.
La mujer dejó allí el cántaro y *corrió* al pueblo a decir a la gente:
"*Vengan* a ver a un hombre que me ha dicho *todo* lo que
yo he hecho.
¿Acaso será *éste* el Cristo?"
Salieron entonces del pueblo y fueron a verlo.
Mientras tanto los discípulos le decían: "*Maestro*, come".
Pero él les contestó:
"Tengo un *alimento* que ustedes no conocen".
Y se preguntaban si *alguien* le habría traído de comer.
Jesús les dijo: "Mi alimento es hacer la *voluntad*
del que me *envió* y llevar a cabo su *obra*.
¿No dicen ustedes: Faltan *cuatro* meses para la cosecha?
Pues bien, *yo* les digo:
levanten la vista y vean
cómo los campos están *amarillentos* para la siega.
Ya el segador *recibe* su paga y junta *frutos* para la Vida Eterna;
de modo que también el *sembrador* participa
en la misma alegría del *segador*.
Y se verifica el dicho:
Uno es el que *siembra* y otro el que *cosecha*.
Pues yo los he enviado a cosechar donde *otros* han trabajado.
Otros han *sufrido* y ustedes se hacen cargo del *fruto*
de sus sudores".]
En este pueblo *muchos* samaritanos creyeron en él
[por las palabras de la *mujer* que decía:
"El me descubrió *todo* lo que yo había hecho".]
Vinieron donde él y le pidieron que se *quedara* con ellos.
Y se estuvo *allí* dos días.
Y en el pueblo *mucha* más gente creyó en él al *oír* su palabra.
Y le decían a la mujer:
"Ya no creemos por lo que tú contaste.
Nosotros *mismos* lo hemos oído
y estamos *convencidos*
de que *éste* es verdaderamente el *Salvador* del mundo".

La respuesta dada por Jesús, a propósito de la siega y la cosecha, necesita proclamarse lentamente a fin de que los oyentes asimilen cada una de las comparaciones.

La pregunta de los discípulos refleja su desconcierto. Dale ese tono a su comentario.

La invitación de la mujer a sus paisanos ha de resonar con convicción y entusiasmo ante el novedoso descubrimiento.

El culmen del relato es la confesión creyente de los samaritanos. Recítala con tono firme y decidido.

4º DOMINGO DE CUARESMA

I LECTURA 1 Samuel 16,1.6–7.10–13 LM

Lectura del primer libro de Samuel

En *aquellos* días, dijo el Señor a Samuel:
"*Ve* a la casa de Jesé, en Belén,
porque de entre sus hijos me he escogido *un rey*.
Llena, pues, tu cuerno de aceite para ungirlo y *vete*".
Cuando llegó Samuel a Belén y *vio* a Eliab,
el hijo *mayor* de Jesé, *pensó*:
"Éste es, *sin duda*, el que voy a *ungir* como rey".
Pero el Señor *le dijo*:
"No te dejes *impresionar* por su aspecto ni por su *gran estatura*,
pues yo lo *he descartado*,
porque *yo no juzgo* como juzga el hombre.
El hombre se fija *en las apariencias*,
pero el Señor se fija e*n los corazones*".
Así fueron pasando ante Samuel *siete* de los hijos de Jesé;
pero Samuel dijo: "*Ninguno* de éstos es el *elegido* del Señor".
Luego le preguntó a Jesé: "¿Son *éstos todos* tus hijos?"
Él respondió:
"Falta el *más pequeño*, que está cuidando el rebaño".
Samuel le dijo: "*Hazlo venir*,
porque *no* nos sentaremos a comer *hasta* que llegue".
Y *Jesé* lo mandó llamar.
El muchacho era *rubio*, de ojos *vivos* y *buena presencia*.
Entonces el Señor dijo a Samuel:
"*Levántate* y *úngelo*, porque *éste es*".
Tomó Samuel el cuerno con el aceite
y lo *ungió* delante de sus hermanos.

I LECTURA Con este capítulo, comienza el ascenso de David y la caída de Saúl. Es el cierre de la etapa de los jueces, y a partir de ahí comenzará la monarquía, otra etapa de la historia de la salvación.

En este relato, se proclaman varios de los temas clásicos de la revelación del Antiguo Testamento, a saber: Dios elige de acuerdo a criterios sólidos (Deuteronomio 17,14–20), no como los humanos que eligen fijándose en las apariencias (véase el caso de Saúl en 1 Samuel 10,23); en segundo lugar se nos presenta el típico motivo de la exaltación vertiginosa del individuo de origen y condición humilde. En efecto, David es el más pequeño de los siete hijos de Jesé; él realiza un oficio modesto como pastor del rebaño.

Pues bien, ese muchacho de condición humilde, nacido en un pequeño poblado, será transformado por Dios en el monarca que consolidará el reino de Israel. En el fondo, David será el instrumento escogido por Dios para guiar a Israel porque se dejará conducir dócilmente por él, no así como Saúl que se obstinó en contrariar la voluntad del Señor.

I LECTURA 1 Samuel 16,1b.6–7.10–13a L E U

Lectura del primer libro de Samuel

En aquellos días, el Señor dijo a *Samuel*:
"Llena tu cuerno de *aceite*,
pues quiero que vayas a casa de *Jesé* del pueblo de *Belén*,
porque he elegido a *uno* de sus hijos para ser mi *rey*".
Cuando se presentó vio a *Eliab*, el mayor de edad,
y se dijo:
"Sin duda *éste* será el elegido".
Pero el *Señor* dijo a Samuel:
"No mires su *apariencia* ni su gran estatura,
porque lo he *descartado*.
Pues el hombre mira las *apariencias*,
pero el Señor mira el *corazón*".
Jesé hizo pasar a sus *siete* hijos ante Samuel, pero éste dijo:
"A *ninguno* de éstos ha elegido el Señor".
Preguntó, pues, Samuel a Jesé:
"¿Están aquí *todos* tus hijos?"
Él contestó: "Falta el más *pequeño*,
que está *cuidando* las ovejas".
Samuel le dijo: "*Anda* a buscarlo,
pues *no* nos sentaremos a comer hasta que *él* haya venido".
Mandó Jesé a buscar a su *hijo* menor.
Era rubio, tenía *lindos* ojos y *buena* presencia.
Y el Señor dijo:
"*Levántate* y conságralo con aceite, porque es *éste*".
Tomó Samuel el cuerno de *aceite*
y lo *ungió* en medio de sus hermanos.
Y el *espíritu* del Señor permaneció sobre *David* desde aquel día.

Inyéctale a tu voz un tono cargado de autoridad que manifieste la determinación con que Dios dicta sus órdenes a Samuel.

La voz de Samuel es reflexiva y segura; está pensando en voz alta.

La voz de Jesé al referirse a David ha de parecer totalmente desinteresada.

La voz de Samuel resuena decidida para urgirle a Jesé que mande llamar a su hijo menor.

La orden final dada por Dios debe resonar con un tono jubiloso. El relato está llegando a su culmen.

II LECTURA Pablo gusta de argumentar a base de contrastes y oposiciones. Esta ocasión elige una pareja de imágenes muy familiares a cualquier persona: la luz y las tinieblas. En efecto, todos hemos experimentado el desconcierto al caminar en una senda oscura o la serenidad al movernos en un sitio iluminado.

En consonancia con el Evangelio, conviene resaltar el símbolo de la luz, tan querido para los primeros cristianos (Mateo 5,14–16). La luz es una comparación de hondo arraigo bíblico (Génesis 1,3; Isaías 49,6) utilizada frecuentemente, lo mismo que en este escrito paulino, para afirmar la vocación de los creyentes a testimoniar ante todo el mundo la fidelidad a Dios por medio de una existencia justa y honesta.

EVANGELIO Cuando se hace una lectura superficial del noveno capítulo del Evangelio de Juan, puede creerse que estamos leyendo simplemente un relato de un milagro, como cualquiera de los muchos otros que realizó Jesús de Nazaret. Pero este texto requiere que lo abordemos con más detenimiento, con el asombro de quien descubre algo nuevo, con nuevos ojos, no con los viejos del que ya ha leído muchas veces ese pasaje, al punto que se ha quedado ciego y ya no sabe admirar la gran novedad que encierra el relato.

En lugar de leer cuidadosamente para descubrir la novedad de lo narrado, recurre a su memoria para tratar de recordar lo que sabe de este pasaje. Leer así ya no le resulta una experiencia creadora de sentido, sino un rito que cada tres años, cuando sale esa lectura el Cuarto Domingo de Cuaresma, pone a funcionar el archivo de la memoria. Se ha vuelto ciego de tanto leer lo mismo. Como los fariseos que pretendían conocer bien la Escritura a fuerza de recitarla de memoria y explicarla, habían cerrado sus ojos para no ver la manifestación nueva de Dios en Jesús; por eso no pudieron reconocer en él ninguna novedad, y así lo rechazaron.

II LECTURA Efesios 5,8–14 LM

Lectura de la carta del apóstol san Pablo a los efesios

Hermanos:
En *otro* tiempo ustedes fueron *tinieblas*,
pero ahora, *unidos* al Señor, *son luz*.
Vivan, por lo tanto, como *hijos* de la luz.
Los *frutos* de la luz son la *bondad*, la santidad *y la verdad*.
Busquen lo que es *agradable* al Señor
y *no* tomen parte en las obras *estériles* de los
que son *tinieblas*.
Al contrario, repruébenlas *abiertamente*;
porque, si bien las cosas que ellos hacen en secreto
da rubor *aun mencionarlas*,
al ser reprobadas *abiertamente*, *todo* queda en claro,
porque *todo* lo que es iluminado *por la luz* se convierte *en luz*.
Por eso se dice:
Despierta, tú que duermes;
levántate de entre los muertos y *Cristo* será tu luz.

EVANGELIO Juan 9,1–41 LM

Lectura del santo Evangelio según san Juan

En aquel tiempo, Jesús vio al pasar a un ciego *de nacimiento*,
y sus discípulos le preguntaron:
"*Maestro*, ¿*quién* pecó para que *éste* naciera ciego,
él o sus padres?"
Jesús respondió: "*Ni él* pecó, *ni tampoco* sus padres.
Nació *así* para que *en él* se manifestaran las *obras de Dios*.
Es necesario que *yo haga* las obras del que *me envió*,
mientras es *de día*,
porque luego *llega* la noche y *ya nadie* puede trabajar.
Mientras *esté* en el mundo, yo soy la luz del mundo".
Dicho esto, *escupió* en el suelo, hizo *lodo* con la saliva,
se lo puso en *los ojos* al ciego y le dijo:
"*Ve* a lavarte en la piscina de *Siloé*" (que significa 'Enviado').
Él fue, se lavó y *volvió* con vista.
Entonces *los vecinos* y los que lo habían visto antes
pidiendo limosna, preguntaban:
"¿*No es éste* el que se sentaba a *pedir* limosna?"
Unos decían: "*Es* el mismo".
Otros: "*No es él*, sino que *se le parece*".
Pero *él* decía: "*Yo soy*".

II LECTURA Efesios 5,8–14 LEU

Lectura de la carta del apóstol san Pablo a los efesios

En otro tiempo ustedes eran *tinieblas*,
pero en el presente son *luz* en el Señor.
Pórtense como *hijos* de la luz:
los *frutos* que produce la luz son *la bondad*, *la justicia*
y *la verdad* bajo *todas* sus formas.
Sepan hallar lo que *agrada* al *Señor*,
y *no* tomen parte en las obras *estériles* de las tinieblas;
al contrario, *denúncienlas*.
Es cierto que da *vergüenza* incluso decir lo que esa gente hace
a *escondidas*,
pero todo esto ha de ser *denunciado* por *la luz*
hasta que se vuelva *claridad*.
En efecto, *todo* lo que se pone bajo la luz viene a ser luz.
Por eso se dice: "*Tú* que duermes, *despiértate*,
levántate de entre los muertos,
y la luz de Cristo *brillará* sobre ti".

Enfatiza y lee detenidamente los dos términos (luz y tinieblas) que recurren a lo largo del párrafo, pero dále más importancia a la palabra luz.
Usa un tono exhortativo y cariñoso para dirigirte a los miembros de la asamblea.

Con tono seguro y confiado proclama la cita bíblica. No olvides que intentas animar a los oyentes a acoger la luz de Cristo.

EVANGELIO Juan 9,1–41 LEU

Lectura del santo Evangelio según san Juan

En aquel tiempo, al pasar, *Jesús* se encontró con un ciego
de *nacimiento*.
[Sus discípulos le *preguntaron*:
"Maestro, ¿*quién* tiene la culpa de que esté ciego:
él o sus padres?"
Jesús les respondió: "*No* hubo pecado, ni de él *ni* de sus padres.
Pero su caso servirá para que se *conozcan* las obras de Dios.
Mientras sea de *día*,
tengo que hacer el trabajo que el Padre me ha *encomendado*.
Ya se *acerca* la noche, cuando *no* se puede trabajar.
Pero mientras yo *esté* en el *mundo*,
Yo *soy* la luz del mundo".
Al decir esto,] hizo un poco de *lodo* con tierra y saliva.
Untó con él los *ojos* del ciego y le dijo:
"*Anda* a lavarte en la piscina de Siloé"
(que quiere decir: El Enviado).
El ciego *fue*, se lavó, y cuando *volvió* veía *claramente*.
Sus vecinos y los que lo habían *visto* pidiendo limosna, decían:
"¿No es éste, acaso, el que venía a sentarse y pedía *limosna*?"
Unos decían: "*Es* él".

El interrogante planteado por los discípulos resuena como una cuestión legítima que los tiene desconcertados.

La respuesta de Jesús debe proclamarse con seguridad y énfasis.

Procura hacer una pausa luego de la palabra "mundo" para así resaltar la frase central: "Yo soy la luz del mundo".

Narra con detenimiento cada una de las acciones cumplidas por Jesús y ejecutadas por el ciego.

Ya muchos siglos antes de Jesucristo, Dios había enviado al profeta Isaías para confundir a los orgullosos, a quienes se sentían seguros de sus conocimientos (Isaías 6, 9–10): "Embota el corazón de ese pueblo, endurece su oído, ciega sus ojos, que sus ojos no vean, que sus oídos no oigan, que su corazón no entienda, que no se convierta y sane". ¡Misión difícil la de Isaías: vivir para ver que su palabra terminara en el fracaso, sin que nadie hiciera caso! Pero a eso lo mandó Dios, a cegar a la gente de su tiempo.

Jesús no viene a cegar a nadie, sino a dar luz; es así como gusta de llamarse él en el Evangelio de Juan (8,12): "Yo soy la luz del mundo". Sin embargo, la luz de Jesús es una nueva luz, desconocida, ya que ni los que dicen saber todo lo referente a Dios, saben de dónde procede él. Así que, cuando los fariseos no consiguen dominar una situación o adueñarse seguramente de una verdad, optan por negarla; si ellos no la conocen, no ha de ser verdad, porque conocen toda la verdad sobre Dios. La verdad de la vida y la persona de Jesús no encaja dentro de sus esquemas y lo condenan, condenando también a todo el que se pronuncie a favor de él "porque éstos habían ya convenido en excomulgar a quien reconociera que Jesús era el Mesías" (9,22).

Ésa es la fina ironía de este relato, que los que eran tenidos por guías del pueblo, por conductores de ciegos, es decir, los fariseos, no consiguen ver la manifestación de Dios en la persona de Jesús; en cambio, un inexperto, un discapacitado, una persona de la periferia, un ciego de nacimiento, es quien al fin del relato abrirá los ojos a la luz del sol y a la luz de Jesús. Por eso puede creer en Jesús.

Como bien dice el dicho: "No hay peor ciego que el que no quiere ver". Si la persona vive sumida en su autosuficiencia, no podrá abrirse a la luz del Evangelio. Dios llama, pero no atropella la libertad de la persona.

EVÁNGELIO continuación — L M

Y le preguntaban: "Entonces, ¿*cómo* se te abrieron los ojos?"
Él les respondió: "El hombre que *se llama Jesús* hizo lodo,
me lo puso en los ojos y me dijo: '*Ve* a Siloé *y lávate*'.
Entonces *fui*, me *lavé* y *comencé* a ver".
Le preguntaron: "¿En *dónde* está él?" Les contestó: "*No lo sé*".
Llevaron entonces ante los fariseos al que *había sido* ciego.
Era *sábado* el día en que Jesús *hizo* lodo y le *abrió* los ojos.
También los fariseos le preguntaron
cómo había adquirido la vista.
Él les contestó: "Me puso *lodo* en los ojos, me lavé *y veo*".
Algunos de los fariseos comentaban:
"Ese hombre *no viene* de Dios, porque *no guarda* el sábado".
Otros replicaban:
"¿*Cómo* puede un pecador hacer *semejantes* prodigios?"
Y había *división* entre ellos.
Entonces *volvieron* a preguntarle al ciego:
"*Y tú*, ¿*qué piensas* del que te *abrió* los ojos?"
Él les contestó: "Que es un profeta".
Pero los judíos *no creyeron* que aquel hombre,
que *había sido ciego*,
hubiera recobrado la vista.
Llamaron, pues, *a sus padres* y les preguntaron:
"¿*Es éste* su hijo, del que *ustedes dicen* que *nació* ciego?
¿*Cómo* es que ahora ve?"
Sus padres *contestaron*: "*Sabemos* que *éste es* nuestro hijo
y que *nació ciego*.
Cómo es que *ahora ve* o *quién* le haya dado la vista,
no lo sabemos.
Pregúntenselo a él; ya tiene edad *suficiente*
y responderá *por sí mismo*".
Los *padres* del que había sido ciego dijeron *esto*
por miedo a los judíos,
porque *éstos* ya habían convenido en *expulsar* de la sinagoga
a quien reconociera *a Jesús* como *el Mesías*.
Por eso sus padres dijeron: 'Ya *tiene* edad; *pregúntenle* a él'.
Llamaron *de nuevo* al que había *sido ciego* y le dijeron:
"*Da gloria* a Dios.
Nosotros sabemos que *ese hombre* es pecador".
Contestó *él*: "Si es pecador, *yo no lo sé*;
sólo sé que yo era ciego y ahora veo".
Le preguntaron *otra vez*: "¿*Qué* te hizo? ¿*Cómo* te abrió los ojos?"
Les contestó: "*Ya* se lo dije a ustedes y *no* me han dado *crédito*.
¿*Para qué* quieren oírlo *otra vez*?

EVANGELIO continuación LEU

Otros decían que no, sino que era *parecido*.
Él decía: "*Sí*, soy yo".
[Le preguntaron: "¿Cómo es que *ahora* puedes ver?"
Él contestó: "El hombre a quien llaman *Jesús* hizo barro,
me lo aplicó a los ojos
y me dijo que fuera a *lavarme* en la piscina de Siloé.
Fui, me lavé y *veo*".]
Era día *sábado* cuando Jesús hizo lodo y abrió los ojos al ciego.
Los judíos, pues,
llevaron ante los *fariseos* al que hasta entonces
había sido *ciego*,
y *otra* vez, los fariseos le preguntaron cómo había sanado
de la ceguera.
Contestó él: "Me puso *barro* en los ojos, me lavé y veo".
Algunos fariseos decían:
"Ese hombre *no* es de Dios porque *trabaja* en día sábado".
Pero *otros* se preguntaban:
"¿Cómo puede ser pecador un hombre que hace *signos*
como éste?"
Y estaban en *desacuerdo*.
Le preguntaron al ciego:
"Y tú, ¿qué piensas de él, puesto que te ha *abierto* los ojos?"
Él contestó: "Es un *profeta*".
[Los judíos *no* querían creer que había sido ciego este *hombre*
que ahora veía *claramente*.
Así es que hicieron llamar a sus *padres* y les preguntaron:
"¿Es *éste* su hijo que dicen que *nació* ciego?
¿*Cómo* es que ahora ve?"
Los padres *respondieron*:
"*Sabemos* que es nuestro hijo y que nació *ciego*.
Cómo ve *ahora*, o quién *le abrió* los ojos, eso *no* lo sabemos.
Pregúntenle a él;
es *mayor* de edad y puede responder por su *cuenta*".
Los padres respondieron esto por *miedo* a los *judíos*,
pues éstos habían decidido *expulsar* de sus *comunidades*
a los que *reconocieran* que Jesús era el Cristo.
Por eso contestaron: "Es *mayor* de edad; *pregúntenle* a él".
Los fariseos *volvieron* a llamar al hombre que había *sido ciego*
y le dijeron: "*Confiesa* la verdad.
Nosotros *sabemos* que ese hombre que te sanó es un pecador".
El hombre *respondió*: "Yo no sé si es pecador o no.
Lo que *sé* es que yo *era* ciego y *ahora* veo".

La respuesta del ciego es un reconocimiento del poder de Jesús. Procura subrayar dicha declaración.

Usa un tono de voz distinto para proclamar las preguntas de los fariseos y las respuestas del ciego. Proclama la respuesta final con seguridad: "Es un profeta".

El comentario del narrador incluye una confesión de fe. Procura remarcarla: "que Jesús era el Cristo".

EVANGELIO continuación LM

¿Acaso *también* ustedes quieren hacerse *discípulos* suyos?"
Entonces ellos *lo llenaron* de insultos y le dijeron:
"Discípulo *de ése* lo serás *tú*.
Nosotros somos discípulos *de Moisés*.
Nosotros *sabemos* que a Moisés le *habló Dios*.
Pero ése, *no sabemos* de *dónde* viene".
Replicó aquel hombre:
"Es *curioso* que *ustedes* no sepan *de dónde* viene
y, sin embargo, me ha *abierto* los ojos.
Sabemos que Dios *no escucha* a los pecadores,
pero al que lo teme y *hace su voluntad*, a *ése sí* lo escucha.
Jamás se había oído decir que alguien
abriera los ojos a un *ciego* de nacimiento.
Si éste *no viniera* de Dios, no tendría *ningún* poder".
Le replicaron:
"Tú eres *puro pecado* desde que naciste,
¿*cómo* pretendes darnos *lecciones*?"
Y lo echaron *fuera*.
Supo *Jesús* que lo habían echado *fuera*,
y cuando lo encontró, *le dijo*:
"¿*Crees tú* en el *Hijo* del hombre?"
Él *contestó*: "¿Y *quién es*, Señor, para que yo crea *en él*?"
Jesús le dijo: "*Ya* lo has visto;
el que *está* hablando contigo, *ése es*".
Él dijo: "*Creo*, Señor". Y *postrándose*, lo *adoró*.
Entonces le dijo *Jesús*:
"Yo *he venido* a este mundo para que se *definan* los campos:
para que los ciegos *vean*, y los que ven *queden ciegos*".
Al oír *esto*, algunos fariseos que estaban con él le preguntaron:
"¿Entonces, *también* nosotros estamos *ciegos*?"
Jesús les contestó: "Si *estuvieran* ciegos, *no tendrían* pecado;
pero como *dicen* que ven, *siguen* en su pecado".

EVANGELIO continuación L E U

Le preguntaron: "¿*Qué* te hizo?,
¿*cómo* te abrió los ojos?"
Él les dijo: "*Ya* se lo he dicho y no me creyeron.
¿Para qué quieren oírlo *otra* vez?,
¿acaso ustedes *también* quieren hacerse *discípulos* de él?"
Entonces comenzaron a *insultarlo*:
"*Tú* serás discípulo suyo.
Nosotros somos discípulos de *Moisés*.
Sabemos que Dios *habló* a Moisés.
Pero de éste no sabemos ni siquiera de *dónde* viene".
El hombre contestó: "*Esto* es lo maravilloso,
que *ustedes* no entiendan de dónde viene un *hombre*
que me *abrió* los ojos.
Todo el mundo sabe que Dios *no* escucha a los *pecadores*,
sino a los hombres *buenos*, que hacen lo que Dios *quiere*.
Nunca se ha oído *decir*
que un hombre haya *abierto* los ojos a un ciego
de *nacimiento*.
Si éste no viniera de *parte* de Dios, no podría hacer *nada*
de eso".]
Le contestaron ellos: "*Desde* tu nacimiento estás en pecado
¿y vienes a darnos lecciones a *nosotros*?"
Y lo *expulsaron*.
Jesús supo que lo habían expulsado, y al *encontrarlo* le dijo:
"¿Crees tú en el *Hijo* del Hombre?"
Éste le contestó: "¿*Quién* es, Señor, para que *crea* en él?"
Jesús le dijo: "*Tú* lo estás viendo.
Soy *yo*, el que habla contigo".
Él dijo: "*Creo*, Señor",
y se *arrodilló* ante él.
[Jesús dijo: "He venido a este mundo para *iniciar* una crisis:
los que no ven, *verán*,
y los que ven, van a quedar *ciegos*".
Algunos *fariseos* estaban al lado de Jesús y le dijeron:
"¿Acaso *nosotros* somos ciegos?"
Jesús les contestó: "Si fueran *ciegos*, *no* tendrían pecado.
Pero ahora *dicen* que ven,
con eso el pecado está *comprobado*".]

Esta respuesta contiene profundas declaraciones. Recítalas pausadamente para que tus oyentes puedan irlas asimilando.

El diálogo final es el culmen del relato; la voz del ciego debe reflejar su fe convencida. La voz de Jesús ha de ser como la de un maestro que instruye cuidadosamente a su discípulo.

5º DOMINGO DE CUARESMA

I LECTURA En Ezequiel 34—38, encontramos una serie de oráculos de salvación dirigidos al pueblo desterrado en Babilonia, más exactamente a los deportados de Tel-Aviv que vivían junto al río Quebar. Ezequiel compara a estos desterrados con un montón de huesos calcinados, gente sin esperanza; se sienten como muertos por haber perdido lo más precioso que tenían: su tierra. Al perder la libertad de residir en su tierra, les habían quitado el don más grande: su templo, lugar donde podían sentir la presencia cercana de su Dios. Había además otra pérdida, la de su rey: Al último de éstos le habían arrancado los ojos en Riblá y estaba encerrado en un palacio-cárcel en Babilonia. Eran gente desilusionada, sin esperanza; no sólo eso, también eran gente resentida con su Dios: "Me ha abandonado el Señor, mi dueño me ha olvidado" (Isaías 49:14). Para que esta gente recobrara su alegría de vivir—su esperanza—era necesario devolverles su tierra. Su tierra era su vida.

Con la imagen de la revivificación de los huesos calcinados, se está afirmando que a los deportados los sacarán de sus "sepulcros" en Tel-Aviv, en esa tierra extranjera, para conducirlos a su tierra, "que mana leche y miel", a la tierra de sus antepasados; para Israel, vivir como esclavo en tierra extranjera equivalía a estar muerto.

Cuando los emigrantes latinos o asiáticos son tratados como individuos de segunda o tercera categoría en los países poderosos, como los Estados Unidos, por ejemplo, se asemejan a esos huesos secos que necesitan ser reanimados por el espíritu nuevo que respeta por igual el valor de las personas.

II LECTURA Con gran finura psicológica, Pablo nos da una radiografía del proceder de la persona. Nos explica cómo los seres humanos tenemos inclinaciones egoístas que apuntan hacia

I LECTURA Ezequiel 37,12–14 L M

Lectura del libro del profeta Ezequiel

Esto dice el Señor Dios:
"Pueblo mío, *yo mismo abriré* sus sepulcros,
los *haré salir* de ellos y *los conduciré* de nuevo
a la tierra de Israel.
Cuando *abra* sus sepulcros y los saque de ellos, *pueblo mío*,
ustedes dirán que *yo soy* el Señor.
Entonces *les infundiré* a ustedes mi espíritu y *vivirán*,
los *estableceré* en su tierra
y ustedes *sabrán* que yo, el Señor, lo dije *y lo cumplí*".

II LECTURA Romanos 8,8–11 L M

Lectura de la carta del apóstol san Pablo a los romanos

Hermanos:
Los que viven en forma *desordenada y egoísta*
no pueden agradar a Dios.
Pero ustedes no llevan *esa clase de vida*,
sino una vida *conforme* al Espíritu,
puesto que el Espíritu de Dios habita *verdaderamente*
en ustedes.
Quien *no tiene* el Espíritu de Cristo, *no es* de Cristo.
En cambio, si Cristo vive *en ustedes*,
aunque su cuerpo *siga sujeto* a la muerte a causa *del pecado*,
su espíritu *vive* a causa de la actividad salvadora de Dios.
Si el *Espíritu* del Padre, que *resucitó* a Jesús de entre los
muertos, *habita* en ustedes,
entonces *el Padre*, que resucitó a Jesús de entre los muertos,
también les dará vida a sus cuerpos mortales,
por obra de su Espíritu, que *habita* en ustedes.

I LECTURA Ezequiel 37,12–14 LEU

Lectura del libro del profeta Ezequiel

Esto dice el Señor Dios:
Yo, el Señor, voy a *abrir* sus tumbas.
Pueblo mío, los haré *salir* de sus tumbas
y los llevaré de nuevo a la *tierra* de Israel.
Ustedes sabrán que yo soy el *Señor*, cuando *abra* sus tumbas,
pueblo mío, y los haga *salir*.
Infundiré mi Espíritu en ustedes y *volverán* a vivir,
y los *estableceré* sobre su *tierra*,
y ustedes *entonces* sabrán qué yo, el *Señor*,
digo y pongo por obra.

Proclama este anuncio salvífico con la autoridad de quien tiene poder de realizar cuanto promete.

Dale a esta afirmación que revela la identidad del Señor el tono condicionado que tiene.

Con voz alegre y entusiasta, refiere los acontecimientos mencionados; dale contundencia y certidumbre a tus palabras para convencer a los desfallecidos.

II LECTURA Romanos 8,8–11 LEU

Lectura de la carta del apóstol san Pablo a los romanos

Los que se dejan *conducir* por la carne *no* pueden agradar a Dios.
Mas ustedes *no* se dejan conducir por la carne
sino por el *Espíritu*,
pues el Espíritu de Dios *habita* en ustedes.
Si alguien *no* tuviera el Espíritu de Cristo, no sería de Cristo.
En cambio, si Cristo *está* en ustedes,
aunque la muerte debida al pecado *permanezca* en el cuerpo,
el Espíritu *vive* por haber *recibido* la gracia.
Y si el Espíritu de Aquel que *resucitó* a Cristo de entre
los muertos *está* en ustedes,
el que resucitó a *Jesús* de entre los muertos
dará *también* vida a sus cuerpos mortales;
lo hará por medio de su *Espíritu* que ya *habita* en ustedes.

La primera afirmación describe el comportamiento equívoco de los individuos carnales. Haz una pausa antes de referirte al proceder de los cristianos.

Imprímele a esta afirmación un tono condicionado, queriendo insinuar que existen cristianos que lo son sólo de nombre. Concluye animando a la asamblea a vivir en el espíritu.

Enfatiza nuevamente la frase condicional ("Y si el Espíritu . . . ") y haz una pausa antes de pasar a la conclusión final: "el que resucitó . . . dará . . .", que ha de resonar con un tono entusiasta y animoso.

el mal; es nuestra dimensión terrena, carnal, originada por nuestra procedencia del linaje del primer Adán. Éste, en efecto, desoyó la voz de Dios y se dejó enredar por el espejismo deslumbrante del instinto. Éste es un canto melodioso que emborracha el espíritu de la persona.

Sin embargo, Pablo no se dirige a personas carnales, sino espirituales, en quienes ya habita el Espíritu de Cristo y que pueden sobreponerse al mal con la fortaleza del Nuevo Adán, Jesucristo resucitado, que derrama su espíritu sobre todos los bautizados. El autor invita a los oyentes a perseverar en la reconquista de su libertad y a mantenerse en pie ante los embates egoístas de la carne.

EVANGELIO **El único individuo que en la tradición de Israel había devuelto a la vida a un muerto era Elías. Según 1 Reyes 17, había devuelto a la vida al hijo de la viuda de Sarepta. Para esa mujer, ese signo fue la muestra clara de que Elías era un profeta, un individuo cuya palabra no era solamente humana sino divina, palabra que se cumple siempre.**

Jesús será el segundo individuo que va a devolver a un muerto a la vida; se dirigirá a Betania para despertar-revivir al que se ha quedado dormido-muerto. Jesús va a despertar a Lázaro para manifestar con ese signo que él es la resurrección y la vida; la muerte de Lázaro es la gran ocasión que Jesús aprovecha para que descubran que él es el Hijo de Dios.

Jesús reclama fe y entrega total a su persona: "El que tiene fe en mí, aunque muera, vivirá; y todo el que está vivo y tiene fe en mí, no morirá nunca". La vida y la muerte están de ahora en adelante condicionadas a la actitud que la persona tenga respecto a Jesús de Nazaret.

Jesús no puede exigir una fe de ese tamaño a cualquier ser humano si antes no da signos de que realmente lo que dice sobre la vida y la muerte no son sólo fanfarronadas o sueños guajiros. Debe mostrar que su palabra, como decía la viuda de

EVANGELIO Juan 11,1–45 L M

Lectura del santo Evangelio según san Juan

En *aquel* tiempo, se encontraba enfermo *Lázaro*, en Betania,
el pueblo de María y de su hermana Marta.
María era la que una vez *ungió* al Señor con perfume
y le *enjugó* los pies con su cabellera.
El enfermo era su hermano *Lázaro*.
Por eso las dos hermanas le mandaron decir *a Jesús*:
"*Señor*, el amigo a quien tanto quieres *está enfermo*".
Al oír *esto*, Jesús dijo:
"*Esta* enfermedad *no acabará* en la muerte,
sino que servirá para *la gloria* de Dios,
para que el *Hijo de Dios* sea glorificado por ella".
Jesús *amaba* a Marta, a su hermana y a Lázaro.
Sin embargo, cuando *se enteró* de que Lázaro *estaba* enfermo,
se detuvo *dos días más* en el lugar en que se hallaba.
Después dijo a sus discípulos: "Vayamos *otra vez* a Judea".
Los discípulos le dijeron:
"*Maestro*, hace poco que los judíos querían *apedrearte*,
¿y tú *vas a volver* allá?"
Jesús les contestó: "¿*Acaso* no tiene *doce* horas el día?
El que camina *de día* no tropieza,
porque ve la luz *de este mundo*;
en cambio, el que camina de noche *tropieza*,
porque *le falta* la luz".
Dijo esto y luego *añadió*:
"*Lázaro*, nuestro amigo, *se ha dormido*;
pero yo voy ahora *a despertarlo*".
Entonces le dijeron sus discípulos:
"*Señor*, si duerme, es que *va a sanar*".
Jesús hablaba *de la muerte*,
pero ellos creyeron que hablaba del *sueño natural*.
Entonces Jesús les dijo *abiertamente*:
"Lázaro *ha muerto*, y me alegro por ustedes
de no haber estado ahí,
para que crean. Ahora, vamos *allá*".
Entonces *Tomás*, por sobrenombre *el Gemelo*,
dijo a los demás discípulos:
"Vayamos *también* nosotros, para *morir* con él".

EVANGELIO Juan 11,1–45 L E U

Lectura del santo Evangelio según san Juan

En aquel tiempo, [había un hombre enfermo
que se llamaba *Lázaro*.
Era de *Betania*, el pueblo de *María* y de su hermana *Marta*.
María, *hermana* de Lázaro, el enfermo,
era la *misma* que ungió con *perfume* los pies del Señor
y los secó con sus *cabellos*.]
Las dos hermanas de *Lázaro* mandaron decir a *Jesús*:
"Señor, el que tú *amas* está enfermo".
Jesús, al oírlo, declaró:
"Esta enfermedad no es de *muerte*, sino para gloria de Dios,
y por ella se *manifestará* la gloria del *Hijo* de Dios".
Jesús quería *mucho* a Marta, a su hermana y a *Lázaro*.
Sin embargo, cuando se enteró de que Lázaro estaba *enfermo*,
se quedó allí *dos* días más.
Después dijo a sus discípulos: "Volvamos a *Judea*".
[Le replicaron:
"*Maestro*, hace poco los judíos querían matarte a *pedradas*,
¿y otra vez quieres ir *allá*?"
Jesús les contestó: "¿Acaso no tiene *doce* horas el día?
Si uno anda de *día*, no tropieza, porque ve la *luz* del día.
Pero si uno anda de *noche* tropieza, porque adentro no *tiene* luz".
Después les dijo:
"Nuestro amigo Lázaro se ha *dormido* y voy a despertarlo".
Los discípulos le dijeron:
"Señor, si *duerme* recuperará la salud".
En realidad, Jesús quería *decirles* que Lázaro estaba muerto,
pero los discípulos habían *entendido* que se trataba
del sueño natural.
Entonces Jesús les dijo *claramente*:
"Lázaro *murió* y yo me alegro por *ustedes*
de no haber estado allá.
Ahora *sí* que ustedes van a *creer* en mí.
Vamos *allá* a verlo".
Entonces *Tomás*, apodado el Gemelo, dijo a los otros *discípulos*:
"Vamos también nosotros y *moriremos* con él".]
Cuando llegó Jesús, Lázaro llevaba *cuatro* días en el sepulcro.
[Betania está como a dos kilómetros y medio de *Jerusalén*
y muchos judíos habían *venido* para consolar a Marta
y a María
por la *muerte* de su hermano.]

Refiere esta narración con la familiaridad y precisión de detalles que te da el haber sido testigo ocular de los hechos.

La respuesta de Jesús debe resonar como la de alguien que tiene dominio completo de la situación.

Al hacer la réplica de los discípulos, manifiesta cierto tono de reproche.

Al referir el diálogo entre Jesús y los discípulos, procura contrastar la incomprensión de los discípulos y el conocimiento pleno que posee Jesús.

Retoma el tono de un narrador que participa de sus informaciones a lectores sobre la distancia y el tiempo de recorrido entre las poblaciones mencionadas.

Sarepta, se cumple (1 Reyes 17,24). En realidad la revivificación de su amigo Lázaro es el signo que pone de manifiesto el poder especial de Jesús sobre la vida y la muerte; todos los que hayan visto u oído lo sucedido habrán de creer en Jesús.

Así lo calculan los "políticos de la religión", los sumos sacerdotes y los fariseos, diciendo: "Ese hombre realiza muchas señales; si dejamos que siga, todos van a creer en él, y vendrán los romanos y nos destruirán el lugar santo y la nación" (Juan 11:48). Ellos tenían poder sobre la vida; su poder era real, pero el suyo era un poder nefasto: tenían poder solamente de quitar la vida, no de devolverla. Por eso, se atreven a disponer de la vida, "si dejamos que siga . . . "; están acostumbrados no a dar vida, sino a quitarla.

Ahí está la gran diferencia entre los jefes religiosos y Jesús; aquellos tienen poder para condenar a muerte y nada más. Jesús no tiene ningún poder para decretar quién debe morir; él solamente tiene acceso al Padre que lo escucha y le ayuda a devolver la vida a quien la había perdido. Y un día lejano también tendrá poder, ya no solamente para revivir a un muerto sino para resucitarlo, dándole la vida eterna.

EVANGELIO continuación LM

Cuando llegó Jesús, Lázaro llevaba ya *cuatro* días en el sepulcro.
Betania quedaba *cerca* de Jerusalén,
como a unos *dos* kilómetros y medio,
y *muchos* judíos habían ido a ver a Marta y a María
para *consolarlas* por la muerte de su hermano.
Apenas oyó Marta que Jesús llegaba, *salió* a su encuentro;
pero María *se quedó* en casa.
Le dijo Marta a Jesús:
"*Señor*, si hubieras estado aquí, *no habría muerto* mi hermano.
Pero *aún ahora* estoy segura de que Dios
te concederá cuanto le pidas".
Jesús le dijo: "Tu hermano *resucitará*".
Marta respondió:
"*Ya sé* que resucitará en la resurrección del *último día*".
Jesús le dijo: "*Yo soy* la resurrección y la vida.
El *que cree* en mí, aunque haya muerto, *vivirá*;
y todo aquel que está vivo y *cree en mí*,
no morirá para siempre.
¿*Crees* tú esto?"
Ella le contestó:
"*Sí, Señor*. Creo *firmemente* que *tú eres* el Mesías,
el Hijo de Dios,
el *que tenía que venir* al mundo".
Después de decir estas palabras,
fue a buscar a su hermana María y le dijo *en voz baja*:
"*Ya vino* el Maestro y *te llama*".
Al oír *esto*, María se levantó *en el acto*
y *salió* hacia donde estaba Jesús,
porque *él* no había llegado aún al pueblo,
sino que estaba en el lugar donde Marta *lo había encontrado*.
Los judíos que estaban con María en la casa, *consolándola*,
viendo que ella se levantaba y salía *de prisa*,
pensaron que iba al sepulcro *para llorar ahí* y la siguieron.
Cuando llegó *María* adonde estaba Jesús, al verlo,
se echó a sus pies y le dijo:
"*Señor*, si hubieras estado aquí, *no habría muerto* mi hermano".
Jesús, al verla *llorar* y al ver llorar a los judíos
que la acompañaban,
se conmovió hasta lo *más hondo* y preguntó:
"¿*Dónde* lo han puesto?" Le contestaron:
"*Ven, Señor*, y lo verás".
Jesús *se puso a llorar* y los judíos comentaban:
"De veras ¡*cuánto* lo amaba!"

EVANGELIO continuación LEU

Cuando Marta *supo* que Jesús venía en camino,
salió a su *encuentro*,
mientras que *María* permaneció en casa.
Marta, pues, dijo a Jesús:
"Si hubieras estado *aquí*, mi hermano no habría *muerto*.
Pero cualquier *cosa* que pidas a Dios, yo *sé* que Dios te la dará".
Jesús dijo: "Tu hermano *resucitará*".
Marta respondió:
"Yo *sé* que resucitará en la resurrección de los muertos
en el *último* día".
Jesús dijo: "yo *soy* la Resurrección y la *Vida*.
El que cree en *mí*, aunque esté muerto, *vivirá*;
y el que haya *creído* en mí, no morirá para *siempre*.
¿Crees esto?"
Ella contestó: "Sí, Señor, yo *siempre* he creído
que tú eres el Cristo,
el *Hijo* de Dios que ha de venir a este mundo".
[Después, Marta fue a buscar a *María*.
Le dijo al oído: "El Maestro está aquí y te *llama*".
Apenas lo supo María, se *levantó* y fue al encuentro de Jesús.
Aún no había llegado al *pueblo*,
sino que estaba en el *lugar* donde lo encontró Marta.
Los judíos que estaban con María, *consolándola* en la casa,
la vieron salir *corriendo*.
Creyeron que iba a llorar al *sepulcro* y la siguieron.
María llegó donde estaba *Jesús*.
Al verlo, *cayó* a sus pies y le dijo:
"Señor, si hubieras estado *aquí*,
mi hermano no habría *muerto*".]
[Al ver] Jesús [el *llanto* de *María*
y de *todos* los judíos que estaban con *ella*,]
se *conmovió* hasta el alma.
Preguntó: "¿*Dónde* lo enterraron?"
Le contestaron: "Señor, *ven* a ver".
Y Jesús *lloró*.
Los judíos decían: "¡Miren *cuánto* lo quería!"
Otros decían: "Si pudo abrir los ojos al *ciego*,
bien podría haber hecho *algo* para que Lázaro no muriera".
Jesús, conmovido de nuevo *interiormente*, se acercó al *sepulcro*,
que era una *cueva* tapada con una piedra.
Jesús ordenó: "*Saquen* la piedra".

Recita la primera frase de Marta con gran respeto y convicción.

El comentario de los presentes tiene un aire de reproche. Procura dárselo a tus palabras.

La orden de quitar la piedra debe resonar de manera seca y tajante. La observación de Marta se insinúa con humildad y respeto hacia su Señor.

EVANGELIO continuación LM

Algunos decían:
"¿*No podía* éste, que *abrió* los ojos al ciego de nacimiento,
hacer que Lázaro *no muriera*?"
Jesús, *profundamente* conmovido todavía,
se *detuvo* ante el sepulcro, que era una cueva,
sellada *con una losa*.
Entonces dijo Jesús: "*Quiten* la losa".
Pero *Marta*, la hermana del que había muerto, *le replicó*:
"*Señor*, ya huele mal, porque lleva *cuatro días*".
Le dijo Jesús: "¿No te he dicho que *si crees*,
verás la gloria de Dios?"
Entonces quitaron la piedra.
Jesús *levantó* los ojos a lo alto y dijo:
"*Padre*, te doy gracias porque me *has escuchado*.
Yo *ya sabía* que *tú siempre* me escuchas;
pero lo he dicho a causa *de esta muchedumbre* que me rodea,
para *que crean* que tú me has enviado".
Luego *gritó* con voz potente: "¡*Lázaro, sal de ahí*!"
Y *salió* el muerto, atados con vendas las manos y los pies,
y la cara *envuelta* en un sudario.
Jesús les dijo: "*Desátenlo*, para que *pueda andar*".
Muchos de los judíos que habían ido a casa de Marta y María,
al ver lo que había hecho Jesús, *creyeron en él*.

EVANGELIO continuación LEU

Marta, *hermana* del muerto, le dijo:
"Señor, tiene *mal* olor, pues hace *cuatro* días que murió".
Jesús le respondió:
"¿No te he *dicho* que, si crees, vas a ver la gloria de Dios?"
Quitaron, pues, la *piedra*.
Jesús *levantó* los ojos al cielo y *exclamó*:
"Te doy *gracias*, Padre, porque has *escuchado* mi oración.
Yo sé que *siempre* me oyes.
Pero digo esto por la *gente* que está aquí,
para que crean que *Tú* me has enviado".
Al decir esto, gritó muy fuerte: "¡*Lázaro*, sal fuera!"
Y *salió* el muerto.
Tenía las manos y los pies *vendados*,
y la cabeza *cubierta* con un velo,
por lo que Jesús dijo: "*Desátenlo* y déjenlo caminar".
Muchos judíos que habían ido a ver a María
creyeron en Jesús cuando vieron lo que hizo.

Proclama con mucha seguridad los eventos finales. Enfatiza la orden dada por Jesús a Lázaro, y recuerda que estás narrando eventos extraordinarios e inusuales.

DOMINGO DE RAMOS

EVANGELIO Mateo 21,1–11 LM

Lectura del santo Evangelio según san Mateo

Cuando se aproximaban ya a Jerusalén,
al llegar a *Betfagé*, junto al monte de los Olivos,
envió Jesús a *dos* de sus discípulos, diciéndoles:
"*Vayan* al pueblo que ven *allí* enfrente;
al entrar, encontrarán amarrada una burra
y un burrito con ella;
desátenlos y tráiganmelos.
Si *alguien* les pregunta algo,
díganle que el Señor *los necesita* y enseguida los devolverá".
Esto sucedió para que *se cumplieran* las palabras del profeta:
Díganle a la hija de Sión:
He aquí que tu rey *viene a ti*, apacible y montado *en un burro*,
en un burrito, *hijo* de animal de yugo.
Fueron, pues, los discípulos *e hicieron* lo que Jesús
les había encargado
y trajeron consigo la burra y el burrito.
Luego pusieron sobre ellos sus mantos y Jesús *se sentó* encima.
La gente, *muy numerosa*, extendía sus mantos por el camino;
algunos cortaban *ramas* de los árboles y las *tendían* a su paso.
Los que iban delante de él y los que lo seguían *gritaban*:
"¡*Hosanna*! ¡*Viva* el Hijo de David!
¡*Bendito* el que viene en *nombre* del Señor! ¡*Hosanna* en el cielo!"
Al entrar *Jesús* en Jerusalén, *toda* la ciudad *se conmovió*.
Unos decían: "¿*Quién es éste*?"
Y la gente respondía:
"Éste es el *profeta Jesús*, de Nazaret de Galilea".

EVANGELIO **El relato que san Mateo nos ofrece sobre el ingreso triunfal de Jesús en Jerusalén incluye algunos detalles peculiares, como los que refieren en el pasaje paralelo cada uno de los evangelistas. Particularmente, Mateo concluye la narración poniendo en boca de los habitantes de Jerusalén una pregunta curiosa sobre el recién llegado: ¿quién es éste?, la cual es respondida por la multitud que reconoce la calidad profética de Jesús el nazareno. Otro rasgo peculiar y muy característico de Mateo es el del motivo del cumplimiento, que también lo insinúan los otros evangelistas, pero que solamente él recalca de manera expresa y directa, citando casi literalmente el oráculo profético de Zacarías.**

Justamente es este aspecto de la cita bíblica que Mateo hace del pasaje de Zacarías el que conviene resaltar, ya que suprime intencionalmente algunos calificativos que contenía el oráculo original. El texto profético suena así: "Mira a tu rey que está llegando: justo, victorioso y humilde, cabalgando . . .". En la cita de Mateo son eliminados los dos primeros adjetivos "justo y victorioso" y sólo es expresamente citado el último "humilde". Es a todas luces evidente que Mateo desea caracterizar a Jesús como un rey alternativo, como un rey humilde y manso. De hecho, utiliza el mismo término que aparece en la tercera de las bienaventuranzas ("dichosos los humildes" [Mateo 5,5]). Jesús, que ingresa sin ejércitos, sin cabalgaduras fastuosas, sino montando un borrico prestado, se revela como un Mesías humilde, que viene a persuadir con su palabra y su obra, no con la presión de las armas y los ejércitos.

Efectivamente, Zacarías había anunciado un ingreso diverso de la penetración prepotente y violenta de los conquistadores, e invitaba a alegrarse por ese rey que vendría a Jerusalén. Cuando Jesús manda a dos discípulos a que le consigan un burrito no lo hace casualmente, no entró

EVANGELIO Mateo 21,1–11 LEU

Lectura del santo Evangelio según san Mateo

Estaban ya *cerca* de Jerusalén.
Cuando llegaron a *Betfagé*, junto al monte de los Olivos,
Jesús *envió* a dos discípulos, diciéndoles:
"*Vayan* al pueblecito que está al frente
y apenas *lleguen* van a encontrar una *burra* atada
con su burrito al lado.
Desátenla y tráiganmela.
Si *alguien* les dice algo, *contéstenle*:
'El *Señor* los necesita, pero *pronto* los devolverá'".
Esto *sucedió* para que se *cumpliera* lo dicho por un profeta:
"Díganle a la *hija* de Sión:
'Mira que tu rey *viene* a ti con toda sencillez,
montado en una burra,
una *burra* de carga, junto a su burrito'".
Los discípulos fueron, pues, siguiendo las *instrucciones* de Jesús,
y *trajeron* la burra con su cría.
Después le colocaron sus *capas* en el lomo y Jesús
se *sentó* encima.
Entonces la *mayoría* de gente extendió sus *capas* en el camino;
otros *cortaban* ramas de árboles y las *ponían* sobre el suelo.
El *gentío* que iba delante de Jesús y el que le seguía *exclamaba*:
"¡Hosanah! ¡Viva el hijo de David!
¡*Bendito* sea el que viene en *nombre* del Señor!
¡*Hosanah*, *gloria* en lo más alto de los cielos!"
Cuando *Jesús* entró en Jerusalén, la ciudad se *alborotó*.
Preguntaban: "¿*Quién* es éste?"
Y la muchedumbre *contestaba*:
"Éste es el *profeta Jesús*, de Nazaret de Galilea".

Refiere este episodio triunfal con ánimo festivo, rememorando unos acontecimientos que viviste con profunda alegría en el momento que sucedieron.

Proclama cada una de las órdenes dadas por Jesús con la firmeza y seguridad de quien mantiene el dominio de los sucesos que están por verificarse.

Utiliza diferentes tonos de voz al momento de recrear el diálogo ocurrido entre los discípulos y los propietarios del asno.

Remarca el tono jubiloso y alegre al relatar las acciones concretas con que la multitud corea y aclama a Jesús de Nazaret.

a Jerusalén en burro, porque no estuviera a su alcance otra cabalgadura. Quería que los presentes captaran su intención de identificarse con el personaje descrito en el oráculo de Zacarías.

Procediendo de esa manera, Jesús manifestaba sutilmente sus pretensiones mesiánicas; él era un rey humilde, que conseguiría la victoria a través del sufrimiento. Y la multitud reacciona acertadamente, dándole el trato merecido. Su entrada en la ciudad es coreada por bendiciones diversas, mientras los presentes tiran los mantos a tierra.

El Domingo de Ramos es una oportunidad incomparable de reafirmar nuestra alegría por servir a Jesús, rey humilde, rey servicial y, por eso, rey victorioso.

I LECTURA **Este capítulo recoge el tercero de los cánticos de un personaje anónimo llamado el Siervo de Yavé. La identificación de este personaje es un asunto complejo y no resuelto; como quiera que sea, estos versículos pueden ser considerados como el correspondiente relato de vocación de este profeta. Le llamamos así porque casi todos los elementos que más frecuentemente menciona el autor en esta narración (hablar, boca, palabras, escuchar, oídos, etcétera) encajan perfectamente con las tareas propias de un profeta, el cual primero tiene que abrir sus oídos para escuchar el mensaje divino para luego comunicarlo a los demás.**

En esta confesión hecha de manera precisa por el Siervo, nos desvela el secreto de su extraordinaria fortaleza. Él ha sido formado como un oyente fiel que sabe percibir la palabra del Señor. Ha vivido acostumbrado al diálogo con su Dios; por eso, confía plenamente en el auxilio del Señor que lo rescatará, y no teme enfrentarse a sus acusadores. Más aún, tiene la osadía de asumir voluntaria y serenamente los ultrajes que le infringen sus agresores.

Indudablemente, los narradores cristianos retomaron estos oráculos para proclamar el relato que recogía los testimonios auténticos sobre la pasión del Señor. No es,

I LECTURA Isaías 50,4–7 L M

Lectura del libro del profeta Isaías

En aquel entonces, dijo *Isaías*:
"*El Señor* me ha dado una lengua *experta*,
para que pueda *confortar* al abatido con palabras de aliento.
Mañana tras mañana, el Señor *despierta* mi oído,
para que *escuche* yo, como discípulo.
El *Señor Dios* me ha hecho oír *sus palabras*
y yo no he opuesto *resistencia* ni me he *echado para atrás*.
Ofrecí la espalda a los que *me golpeaban*,
la mejilla a los que me *tiraban* de la barba.
No aparté mi rostro de los insultos y salivazos.
Pero *el Señor* me ayuda, por eso *no quedaré* confundido,
por eso *endureció* mi rostro como roca
y sé que *no quedaré* avergonzado".

II LECTURA Filipenses 2,6–11 L M

Lectura de la carta del apóstol san Pablo a los filipenses

Cristo, siendo Dios,
no consideró que debía *aferrarse*
a *las prerrogativas* de su condición divina,
sino que, *por el contrario*,
se *anonadó* a sí mismo, tomando la condición *de siervo*,
y se hizo *semejante* a los hombres.
Así, hecho *uno* de ellos, se humilló *a sí mismo*
y por obediencia *aceptó* incluso *la muerte*,
y una muerte *de cruz*.
Por eso Dios lo exaltó sobre *todas* las cosas
y le *otorgó* el nombre que está sobre *todo* nombre,
para que, *al nombre* de Jesús,
todos doblen la rodilla *en el cielo*,
en la tierra y en *los abismos*,
y *todos* reconozcan *públicamente* que Jesucristo es *el Señor*,
para *gloria* de Dios Padre.

I LECTURA Isaías 50,4–7 LEU

Lectura del libro del profeta Isaías

El Señor Dios me ha *concedido* el poder hablar como
su *discípulo*.
Y ha *puesto* en mi boca las *palabras*
para *aconsejar* como es debido al que está aburrido.
Cada mañana, él me *despierta*
y lo escucho como lo hacen los *discípulos*.
El Señor Dios me ha *abierto* los oídos
y yo no me resistí ni me eché atrás.
He ofrecido mi *espalda* a los que me golpeaban
y mis *mejillas* a quienes me tiraban la barba,
y no oculté mi rostro ante las *injurias* y los escupos.
El Señor Dios viene en mi *ayuda*
y por eso no me molestan las *ofensas*.
Por eso puse mi cara *dura* como piedra.
Yo *sé* que no seré *engañado*.

Procura que tu voz resuene convincente. Estás firmemente convencido de ser el heraldo que comunica el mensaje del Señor.

Comparte con tono testimonial tu clara determinación de afrontar todos los sufrimientos que te sobrevengan.

Desvela a tus oyentes el secreto que explica tu fortaleza. Usa el tono franco con el que narrarías asuntos muy íntimos a un amigo cercano.

II LECTURA Filipenses 2,6–11 LEU

Lectura de la carta del apóstol san Pablo a los filipenses

Cristo, que era de *condición* divina,
no se aferró celoso a su *igualdad* con *Dios*
sino que se *rebajó* a sí mismo hasta ya no ser nada,
tomando la condición de *esclavo*,
y llegó a ser *semejante* a los hombres.
Habiéndose *comportado* como hombre, se *humilló*,
y se hizo *obediente* hasta la muerte—y muerte en una cruz.
Por eso Dios lo *engrandeció*
y le *concedió* el "Nombre-sobre-todo-nombre",
para que ante el *Nombre* de Jesús *todos* se arrodillen
en los cielos, en la tierra y *entre* los muertos.
Y toda lengua *proclame* que Cristo Jesús es el *Señor*,
para la *gloria* de Dios Padre.

Consciente de que estás proclamando un himno cristológico que alaba a Jesús por su plena obediencia al Padre, entona esta aclamación con voz gustosa que irradie la gratitud profunda que manifiestas al Padre.

Refiere con un tono humilde cada uno de los eventos que describen la autohumillación de Jesús.

Ve aumentado el tono de voz de manera progresiva. Remarca el aspecto jubiloso de las aclamaciones. Enfatiza sobre todo la confesión central: "Cristo Jesús es el Señor".

como algunos sugieren, que estas profecías fueron las que inspiraron a los profetas cristianos para componer la narración sobre la pasión de Cristo.

II LECTURA Éste es un himno tradicional muy antiguo que los primeros cristianos usaron para celebrar el triunfo del Señor resucitado. San Pablo se apropia de ese hermoso cántico cristológico para exhortar a los cristianos de Filipos a vivir de manera humilde y modesta (ver Filipenses 2,3); él les presenta a Jesús como modelo perfecto de obediencia y humildad ante su Padre.

El himno refleja un claro contraste entre dos acciones opuestas: la humillación y la exaltación. Estas acciones, según lo que canta este inspirado poeta, se despliegan en medio de dos espacios: lo alto y lo bajo. En esta alabanza litúrgica, el autor afirma con audacia y atrevimiento que el Hijo de Dios se vació de sus prerrogativas divinas para hacerse un hombre como los demás. Ese camino de humillación lo condujo a la suprema exaltación, la que le rinden todas las criaturas al aclamarle con el título exclusivo que era reservado a Dios: Jesús es Señor.

Este himno jubiloso fue compuesto teniendo como trasfondo la encarnación del Verbo, y sobre todo los acontecimientos dolorosos que Jesús enfrentó durante su pasión, y la consecuente manifestación de su gloriosa resurrección desvelada ante el círculo más cercano de sus discípulos. El anónimo autor que compuso este himno debió tener acceso a los preciosos testimonios rendidos por los discípulos y discípulas más cercanos a Jesús.

EVANGELIO Para los primeros cristianos, fue algo muy complicado enfrentar y asimilar los eventos de la pasión, muerte y crucifixión de Jesús. Juzgaban que esos eventos eran imposibles de conciliar con la confesión de Jesús como Mesías. ¿Cómo era posible que alguien confesado y reconocido como el Salvador

EVANGELIO Mateo 26,14—27,66 LM

Pasión de nuestro Señor Jesucristo según san Mateo

En *aquel* tiempo, uno de los *Doce*, llamado *Judas Iscariote*,
fue a ver a los *sumos sacerdotes* y les dijo:
"¿*Cuánto* me dan si les entregó *a Jesús*?"
Ellos quedaron en darle *treinta* monedas de plata.
Y desde *ese* momento andaba buscando
una oportunidad para entregárselo.
El primer día de la fiesta de los panes Ázimos,
los discípulos se acercaron *a Jesús* y le preguntaron:
"¿*Dónde* quieres que te preparemos la *cena de Pascua*?"
Él respondió:
"*Vayan* a la ciudad, a casa de Fulano, y *díganle*:
'El *Maestro* dice: Mi hora está *ya cerca*.
Voy a celebrar la Pascua con mis discípulos *en tu casa*'".
Ellos hicieron lo que Jesús les *había ordenado*
y *prepararon* la cena de Pascua.
Al *atardecer*, se sentó a la mesa con los Doce,
y mientras cenaban, les dijo:
"Yo l*es aseguro* que uno de ustedes va *a entregarme*".
Ellos se pusieron *muy tristes*
y comenzaron a preguntarle *uno por uno*:
"¿Acaso *soy yo*, Señor?"
Él respondió:
"El que moja su pan en el *mismo* plato que yo,
ése va a entregarme.
Porque el Hijo del Hombre *va a morir*, como *está escrito* de él;
pero ¡*ay de aquel* por quien el Hijo del hombre
va a ser entregado!
¡*Más* le valiera a ese hombre *no haber nacido*!"
Entonces preguntó *Judas*, el que lo iba a entregar:
"¿*Acaso* soy yo, Maestro?"
Jesús le respondió: "*Tú lo has dicho*".
Durante la cena, *Jesús tomó* un pan, y pronunciada la bendición,
lo partió y *lo dio* a sus discípulos, diciendo:
"*Tomen* y *coman*. *Este* es mi cuerpo".
Luego *tomó* en sus manos *una copa de vino*,
y pronunciada la *acción gracias*,
la pasó a sus discípulos, diciendo:
"Beban *todos* de ella, porque *ésta* es mi sangre,
sangre de la *nueva* alianza,
que será derramada *por todos*,
para el *perdón* de los pecados.

EVANGELIO Mateo 26,14–27,66 LEU

Pasión de nuestro Señor Jesucristo según san Mateo

EL CONFLICTO

En *aquel* tiempo, uno de los *Doce*, que se llamaba *Judas* Iscariote, fue donde los jefes de los sacerdotes y les dijo:
—¿*Cuánto* me darán para que se lo *entregue*?
Ellos le aseguraron *treinta* monedas de plata. Y desde ese instante *comenzó* a buscar una ocasión para *entregárselo*.

Refiere los planes de los jefes de los sacerdotes con el tono de quienes se conjuran secretamente para eliminar a Jesús.

PREPARAN LA CENA PASCUAL

El *primer* día de la Fiesta en que se comía *pan* sin levadura, los *discípulos* se acercaron a Jesús y le dijeron:
—¿*Dónde* quieres que te preparemos la cena *pascual*?
[Jesús contestó:]
—Vayan a la *ciudad*, a casa de Fulano, y díganle:
"El *Maestro* te manda decir: 'Mi *hora* se acerca; en tu casa voy a *celebrar la* Pascua con mis *discípulos*'".
Los discípulos hicieron *tal* como Jesús les había ordenado y *prepararon* la Pascua.

Pausa brevemente antes de introducir la escena correspondiente a la Última Cena.

Recupera el tono de un narrador, refiriendo detalladamente los preparativos de la cena. Al hacerlo, retrata a Jesús como alguien que enfrenta con mucha dignidad su muerte próxima.

EL TRAIDOR

Llegada la *tarde*, se sentó a la mesa con los *Doce*. Y mientras comían, *Jesús* les dijo:
—Les *aseguro* que uno de ustedes me va a *entregar*.
Muy *tristes*, uno por uno se pusieron a *preguntarle*:
—¿Seré yo, Señor?
[El contestó:]
El que ha metido la mano *conmigo* en el plato, *ése* es el que me *entregará*. El *Hijo* del Hombre se va, como dicen las Escrituras, pero ¡*pobre* de aquel que *entrega* al Hijo del Hombre! ¡Sería mejor para él *no* haber nacido!
Judas, el que iba a *entregarlo*, le preguntó *también*:
—¿Seré acaso yo, Maestro?
[Jesús respondió:]
—*Tú* lo has dicho.

La pregunta de los discípulos resuena con auténtica preocupación. La respuesta de Jesús proclámala con dureza y resignación a la vez.

LA EUCARISTÍA

Mientras comían, Jesús tomó *pan*, y después de *pronunciar* la *bendición*, lo partió y lo *dio* a sus discípulos, diciendo:
—Tomen y coman; *esto* es mi cuerpo.
Después, tomando una *copa* de vino y dando *gracias*, se la dio, diciendo:
—Beban *todos*, porque ésta es mi *sangre*, la sangre de la Alianza, que será derramada por los hombres, para que se les *perdonen* sus pecados. Y les digo que *no* volveré a beber de este

Da un aire solemne a las palabras que Jesús pronuncia sobre el pan y el vino. Procura que suenen como un mensaje fresco, recién dicho por Jesús.

Jesús mantiene su visión profética. Intuye el desenlace final (la resurrección) y presiente también el fracaso de sus discípulos. El tono de tu voz debe reflejar una gran seguridad en lo que afirmas.

del mundo no consiguiera ni siquiera salvarse a sí mismo? Ya en efecto un dicho citado por el Señor lo decía: "Médico, cúrate a ti mismo" (Lucas 4,23). ¿Cómo podrían digerir y afrontar los primeros cristianos tales acontecimientos dolorosos ?

La crucifixión de Jesús había sido un evento público contemplado por un sinnúmero de personas. Los seguidores de Jesús no podían silenciarlo ni ocultarlo. Había que enfrentar de alguna manera tales acontecimientos vergonzosos. Mientras los discípulos vivieron creyendo que la suerte de Jesús había quedado sellada con la piedra rodada sobre la puerta del sepulcro, permanecieron desconcertados y atemorizados, creyendo que ellos también podrían correr la misma suerte que su maestro. En ese trance difícil, algunos de ellos se acobardaron, y, al ocurrir la crucifixión, ya habían abandonado a su maestro y huido de Jerusalén para refugiarse en los poblados de Galilea. Otros, en cambio, permanecieron en Jerusalén y se escondieron quedando confundidos y en silencio (ver Juan 20,19; Marcos 16,10–11).

La mentalidad y actitud de los discípulos fueron trastornadas completamente por el evento pascual. Una vez que el Padre resucitó a Jesús y éste comenzó a dejarse ver y reconocer por algunos de los discípulos, éstos comenzaron a superar su miedo y su confusión. Cuando reciben el Espíritu Santo en el día de Pentecostés, adquieren plena lucidez y valentía para iniciar un proceso de asimilación de la muerte y crucifixión de Jesús.

A partir de ese momento comenzarán a apelar a los recuerdos de los testigos (nótese que las únicas personas que permanecen siempre con Jesús al pie de la cruz son algunas de las mujeres que le acompañaron en Galilea) y a indagar en las Escrituras para encontrar las razones que les dieran cuenta de que la muerte y resurrección de Jesús no habían sido un fracaso rotundo y una completa desgracia, sino el hecho salvífico más decisivo en la historia de la humanidad. Con esa firme

EVANGELIO continuación LM

Les digo que *ya no beberé más* del fruto de la vid,
hasta el día *en que beba con ustedes el* vino nuevo
en el *Reino* de mi Padre".
Después de haber cantado el himno,
salieron hacia el *monte de los Olivos*.
Entonces Jesús les dijo:
"*Todos* ustedes se van *a escandalizar de mí* esta noche,
porque *está escrito*:
'*Heriré* al pastor y se *dispersarán* las ovejas del rebaño'.
Pero *después* de que yo *resucite*, iré *delante* de ustedes *a Galilea*".
Entonces Pedro le *replicó*: "Aunque *todos* se escandalicen de ti,
yo *nunca* me escandalizaré".
Jesús le dijo:
"Yo te *aseguro* que *esta* misma noche,
antes de que el gallo cante, me habrás negado *tres* veces".
Pedro le replicó:
"Aunque *tenga* que morir contigo, *no te negaré*".
Y *lo mismo* dijeron *todos* los discípulos.
Entonces *Jesús* fue con ellos a un lugar llamado *Getsemaní*,
y dijo a los discípulos:
"*Quédense* aquí mientras yo voy a orar *más allá*".
Se llevó consigo a *Pedro* y a los *dos* hijos de Zebedeo
y comenzó a sentir *tristeza y angustia*. Entonces les dijo:
"Mi alma está llena de una *tristeza mortal*.
Quédense *aquí* y velen *conmigo*".
Avanzó unos pasos más,
se postró *rostro en tierra* y comenzó a orar, diciendo:
"*Padre mío*, si es posible, que pase de mí *este* cáliz;
pero que *no se haga* como *yo quiero*, sino como *quieres tú*".
Volvió entonces a donde estaban los discípulos
y los encontró *dormidos*.
Dijo a *Pedro*:
"¿No han podido velar conmigo *ni una hora*?
Velen y oren, para *no caer* en la tentación,
porque el espíritu *está pronto*, pero la carne *es débil*".
Y *alejándose* de nuevo, se puso a orar, diciendo:
"*Padre mío*, si *este* cáliz no puede pasar sin que yo lo beba,
hágase tu voluntad".
Después volvió y encontró a sus discípulos *otra vez* dormidos,
porque tenían los ojos *cargados* de sueño.
Los dejó y se fue a orar de nuevo por *tercera* vez,
repitiendo *las mismas* palabras.

EVANGELIO continuación LEU

producto de la uva hasta el *día* en que beba con ustedes vino *nuevo* en el *Reino* de mi Padre.
Después de cantar los salmos,
partieron para el cerro de los Olivos.

JESÚS PREDICE LAS NEGACIONES DE PEDRO

Entonces Jesús les dijo:
—*Todos* ustedes se van a *desilusionar* de mí esta noche, pues dice la Escritura: "*Heriré* al Pastor
y se *dispersarán* las ovejas del rebaño".
Pero después de mi *resurrección* iré delante de ustedes a *Galilea*.
Pedro empezó a decirle:
—Aunque *todos* dejen de creer en ti, yo *nunca* vacilaré.
[Jesús le *replicó*:]
—Yo te *aseguro* que *esta* misma noche, *antes* del canto de los gallos, me habrás negado *tres* veces.
[Pedro le dijo:]
—Aunque tenga que *morir*, no *renegaré* de ti.
Y *todos* los discípulos decían lo *mismo*.

LA ORACIÓN EN EL HUERTO

Haz una breve pausa antes de iniciar el relato de la agonía. Lo que vas a narrar es una escena cargada de angustia y dramatismo. Procura expresar con toda fidelidad los sentimientos profundos de Jesús.

Llegó Jesús con ellos a una propiedad llamada *Getsemaní*.
Dijo a sus discípulos:
—*Siéntense* aquí, mientras yo voy más allá a *orar*.
Llevó consigo a *Pedro* y los dos hijos de Zebedeo y comenzó a sentir *tristeza* y angustia. Y les dijo:
—*Siento* una tristeza de muerte;
quédense ustedes aquí velando *conmigo*.
Fue un poco más *lejos* y, *tirándose* en el suelo hasta tocar la tierra con su cara, hizo esta oración.
—*Padre*, si es posible, *aleja* de mí esta copa. Sin embargo, que se cumpla *no* lo que yo quiero, sino lo que quieres tú.
Volvió donde sus discípulos y los halló *dormidos*, y dijo a Pedro:
—¿De modo que no han tenido valor de acompañarme
ni una hora?
Estén *despiertos* y orando para que no caigan en *tentación*:
el espíritu es *animoso*, pero la carne es *débil*.
De nuevo se apartó por *segunda* vez a orar y dijo:
—*Padre*, si esta copa no puede ser *apartada* de mí sin que yo la beba, que se haga tu *voluntad*.
Después volvió y los halló dormidos *de nuevo*, porque se les *cerraban* los ojos de sueño. Los dejó y fue de nuevo a orar por *tercera vez*, repitiendo las *mismas* palabras. Después volvió a los discípulos [y les dijo:]

certeza, comenzaron a proclamar la interpretación creyente de la muerte y resurrección de Jesús y a exhortar a los habitantes de Jerusalén a que se convirtieran a la fe en Jesús resucitado.

El relato de la pasión de Jesús fue uno de los primeros relatos compuestos por los profetas y escritores cristianos. Lo podemos apreciar comparando los cuatro relatos de la pasión recogidos en los Evangelios. Ésta es la parte donde los cuatro evangelistas tienen más concordancias en la manera de presentar la secuencia de los eventos. Esto significa que desde fechas muy tempranas existió un relato de la pasión que fue proclamado en las celebraciones litúrgicas y que, siendo reconocido como un testimonio auténtico, sirvió de base a las composiciones particulares de cada uno de los evangelistas.

LA ÚLTIMA CENA

Así como Jesús dio órdenes precisas para que prepararan el ingreso a Jerusalén, también se preocupó de preparar cuidadosamente la cena de despedida con sus discípulos. En esta cena sobresalen varios aspectos importantes. En primer lugar, está el sentido novedoso que Jesús le da a los gestos de la fracción del pan y de la participación en la copa de vino. Al entregar Jesús la copa, le asigna a su sangre un significado expiatorio y martirial; la suya es una muerte sacrificial que sella una alianza nueva y definitiva entre Dios y la humanidad. En segundo lugar, está la actitud serena y misericordiosa de Jesús que, conociendo al traidor, lo trata con amabilidad y lo admite aún así a compartir el pan. Finalmente, encontramos la advertencia de la próxima desbandada de todo el grupo de los Doce; no obstante las declaraciones excesivas de Pedro, tampoco él tendrá la fortaleza para acompañar al maestro en el momento decisivo.

Al concluir la comida, Jesús les advierte que todos tropezarán ante lo inusitado de los sucesos y que renegarán de él. Como es su costumbre, Mateo apoya esta afirmación en una profecía de Zacarías (ver

EVANGELIO continuación LM

Después de esto, *volvió* a donde estaban los discípulos y les dijo:
"*Duerman* ya y descansen. *He aquí* que *llega* la hora
y el *Hijo del hombre* va a ser *entregado* en manos de los pecadores.
¡*Levántense*! ¡*Vamos*! *Ya está aquí* el que me va a entregar".
Todavía estaba hablando Jesús, cuando llegó *Judas*,
uno de los Doce,
seguido de una chusma *numerosa* con espadas y palos,
enviada por los *sumos sacerdotes* y los ancianos del pueblo.
El que lo iba a entregar les había dado *esta señal*:
"*Aquel* a quien yo le dé *un beso*, ése es. *Aprehéndanlo*".
Al instante se acercó a Jesús y le dijo:
"¡*Buenas noches*, Maestro!". Y lo *besó*.
Jesús le dijo: "*Amigo*, ¿es esto a lo que *has venido*?"
Entonces se acercaron a Jesús, le *echaron mano* y lo apresaron.
Uno de los que estaban con Jesús *sacó* la espada,
hirió a un criado del sumo sacerdote y *le cortó* una oreja.
Le dijo entonces Jesús:
"*Vuelve* la espada a su lugar, pues quien *usa* la espada,
a espada *morirá*.
¿*No crees* que si yo se lo pidiera *a mi Padre*,
él pondría *ahora mismo* a mi disposición
más de *doce* legiones de ángeles?
Pero, ¿*cómo* se cumplirían entonces las Escrituras,
que dicen que *así* debe suceder?"
Enseguida dijo Jesús a aquella chusma:
"¿Han salido ustedes a apresarme como *a un bandido*,
con espadas y palos?
Todos los días yo enseñaba, *sentado* en el templo,
y no me *aprehendieron*.
Pero todo esto *ha sucedido*
para que *se cumplieran* las predicciones *de los profetas*".
Entonces *todos* los discípulos lo abandonaron y *huyeron*.
Los que aprehendieron a Jesús
lo *llevaron* a la casa del sumo sacerdote *Caifás*,
donde los escribas y los ancianos *estaban reunidos*.
Pedro los fue siguiendo *de lejos*
hasta el palacio del *sumo sacerdote*.
Entró y se sentó con los criados para ver *en qué paraba aquello*.
Los sumos sacerdotes y *todo* el sanedrín
andaban buscando *un falso testimonio* contra Jesús,
con ánimo de *darle muerte*; pero *no lo encontraron*,
aunque se presentaron *muchos testigos falsos*.

EVANGELIO continuación LEU

—¡*Ahora* pueden dormir y descansar! Llegó la hora en que el Hijo del Hombre va a ser *entregado*
en manos de los pecadores. *Levántense.*
Vamos, ya está *muy* cerca el que me va a entregar.

Las palabras dirigidas a los discípulos adormilados deben proclamarse con una aire de reproche y molestia. Jesús está preocupado y dolido por la escasa resistencia de sus acompañantes.

TOMAN PRESO A JESÚS

Estaba *todavía* hablando cuando llegó Judas, uno de los Doce, y con él *mucha* gente armada de espadas y de palos, enviados por los *jefes* de los sacerdotes y por las *autoridades* judías. Pues bien, el *traidor* les había dado *esta* señal:
—El que yo *bese*, ése es; *arréstenlo*.
Y *enseguida* se acercó a Jesús [y le dijo:]
—Buenas noches, *Maestro*.
Y lo *besó*. [Pero Jesús le dijo:]
—Amigo, haz lo que *vienes* a hacer.
Entonces se acercaron, *detuvieron* a Jesús y se lo llevaron. Uno de los que estaban con Jesús *sacó* la espada e *hirió* al sirviente del jefe de los sacerdotes, *cortándole* una oreja. Entonces Jesús le dijo:
—*Vuelve* la espada a su sitio, pues quien usa la espada, *perecerá también* por la espada. ¿No crees que puedo llamar a mi *Padre*, y él al *momento* me mandaría más de doce *ejércitos* de ángeles? Pero entonces *no* se cumplirían las Escrituras, donde se afirma que *esto* debe suceder.
En ese momento, Jesús dijo al *tropel* de la gente:
—Salieron a *arrestarme* con espadas y palos, como a un *ladrón*. Sin embargo, yo me sentaba *diariamente* entre ustedes en el Templo para enseñar y *no* me arrestaron. Pero todo *esto* ha *pasado* para que se *cumpla* lo escrito por los profetas.
Entonces *todos* los discípulos lo *abandonaron* y huyeron.

Sin detener el ritmo de la narración, presenta de manera rápida el ingreso final de Judas a la escena. Al referir las palabras del traidor, recítalas con un tono doble e hipócrita.

La breve frase que registra la huída general de los discípulos tiene que ser destacada suficientemente. Haz una breve pausa antes de leerla.

ANTE EL CONSEJO

Los que tomaron preso a Jesús lo llevaron a casa de *Caifás*, jefe de los sacerdotes. Ahí se hallaban *reunidos* los maestros de la Ley y las autoridades judías. Pedro lo iba siguiendo *de lejos*, hasta llegar al palacio del *jefe* de los sacerdotes. *Entró* en el patio y se sentó con los sirvientes para saber el *final*. Los jefes de los sacerdotes y el Consejo Supremo andaban *buscando* alguna declaración *falsa* en *contra* de Jesús para condenarlo a *muerte*, y aunque se presentaron *muchos* testigos falsos no la hallaban. Por *último*, llegaron dos que *declararon*:
—*Este* hombre dijo: "Yo puedo *destruir* el Templo de Dios y *reconstruirlo* en tres días".
Con esto, *poniéndose* de pie el jefe de los sacerdotes, *preguntó* a Jesús:
—¿Nada contestas a las *declaraciones* de los testigos en tu contra?

Las declaraciones de los testigos falsos han de resonar como testimonios mentirosos, nacidos de la mala voluntad contra Jesús.

Al referir el breve interrogatorio hecho por el sumo sacerdote, dale una entonación diversa. La pregunta central debe ser formulada con calma y solemnidad, la respuesta de Jesús recítala con firmeza y decisión. Por último, al leer las preguntas planteadas por el sumo sacerdote, utiliza un tono decisivo y triunfal. Han conseguido lo que querían: culpar a Jesús.

13,7). Al referir el fracaso generalizado de los discípulos que dejarán a Jesús, Mateo no pretende culpabilizar ni escarnecer públicamente a los discípulos. Antes bien, da a entender que fue su incomprensión del misterio de la muerte lo que los empujó a abandonar a su maestro.

LA ORACIÓN EN GETSEMANÍ

Luego de atravesar el torrente Cedrón los discípulos, guiados por Jesús, llegaron al huerto de Getsemaní, tomando consigo a Pedro, Santiago y Juan, es decir, al pequeño grupo de testigos que tuvieron acceso a algunos de los momentos más íntimos de su vida (la revivificación de la hija de Jairo y la transfiguración). Se alejó a un sitio apartado para abandonarse al diálogo íntimo y personal con Dios. Jesús pide el acompañamiento solidario a los tres discípulos para que lo ayuden a velar y a orar al Padre y así poder sobreponerse a la prueba.

Al menos dos ocasiones Jesús repite a su Padre la misma súplica: que lo libre de ese trago amargo de la muerte. En ese momento dramático de las amenazas mortales, ése era su deseo y su anhelo más profundo, pero él mismo advierte que es otra la voluntad del Padre y se somete finalmente a ésta, disponiéndose a cumplir el designio oscuro e incomprensible que Dios le pone delante de sí: revelarse como un Mesías vencido que ama incondicionalmente a todos, y que rehúsa utilizar la fuerza y el poder para librarse de morir.

EL ARRESTO DE JESÚS

El arresto de Jesús pone de manifiesto el fracaso rotundo del maestro al ver desmoronarse completamente al grupo de los Doce. Judas lo entrega con un gesto poco más que cínico, dándole un beso que sirve de señal para que sus captores le identifiquen. Un acompañante de nombre desconocido le asesta un golpe a uno de los guardias, mostrando así que no ha comprendido la voluntad martirial de Jesús. Interpelando de inmediato a quien había hecho uso de la violencia, reprueba a todos

EVANGELIO continuación

LM

Al fin llegaron dos, que dijeron:
"*Éste* dijo: 'Puedo *derribar* el templo de Dios
y reconstruirlo *en tres días*'".
Entonces el sumo sacerdote se levantó y le dijo:
"¿No respondes *nada* a lo que éstos atestiguan *en contra tuya*?"
Como Jesús *callaba*, el sumo sacerdote le dijo:
"*Te conjuro* por el Dios vivo
que nos digas si tú *eres el Mesías*, el Hijo de Dios".
Jesús le respondió: "*Tú* lo has dicho.
Además, *yo les declaro*
que *pronto* verán al Hijo del hombre,
sentado a la derecha de Dios,
venir sobre las nubes del cielo".
Entonces, el sumo sacerdote *rasgó* sus vestiduras y *exclamó*:
"¡*Ha blasfemado*! ¿*Qué necesidad* tenemos ya de testigos?
Ustedes *mismos* han oído la blasfemia. ¿*Qué les parece*?"
Ellos respondieron: "Es reo *de muerte*".
Luego comenzaron a *escupirle* en la cara y a darle *bofetadas*.
Otros lo golpeaban, diciendo:
"*Adivina quién* es el que te *ha pegado*".
Entretanto, *Pedro* estaba fuera, *sentado* en el patio.
Una criada se le acercó y le dijo:
"*Tú también* estabas con Jesús, *el galileo*".
Pero él *lo negó* ante todos, diciendo:
"*No sé* de qué me estás hablando".
Ya *se iba* hacia el zaguán,
cuando lo vio *otra criada* y dijo a los que estaban ahí:
"*También ése* andaba con Jesús, *el nazareno*".
Él *de nuevo* lo negó *con juramento*:
"*No conozco* a ese hombre".
Poco después se acercaron a Pedro
los que estaban ahí y le dijeron:
"No cabe duda de que *tú también* eres de ellos,
pues *hasta* tu modo de hablar *te delata*".
Entonces él comenzó a echar *maldiciones*
y a jurar que *no conocía* a aquel hombre.
Y en aquel momento *cantó* el gallo.
Entonces *se acordó* Pedro de que Jesús había dicho:
"*Antes* de que cante del gallo, me habrás negado *tres* veces".
Y saliendo de ahí se soltó a llorar *amargamente*.
Llegada la mañana,
todos los sumos sacerdotes y los ancianos del pueblo
celebraron consejo *contra Jesús* para *darle muerte*.

EVANGELIO continuación LEU

Pero Jesús se quedó *callado*.
[Entonces, el jefe de los sacerdotes le dijo:]
—Yo te *ordeno* de parte del verdadero Dios que nos digas si tú eres el *Cristo*, el Hijo de Dios.
[Jesús le *respondió*:]
—Así es, tal como acabas de *decir*, yo les anuncio *además* que a partir de *hoy* ustedes *verán* al Hijo del Hombre *sentado* a la derecha de Dios Poderoso *viniendo* sobre las nubes.
Entonces, el jefe de los sacerdotes *rasgó* sus ropas, diciendo:
—Ha *blasfemado*; ¿para qué necesitamos más *testigos*? Ustedes mismos acaban de oír el *insulto* contra Dios. ¿*Qué* les parece?
[Ellos contestaron:]
—Merece la *muerte*.
Luego comenzaron a *escupirle* la cara
y a darle *bofetadas*, diciéndole:
—Cristo, *adivina* quién te pegó.

NEGACIONES DE PEDRO

Mientras tanto, Pedro estaba sentado *afuera*, en el patio, y *acercándose* una *muchachita* de la casa le dijo:
—Tú *también* eres de los que andaban con Jesús de Galilea. Pero él lo *negó* delante de todos, [diciendo:]
—No entiendo lo que dices.
Yendo hacia la entrada, lo vio *otra* sirvienta,
que dijo a los presentes:
—*Este* estaba con Jesús de Nazaret.
Pedro negó por *segunda* vez, jurando:
—No conozco a ese hombre.
Poco después se le acercaron los que *estaban* allí [y le dijeron:]
—Tú eres *también* de ésos que andaban con Jesús; se *nota* en tu modo de hablar. Entonces Pedro se puso a *maldecir* y a jurar que no conocía a ese hombre. Y al momento *cantó* el gallo. Y *recordó* Pedro las *palabras* que Jesús le había *dicho*:
—*Antes* del canto del gallo me negarás *tres* veces.
Y saliendo afuera lloró *amargamente*.

SENTENCIA DE MUERTE

Cuando *amaneció*, los jefes de los sacerdotes y las autoridades *judías* celebraron una *reunión*, para ver la manera cómo hacer morir a Jesús.
Luego lo ataron y lo llevaron para *entregárselo* a Pilato,
el gobernador.

Al leer las negaciones de Pedro procura darles un tono vergonzante, el interrogado alza la voz para aparentar que dice la verdad.

los que recurren a la violencia para arreglar sus conflictos. Jesús mismo les recuerda que él podría invocar el auxilio divino para que lo librara de ese trance difícil, pero les aclara que de esa manera quedaría incumplido el designio de Dios.

A manera de conclusión escueta y tajante viene la frase final donde se consigna la huída y consecuente desbandada de todos los discípulos.

JESÚS ANTE EL CONSEJO

Jesús es condenado a muerte por los representantes de Dios. Los sacerdotes ya habían determinado dictar la sentencia de muerte en su contra; solamente estaban buscando unos testigos que se dejaran corromper y declararan falsamente contra Jesús. Los acusadores de Jesús detentaban la representación de Dios ante el pueblo, y querían precisamente usar ese honor para aniquilar completamente la persona y la obra de Jesús.

Al ser condenado Jesús por quienes hablaban y actuaban en nombre de Dios ("Yo te ordeno de parte del verdadero Dios que nos digas . . ."), éstos estaban buscando no sólo acabar con Jesús, sino despojarlo completamente de su buena reputación. Lo acusan de ser un blasfemo y, como tal, lo declaran reo de muerte; consideran que merece ser ejecutado porque se apropia del poder exclusivo de Dios, el poder de sentarse a su diestra para juzgar.

El interrogatorio hecho por el sumo sacerdote sólo incluye una pregunta capciosa dirigida a Jesús: ¿Eres tú el Mesías? Él responde, "Tú lo has dicho", afirmación que puede prestarse a equívocos, como si Jesús eludiera dar una respuesta, y dijera "Eso es lo que dices, tú has de saber", pero que también puede tomarse como una convalidación de lo dicho por el sumo sacerdote: "Así es efectivamente, como tú lo has dicho". El autor muy probablemente lo interpreta de esta manera.

El evangelista narra este proceso religioso convencido ya entonces, por la fuerza de la resurrección, de que Jesús fue

EVANGELIO continuación LM

Después de *atarlo*, lo llevaron ante el procurador, *Poncio Pilato*,
y se lo entregaron.
Entonces *Judas*, el que lo *había entregado*,
viendo que Jesús había sido *condenado a muerte*,
devolvió *arrepentido* las *treinta* monedas de plata
a los sumos sacerdotes y a los ancianos, diciendo:
"*Pequé*, entregando la sangre de *un inocente*".
Ellos dijeron:
"¿Y a nosotros *qué* nos importa? Allá tú".
Entonces Judas *arrojó* las monedas de plata en el templo,
se fue y *se ahorcó*.
Los sumos sacerdotes *tomaron* las monedas de plata, y dijeron:
"No es lícito *juntarlas* con el dinero de las limosnas,
porque son precio *de sangre*".
Después de *deliberar*, compraron con ellas el campo *del alfarero*,
para sepultar *ahí* a los extranjeros.
Por eso aquel campo se llama hasta el día de hoy
"*Campo de sangre*".
Así *se cumplió* lo que dijo el profeta *Jeremías*:
"Tomaron las *treinta* monedas de plata en que fue tasado
aquel a quien *pusieron precio* algunos hijos de Israel,
y las dieron por el *campo del alfarero*,
según lo que me *ordenó* el Señor".
Jesús compareció ante el procurador, *Poncio Pilato*,
quien le preguntó:
"¿*Eres tú* el rey de los judíos?"
Jesús respondió: "*Tú* lo has dicho".
Pero *nada* respondió a *las acusaciones* que le hacían
los *sumos* sacerdotes *y los ancianos*.
Entonces le dijo Pilato:
"¿*No oyes* todo lo que dicen *contra ti*?"
Pero él *nada* respondió,
hasta el punto de que el procurador se quedó *muy* extrañado.
Con ocasión de la fiesta *de la Pascua*,
el procurador *solía conceder* a la multitud
la *libertad* del preso *que quisieran*.
Tenían entonces un preso *famoso*, llamado *Barrabás*.
Dijo, pues, Pilato a los *ahí reunidos*:
"¿*A quién* quieren que le deje *en libertad*:
a Barrabás o *a Jesús*, que se dice *el Mesías*?"
Pilato *sabía* que se lo habían entregado *por envidia*.
Estando él sentado en el tribunal, *su mujer* mandó decirle:

EVANGELIO continuación LEU

MUERTE DE JUDAS

Cuando Judas, el *traidor*, supo que Jesús había sido *condenado*, se llenó de *remordimientos* y *devolvió* las treinta monedas de plata a los jefes de los sacerdotes y a los jefes judíos, diciéndoles:
—He *pecado*, entregando a la muerte a un *inocente*.
[Ellos le contestaron:]
—¿Qué nos *importa* eso a nosotros? Es asunto *tuyo*. Entonces él, *lanzando* las monedas en el Templo, fue a *ahorcarse*.
Los sacerdotes *recogieron* las monedas, pero pensaron:
—No se puede echar este dinero en la caja del Templo, porque es precio de *sangre*.
Entonces se pusieron de acuerdo para *comprar* con ese dinero el Campo del Alfarero, y lo destinaron para *cementerio* de los extranjeros. Por eso ese lugar se llama hoy "Campo de Sangre".
Así se *cumplió* lo que había dicho el profeta Jeremías: "Tomaron las *treinta* monedas de plata, que fue el *precio* en que lo tasaron los hijos de Israel. Y las dieron por el Campo del Alfarero, tal como lo *dispuso* el Señor".

Recita la acción tardía cumplida por Judas al devolver las monedas con verdadera aflicción.

Registra la respuesta de los sacerdotes con voz cargada de cinismo e indignación. Destaca también la doble moral de los sacerdotes que no quieren contaminarse con el dinero entregado por el ahorcado.

ANTE PILATO

Jesús *compareció* ante el gobernador, Poncio Pilato,
que le preguntó:
—¿Eres tú el *rey* de los judíos?
[Jesús contestó:]
—*Tú* lo has dicho.
Estaban *acusándolo* los jefes de los sacerdotes y las autoridades judías, pero él no contestó nada. Pilato le dijo:
—¿No oyes *todos* los cargos que te hacen?
Pero él no contestó *ninguna* pregunta, de modo que el gobernador no sabía qué pensar.

Los eventos ocurridos ante Pilato forman una escena distinta. Antes de narrarlos, haz una pausa para advertirle al lector el cambio de escenario y de tiempo. Pilato se siente dueño de la situación. Al referir sus palabras, procura presentarlo como un "perdonavidas" que mira y trata con desdén a Jesús.

BARRABÁS

Con ocasión de la *Pascua*, el gobernador tenía la costumbre de dejar en *libertad* a un condenado, a *elección* de la gente. Había entonces un prisionero *famoso*, llamado *Barrabás*. Pilato dijo a los que se hallaban reunidos:
—¿A *quién* quieren que deje libre, a *Barrabás* o a *Jesús*, llamado el Cristo?
Ya que sabía que se lo habían entregado por *envidia*.

LA ESPOSA DE PILATO

Mientras Pilato estaba en el tribunal, su *mujer* le mandó decir:
—No te metas con ese hombre, porque es un *santo*, y anoche tuve un sueño *horrible* por causa de él.

condenado siendo el único realmente inocente delante de Dios.

ANTE PILATO

Aunque Mateo no lo mencione expresamente en el relato de la pasión, los sumos sacerdotes, al entregar a Jesús en manos del procurador romano Poncio Pilato, debieron formular alguna acusación precisa de tipo político. De otro modo no se comprendería la pregunta dirigida por el gobernante romano a Jesús: "¿Eres tú el rey de los judíos?". La respuesta de Jesús es un tanto evasiva; si la unimos a la actitud de silencio ante las diversas acusaciones, pareciera que Jesús no está dispuesto a dejarse interrogar por el ocupante romano, y que está solamente dejándose conducir al destino cruel que sus delatores le quieren imponer.

Contrastan en este episodio la aparente "neutralidad" del gobernante romano que hace un esfuerzo por dejar libre a Jesús y, por otro lado, la conducta manipuladora de los dirigentes religiosos que entregan a Jesús por la peligrosidad que advierten en su persona y enseñanza. No se puede excluir el hecho de que el autor del Evangelio esté buscando de esa manera liberar de toda responsabilidad a los romanos y facilitar así la libertad de acción y de movimiento para los predicadores cristianos, y que exagere la responsabilidad del pueblo judío, a raíz de los enfrentamientos que los cristianos de la Iglesia de Mateo enfrentaban con la sinagoga en el tiempo de la redacción del Evangelio.

Como lo testifica el narrador, también en ocasión del proceso contra Jesús el pueblo judío, como suele ocurrir con todos los pueblos de todas las épocas, se deja manejar por los intereses mezquinos de los dirigentes de turno.

LA MUERTE DE JESÚS

Mateo narra desencarnadamente el momento final de Jesús. Cual si fuera un cronista, registra de manera distante los sucesos,

EVANGELIO continuación — L M

"*No te metas* con ese hombre justo,
porque *hoy* he sufrido mucho en sueños *por su causa*".
Mientras tanto, los sumos sacerdotes y los ancianos
convencieron a la muchedumbre
de que *pidieran* la libertad de Barrabás y *la muerte* de Jesús.
Así, cuando el procurador les preguntó:
"¿*A cuál* de los dos *quieren* que les suelte?"
Ellos respondieron: "*A Barrabás*".
Pilato les dijo:
"¿Y qué voy a hacer *con Jesús*, que se dice *el Mesías*?"
Respondieron *todos*: "*Crucifícalo*".
Pilato preguntó: Pero, ¿qué mal *ha hecho*?"
Mas ellos *seguían* gritando
cada vez con más fuerza: "*Crucifícalo*".
Entonces Pilato,
viendo que *nada* conseguía y que *crecía* el tumulto
pidió agua y *se lavó* las manos ante el pueblo, diciendo:
"Yo *no* me hago responsable de la muerte de *este* hombre justo.
Allá ustedes".
Todo el pueblo respondió:
"¡Que su sangre *caiga sobre nosotros* y sobre *nuestros hijos*!"
Entonces Pilato puso en libertad *a Barrabás*.
En cambio a Jesús lo hizo *azotar* y *lo entregó*
para que *lo crucificaran*.
Los soldados del procurador llevaron a Jesús *al pretorio*
y reunieron alrededor de él *a todo* el batallón.
Lo desnudaron y le echaron encima un manto *de púrpura*,
trenzaron una corona de espinas y se la pusieron *en la cabeza*;
le pusieron *una caña* en su mano derecha,
y arrodillándose *ante él*, se burlaban diciendo:
"¡*Viva* el rey de los judíos!"
Y le *escupían*.
Luego, *quitándole* la caña, *golpeaban* con ella *en la cabeza*.
Después de que se burlaron de él, *le quitaron* el manto,
le pusieron sus ropas y lo llevaron *a crucificar*.
Al salir, encontraron a un hombre de Cirene, llamado *Simón*,
y *lo obligaron* a llevar la cruz.
Al llegar a un lugar llamado *Gólgota*,
es decir, "*Lugar de la Calavera*",
le dieron a beber a Jesús vino mezclado *con hiel*;
él *lo probó*, pero no lo quiso beber.

EVANGELIO continuación LEU

PILATO Y LA MULTITUD

Mientras tanto, los sacerdotes y los jefes judíos *convencieron* a la gente que pidiera *la libertad* de Barrabás y la *condenación* de Jesús. Cuando el gobernador volvió a preguntarles:
—¿Cuál de los dos quieren que les deje *libre*?
[Ellos contestaron:]
—A *Barrabás*.
[Pilato les dijo:]
—¿Y *qué* hago con Jesús, llamado el *Cristo*?
[*Todos* contestaron:]
—¡Que sea *crucificado*!
[Pilato *insistió*:]
—¿Qué *maldad* ha hecho?
Pero los *gritos* del pueblo fueron cada vez *más* fuertes:
—¡Que sea *crucificado*!
Al darse cuenta Pilato que *no* conseguía nada, sino que más bien *aumentaba* el alboroto, pidió *agua* y se lavó las manos *delante* del pueblo, [diciendo:]
—Yo no me hago *responsable* de la sangre que se va a *derramar*. Es cosa de *ustedes*.
Y *todo* el pueblo contestó:
—¡Que su sangre caiga sobre *nosotros*
y sobre nuestros *descendientes*!
Entonces, Pilato dejó en *libertad* a Barrabás; en *cambio*, a Jesús lo hizo *azotar* y lo entregó para que fuese *crucificado*.

LA BURLA DE LOS SOLDADOS

Los soldados romanos llevaron a Jesús al *palacio* del gobernador y reunieron a *toda* la tropa en *torno* a él. Le *quitaron* sus vestidos y le pusieron una *capa* de soldado, de color *rojo*. Después le *colocaron* en la cabeza una *corona* que habían trenzado con *espinas* y en la mano derecha una *caña*. *Doblaban* la rodilla ante Jesús y se *burlaban* de él, [diciendo:]
—Viva el rey de los judíos.
Le *escupían* la cara y, quitándole la caña, le *pegaban* en la cabeza. Después que se *burlaron* de él, le *quitaron* la capa de soldado, le pusieron su ropa y lo llevaron a *crucificar*.

Refiere con crueldad los gritos del pueblo que pide la cruz para Jesús.

SIMÓN CARGA LA CRUZ

Al salir *encontraron* a un hombre de Cirene, llamado *Simón*, y le *obligaron* a que cargara con la cruz de Jesús. Cuando llegaron al lugar que se llama *Gólgota* o Calvario, palabra que significa "calavera", le dieron a beber vino mezclado con hiel. Jesús lo probó, pero no quiso beberlo.

comentarios y reacciones, tanto del ajusticiado, como de los testigos de la ejecución. Podemos separarlos en dos grupos. De un lado están quienes se solidarizan con Jesús: Simón de Cirene, que ayudó a Jesús a cargar con el palo horizontal de la cruz; el centurión romano, que confiesa a Jesús como el Hijo de Dios; y finalmente, las mujeres que le acompañan hasta el último momento. Todos estos individuos pueden ser considerados como seguidores de Jesús, que supieron resistir a la presión popular y que mantuvieron una postura libre y firme ante este inocente ajusticiado.

Por otra parte, están los sumos sacerdotes que, mientras lo ajustician, se gozan en burlarse de su impotencia. Aquí también puede incluirse los soldados que se burlan de su pretendida condición de rey de los judíos, los curiosos que transitaban por el lugar y que no desaprovecharon la ocasión, al igual que los dos ladrones, para unirse al coro de los burlones.

Después de referir todas las voces insulsas y burlescas, Mateo registra de manera especial, y como un contrapunto solemne, la súplica final donde Jesús se abandona de manera confiada a su Padre Dios, entregando su espíritu.

LA SEPULTURA DE JESÚS

Otra vez aparecen las mujeres como testigos de la sepultura. Siendo Jesús un ajusticiado como delincuente político contra Roma, le correspondía ser arrojado a la fosa común, lo cual era ignominioso para los judíos. Es por eso que José de Arimatea, discípulo oculto de Jesús, se arma de valor para solicitarle a Pilato el cuerpo del maestro. Al comportarse con esa determinación, se manifiesta públicamente, y en el momento más riesgoso, como seguidor fiel de Jesús.

Un último detalle propio del relato de Mateo es el informe de que los sacerdotes pusieron una guardia especial en el sepulcro de Jesús para impedir que los discípulos fueran a robar su cadáver y propagar

EVANGELIO continuación LM

Los que lo crucificaron *se repartieron* sus vestidos,
echando suertes,
y se quedaron sentados *para custodiarlo*.
Sobre su cabeza pusieron por escrito *la causa* de su condena:
'*Éste es* Jesús, el rey de los judíos'.
Juntamente con él, crucificaron a *dos ladrones*,
uno *a su derecha* y el otro *a su izquierda*.
Los que pasaban por allí,
lo insultaban moviendo la cabeza y *gritándole*:
"*Tú* que destruyes el templo y en tres días *lo reedificas*,
sálvate a ti mismo; si eres el Hijo de Dios, *baja* de la cruz".
También se burlaban de él los *sumos* sacerdotes,
los escribas y los ancianos, diciendo:
"Ha salvado *a otros* y no puede salvarse *a sí mismo*.
Si es el rey de Israel, *que baje* de la cruz y *creeremos* en él.
Ha puesto su confianza *en Dios*,
que Dios lo salve *ahora* si es que *de verdad* lo ama,
pues *él* ha dicho: '*Soy* el Hijo de Dios' ".
Hasta los ladrones que estaban crucificados a su lado
lo injuriaban.
Desde el mediodía hasta las *tres* de la tarde,
se oscureció *toda* aquella tierra.
Y alrededor de las tres, Jesús *exclamó* con fuerte voz:
"*Elí, Elí, ¿lemá sabactaní?*",
que quiere decir: "*Dios mío*, Dios mío,
¿por qué me has *abandonado*?"
Algunos de los presentes, al oírlo, decían:
"Está llamando *a Elías*".
Enseguida uno de ellos fue corriendo a tomar una esponja,
la *empapó* en vinagre y sujetándola a una caña,
le *ofreció de beber*.
Pero otros le dijeron:
"*Déjalo. Veamos* a ver si viene Elías *a salvarlo*".
Entonces Jesús, dando de nuevo *un fuerte* grito, *expiró*.

[*Todos se arrodillan y guardan silencio por unos instantes.*]

Entonces el velo del templo *se rasgó* en dos partes,
de arriba a abajo,
la *tierra tembló* y las rocas *se partieron*.
Se *abrieron* los sepulcros
y resucitaron *muchos justos* que habían muerto,

EVANGELIO continuación L E U.

CRUCIFIXIÓN

Ahí lo *crucificaron*, y después echaron suertes para *repartirse* la ropa de Jesús. Luego se sentaron a *vigilarlo*. Encima de su cabeza habían puesto un *letrero* que decía por qué lo habían condenado: "Éste es Jesús, el *rey* de los judíos". *También* crucificaron con él a *dos ladrones*, uno a su derecha y el otro a su izquierda. Los que pasaban por ahí, meneaban la cabeza y lo *insultaban*, [diciendo:]
—¡Hola!, tú que *derribas* el Templo y lo *reedificas* en tres días, *líbrate* del suplicio, *baja* de la cruz si eres el Hijo de Dios.
Los jefes de los sacerdotes, los jefes de los judíos y los maestros de la Ley lo *insultaban*, [diciéndole:]
—Ha salvado a *otros* y no *puede salvarse* a sí mismo: *Si* es el rey de Israel, que baje *ahora* de la cruz y *creeremos* en él. Ha *puesto* su confianza en *Dios*; si *Dios* lo ama, que *lo libere*, puesto que él *mismo* decía: "*Soy* el Hijo de Dios". *Hasta* los ladrones que estaban crucificados a su lado lo *insultaban*.

Al narrar la crucifixión, toma la actitud y el tono de un testigo.

Las burlas de los presentes suenan como frases llenas de sarcasmo y malicia. Los "mitoteros" se regodean humillando a Jesús.

MUERTE

Desde el mediodía hasta las *tres* de la tarde se cubrió de *tinieblas* la tierra. *Cerca* de las tres, Jesús *gritó* con fuerza:
—*Elí, Elí, lamá sabactani*.
Lo que quiere decir:
—*Dios mío, Dios mío*, ¿por *qué* me has *abandonado*?
Al oírlo, algunos de los presentes *decían*:
—Está llamando a *Elías*.
Y luego, uno de ellos *corrió*, tomó una *esponja*, la empapó en *vinagre* y, poniéndola en la punta de una caña, le daba de *beber*.
Otros decían:
—*Déjalo*. Veamos si viene Elías a *liberarlo*.
Entonces Jesús, *gritando* de nuevo con voz *fuerte*, entregó su *espíritu*.

[*Pausa de rodillas.*]

Nuevamente, el narrador tiene que hacer notar el cambio de tiempo. Es el mediodía (haz una pausa). El grito dirigido por Jesús manifiesta angustia y a la vez confianza en la protección de su Padre.

DESPUÉS DE LA MUERTE DE JESÚS

En ese *mismo* instante, la cortina del templo se *rasgó* en dos partes, de arriba abajo. Además *tembló* la tierra y hubo rocas que se partieron.
También algunos sepulcros se *abrieron* y fueron *resucitados* los cuerpos de muchos creyentes. Éstos salieron de las sepulturas *después* de la resurrección de Jesús, fueron a la Ciudad Santa y se aparecieron a *mucha* gente. El capitán y los soldados que custodiaban a Jesús, al ver el *terremoto* y *todo* lo que estaba pasando, tuvieron *mucho* temor y decían:
—Verdaderamente *este* hombre era *Hijo* de Dios.

Resalta enfáticamente la declaración creyente del centurión romano. Pronuncia detenidamente cada una de sus palabras.

la supuesta noticia de su resurrección. Esta nota final es un eco de las calumnias que quienes no creían en Jesús propagaban en ese entonces.

EVANGELIO continuación LM

y *después* de la resurrección de Jesús,
entraron en la ciudad santa y se aparecieron a *mucha gente.*
Por su parte, *el oficial* y los que estaban con él
custodiando a Jesús,
al ver el terremoto y las cosas que ocurrían,
se llenaron de *un gran temor* y dijeron:
"Verdaderamente *éste* era Hijo de Dios".
También estaban allí,
mirando *desde lejos, muchas* de las mujeres
que habían *seguido* a Jesús desde Galilea *para servirlo.*
Entre ellas estaban *María Magdalena,*
María, la madre de Santiago y de José,
y la madre de los hijos de Zebedeo.
Al atardecer, vino un hombre *rico* de Arimatca, llamado *José,*
que se había hecho *también* discípulo de Jesús.
Se presentó a Pilato y *le pidió* el cuerpo de Jesús,
y Pilato *dio orden* de que se lo entregaran.
José tomó el cuerpo, *lo envolvió* en una sábana limpia
y *lo depositó* en un sepulcro *nuevo,*
que había hecho excavar en la roca para *sí mismo.*
Hizo *rodar* una gran piedra hasta la entrada del sepulcro
y *se retiró.*
Estaban ahí *María Magdalena* y *la otra María,*
sentadas frente al sepulcro.
Al *otro día,* el siguiente de la preparación a la Pascua,
los sumos sacerdotes y los fariseos
se reunieron ante Pilato y *le dijeron*:
"*Señor,* nos hemos *acordado* de que ese impostor,
estando *aún en vida,* dijo:
'A los tres días *resucitaré*'.
Manda, pues, *asegurar* el sepulcro hasta el *tercer día*;
no sea que vengan sus discípulos, *lo roben* y digan al pueblo:
'*Resucitó* de entre los muertos',
porque esta *última* impostura sería *peor* que la primera".
Pilato les dijo: "*Tomen* un pelotón de soldados,
seguren el sepulcro como *ustedes quieran*".
Ellos fueron y a*seguraron* el sepulcro,
poniendo un sello sobre la puerta y dejaron *ahí* la guardia.

EVANGELIO continuación LEU

SEPULTURA

También estaban allí, observando de lejos, *muchas* mujeres que desde Galilea habían *seguido* a Jesús para servirle. Entre ellas: *María Magdalena*, *María*, madre de Santiago y de José, y la *madre* de los hijos de Zebedeo. Siendo ya *tarde*, vino un hombre rico, de *Arimatea*, que se llamaba *José*, y que también se había hecho *discípulo* de Jesús. Fue donde Pilato para *pedirle* el cuerpo de Jesús, y el gobernador *ordenó* que se lo entregaran. Y José, tomando el cuerpo, lo *envolvió* en una sábana limpia y lo *colocó* en un sepulcro *nuevo*, cavado en la roca, que se había hecho para *sí* mismo. Después movió una *gran* piedra redonda, para que sirviera de *puerta*, y se fue. María Magdalena y la otra María estaban sentadas *frente* al sepulcro.

La voz misma del narrador parece reflejar cansancio y agotamiento después de haber referido tantos acontecimientos penosos. Refiere las acciones cumplidas por José de Arimatea con respeto y reverencia. Resalta su decisión y valentía.

ASEGURAN EL SEPULCRO

Al día *siguiente* (era el día *después* de la preparación a la Pascua) los jefes de los sacerdotes y los fariseos se presentaron *juntos* ante Pilato [para decirle:]

—Señor, nos hemos *acordado* que ese mentiroso dijo cuando *todavía* vivía: "Después de *tres* días *resucitaré*". Por eso, *manda* que sea *asegurado* el sepulcro hasta el *tercer* día: no sea que vayan sus discípulos, *roben* el cuerpo y digan al pueblo: "*Resucitó* de entre los muertos". Éste sería un engaño *más* perjudicial que el primero.

[Pilato les respondió:]

—Ahí tienen los soldados, vayan y tomen *todas* las precauciones que crean *convenientes*. Ellos, pues, fueron al sepulcro y lo *aseguraron*, sellando la piedra y poniendo *centinelas*.

Relata con voz de falsa preocupación la declaración hecha por los sacerdotes ante Pilato, pidiendo guardias para custodiar el sepulcro de Jesús.

JUEVES SANTO

I LECTURA El capítulo 12 del libro del Éxodo refiere las instrucciones que Dios establece y que comunica a Moisés y Aarón a propósito de la celebración de la fiesta más importante de Israel: la pascua. La fiesta consistía principalmente en la comida de un cordero de un año de edad, el cual debía ser elegido cuidadosamente, de acuerdo a las reglas arriba señaladas. Aunque el origen de esta fiesta se pierde en los tiempos remotos de los pastores nómadas, Israel le asignó a dicho rito un nuevo significado. Para ellos, la pascua era un memorial por la victoria obtenida por el Señor sobre el faraón y sus ejércitos, con la cual había conseguido liberar a los hijos de Israel, dando muerte a los primogénitos egipcios.

El rito de la sangre untada en las jambas de la puerta es un elemento que revela cierto carácter mágico que debió tener este rito en sus remotos orígenes nómadas. Aunque como ya lo hemos señalado líneas arriba, Israel le dio un nuevo sentido a la celebración de la comida pascual, y la asoció estrechamente con el momento más decisivo de su historia: la salida de la esclavitud en Egipto por obra del Señor.

La recomendación final dada por el autor está orientada hacia el futuro. Estos ordenamientos rituales pretenden asegurar que cada generación de los hijos de Israel rememore ese acontecimiento liberador. La fiesta tiene una validez perpetua para Israel, lo mismo que para el Nuevo Israel, que ha hecho de la pascua de su Señor, el manantial y cumbre de sus celebraciones litúrgicas y de su vida toda.

II LECTURA San Pablo está exhortando en este capítulo a los cristianos de Corinto a que superen las deficiencias existentes en la celebración de la Eucaristía. En efecto, cuando los corintios se reunían el día del Señor a partir el pan, ocurrían una serie de abusos en la comida y en la bebida (ver 1 Corintios 11,20–22). Tal

I LECTURA Éxodo 12,1–8.11–14 LM

Lectura del libro del Éxodo

En *aquellos* días, el Señor les dijo a *Moisés y a Aarón*
en tierra de Egipto:
"*Este* mes será para ustedes el *primero* de *todos* los meses
y el *principio* del año.
Díganle a *toda* la comunidad de Israel:
'El día *diez* de este mes, tomará cada uno un cordero *por familia*,
uno por casa.
Si la familia es *demasiado* pequeña para comérselo,
que se junte *con los vecinos*
y elija un cordero adecuado *al número* de personas
y a la cantidad que *cada cual* pueda comer.
Será un animal *sin defecto*, macho, de un año, cordero o cabrito.
Lo guardarán hasta el día *catorce* del mes,
cuando *toda* la comunidad de los hijos de Israel
lo inmolará *al atardecer*.
Tomarán la sangre y rociarán *las dos jambas*
y el *dintel* de la puerta de la casa
donde vayan a comer *el cordero*.
Esa noche comerán la carne, *asada* a fuego;
comerán panes *sin levadura* y hierbas *amargas*.
Comerán así:
con la cintura *ceñida*, las sandalias en los pies,
un bastón en la mano y a *toda prisa*,
porque es *la Pascua*, es decir, el *paso del Señor*.
Yo *pasaré* esa noche por la tierra de Egipto
y *heriré* a *todos* los primogénitos del país de Egipto,
desde los hombres *hasta los ganados*.
Castigaré *a todos* los dioses de Egipto, yo, el Señor.
La sangre les servirá *de señal* en las casas donde habitan ustedes.
Cuando yo vea la sangre, *pasaré de largo*
y *no habrá* entre ustedes plaga *exterminadora*,
cuando *hiera yo* la tierra de Egipto.
Ese día será para ustedes *un memorial*
y lo celebrarán como *fiesta* en honor del Señor.
De generación en generación *celebrarán* esta festividad,
como institución *perpetua*'".

I LECTURA Éxodo 12,1–8.11–14 LEU

Lectura del libro del Éxodo

En aquellos días dijo el Señor a Moisés y a *Aarón*,
en el país de Egipto:
"*Este* mes será para ustedes el *comienzo* de los meses,
el *primero* del año.
Hablen a la comunidad de Israel y díganle:
El día *décimo* de este mes, tome cada uno un *cordero*
por familia,
un cordero por casa.
Pero si la familia fuera *demasiado* pequeña
para consumir el cordero,
se pondrá de *acuerdo* con el vecino más cercano,
según el número de personas
conforme a lo que cada cual *pueda* comer.
Ustedes escogerán un cordero *sin defecto*,
macho, nacido en el año.
En lugar de un cordero podrán también tomar un cabrito.
Ustedes lo reservarán *hasta* cl día catorce de este mes.
Entonces *toda* la gente de Israel lo *sacrificará* al anochecer.
En *cada* casa en que lo coman ustedes
tomarán de su sangre para untar los postes
y la parte superior de la puerta.
Esa misma noche *comerán* la carne asada al fuego;
la comerán con panes *sin* levadura y con lechugas.
Y comerán *así*: con el traje puesto, las sandalias en los pies
y el bastón en la mano.
Comerán *rápidamente*: es una pascua en honor al Señor.
Durante esa noche, yo *recorreré* el país de *Egipto*
y daré *muerte* a todos los primogénitos de los egipcios,
y de sus animales;
y castigaré a *todos* los dioses de Egipto.
La sangrc del cordero *señalará* las casas donde están ustedes.
Al ver esta sangre, yo *pasaré* de *largo*,
y ustedes *escaparán* a la plaga mortal mientras golpeo
a Egipto.
Ustedes harán *recuerdo* de esta fiesta año tras año,
y lo *celebrarán* con una fiesta en honor al Señor.
Esta ley es para *siempre*:
los *descendientes* de ustedes no dejarán de celebrar *este* día".

Recita esta serie de prescripciones rituales con cuidado y detenimiento. No olvides de que son las normas que regulan la fiesta principal de Israel.

Imprime a tu voz un tono imperioso. Recuerda que es Dios mismo que dicta las primeras órdenes al pueblo recién liberado.

Describe con especial cuidado este párrafo. Es el momento íntimo en el cual la familia reunida celebra el memorial victorioso con el cual los liberó el Señor.

Enfatiza con detenimiento las acciones con las cuales Dios anuncia su acción salvífica. Resalta cada uno de los verbos donde Dios habla en primera persona (recorreré, daré muerte, etcétera).

Dirígete de frente a la asamblea e involúcralos en este diálogo final, que ellos también se sientan depositarios de estas tradiciones fundacionales.

vez estos excesos se veían agravados por la desigual situación socioeconómica de los participantes, puesto que mientras unos tenían recursos abundantes para comer y beber en demasía, otros debían emplearse, tal vez, como cargadores en el puerto de Corinto para satisfacer apenas sus necesidades más elementales. Siendo la Eucaristía la fiesta cristiana de la unidad, quedaba reducida por esos excesos a un festejo trivial donde reaparecían las desigualdades comunes y corrientes en la sociedad corintia de aquel tiempo.

Para urgirlos a recibir dignamente el cuerpo del Señor, el apóstol les refiere la formula tradicional que recogía el recuerdo de la cena ofrecida por Jesús la víspera de su muerte. Este relato es uno de los cuatro magníficos testimonios de esa memorable cena que nos recoge el Nuevo Testamento (los otros los encontramos en Mateo 26,26–29; Marcos 14,22–25; Lucas 22,15–20). Muy probablemente, dada la fecha de composición de cada uno de esos libros, esta versión ofrecida por san Pablo es la más antigua de todas. Como bien lo aclara el apóstol, él no fue el creador de esa tradición eucarística, sino que él la había recibido como la tradición auténtica que existía en los albores de la Iglesia.

La Eucaristía cristiana, como la pascua judía, estaba anclada en un hecho histórico preciso: la muerte redentora de Cristo. La fórmula litúrgica recitada en el momento de la entrega del pan hacía alusión expresa al valor redentor de dicha muerte. El cuerpo de Jesús era entregado por los discípulos y por todos los demás, que a lo largo de la historia darían fe al crucificado. La Eucaristía no es un rito rutinario; es memoria jubilosa de una comunidad que anhela encontrarse con Jesús, que retornará victorioso. A la vez, el texto y la Eucaristía nos llaman a romper las diferencias entre los pobres y ricos, quienes, a causa de su trabajo, tenían qué llegar tarde a la celebración eucarística de su comunidad, mientras los ricos se aprovechaban de ello y cometían ciertos abusos.

II LECTURA 1 Corintios 11,23–26 LM

Lectura de la primera carta del apóstol san Pablo a los corintios

Hermanos:
Yo *recibí* del Señor *lo mismo* que les *he trasmitido*:
que el *Señor Jesús*, la noche en que iba a *ser entregado*,
tomó pan en sus manos,
y pronunciando *la acción de gracias*, lo *partió* y dijo:
"*Esto* es mi cuerpo, que se entrega *por ustedes*.
Hagan esto *en memoria mía*".
Lo *mismo* hizo con el cáliz *después* de cenar, diciendo:
"*Este* cáliz es la *nueva* alianza que se sella *con mi sangre*.
Hagan esto en memoria *mía* siempre que beban *de él*".
Por eso,
cada vez que ustedes comen de *este pan* y beben de *este cáliz*,
proclaman la muerte del Señor, *hasta que vuelva*.

EVANGELIO Juan 13,1–15 LM

Lectura del santo Evangelio según san Juan

Antes de la fiesta de la Pascua,
sabiendo Jesús que había *llegado* la hora
de pasar de este mundo *al Padre*
y habiendo *amado a los suyos*, que estaban en *el mundo*,
los amó *hasta el extremo*.
En el transcurso de la cena,
cuando ya el *diablo* había puesto en el corazón de *Judas Iscariote*, hijo de Simón,
la idea de *entregarlo*,
Jesús, *consciente* de que el Padre había puesto en sus manos *todas las cosas*
y sabiendo que *había salido* de Dios y a Dios *volvía*,
se *levantó* de la mesa, se *quitó* el manto
y tomando una toalla, se la *ciñó*;
luego echó agua en *una jofaina*
y se puso a l*avarles* los pies a *los discípulos*
y a *secárselos* con la toalla que se había ceñido.
Cuando llegó a *Simón Pedro*, éste le dijo:
"*Señor*, ¿me vas a lavar tú *a mí* los pies?"
Jesús le replicó:
"Lo que estoy haciendo tú no lo entiendes *ahora*,
pero lo comprenderás *más tarde*".
Pedro le dijo: "Tú *no* me lavarás los pies *jamás*".

II LECTURA 1 Corintios 11,23–26 LEU

Lectura de la primera carta del apóstol san Pablo a los corintios

Yo *recibí* del Señor mismo lo que a mi vez les he *enseñado*.
Que el *Señor* Jesús, la noche en que fue *entregado*,
tomó el *pan*,
y después de dar *gracias* lo *partió*, diciendo:
"*Esto* es mi cuerpo que es *entregado* por ustedes:
hagan esto en *memoria mía*".
De la misma manera, tomando la *copa*
después de haber cenado, dijo:
"Esta copa es la *Nueva* Alianza en mi sangre.
Siempre que beban de ella, háganlo en *memoria* mía".
Así, pues, cada vez que *comen* de este pan y *beben* de la copa,
están *anunciando* la muerte del Señor hasta que *venga*.

Proclama firmemente esta solemne introducción donde san Pablo aclara el origen auténtico de la tradición eucarística que va a referirles.

Recita con el debido respeto esta fórmula tradicional antiquísima. En ella se condensa el significado salvífico que Jesús le asignó a su propia muerte.

Personaliza las frases solemnes de Jesús. Procura leerlas con el tono trascendental de una importante despedida.

EVANGELIO Juan 13,1–15 LEU

Lectura del santo Evangelio según san Juan

Antes de la Fiesta de *Pascua*,
sabiendo *Jesús* que había llegado la hora de salir
de este mundo
para ir al *Padre*, así como había amado
a los suyos que *quedaban* en el mundo,
los amó hasta el *extremo*.
Hicieron la *Cena*.
Ya el diablo había puesto en el corazón de *Judas* Iscariote,
hijo de Simón,
el proyecto de *entregar* a Jesús.
Y *él* sabía que el Padre había puesto *todas* las cosas
en sus manos,
y que de Dios había *salido* y a Dios volvería.
Se *levantó* mientras cenaba, se *quitó* el manto,
se *ató* una toalla a la cintura y echó *agua*
en un recipiente.
Luego se puso a *lavarles* los pies a sus *discípulos*
y se los *secaba* con la toalla.
Cuando llegó el turno a Simón *Pedro*, éste le dijo:
"*Tú*, Señor, ¿me vas a lavar los pies a *mí*?"
Jesús le contestó: "Tú no puedes comprender *ahora*
lo que yo estoy haciendo.
Lo comprenderás *después*".

El narrador está refiriendo momentos difíciles de la vida de Jesús. Es la víspera de su ejecución, y Jesús está consciente de lo que va a ocurrir. Refiere este relato con un tono grave y reposado.

Haz una breve pausa antes de presentar al personaje que manipula a Judas. Imprime a tu voz un tono que refleje la pena que te embarga al narrar esos eventos.

Al narrar las acciones cumplidas por Jesús, habla con mucha determinación para mostrar que el Señor no se amedrenta ante los eventos terribles que se aproximan.

Al recrear este breve diálogo, procura darle la entonación adecuada. Recita la pregunta de Pedro con un aire perplejo y escandalizado. A las respuestas de Jesús, da un tono tranquilo y firme a la vez. Está seguro de lo que dice y hace.

EVANGELIO **Los capítulos 13—17 del Evangelio de Juan forman una amplia unidad literaria. Todos los sucesos importantes que ahí se verifican, el autor los ubica en el marco de la Última Cena de Jesús. Este conjunto literario contiene muy poca acción (solamente el lavatorio de los pies) y el resto son discursos de despedida de Jesús, interrumpidos por breves momentos de diálogo. El discurso da comienzo cuando Judas sale de noche para entregar a Jesús (13,31) y se prolonga hasta 17,26, donde concluye con la llamada "oración sacerdotal de Jesús".**

Esta versión de la Última Cena de Jesús recogida por el evangelista Juan refiere una escena de la vida de Jesús que no encontramos en los Evangelios sinópticos. Nos referimos específicamente al lavatorio de los pies. Al lavar los pies de sus discípulos, Jesús cumple una acción y un gesto de cortesía que ordinariamente era ofrecido al huésped de una casa por algún miembro de la servidumbre. Es por eso que Pedro reacciona de inmediato y expresa su escándalo al ver que Jesús asume las tareas propias de un esclavo. Ese malentendido, provocado quizás intencionalmente por Jesús, da lugar a un breve diálogo que culmina con una expresa invitación a imitar la actitud servicial de Jesús.

Este Evangelio se proclama para urgirnos a vivir uno de los aspectos más fundamentales de la existencia cristiana: la vivencia de la caridad y el amor fraterno. En efecto, las actitudes de solidaridad y servicio vividas dentro y fuera de la comunidad eclesial son consideradas por la tradición joánica como uno de los criterios decisivos para reconocer a los auténticos discípulos de Jesús.

EVANGELIO continuación LM

Jesús le contestó: "Si no te lavo, *no tendrás parte* conmigo".
Entonces le dijo Simón Pedro:
"En *ese caso*, Señor, *no sólo* los pies,
sino *también* las manos y la cabeza".
Jesús le dijo:
"El que se ha bañado no necesita lavarse más *que los pies*,
porque *todo* él está *limpio*.
Y ustedes están limpios, aunque *no todos*".
Como *sabía* quién lo iba a entregar, por eso dijo:
'*No todos* están limpios'.
Cuando *acabó* de lavarles los pies,
se puso otra vez el manto, *volvió* a la mesa y les dijo:
"¿*Comprenden* lo que acabo de hacer con ustedes?
Ustedes me llaman *Maestro y Señor*, y dicen bien, porque *lo soy*.
Pues *si yo*, que soy el Maestro y el Señor, *les he lavado los pies*,
también ustedes deben lavarse los pies *los unos a los otros*.
Les he dado *ejemplo*,
para que lo que yo he hecho *con ustedes*,
también ustedes lo hagan".

EVANGELIO continuación LEU

Pedro le dijo: "A mí *nunca* me lavarás los pies".
Jesús respondió: "Si no te lavo, no podrás *compartir* conmigo".
Entonces Pedro le dijo: "Señor, si es así,
lávame no solamente los *pies*,
sino también las *manos* y la cabeza".
Jesús le contestó: "El que se ha *bañado* no necesita lavarse
más que los *pies*,
pues está del *todo* limpio.
Ustedes están *limpios*, aunque no *todos*".
Cuando terminó de lavarles los *pies* y se volvió a poner el *manto*,
se sentó a la mesa y dijo:
"¿*Entienden* ustedes lo que he hecho?
Ustedes me llaman: El Señor y el *Maestro*.
Y dicen verdad, porque lo soy.
Si yo, que soy el *Señor* y el Maestro, les he lavado los *pies*,
también *ustedes* deben lavarse los pies unos a otros.
Les he dado el *ejemplo*
para que ustedes hagan lo *mismo* que yo les he hecho".

Formula el interrogante final y la consecuente exhortación de Jesús con el tono de un maestro que quiere cerciorarse de que sus discípulos han entendido la lección.

VIERNES SANTO

I LECTURA Este poema es un retrato biográfico de un personaje incierto; el retrato está dibujado con unas cuantas pinceladas: aparición y crecimiento modesto (versículo 2), comienzo de sus sufrimientos (versículos 3–7), su muerte violenta (versículo 8), su sepultura (versículo 9), su triunfo y su victoria (versículos 10–11). Esas pinceladas son suficientes para persuadir al lector de la idea importante que el poema quiere trasmitir. El sufrimiento del inocente no será estéril; llegará el día en que él verá la luz (versículo 11) y así triunfará el misterioso plan del Señor.

Son tantos los elementos de este cuarto cántico del Siervo de Yavé que tienen parecido con los eventos de la pasión de Jesús que, desde muy temprano, como lo refiere el pasaje de Felipe en los Hechos de los Apóstoles 8,26–40, los primeros cristianos identificaron este pasaje de Isaías como una prefiguración profética exacta y precisa del sufrimiento y exaltación preparados por el Padre para su Hijo Jesús. Más aún, es algo indudable que los primeros profetas cristianos se inspiraron en esas imágenes poéticas usadas por el Segundo Isaías para relatar y ordenar los recuerdos de los testigos acerca de la pasión del Señor, y componer así lo que hoy tenemos como el relato de la pasión.

Al leer este cántico además de meditar en la pasión de Jesús, el autor nos invita discretamente a solidarizarnos de manera eficaz con el sufrimiento de todos los inocentes que sufren en nuestro alrededor.

I LECTURA Isaías 52,13—53,12 LM

Lectura del libro del profeta Isaías

He aquí que mi siervo *prosperará*,
será *engrandecido* y exaltado, será *puesto en alto*.
Muchos se horrorizaron al verlo,
porque estaba *desfigurado* su semblante,
que *no tenía* ya aspecto de hombre;
pero *muchos* pueblos se llenaron *de asombro*.
Ante él los reyes *cerrarán* la boca,
porque verán lo que *nunca* se les había contado
y comprenderán lo que *nunca* se habían imaginado.
¿*Quién* habrá de creer lo que hemos *anunciado*?
¿*A quién* se le revelará *el poder* del Señor?
Creció en su presencia como planta *débil*,
como una *raíz* en el desierto.
No tenía gracia *ni belleza*.
No vimos en él *ningún* aspecto atrayente;
despreciado y rechazado por los hombres,
varón de dolores, habituado al sufrimiento;
como uno del cual se *aparta* la mirada,
despreciado y desestimado.
Él *soportó* nuestros sufrimientos y *aguantó* nuestros dolores;
nosotros lo tuvimos *por leproso*,
herido por Dios y *humillado*,
traspasado por nuestras rebeliones,
triturado por nuestros crímenes.
Él *soportó* el castigo que nos trae la paz.
Por sus llagas hemos *sido curados*.
Todos andábamos *errantes* como ovejas,
cada uno siguiendo su camino,
y el Señor cargó sobre él *todos* nuestros crímenes.
Cuando lo maltrataban, se humillaba y *no abría* la boca,
como un cordero llevado *a degollar*;
como oveja ante el esquilador, *enmudecía* y no abría la boca.
Inicuamente y contra *toda* justicia se lo llevaron.
¿*Quién* se preocupó de su suerte?
Lo *arrancaron* de la tierra de los vivos,
lo hirieron *de muerte* por los pecados de mi pueblo,
le dieron sepultura *con los malhechores* a la hora de su muerte,
aunque *no había* cometido crímenes,
ni hubo *engaño* en su boca.

I LECTURA Isaías 52,13—53,12 LEU

Lectura del libro del profeta Isaías

Miren *lo bien* que le irá a mi Servidor;
ocupará un *alto* puesto, seguirá subiendo
y se hará *famoso*.
Así como muchos quedaron *espantados* al *verlo*,
pues su cara estaba *desfigurada* que ya no parecía
un ser *humano*;
así también numerosos pueblos se *asombrarán*,
y en su *presencia* los reyes no se atreverán a abrir la *boca*
cuando vean lo que *nunca* se había visto,
y observen cosas que *nunca* se habían oído.
¿Quién podrá *creer* la noticia que recibimos?
y la *obra* del Señor, ¿a *quién* se la reveló?
Este hombre *creció* ante Dios como un retoño,
con *raíz* en tierra seca,
no tenía *gracia* ni belleza, para que nos fijáramos en él,
ni era *simpático* para que pudiéramos apreciarlo.
Despreciado y tenido como la *basura* de los hombres,
semejante a *aquellos* a los que se les *vuelve* la cara,
estaba *despreciado* y no hemos hecho caso de él.
Sin embargo, eran *nuestras* dolencias las que él *llevaba*,
eran *nuestros* dolores los que le *pesaban*
y *nosotros* lo creíamos *azotado* por Dios,
castigado y humillado.
Ha sido tratado como *culpable* a causa de nuestras *rebeldías*
y *aplastado* por nuestros *pecados*.
El soportó el *castigo* que nos trae la paz
y por sus *llagas* hemos sido sanados.
Todos andábamos como ovejas *errantes*,
cada cual seguía su *propio* camino,
y el Señor descargó sobre *él* la culpa de *todos* nosotros.
Fue *maltratado* y él se humilló y no dijo *nada*,
fue llevado cual cordero al *matadero*,
como una oveja que permanece *muda* cuando la esquilan.
Fue detenido y enjuiciado *injustamente*
sin que *nadie* se preocupara de él.
Fue *arrancado* del mundo de los vivos,
y *herido* de muerte por los *crímenes* de su pueblo.
Fue sepultado junto a los *malhechores*
y su tumba quedó junto a los *ricos*,

Proclama esta lectura con mucha seguridad, dado que estás convencido de que narras acontecimientos increíbles, que efectivamente ocurrieron. Recuerda que es Dios mismo quien está presentando a su siervo maltratado que alcanzará el triunfo.

Al plantear el interrogante, dale a tu voz tono y aire dudoso, inclusive escéptico.

Al describir el penoso crecimiento del Siervo, ve proclamando lentamente cada una de las frases para que permitas a los lectores ir asociándolas mentalmente con la pasión de Cristo.

Al referir lo injusto del proceso y la ejecución, imprime a tu voz un tono acusador.

II LECTURA **Este trozo de la carta a los Hebreos es parte de la amplia exposición doctrinal con la cual el autor quiere demostrar la supremacía del sacerdocio de Cristo en relación al sacerdocio levítico. La lectura escoge unos versículos del capítulo cuarto y otros del quinto; en el primer capítulo, adquiere un tono convincente que busca infundir confianza en los lectores para que éstos se dirijan con plena seguridad a buscar compasión y misericordia de parte de su sumo sacerdote, Jesús. En los versículos del capítulo quinto, se ocupa de demostrarnos las razones por las cuales Jesús obtuvo la consumación como sumo sacerdote perfecto.**

La causa principal que le valió el ser constituido sumo sacerdote fue la aceptación obediente de la voluntad de Dios, acogida en los días de su pasión y muerte. El autor recuerda a los lectores su condición privilegiada al contar con el auxilio eficaz de un sumo sacerdote perfecto, que nos "socorre en el tiempo oportuno". En los versículos finales, el autor exhorta implícitamente a los lectores a obtener la salvación eterna por el mismo camino que la obtuvo Jesús: por el camino de la obediencia a Dios Padre y a su Hijo Jesús.

I LECTURA continuación LM

El Señor quiso *triturarlo* con el sufrimiento.
Cuando *entregue* su vida como *expiación*,
verá a sus descendientes,
prolongará sus años y por medio de él
prosperarán los designios del Señor.
Por las fatigas de su alma, verá la luz y *se saciará*;
con sus sufrimientos *justificará* mi siervo *a muchos*,
cargando con los crímenes de ellos.
Por eso le daré *una parte* entre los grandes,
y con los fuertes *repartirá* despojos,
ya que *indefenso* se *entregó* a la muerte
y fue contado entre *los malhechores*,
cuando tomó sobre sí las culpas de todos
e *intercedió* por los pecadores.

II LECTURA Hebreos 4,14–16; 5,7–9 LM

Lectura de la carta a los hebreos

Hermanos:
Jesús, el Hijo de Dios, es nuestro sumo sacerdote,
que ha entrado *en el cielo*.
Mantengamos *firme* la profesión de nuestra fe.
En efecto,
no tenemos un sumo sacerdote
que *no sea capaz* de compadecerse de nuestros *sufrimientos*,
puesto que *él mismo* ha pasado
por las *mismas* pruebas que nosotros, *excepto* el pecado.
Acerquémonos, por tanto,
con *plena confianza* al trono de la gracia,
para recibir *misericordia*,
hallar la gracia y *obtener* ayuda en el momento *oportuno*.
Precisamente por eso, *Cristo*, durante su vida mortal,
ofreció oraciones y súplicas, con *fuertes* voces y lágrimas,
a aquel que *podía librarlo* de la muerte,
y *fue escuchado* por su piedad.
A pesar de que era el Hijo, *aprendió* a obedecer *padeciendo*,
y llegado a su perfección, *se convirtió* en la causa
de la salvación *eterna*
para *todos* los que lo obedecen.

I LECTURA continuación LEU

a pesar de que *nunca* cometió una *violencia*
ni *nunca* salió una *mentira* de su boca.
Quiso el Señor destrozarlo con *padecimientos*,
y él ofreció su *vida* como sacrificio por el *pecado*.
Por esto, verá a sus descendientes y tendrá *larga* vida,
y por él se cumplirá lo que *Dios* quiere.
Después de las *amarguras* que haya padecido su alma
verá la luz y será *colmado*.
Por su conocimiento, mi siervo justificará a *muchos*
y cargará con *todas* sus culpas.
Por eso le daré en herencia *muchedumbres*
y recibirá los *premios* de los vencedores.
Se ha negado a sí *mismo* hasta la muerte,
y ha sido *contado* entre los pecadores,
cuando en realidad llevaba sobre sí los *pecados* de muchos,
e *intercedía* por los pecadores.

Al presentar cuál es el plan y el desenlace final que Dios tiene preparado para ese inocente, cambia el tono de tu voz. Proclama esta sección con un aire entusiasta y animoso.

II LECTURA Hebreos 4,14–16; 5,7–9 LEU

Lectura de la carta a los hebreos

Tenemos un Sumo Sacerdote que *penetró* los cielos
—Jesús, el *Hijo* de Dios.
Mantengamos *firmes* la fe que profesamos.
Pues no tenemos un Sumo *Sacerdote*
que no pueda *compadecerse* de nuestras flaquezas,
sino *probado* en todo, igual que nosotros,
excepto en el pecado.
Acerquémonos, por tanto, *confiadamente* al trono de *gracia*,
a fin de *alcanzar* misericordia y hallar *gracia*
para ser *socorridos* en el tiempo oportuno.
Cristo, en los días de su vida mortal, a *gritos* y con *lágrimas*,
presentó oraciones y súplicas al que *podía* salvarlo
de la muerte,
y fue *escuchado* por su actitud reverente.
Él, a pesar de ser *Hijo*, aprendió, *sufriendo*, a obedecer.
Y, llevado a la *consumación*,
se ha *convertido* para todos los que obedecen
en autor de *salvación* eterna.

El autor se dirige a un grupo de lectores con los que comparte su satisfacción y seguridad por contar con un sumo sacerdote compasivo. Infunde ese ánimo favorable a tu asamblea.

Acentúa el tono exhortativo de acercarse con confianza a Jesús para solicitar la gracia misericordiosa del Padre.

Concluye tu proclamación presentando la actitud ejemplar de Jesús con un tono de profunda fe en su victoriosa resurrección.

EVANGELIO El relato de la pasión que atribuimos a Juan tiene muchas semejanzas y ligeras diferencias, sobre todo en cuanto a las respuestas dadas por Jesús, con el resto de los relatos evangélicos de la pasión. Al leer esta versión, no perdamos la oportunidad de apreciar la originalidad que contiene esta narración magistral, en la cual Jesús aparece asumiendo con toda libertad y plena iniciativa la hora decisiva de su existencia, la hora de su entrega plena y total al Padre.

EL ARRESTO DE JESÚS

Una característica sobresaliente de esta escena es la libre iniciativa con la que Jesús decide entregar su vida al Padre. Un primer gesto donde muestra su gran determinación de acatar esa voluntad es cuando él personalmente aborda al destacamento armado que viene a prenderle. En efecto, Jesús se adelanta para enfrentarse a sus captores sin oponerles resistencia. El evangelista quiere subrayar así que Jesús murió no por falta de previsión, o porque se hubiese anticipado Judas Iscariote a delatarle y entregarle a sus acusadores, sino porque él, conociendo de antemano los planes homicidas de los sumos sacerdotes, intuyó que detrás de esos siniestros proyectos estaba la misteriosa voluntad de su Padre.

Jesús tiene una conciencia tan clara del significado de su muerte que no acepta que se ejerza violencia innecesaria, ni siquiera para defenderle de sus captores (por eso, reprende a Pedro por haber usado la espada), ni en contra del resto de sus discípulos (por eso, pide a los guardias que los dejen marcharse).

LAS NEGACIONES DE PEDRO Y EL INTERROGATORIO ANTE CAIFÁS

El autor combina dos escenas diferentes con toda intención. Cuenta simultáneamente el interrogatorio de Jesús ante el sumo sacerdote y la escena vergonzante de las negaciones de Pedro. El efecto buscado es el del contraste. Mientras que Jesús da

EVANGELIO Juan 18,1—19,42 LM

Pasión de nuestro Señor Jesucristo según san Juan

En aquel tiempo,
Jesús fue con sus discípulos *al otro lado* del torrente Cedrón,
donde *había un huerto*,
y *entraron* allí él y sus discípulos.
Judas, *el traidor*, conocía *también* el sitio,
porque Jesús se reunía *a menudo* allí con sus discípulos.
Entonces *Judas* tomó un batallón de soldados
y guardias de los *sumos* sacerdotes y de los fariseos
y *entró* en el huerto con linternas, antorchas y armas.
Jesús, sabiendo *todo* lo que iba a suceder, se adelantó y les dijo:
"¿A *quién* buscan?"
Le contestaron: "A Jesús, *el nazareno*".
Les dijo Jesús: "*Yo* soy".
Estaba también con ellos Judas, *el traidor*.
Al decirles "*Yo soy*", retrocedieron y cayeron a tierra.
Jesús les *volvió* a preguntar: "¿A *quién* buscan?"
Ellos dijeron: "A Jesús, *el nazareno*".
Jesús *contestó*:
"Les he dicho que *soy yo*.
Si me buscan *a mí*, dejen que éstos se vayan".
Así se cumplió lo que Jesús había dicho:
'No he perdido a *ninguno* de los que me diste'.
Entonces *Simón Pedro*, que llevaba una espada,
la sacó e *hirió* a un criado del sumo sacerdote
y le *cortó* la oreja derecha.
Este criado se llamaba *Malco*.
Dijo entonces *Jesús* a Pedro:
"*Mete* la espada en la vaina.
¿*No voy* a beber el cáliz que me ha dado *mi Padre*?"
El batallón, su comandante y los criados de los judíos
apresaron a Jesús,
lo *ataron* y lo llevaron primero *ante Anás*,
porque era *suegro* de Caifás, *sumo sacerdote* aquel año.
Caifás era el que había dado a los judíos *este* consejo:
'*Conviene* que muera *un solo hombre* por el pueblo'.
Simón Pedro y otro discípulo *iban siguiendo* a Jesús.
Este discípulo era *conocido* del sumo sacerdote
y *entró* con Jesús en el palacio del sumo sacerdote,
mientras Pedro se quedaba *fuera*, junto a la puerta.
Salió el *otro* discípulo, el *conocido* del sumo sacerdote,
habló con la portera e *hizo entrar* a Pedro.
La portera dijo entonces a Pedro:

EVANGELIO Juan 18,1—19,42 LEU

Pasión de nuestro Señor Jesucristo según san Juan

ARRESTAN Y LLEVAN PRESO A JESÚS

En aquel tiempo *Jesús* pasó con sus discípulos al otro *lado del* estero de Cedrón. Ahí había un huerto donde *entró* con sus discípulos. Pero *también* Judas, el que lo *entregaba*, conocía este lugar, porque Jesús se había reunido *muchas* veces allí con sus discípulos. Llevó, pues, consigo *soldados* del batallón y policías mandados por los *jefes* de los sacerdotes y los fariseos y *llegó allí* con linternas, antorchas y armas.

Comienza la lectura de manera pausada. Aunque el Evangelio sea extenso, no te precipites ni aceleres el ritmo de la proclamación. Una recitación reposada penetrará mejor en la memoria de la asamblea.

Jesús *sabía* lo que le iba a pasar. Se *adelantó* y preguntó:
—¿A *quién* buscan?
[Contestaron:]
—A *Jesús* de Nazaret.
[Jesús dijo:]
—Yo soy.
(Judas, el *traidor*, estaba también en *medio* de ellos.)
Cuando Jesús dijo: "Yo soy", retrocedieron y *cayeron* al suelo.
Les preguntó de nuevo:
—¿A *quién* buscan?
[Dijeron:]
—A *Jesús* de Nazaret.
[Jesús les dijo:]
—Ya les he dicho que *soy* yo. Si me buscan a *mí*, dejen irse a *éstos*. Con lo que *cumplió* la palabra que él había dicho: "No he perdido a *ninguno* de los que tú me has dado".

Al leer este diálogo, enfatiza con determinación cada una de las intervenciones de Jesús. Aumenta paulatinamente el tono firme de sus respuestas.

Simón Pedro tenía una *espada*, la sacó e *hirió* a Malco, siervo del jefe de los sacerdotes, *cortándole* la oreja derecha.
Jesús dijo a Pedro:
—Coloca tu espada en su lugar, ¿acaso no *beberé* la copa que mi Padre me da a beber?

Refiere con detenimiento la acción desesperada de Pedro. Dale un tono severo a la reprensión hecha por Jesús.

NEGACIONES DE PEDRO; ANTE EL SUMO SACERDOTE

Entonces la tropa, con su jefe y los policías [enviados por los judíos,] se *apoderaron* de Jesús, le *amarraron* las manos y lo llevaron primero donde Anás, porque éste era *suegro* de Caifás, jefe de los sacerdotes; y Caifás es el que había *dicho* a los judíos: "Es *necesario* que muera un hombre *por* el pueblo". Simón Pedro y otro discípulo seguían a Jesús. Ese otro discípulo era *conocido* del jefe de los *sacerdotes* y por eso *entró* en el patio de la casa al *mismo* tiempo que Jesús. Pedro quedó *afuera*, junto a la puerta, hasta que el otro discípulo conocido del jefe de los sacerdotes salió y habló con la *portera*, que le dejó entrar. La portera dijo a Pedro:

Relata con transparencia y sin excesivo dramatismo el episodio de las negaciones de Pedro. Refiere los hechos como si estuvieras rememorando un suceso que pudiste contemplar.

la cara y se hace responsable de sus acciones, Pedro niega repetidas veces a su maestro y, ante la insistencia de los que lo interrogan, llega hasta molestarle que lo asocien con el galileo.

Un aspecto digno de notar es la reacción valerosa con la cual Jesús protesta por la violencia excesiva con que uno de los guardias lo abofetea. Jesús acepta la muerte en cruz porque interpreta que es el designio del Padre, y porque descubre que es un sufrimiento que generará vida y salvación para los demás. En cambio, no acepta la violencia arbitraria y estéril del guardia y nos enseña así a discernir cuáles sufrimientos se asemejan a la cruz y cuáles no.

JESÚS ANTE PILATO

Este episodio consta de dos escenas. La primera (versículos 28–32) trascurre entre Pilato y las autoridades judías que lo acusan; la segunda (versículos 33–38) involucra solamente a Jesús y Pilato. En la primera escena, el autor se burla irónicamente de los escrúpulos hipócritas de las autoridades judías; éstas tienen mucho cuidado de observar la pureza legal y no entran a la casa del gobernante romano para no contaminarse, pero se desinteresan de cumplir con el valor más importante, la justicia, y no vacilan en quitarle la vida a un inocente como Jesús.

En el interrogatorio ante Pilato, Jesús aprovecha las preguntas que le plantean para dar una lección acerca de la naturaleza diversa de su realeza. El Reino de Jesús no pertenece a éste mundo, no tanto porque esté desconectado de los asuntos cotidianos que afligen a los seres humanos sino porque funciona y se rige en base a criterios y valores diversos de los usados por los reyes terrenos. Es un Reino que no se impone por la fuerza o el poder militar sino por el libre acatamiento de cada uno de los que deciden creer en Jesús.

JESÚS CONDENADO A MUERTE

El narrador retrata con gran cuidado y finura a los distintos personajes que intervienen en este proceso. Destaca en primer

EVANGELIO continuación L M

"¿No eres *tú también* uno de los discípulos de *ese* hombre?"
Él le dijo: "*No* lo soy"
Los criados y los guardias habían *encendido* un brasero,
porque *hacía frío*, y se calentaban.
También Pedro estaba con ellos de pie, *calentándose*.
El sumo sacerdote *interrogó* a Jesús
acerca de sus discípulos y de *su doctrina*.
Jesús le contestó:
"Yo he hablado *abiertamente* al mundo
y he enseñado *continuamente* en la sinagoga y en el templo,
donde se reúnen *todos* los judíos,
y no he dicho nada a *escondidas*.
¿Por qué me interrogas *a mí*?
Interroga a los que me *han oído*, sobre lo que les *he hablado*.
Ellos *saben* lo que he dicho".
Apenas dijo esto, uno de los guardias
le dio una *bofetada* a Jesús, diciéndole:
"¿*Así* contestas al *sumo* sacerdote?"
Jesús le respondió:
"Si *he faltado* al hablar, *demuestra* en qué he fallado;
pero si he hablado *como se debe*, *¿por qué* me pegas?"
Entonces *Anás* lo envió atado a Caifás, el *sumo* sacerdote.
Simón Pedro estaba de pie, *calentándose*, y le dijeron:
"¿No eres *tú también* uno de sus discípulos?"
Él *lo negó* diciendo: "*No* lo soy".
Uno de los criados del *sumo* sacerdote,
pariente de aquel a quien Pedro le *había cortado* la oreja, le dijo:
"¿Qué no te vi yo con él en el huerto?"
Pedro *volvió* a negarlo y en seguida *cantó* un gallo.
Llevaron a Jesús de casa de Caifás *al pretorio*.
Era muy de mañana y ellos *no entraron* en el palacio
para *no incurrir* en impureza
y poder así *comer* la cena de Pascua.
Salió entonces Pilato a donde estaban ellos y les dijo:
"¿*De qué* acusan a ese hombre?"
Le contestaron: "Si *éste* no fuera *un malhechor*,
no te lo hubiéramos traído".
Pilato les dijo: " Pues *llévenselo* y júzguenlo *según su ley*".
Los *judíos* le respondieron:
"No estamos *autorizados* para dar muerte *a nadie*".
Así *se cumplió* lo que había dicho Jesús,
indicando *de qué muerte* iba a morir.

EVANGELIO continuación LEU

—A lo mejor tú *también* eres de los discípulos de ese hombre.
A lo que Pedro respondió:
—No, no lo soy.
Hacía frío. Los sirvientes y los guardias habían hecho una *fogata* y se calentaban. Pedro estaba junto a ellos, *calentándose* también. El jefe de los sacerdotes preguntó a Jesús acerca de sus discípulos y de su enseñanza. Jesús contestó:
—Yo he hablado *abiertamente* al mundo. He enseñado en la casa de oración y en el Templo en los lugares donde se reúnen todos los judíos. No he hablado *nada* en secreto. ¿Por qué me preguntas a *mí*? Pregúntales a los que me han escuchado: ellos *saben* lo que yo he enseñado.
Al oír esto, uno de los policías que estaba allí dio a Jesús una *bofetada* en la cara, diciendo:
—¿Es ésa la manera de contestar al jefe de los sacerdotes?
[Jesús contestó:]
—Si he hablado mal, *muéstrame* en qué, pero si he hablado bien, ¿por qué me pegas?
Anás lo envió atado donde Caifás, jefe de los sacerdotes.
Simón Pedro quedó calentándose en el patio. Le preguntaron:
—¿No eres tú también uno de sus *discípulos*?
[Contestó:]
—*No* lo soy.
Uno de los servidores del jefe de los sacerdotes, pariente del *hombre* al que Pedro le había cortado la oreja, le dijo:
—¿No te vi acaso con *él* en el huerto?
De nuevo *negó* Pedro y en seguida *cantó* el gallo.

ANTE PILATO

Amanecía. Llevaron a Jesús desde la casa de Caifás al *tribunal* del gobernador. Los judíos no entraron porque ese contacto con los paganos los hubiera hecho impuros, *impidiéndoles* celebrar la Pascua. Pilato entonces salió a ellos y les preguntó:
—¿De qué acusan a ese hombre?
[Le contestaron:]
—Si no fuera un *malhechor*, no lo habríamos traído ante ti.
[Pilato les dijo:]
—*Llévenselo* y júzguenlo según su ley.
[Los judíos contestaron:]
—No tenemos autorización para aplicar pena de *muerte*.
Con esto se *cumplía* la palabra que había dicho Jesús sobre la manera como iba a morir.

Haz una pausa antes de formular la pregunta del jefe de los sacerdotes. Da a la respuesta de Jesús un tono seguro, lleno de firmeza y tranquilidad.

La interrogación del policía suena como un reclamo servil de alguien que quiere congraciarse con su superior.

El interrogante del pariente de Malco suena enfático. Esta pregunta debe sonar como una acusación hecha por quien tiene las pruebas de lo que acusa.

Antes de iniciar el interrogatorio ante Pilato, se impone hacer una pausa más amplia para señalar el cambio de escenario y de tiempo. Las preguntas hechas por Pilato a los acusadores de Jesús suenan como las clásicas preguntas hechas por un juez que cumple su oficio imparcialmente.

Registra con calma la breve observación sobre el cumplimiento de las Escrituras.

Al recitar el diálogo entre Jesús y Pilato, proclama con distintos tonos cada una de las intervenciones. Pilato habla con un tono severo; Jesús le responde con toda seguridad, sin dejarse amedrentar por el gobernante romano.

lugar la actitud pusilánime y cobarde de Poncio Pilato quien, conociendo la inocencia de Jesús, cede ante las presiones y la astucia política de las autoridades judías. En segundo lugar, podemos mencionar la incoherencia de las autoridades judías que acusan a Jesús de blasfemo (19,7), cuando son ellos los que con tal de conseguir la sentencia de muerte contra Jesús, reniegan del señorío exclusivo de Dios ("Yo soy el Señor, tu Dios . . . No tendrás otros dioses rivales míos" [Éxodo 20,2–3]) para reconocer al César como su único rey y señor. Jesús pronuncia unas cuantas frases en las cuales manifiesta la dignidad y entereza con que enfrenta su enjuiciamiento, sin dejarse impresionar por los desplantes del gobernante romano ni por los alaridos de la multitud.

LA CRUCIFIXIÓN DE JESÚS

Dado que san Juan no registra entre los dichos de Jesús la invitación a cargar la cruz, no hace ninguna mención del Cireneo que, según los tres Evangelios sinópticos, ayudó a Jesús a cargar con el madero. En el Evangelio de Juan, es Jesús mismo quien sale cargando su cruz hacia el sitio donde sería ejecutado.

Como las ejecuciones en cruz realizadas por los romanos perseguían entre otras cosas, la finalidad de desalentar a los adversarios del poder romano de insubordinarse contra Roma, cuando los soldados le colocan al ajusticiado el letrero "rey de los judíos", estaban indicando por cuál delito condenaban a Jesús para que otros pretendientes a tal título mesiánico conocieran el desenlace que les esperaba.

No podemos dejar de mencionar la presencia de las tres mujeres y el discípulo amado junto a Jesús; simbolizan al resto fiel de Israel que reconoce a Jesús como su Señor. Tampoco se puede olvidar el brevísimo diálogo entre Jesús, el discípulo amado y su madre María. En él, Jesús encomienda a Juan y a los restantes discípulos que irán surgiendo al cuidado maternal de María, que podrá ser reconocida también como madre de la Iglesia.

EVANGELIO continuación LM

Entró otra vez Pilato en el pretorio, *llamó* a Jesús y le dijo:
"¿Eres tú *el rey* de los judíos?"
Jesús le contestó: "¿*Eso* lo preguntas *por tu cuenta*
o te lo han dicho otros?"
Pilato le respondió: ¿*Acaso* soy yo judío?
Tu pueblo y los sumos sacerdotes te han entregado *a mí*.
¿*Qué es* lo que has hecho?
Jesús le contestó:
"Mi Reino *no es* de este mundo.
Si mi Reino fuera *de este mundo*,
mis servidores habrían luchado
para que *no cayera* yo en manos de los judíos.
Pero mi Reino *no es* de aquí".
Pilato le dijo: "¿Conque *tú eres rey*?"
Jesús le contestó:
"*Tú* lo has dicho. *Soy rey*.
Yo nací y *vine* al mundo para ser *testigo* de la verdad.
Todo el que es de la verdad, *escucha* mi voz".
Pilato le dijo: "¿Y *qué es* la verdad?"
Dicho esto, salió *otra vez* a donde estaban los judíos y les dijo:
"No encuentro en él *ninguna* culpa.
Entre ustedes es *costumbre* que por Pascua
ponga en libertad a un preso.
¿*Quieren* que les suelte *al rey* de los judíos?"
Pero *todos ellos* gritaron: "¡*No, a ése no*! ¡A *Barrabás*!"
El tal Barrabás era *un bandido*.
Entonces Pilato tomó a Jesús y lo mandó *azotar*.
Los soldados *trenzaron* una corona de espinas,
se la pusieron *en la cabeza*,
le echaron encima un manto color púrpura,
y *acercándose* a él, le decían: "¡*Viva* el rey de los judíos!",
y le daban *bofetadas*.
Pilato salió *otra vez* afuera y les dijo:
"*Aquí* lo traigo para que sepan que *no encuentro* en él
ninguna culpa".
Salió, pues, Jesús llevando la *corona* de espinas
y el manto color púrpura.
Pilato les dijo: "*Aquí está* el hombre".
Cuando lo vieron los sumos sacerdotes
y sus servidores, *gritaron*:
"¡*Crucifícalo*, crucifícalo!"

EVANGELIO continuación L E U

Pilato volvió a entrar al tribunal, llamó a Jesús y le preguntó:
—¿Eres tú el *Rey* de los judíos?
[Jesús le contestó:]
—¿Viene de ti esta pregunta o repites lo que *otros* te han dicho de mí?
[Pilato contestó:]
—¿Acaso soy judío yo? Tu nación y los jefes de los sacerdotes te han *entregado* a mí. ¿Qué has hecho?
[Jesús contestó:]
—Mi *Reino* no es de este mundo; si fuera rey *como* los de este mundo, mis servidores habrían *luchado* para que no cayera en manos de los judíos. Pero mi Reino *no* es de acá.
[Pilato le preguntó:]
—Entonces, ¿tú eres *rey*?
[Jesús contestó:]
—*Tú* lo has dicho: Yo soy Rey. Para esto nací, para esto vine al mundo, para ser *testigo* de la verdad. Todo hombre que está de parte de la *verdad*, escucha mi voz.
[Pilato le dijo:]
—¿Qué es la *verdad*?
Y luego salió de nuevo donde estaban los judíos. Les dijo:
—No encuentro *ningún* motivo para condenar a este hombre. Como es costumbre, en la Pascua voy a dejar *libre* a un reo. ¿Quieren que les suelte al Rey de los judíos?
[Los judíos] se pusieron a gritar:
—A ése no. Suelta *mejor* a Barrabás.
Y Barrabás era un bandido.
Entonces Pilato ordenó que tomaran a Jesús y lo azotaran. Después, los soldados tejieron una *corona* de espinas, se la pusieron en la cabeza y le colgaron en los hombros una *capa* de color rojo *como* usan los reyes. Y se acercaban a él y le decían:
—¡Viva el rey de los judíos!
Y le daban *bofetadas*.

La intervención dirigida por Pilato a los judíos, en la cual les pregunta si están de acuerdo en que libere al rey de los judíos, refleja a un hombre aparentemente condescendiente y conciliador. Procura dar ese tono a sus palabras.

JESÚS, JUZGADO POR EL PODER POLÍTICO

Pilato volvió a salir, y les dijo:
—Miren, lo voy a traer de nuevo para que sepan que no encuentro *ninguna* causa para condenarlo.
Entonces salió Jesús afuera llevando la corona de espinas y el manto rojo. Pilato les dijo:
—*Aquí* está el hombre.
Al verlo, los jefes de los sacerdotes y los policías del *Templo* comenzaron a gritar:
—¡*Crucifícalo*! ¡*Crucifícalo*!

Esta declaración suena convencida. Pilato está persuadido de la inocencia de Jesús y así lo manifiesta a las autoridades judías.

Da los gritos del pueblo que pide la crucifixión de Jesús un tono cargado de ira y odio hacia Jesús.

MUERTE Y ENTIERRO DE JESÚS

El vaso de agua con vinagre dado a Jesús, lo mismo que la ruptura de las piernas hechas a los otros dos crucificados, eran los gestos mínimos de compasión otorgados a los ajusticiados. El primero servía para refrescarle, y el segundo para abreviar la tortura de la crucifixión. A Jesús no le rompen las piernas, sino que le traspasan el costado, brotando en seguida sangre y agua, acción que para el narrador es muy importante puesto que apela al testimonio de un testigo ocular a quien califica de fidedigno. La tradición de la Iglesia ha visto en estos elementos que brotan del costado de Jesús el símbolo de los sacramentos de la eucaristía y el bautismo.

En cuanto al entierro de Jesús, el narrador nos informa de la actitud decidida de dos personajes que tenían cierto nexo previo con Jesús: José de Arimatea y Nicodemo, quienes se arman de valor y solicitan del gobernante romano el permiso para darle sepultura, perfuman y amortajan su cuerpo, anticipándose así a venerar con el debido respeto la muerte de Jesús. Estos dos discípulos son presentados como figuras ejemplares que animan a los oyentes a definirse pública y abiertamente como seguidores de Jesús.

EVANGELIO continuación LM

Pilato les dijo: "*Llévenselo* ustedes y crucifíquenlo,
porque *yo no encuentro* culpa en él".
Los judíos le contestaron: "Nosotros tenemos *una ley*
y según esa ley *tiene que morir*,
porque se ha declarado *Hijo de Dios*".
Cuando Pilato oyó *estas palabras*, se asustó *aún más*,
y entrando *otra vez* en el pretorio, dijo a Jesús:
"¿De *dónde* eres tú?"
Pero Jesús *no* le respondió.
Pilato le dijo entonces: "¿*A mí* no me hablas?
¿No sabes que *tengo autoridad* para soltarte
y autoridad para *crucificarte*?"
Jesús le contestó: "No tendrías *ninguna* autoridad sobre mí,
si no te la hubieran dado *de lo alto*.
Por eso, el que me *ha entregado* a ti tiene un pecado *mayor*".
Desde ese momento, Pilato *trataba* de soltarlo,
pero los judíos *gritaban*:
"¡Si sueltas *a ése*, no eres amigo del César!"
Al oír *estas* palabras, Pilato *sacó* a Jesús y lo sentó en el tribunal,
en el sitio que llaman "*el Enlosado*" (en hebreo *Gábbata*).
Era el día de la preparación de la Pascua, hacia el mediodía.
Y dijo Pilato a los judíos: "Aquí tienen *a su rey*".
Ellos *gritaron*: "¡Fuera, fuera! ¡*Crucifícalo*!"
Pilato les dijo: "¿*A su rey* voy a crucificar?"
Contestaron *los sumos* sacerdotes:
"*No tenemos* más rey que el César".
Entonces se lo entregó para que *lo crucificaran*.
Tomaron a Jesús y él, *cargando* la cruz,
se dirigió hacia el sitio llamado "*la Calavera*"
(que en hebreo se dice *Gólgota*), donde *lo crucificaron*,
y con él a *otros* dos, uno de cada lado, y en medio *a Jesús*.
Pilato *mandó* escribir un letrero y ponerlo *encima* de la cruz;
en él estaba escrito: 'JESÚS *EL NAZARENO*, *EL REY* DE LOS JUDÍOS'.
Leyeron el letrero *muchos* judíos
porque estaba *cerca* el lugar donde crucificaron a Jesús
y estaba escrito *en hebreo, latín y griego*.
Entonces los *sumos* sacerdotes de los judíos le dijeron a Pilato:
"No escribas: '*El rey* de los judíos', sino: '*Éste ha dicho*:
Soy rey de los judíos'".
Pilato les contestó: "Lo escrito, *escrito está*".
Cuando crucificaron a Jesús, los soldados cogieron su ropa
e hicieron *cuatro partes*,
una para *cada* soldado, y apartaron la túnica.

EVANGELIO continuación LEU

[Pilato contestó:]
—Tómenlo ustedes y crucifíquenlo. Yo no encuentro *motivo* para *condenarlo*.
[Los judíos contestaron:]
—Nosotros tenemos una *Ley* y según esta Ley debe morir, porque se hizo pasar por *Hijo* de Dios.
Cuando Pilato escuchó esto, tuvo más *miedo*. Volvió al tribunal y preguntó a Jesús:
—¿De *dónde* eres tú?
Pero Jesús no le contestó palabra. [Por lo que Pilato le dijo:]
—¿No me contestas a mí? ¿No sabes que está en mi mano dejarte libre o mandarte crucificar?
[Jesús respondió:]
—Tú no tendrías *ningún* poder sobre mí, si no lo hubieras recibido de lo *Alto*.
Por eso, el que me entregó a ti tiene *mayor* pecado que tú. Desde este momento, Pilato buscaba la manera de *dejarlo* en libertad.
Pero [los judíos] comenzaron a gritar:
—Si lo dejas libre, no eres amigo del César; porque todo *el que se* proclama rey va *contra* el César.
Al oír esto Pilato hizo comparecer a Jesús ante el patio llamado del Empedrado (en hebreo Gabatá).
Era el día de la preparación de la Pascua, alrededor del mediodía.
Pilato dijo [a los judíos:]
—Ahí tienen a su *rey*.
[Ellos gritaron:]
—¡Fuera!, ¡*Crucifícalo*!
[Pilato les respondió:]
—¿Quieren que *crucifique* a su Rey?
Los jefes de los sacerdotes contestaron:
—No tenemos más rey que el *César*.
Entonces Pilato les *entregó* a Jesús para que fuera crucificado.

CRUCIFIXIÓN Y MUERTE

Ellos se *apoderaron* de Jesús; él mismo llevaba la cruz a *cuestas* y salió a un lugar llamado la Calavera, que en hebreo se dice *Gólgota*. Allí lo crucificaron, y con él a otros dos, uno a cada lado y en el medio a Jesús. Pilato *mandó* escribir un letrero y ponerlo sobre la cruz. Tenía escrito:
JESÚS DE NAZARET, REY DE LOS JUDÍOS.
Muchos [judíos] leyeron este letrero, pues el lugar donde Jesús fue crucificado estaba cerca de la ciudad, y el letrero estaba escrito en tres idiomas: en hebreo, en latín y en griego.

Proclama la acusación según la cual Jesús merece morir con un tono fuertemente acusador y reprobatorio.

El diálogo sostenido entre Jesús y Pilato debe retratar a un juez cada vez más inseguro de lo que hace, casi atemorizado, mientras que Jesús conserva siempre una actitud segura y decidida.

La frase blasfema de los judíos ("No tenemos más rey que el César") debe resonar de manera desafiante.

Recupera el tono de un narrador que refiere de manera escueta y desencarnada los trágicos eventos del ajusticiamiento de Jesús.

EVANGELIO continuación L M

Era una túnica *sin costura*,
tejida toda de una *sola* pieza de arriba a abajo.
Por eso se dijeron:
"No la rasguemos, sino *echemos* suerte para ver a *quién* le toca".
Así se *cumplió* lo que dice la Escritura:
Se *repartieron* mi ropa y *echaron a suerte* mi túnica.
Y eso hicieron los soldados.
Junto a la cruz de Jesús estaba *su madre*,
la hermana de su madre, María la de Cleofás,
y *María Magdalena*.
Al ver *a su madre* y junto a ella al discípulo que *tanto quería*,
Jesús dijo *a su madre*:
"Mujer, ahí está *tu hijo*".
Luego dijo al discípulo: "*Ahí está* tu madre".
Y *desde entonces* el discípulo se la llevó a vivir *con él*.
Después de esto, sabiendo Jesús que *todo* había llegado
a *su término*,
para que *se cumpliera* la Escritura, dijo: "*Tengo sed*".
Había allí un jarro lleno de vinagre.
Los soldados sujetaron una esponja *empapada* en vinagre
a una caña de hisopo
y se la acercaron a la boca.
Jesús *probó* el vinagre y dijo: "*Todo* está cumplido",
e, inclinando la cabeza, *entregó* el espíritu.

[*Todos se arrodillan y guardan silencio por unos instantes.*]

Entonces, los judíos,
como era el día de preparación *de la Pascua*,
para que los cuerpos de los ajusticiados
no se quedaran en la cruz el sábado,
era un día *muy* solemne,
pidieron a Pilato que les *quebraran* las piernas
y los quitaran *de la cruz*.
Fueron los soldados, le *quebraron* las piernas a uno y luego al otro
de los que habían sido crucificados *con él*.
Pero al llegar *a Jesús*, viendo que *ya había muerto*,
no le quebraron las piernas,
sino que uno de los soldados *le traspasó* el costado
con una lanza e inmediatamente salió *sangre y agua*.

EVANGELIO continuación LEU

Entonces, los jefes de los sacerdotes de los judíos
fueron a decir a Pilato:
—No pongas: "Rey de los judíos", sino "El que se dijo ser rey de los judíos".
Pilato contestó:
—Lo que he escrito, *está* escrito.
Cuando los soldados pusieron en la cruz a Jesús, se repartieron su ropa en cuatro partes iguales, una para cada soldado. Se apoderaron también de su túnica, que era sin costura, de una sola pieza. Se dijeron entre ellos:
—No la rompamos, más bien, *echémosla* a la suerte a ver de quién será.
Así se *cumplió* una profecía que dice: "Se repartieron mi ropa y sortearon mi túnica". Fue lo que hicieron los soldados.
Junto a la cruz de Jesús estaba su *madre* y la hermana de su madre, y también María, esposa de Cleofás, y María de Magdala.
Jesús, al ver a la Madre y junto a ella a su *discípulo* más querido, dijo a la Madre:
—*Mujer*, ahí tienes a *tu hijo*.
Después dijo al discípulo:
—Ahí tienes a tu *madre*.
Desde ese momento el discípulo se la *llevó* a su casa.
Después de eso, como Jesús sabía que ya *todo* se había cumplido, y para que se *cumpliera* la Escritura, dijo:
—Tengo sed.
Había allí un jarro lleno de vino agridulce. Pusieron en una *caña* una esponja llena de esta bebida y la acercaron a sus labios.
Cuando hubo probado el vino, Jesús dijo:
—*Todo* está cumplido.
Inclinó la cabeza y *entregó* su espíritu.

[*Pausa de rodillas.*]

TRASPASO DEL COSTADO; ENTIERRO

Era el día de *Preparación* a la Pascua. Los judíos no querían que los cuerpos quedaran en cruz durante el día siguiente, pues este sábado era un día muy *solemne*. Por eso, pidieron a Pilato que hiciera quebrar las piernas a los que estaban crucificados para después retirarlos.
Vinieron entonces los soldados y les quebraron las piernas al *primero* y al otro de los que habían sido crucificados con Jesús.
Al llegar a Jesús, vieron que ya *estaba* muerto. Así es que no le quebraron las piernas, sino que uno de los soldados le *abrió* el costado de una lanzada y al instante salió *sangre* y *agua*. El que

Haz esta observación con el tono de un testigo ocular que transmite informaciones que juzga necesarias para que el lector interprete correctamente el relato. Por fin, la última respuesta de Pilato suena como una respuesta definitiva ("Lo que he escrito, está escrito").

Haz una ligera pausa antes de narrar las acciones con las cuales los soldados se apoderan de las pertenencias de Jesús.

Se impone hacer otra vez una breve pausa antes de comenzar la escena gratificante en la cual Jesús dialoga con su madre y el discípulo amado. Da un tono cariñoso y preocupado a las palabras de Jesús.

Recita las dos últimas frases de Jesús con un tono desfalleciente y casi apagado.

Cuando refieras las informaciones relativas a la pascua, retoma el tono de un narrador bien informado de la situación, que comparte sus conocimientos con sus lectores.

Enfatiza la importancia del episodio de la lanzada. Remarca la aseveración sobre la calidad del testigo que reporta tales hechos.

EVANGELIO continuación L M

El que vio *da testimonio* de esto y su testimonio *es verdadero*
y él sabe que *dice la verdad*, para que también ustedes *crean*.
Esto sucedió para que *se cumpliera* lo que dice la Escritura:
'No le quebrarán *ningún* hueso';
y en *otro* lugar la Escritura dice: 'Mirarán *al que traspasaron*'.
Después de esto, *José de Arimatea*, que era *discípulo* de Jesús,
pero *oculto* por miedo a los judíos,
pidió a Pilato que lo dejara *llevarse* el cuerpo de Jesús.
Y Pilato lo *autorizó*.
Él fue entonces y *se llevó* el cuerpo.
Llegó también *Nicodemo*, el que había ido a verlo *de noche*,
y trajo unas *cien* libras de una mezcla de mirra y áloe.
Tomaron el cuerpo de Jesús
y *lo envolvieron* en lienzos con esos aromas,
según *se acostumbra* enterrar entre los judíos.
Había *un huerto* en el sitio donde lo crucificaron,
y en el huerto, un sepulcro *nuevo*,
donde *nadie* había sido enterrado *todavía*.
Y como para los judíos era el día de *la preparación* de la Pascua
y el sepulcro estaba *cerca*, *allí* pusieron a Jesús.

EVANGELIO continuación LEU

lo vio lo declara para ayudarles en su fe, y su testimonio es verdadero. El mismo sabe que dice la verdad.
Esto sucedió para que se *cumpliera* la Escritura que dice: "No le*quebrarán* ni un solo hueso", y en otra parte dice: "Contemplarán al que *traspasaron*". Después de esto, José, del pueblo de Arimatea, se presentó a Pilato. Era discípulo de Jesús, pero en *secreto*, por miedo [a los judíos]. Pidió a Pilato la autorización para retirar el cuerpo de Jesús y Pilato se la concedió. Vino y retiró el cuerpo de Jesús.

También vino *Nicodemo*, el que había ido de noche a ver a Jesús; trajo como cien libras de mirra perfumada y áloe. Envolvieron el cuerpo de Jesús con lienzos perfumados con esta mezcla de aromas, según la *costumbre* de enterrar de los judíos. Cerca del lugar donde crucificaron a Jesús había un huerto, y en el huerto, un sepulcro nuevo, donde *nadie* había sido enterrado. Aprovecharon entonces este sepulcro cercano para poner ahí el cuerpo de Jesús, porque estaban en la *Preparación* del sábado solemne.

Presenta con un aire satisfactorio y orgulloso las acciones valientes cumplidas por Nicodemo y José de Arimatea. Estás presentándolos como modelos de fidelidad a Jesús. Refiere cada uno de los detalles del entierro con calma y serenidad; no muestres prisa por concluir la lectura.

VIGILIA PASCUAL

I LECTURA La solemne liturgia de la Vigilia Pascual utiliza la luz como uno de los símbolos más importantes de dicha celebración. Le asigna una importancia decisiva al paso de la oscuridad a la luz, a la transición de la muerte a la vida. Atinadamente, la liturgia abre la proclamación de los textos más hermosos de la Sagrada Escritura con un texto referido a la luz: el primer relato de la creación, relato que precisamente comienza con la victoria obtenida por el poder creador de Dios sobre el tenebroso caos de la oscuridad total.

Este relato está ordenado progresivamente. Primero son creados los elementos que crean las condiciones necesarias para la vida (el tiempo, el espacio, la tierra, el mar, el agua); posteriormente las plantas, que servirán de único alimento a todos los vivientes; y finalmente los animales y el ser humano. Nótese que en este relato Dios no entrega otro alimento a los vivientes que la hierba verde. Detrás de este mandato existe la convicción de que toda vida es sagrada, de que el derramamiento de sangre de cualquier ser vivo es una deformación del mundo hermoso que Dios creó al inicio. Desde esta perspectiva, resulta incomprensible que las autoridades religiosas del tiempo de Jesús hayan quitado la vida al único verdaderamente inocente, a Jesús, el autor de la vida.

En el relato aparece la creación del ser humano como el momento culminante de la obra creadora de Dios. En efecto, la primera pareja aparece expresamente distinguida por el autor como el único ser creado a imagen y semejanza de Dios. El hombre y mujer son las únicas criaturas que pueden entablar un diálogo con su creador y Señor. Es por eso que Dios establece el reposo del sábado para que la persona abandone sus tareas cotidianas y lo consagre al encuentro con su Señor.

Con la Vigilia Pascual, estamos viviendo el verdadero y definitivo significado del

I LECTURA Génesis 1,1—2,2 LM

Lectura del libro de Génesis

En el principio *creó Dios* el cielo y la tierra.
La tierra era *soledad y caos*;
y las tinieblas *cubrían* la faz del abismo.
El *espíritu* de Dios *se movía* sobre la superficie de las aguas.
Dijo Dios: "Que *exista* la luz", y la luz *existió*.
Vio Dios que la luz *era buena*, y *separó* la luz de las tinieblas.
Llamó a la luz "*día*" y a las tinieblas, "*noche*".
Fue la tarde y la mañana del primer día.
Dijo Dios: "Que haya *una bóveda* entre las aguas,
que *separe* unas aguas de otras".
E *hizo* Dios una bóveda
y *separó* con ella las aguas de arriba, de las aguas *de abajo*.
Y *así* fue.
Llamó Dios a la bóveda "*cielo*".
Fue la tarde y la mañana del *segundo* día.
Dijo Dios:
"Que *se junten* las aguas de debajo del cielo en un *solo* lugar
y que *aparezca* el suelo seco". Y *así* fue.
Llamó Dios "*tierra*" al suelo seco y "*mar*" a la masa de las aguas.
Y *vio* Dios que *era bueno*.
Dijo Dios: "*Verdee* la tierra con plantas que den semilla
y *árboles* que den fruto y semilla,
según su especie, sobre la tierra". Y *así* fue.
Brotó de la tierra hierba *verde*, que producía *semilla*,
según su especie,
y *árboles* que daban fruto y *llevaban semilla*, según su especie.
Y *vio* Dios que *era bueno*. Fue la tarde y la mañana del *tercer* día.
Dijo Dios: "Que haya *lumbreras* en la bóveda del cielo,
que *separen* el día de la noche,
señalen las estaciones, los días y *los años*,
y *luzcan* en la bóveda del cielo para *iluminar* la tierra".
Y *así* fue.
Hizo Dios las *dos* grandes lumbreras:
la lumbrera *mayor* para regir *el día*
y *la menor*, para regir *la noche*;
y *también* hizo las estrellas.
Dios puso las lumbreras en la bóveda del cielo
para *iluminar* la tierra,
para *regir* el día y la noche, y *separar* la luz de las tinieblas.

I LECTURA Génesis 1,1—2,2 LEU

Lectura del libro de Génesis

Al principio Dios creó el cielo y la *tierra*.
La tierra estaba *desierta* y sin nada;
las tinieblas *cubrían* los *abismos*,
mientras el espíritu de *Dios* aleteaba
sobre la *superficie* de las aguas.
Dijo Dios: "Haya *luz*", y hubo luz.
Dios vio que la luz era *buena* y la separó de las *tinieblas*.
Dios llamó a la luz "*Día*" y a las tinieblas "*Noche*".
Y atardeció y amaneció el día *Primero*.
Dijo Dios: "Haya un *firmamento* en medio de las aguas
y que separe a unas aguas de otras".
Hizo Dios entonces el *firmamento* separando unas *aguas* de otras:
las que estaban *encima* del firmamento,
de las que estaban *debajo* de él.
Y *así* sucedió.
Y atardeció y amaneció el día *Segundo*.
Dijo Dios: "Júntense las *aguas* de debajo de los cielos
en un *solo* lugar y aparezca el suelo seco".
Dios llamó al suelo seco "Tierra" y a la masa de agua "Mares".
Y vio Dios que todo era bueno.
Dijo Dios: "Produzca la tierra pasto y hierbas que den semilla
y árboles frutales que den sobre la tierra fruto
con su semilla adentro".
Y así fue.
La tierra produjo pasto y hierbas que dan semillas
y árboles frutales que dan frutos con su semilla dentro
según la especie de cada uno.
Y vio Dios que esto era bueno.
Y atardeció y amaneció el día Tercero.
Dijo Dios: "Haya lámparas en el cielo
que separen el día de la noche.
Sirvan de signos para distinguir
tanto las estaciones como los días y los años.
Y que brillen en el firmamento para iluminar la tierra".
Y así fue.
Hizo, pues, Dios dos grandes lámparas,
una grande para presidir el día y otra más chica
para presidir la noche;
también hizo las estrellas.

Observa que este relato tiene varias fórmulas que se repiten al inicio y al final de cada día de la creación. Recítalas pausadamente, imprimiéndole cierto ritmo y separando adecuadamente cada uno de los días de la creación.

Inicia la proclamación como si fueras un testigo ocular.

Da un tono imperativo y cargado de fuerza a cada una de las órdenes con las cuales Dios crea a cada una de sus criaturas ("Haya luz", "Produzca la tierra pasto", etcétera). Resalta también la inmediata prontitud con que se verifican las órdenes divinas. De esa manera quedará destacada la fuerza de la palabra divina.

sábado. Jesús reposa momentáneamente en el sepulcro, y se le abren las puertas al descanso decisivo, que se inaugura con su existencia transfigurada a partir de su resurrección. En adelante quedarán abiertas las puertas para que hombres y mujeres puedan acceder no sólo al descanso verdadero, sino también al encuentro vivo y personal con el Padre, por medio de la presencia viva del Espíritu de Jesús resucitado que anima a sus discípulos.

Más aún, a partir de este triunfo pascual de Cristo, el mundo entero quedará de alguna manera revestido de su gloriosa resurrección y se encaminará a ser nuevamente la creación buena y perfecta que Dios creó en el principio (ver Génesis 1,31).

I LECTURA continuación L M

Y *vio* Dios que era *bueno*.
Fue la tarde y la mañana del *cuarto* día.
Dijo Dios: "*Agítense* las aguas con un *hervidero* de seres vivientes
y *revoloteen* sobre la tierra *las aves*, bajo la bóveda del cielo".
Creó Dios los *grandes animales marinos*
y los *vivientes* que en el agua *se deslizan y la pueblan*,
según su especie.
Creó también el mundo de *las aves*, según sus especies.
Vio Dios que era bueno *y los bendijo*, diciendo:
"*Sean* fecundos y *multiplíquense*; *llenen* las aguas del mar;
que las aves *se multipliquen* en la tierra".
Fue la tarde y la mañana del *quinto* día.
Dijo Dios: "*Produzca* la tierra vivientes, *según* sus especies:
animales *domésticos*, reptiles *y fieras*, según sus especies".
Y *así* fue.
Hizo Dios las fieras, los animales domésticos *y los reptiles*,
cada uno *según* su especie.
Y *vio* Dios que *era bueno*.
Dijo Dios: "*Hagamos* al hombre a *nuestra* imagen y *semejanza*;
que *domine* a los peces del mar, a *las aves* del cielo,
a los *animales domésticos*
y a *todo* animal que se arrastra sobre la tierra".
Y *creó* Dios al hombre *a su imagen*;
a imagen *suya* lo creó; *hombre y mujer* los creó.
Y los bendijo Dios y *les dijo*:
"*Sean fecundos* y multiplíquense, *llenen* la tierra y *sométanla*;
dominen a los peces del mar, a las aves del cielo
y *a todo ser viviente* que se mueve sobre la tierra".
Y *dijo* Dios:
"He aquí que *les entrego* todas las plantas de semilla
que hay sobre la faz de la tierra,
y todos los árboles que producen frutos y semilla,
para que les sirvan *de alimento*.
Y a *todas* las fieras de la tierra, *a todas* las aves del cielo,
a todos los reptiles de la tierra, a todos los seres que respiran,
también les doy por *alimento* las verdes plantas". Y *así* fue.
Vio Dios *todo* lo que había hecho y lo encontró *muy bueno*.
Fue la tarde y la mañana del *sexto* día.

I LECTURA continuación LEU

El Señor las colocó en lo alto de los cielos
para alumbrar la tierra,
para mandar al día y a la noche y separar la luz
de las tinieblas.
Y vio Dios que esto era bueno.
Y atardeció y amaneció el día Cuarto.
Dijo Dios: "Llénense las aguas de seres vivientes
y revoloteen aves sobre la tierra y bajo el firmamento".
Y creó Dios los grandes monstruos marinos
y todos los seres que viven en el agua y todas las aves.
Y vio Dios que estaba bien.
Los bendijo Dios, diciendo:
"Crezcan, multiplíquense y llenen las aguas del mar,
y multiplíquense asimismo las aves en la tierra".
Y atardeció y amaneció el día Quinto.
Dijo Dios: "Produzca la tierra animales vivientes,
de diferentes especies,
bestias, reptiles y animales salvajes".
Y así fue.
E hizo Dios las distintas clases de animales salvajes,
de bestias y de reptiles.
Y vio Dios que esto era bueno.
Dijo Dios: "Hagamos al hombre a nuestra imagen y semejanza.
Que mande a los peces del mar y a las aves del cielo,
a las bestias, a las fieras salvajes
y a los reptiles que se arrastran por el suelo".
Y creó Dios al hombre a su imagen.
A imagen de Dios lo creó.
Macho y hembra los creó.
Dios los bendijo, diciéndoles: "Sean fecundos y multiplíquense.
Llenen la tierra y sométanla.
Manden a los peces del mar, a las aves del cielo
y a cuanto animal viva en la tierra".
Dijo Dios: "Yo les entrego, para que ustedes se alimenten,
toda clase de hierbas, de semilla
y toda clase de árboles frutales.
A los animales salvajes, a las aves de los cielos
y a cuanto ser viviente se mueve en la tierra,
les doy para que coman pasto verde".
Y así fue.
Vio Dios que *todo* cuanto había era *muy* bueno.
Y atardeció y amaneció el día *Sexto*.

Con un tono cargado de solemnidad, pronuncia la frase con la cual Dios se decide a crear al ser humano ("Hagamos al hombre . . ."). Recita con un tono entusiasta y animoso cada una de los encargos dados por Dios a la primera pareja ("Sean fecundos", "Llenen la tierra", etcétera).

II LECTURA **Esta narración recoge el momento más duro y difícil en la vida del patriarca Abraham, quien, luego de vivir muchos en Jarán, había sido llamado e invitado por Dios a ponerse en movimiento, a desarraigarse de su tierra y su familia, para caminar en pos de una triple promesa que Dios le concedería (tierra, descendencia y bendición). Habiendo vivido sin descendencia durante casi toda su vida, Abraham recibe en plena vejez el hijo que Dios le había prometido. Este hijo único recibe el nombre de Isaac.**

Una vez que el muchacho había crecido y que era el orgullo y la satisfacción de su padre, Dios se lo reclama para que se lo ofrezca en sacrificio. El patriarca no opone resistencia alguna a los exigentes y extraños reclamos divinos, ni tampoco le cuestiona acerca de cómo se realizaría la promesa de la descendencia si moría su hijo Isaac. Abraham "deja a Dios ser Dios" y se pone en camino para acatar fielmente las exigencias divinas.

Este relato cumple, como otros episodios transcendentales del Antiguo Testamento, una función profética, puesto que prefigura el sacrificio efectivamente cumplido en la persona de Jesús, entregado por su Padre Dios, para salvación de nosotros.

I LECTURA continuación LM

Así quedaron concluidos el cielo y la tierra
con *todos* sus ornamentos, y *terminada* su obra,
descansó Dios el *séptimo* día
de todo cuanto había hecho.

II LECTURA Génesis 22,1–18 LM

Lectura del libro del Génesis

En *aquel* tiempo, Dios le puso *una prueba* a Abraham y le dijo:
"¡*Abraham*, Abraham!"
Él respondió: "*Aquí estoy*".
Y Dios le dijo:
"*Toma* a tu hijo único, *Isaac*, a quien *tanto* amas;
vete a la región de Moria
y ofrécemelo *en sacrificio*, en el monte que *yo te indicaré*".
Abraham *madrugó*, *aparejó* su burro,
tomó consigo a dos de sus criados y a *su hijo Isaac*;
cortó leña para el sacrificio
y *se encaminó* al lugar que Dios le *había indicado*.
Al *tercer día* divisó a lo lejos el lugar.
Les dijo entonces a sus criados:
"*Quédense aquí* con el burro;
yo iré con el muchacho *hasta allá*,
para *adorar* a Dios y después regresaremos".
Abraham *tomó* la leña para el sacrificio,
se *la cargó* a su hijo Isaac
y *tomó* en su mano el fuego y el cuchillo.
Los dos caminaban *juntos*.
Isaac dijo a su padre Abraham: "¡*Padre*!"
Él respondió: "¿Qué quieres, *hijo*?"
El muchacho contestó:
"Ya tenemos *fuego y leña*, pero,
¿*dónde está* el cordero para el *sacrificio*?"
Abraham le contestó:
"*Dios* nos dará el cordero para el sacrificio, *hijo mío*".
Y *siguieron* caminando juntos.
Cuando llegaron al sitio que Dios le *había señalado*,
Abraham *levantó* un altar y *acomodó* la leña.
Luego *ató* a su hijo Isaac, lo puso sobre el altar, *encima* de la leña,
y tomó el cuchillo para *degollarlo*.

I LECTURA continuación L E U

Así fueron hechos el cielo y la *tierra*
y *todo* lo que hay en ellos.
Dios terminó su trabajo el *Séptimo* día
y descansó en *este* día de *todo* lo que había hecho.

Concluye la proclamación con tono satisfecho. Destaca el carácter bueno y perfecto de la creación que Dios acaba de concluir.

II LECTURA Génesis 22,1–18 L E U

Lectura del libro del Génesis

En aquellos días, Dios quiso *probar* a Abraham
y lo llamó: "*Abraham*".
Este respondió: "*Aquí* estoy", y Dios le dijo:
"Toma a tu hijo, al *único* que tienes y al que amas, Isaac,
y anda a la región de Moriah.
Allí me lo *sacrificarás* en un cerro que yo te indicaré".
Se levantó Abraham de madrugada, ensilló su *burro*
y tomó a dos muchachos para que lo acompañaran
y a su hijo Isaac.
Partió la leña para el *sacrificio*
y se puso en *marcha* hacia el lugar que Dios
le había indicado.
Al tercer día levantó la vista y vio el lugar desde lejos.
Entonces dijo a los muchachos:
"*Quédense* aquí con el burro, mientras yo y el niño subimos.
Vamos a *adorar* allá arriba y luego volveremos
donde están ustedes".
Abraham tomó la leña para el sacrificio
y la cargó sobre su hijo Isaac.
Tomó en su mano el brasero y el *cuchillo*
y en seguida partieron los dos.
Entonces Isaac dijo a Abraham: "Padre mío".
El respondió: "¿Qué hay, hijito?"
"Llevamos —dijo Isaac— el fuego y la leña,
pero, ¿dónde está el *cordero* para el sacrificio?"
Abraham respondió: "Dios *pondrá* el cordero, hijo mío".
Y continuaron juntos el camino.
Llegaron al lugar que Dios les había dicho
y Abraham levantó un altar.
Preparó *la leña*
y ató a su hijo Isaac, poniéndolo en el altar,
sobre la leña.
Estiró luego la mano y Abraham tomó el cuchillo
para *degollarlo*.

Introduce este corto diálogo inicial con la frescura que referirías una conversación recién sucedida.

Recita con voz firme y exigente cada una de las órdenes dadas por Dios a Abraham.

Refiere sin vacilar y con prontitud la rapidez con que Abraham ejecuta el mandato divino.

Recita con mucha ternura el diálogo entre Abraham y el pequeño Isaac. Da un tono de gran confianza a la respuesta dada por el patriarca.

II LECTURA continuación LM

Pero el *ángel* del Señor lo *llamó* desde el cielo y le dijo:
"¡*Abraham, Abraham*!" Él contestó: "*Aquí estoy*".
El ángel le dijo: "*No* descargues la mano contra tu hijo,
ni le hagas daño.
Ya veo que *temes a Dios*, porque *no le has negado* a tu hijo *único*".
Abraham *levantó* los ojos y vio un carnero,
enredado por los cuernos en la maleza.
Atrapó el carnero y lo ofreció en sacrificio, *en lugar* de su hijo.
Abraham puso por nombre a aquel sitio "*el Señor provee*",
por lo que *aun* el día de hoy se dice:
"el monte donde e*l Señor provee*".
El ángel del Señor *volvió* a llamar a Abraham
desde el cielo y le dijo:
"Juro *por mí mismo*, dice el Señor,
que por haber hecho *esto*
y no haberme negado *a tu hijo único*,
yo te *bendeciré*
y *multiplicaré* tu descendencia como *las estrellas* del cielo
y l*as arenas* del mar.
Tus descendientes *conquistarán* las ciudades enemigas.
En *tu descendencia* serán bendecidos
todos los pueblos de la tierra,
porque *obedeciste* a mis palabras".

III LECTURA Éxodo14,15—15,1 LM

Lectura del libro del Éxodo

En *aquellos* días, dijo el Señor *a Moisés*:
"¿Por qué sigues clamando *a mí*?
Diles a los israelitas que *se pongan en marcha*.
Y tú, *alza* tu bastón, *extiende* tu mano sobre el mar y *divídelo*,
para que los israelitas *entren* en el mar *sin mojarse*.
Yo voy a *endurecer* el corazón de los egipcios
para que *los persigan*,
y me *cubriré* de gloria
a *expensas* del faraón y de *todo* su ejército,
de *sus carros y jinetes*.
Cuando me haya *cubierto de gloria*
a *expensas* del faraón, de sus carros y jinetes,
los egipcios sabrán *que yo soy el Señor*".
El *ángel* del Señor, que iba *al frente* de las huestes de Israel,
se *colocó* tras ellas.

III LECTURA En el contexto inmediatamente anterior al relato que vas a proclamar, Israel está siendo perseguido por los ejércitos del faraón, y al saberse perseguido de inmediato levanta su protesta contra Moisés, diciendo que prefieren retornar a Egipto y seguir siendo esclavos, que terminar muertos en el desierto. Moisés trata de calmar al pueblo, asegurándoles la victoria que el Señor va a conseguir sobre sus perseguidores.

El relato que hoy escuchamos comienza con un reclamo, hecho por Dios a Moisés, que parece fuera de lugar, puesto que en los versículos anteriores Moisés no ha lanzado ningún grito contra Dios. Es solamente el pueblo quien grita contra Moisés. Lo más importante del relato es el paso del mar. Con este evento fundacional, Dios obtiene una sonora y contundente victoria, haciendo cruzar a su pueblo por en medio del mar, y ahogando enseguida a los ejércitos del faraón. El simbolismo que conviene resaltar a propósito de la celebración pascual es que este evento se verifica durante la noche, y que aparecen varios elementos fácilmente asociables con la vigilia pascual, como son el agua, el viento y el fuego, por medio de los cuales Dios consigue la victoria y hace pasar a su pueblo de la esclavitud y la muerte hacia la vida y la libertad.

Dios vence a Egipto y convence al pueblo de su poder. Con esta victoria, obtiene de nuevo la confianza y el respeto de Israel. Con esta acción portentosa, Dios puede presentarse con toda justicia, como el Señor de Israel, pues ha sido él y nadie más quien le ha conseguido su libertad. Porque Dios es el único Señor de su pueblo, puede reclamarle fidelidad y obediencia totales.

II LECTURA continuación LEU

Entonces el Ángel de Dios lo *llamó* desde el *cielo*
y le dijo: "Abraham, Abraham".
Y él contestó: "Aquí estoy".
"*No* toques al niño, ni le hagas *nada*.
Pues ahora veo que *temes* a Dios,
ya que *no* me negaste a tu hijo, el *único* que tienes".
Abraham levantó *los ojos*
y vio un carnero que tenía los cuernos enredados en el zarzal.
Fue a buscarlo y lo *sacrificó* en lugar de su hijo.
Abraham llamó a aquel lugar "El Señor Provee".
Volvió a llamar el Ángel de Dios a Abraham desde el cielo
y le dijo:
"*Juro* por mí mismo que, ya que has hecho *esto*
y no me has negado a tu hijo, el *único* que tienes,
te *colmaré* de *bendiciones*
y *multiplicaré* tanto tus descendientes
que serán como las *estrellas* del *cielo*
y como la *arena* que hay a la orilla del mar.
Conquistarán las tierras de sus enemigos.
Porque *obedeciste* a mi voz, yo *bendeciré*,
por medio de tus descendientes,
a *todos* los pueblos de la tierra".

La voz del ángel ha de sonar tajante e imperiosa, de manera que mantenga inmóvil el brazo del patriarca.

Recita con mucho optimismo y entusiasmo la reafirmación de las promesas hechas por Dios a Abraham.

III LECTURA Éxodo14,15—15,1 LEU

Lectura del libro del Éxodo

En aquellos días, el Señor *dijo* a Moisés:
"¿Por qué *clamas* a mí?
Di a los hijos de Israel que se pongan en *marcha*.
Levanta tu bastón, extiende tu mano sobre el mar y divídelo,
para que los hijos de Israel pasen en seco
por medio del mar.
Yo, mientras tanto, *endureceré* el corazón de los *egipcios*
para que salgan en *persecución* de ustedes,
y me haré *famoso* a costa de Faraón y de *todo* su ejército,
de sus carros y de su caballería.
Entonces Egipto *conocerá* que Yo soy el Señor".
El Ángel de Dios que iba delante de los israelitas
pasó *detrás* de ellos,

Inicia esta lectura transmitiendo con aire severo las palabras de Dios dirigidas a Moisés. Narra con voz segura y entusiasta los hechos que Dios está a punto de cumplir.

Refiere con voz maravillada cada uno de los eventos aquí contados. Enfatiza los verbos que describen acciones cumplidas por Dios o por el ángel de Dios.

III LECTURA continuación L M

Y la *columna de nubes* que iba *adelante*,
también *se desplazó* y se puso *a sus espaldas*,
entre el campamento de los israelitas
y el campamento de los egipcios.
La nube era tinieblas para unos y *claridad* para otros,
y *así* los ejércitos *no trabaron contacto* durante *toda* la noche.
Moisés *extendió* la mano sobre el mar,
y el Señor *hizo soplar* durante *toda la noche*
un fuerte viento del este,
que *secó* el mar, y *dividió* las aguas.
Los israelitas *entraron* en el mar y *no se mojaban*,
mientras las aguas formaban *una muralla*
a su derecha y a su izquierda.
Los egipcios *se lanzaron* en su persecución
y *toda* la caballería del faraón, sus carros y jinetes,
entraron tras ellos en el mar.
Hacia *el amanecer*,
el *Señor* miró desde la columna de fuego y humo
al ejército *de los egipcios*
y *sembró* entre ellos el pánico.
Trabó las ruedas de sus carros,
de suerte que no avanzaban sino pesadamente.
Dijeron entonces *los egipcios*:
"*Huyamos* de Israel, porque el Señor lucha
en su favor *contra Egipto*".
Entonces *el Señor* le dijo a Moisés:
"*Extiende* tu mano sobre el mar,
para *que vuelvan* las aguas sobre los egipcios,
sus carros y sus jinetes".
Y *extendió* Moisés su mano *sobre el mar*,
y al amanecer, las aguas *volvieron* a su sitio,
de suerte que *al huir*, los egipcios se encontraron *con ellas*,
y el Señor *los derribó* en medio del mar.
Volvieron las aguas y *cubrieron* los carros,
a los jinetes y *a todo* el ejército del faraón,
que se había metido en el mar para *perseguir* a Israel.
Ni uno solo se salvó.
Pero los hijos de Israel caminaban *por lo seco* en medio del mar.
Las aguas *les hacían muralla* a derecha e izquierda.
Aquel día salvó el Señor a Israel de las manos de Egipto.
Israel vio a los egipcios, *muertos en la orilla del mar*.

III LECTURA continuación LEU

la nube en forma de columna vino a colocarse *detrás*,
poniéndose entre el campo de los israelitas
y el de los egipcios.
La nube era para unos *tinieblas* y para otros *iluminaba* la noche.
Ella impidió que los ejércitos tuvieran *contacto*.
Moisés *extendió* su mano sobre el mar.
El Señor hizo *soplar* durante toda la noche
un fuerte viento del Oriente
que *secó* el mar.
Se *dividieron* las aguas.
Los israelitas pasaron en seco, por *medio* del mar;
las aguas les hacían de murallas a izquierda y a derecha.
Los egipcios se lanzaron a *perseguirlos*,
y *todo* el ejército de Faraón entró en medio *del mar*
con sus carros y caballos.
Llegada la madrugada, el Señor *miró* a los egipcios
desde el fuego y *la nube*,
y provocó el *desorden* en el ejército de Faraón.
Atascó las ruedas de sus *carros*,
que no podían avanzar sino con *gran* dificultad.
Entonces los egipcios dijeron:
"*Huyamos* de Israel, porque el Señor pelea con ellos
contra nosotros".
Pero el Señor dijo a Moisés:
"Extiende tu mano sobre el mar,
y las aguas *volverán* sobre los egipcios, sus carros
y sus caballos".
Moisés extendió su mano sobre el mar
y, al amanecer, las aguas del mar *volvieron* a su lugar.
Así, cuando los egipcios *trataron* de *huir*,
las aguas *les salieron* al encuentro.
El Señor *arrojó* a los egipcios en medio del mar.
Las aguas *cubrieron* los carros y su gente,
los caballos y el ejército de Faraón.
No se *escapó* ni uno solo.
Los israelitas, en cambio, habían pasado en *medio* del mar;
las *aguas* les hacían de murallas a derecha e izquierda.
Aquel día, el Señor *liberó* a Israel del poder de los egipcios;
e Israel *vio* a los egipcios muertos en la orilla del mar.
Israel *vio* los *prodigios* que el Señor había obrado contra Egipto.
El pueblo *temió* al Señor.

Con un tono de orgullo y satisfacción, refiere la gran victoria obtenida por Dios contra los ejércitos egipcios. Dale a la narración el dinamismo y la vivacidad que tiene. Recita la "confesión creyente" que hacen los egipcios con gran sonoridad.

Con voz pausada, como pensando en voz alta, recita las conclusiones finales expuestas por el narrador.

III LECTURA continuación L M

Israel *vio la mano fuerte del Señor* sobre los egipcios,
y el pueblo *temió* al Señor y *creyó en el Señor y en Moisés*,
su siervo.
Entonces *Moisés* y los hijos de Israel
cantaron *este cántico* al Señor:

[*El lector no dice "Palabra de Dios" y el salmista de inmediato canta el salmo responsorial.*]

IV LECTURA Isaías 54,5–14 L M

Lectura del libro del profeta Isaías

"El que *te creó*, te tomará *por esposa*;
su nombre es '*Señor* de los ejércitos'.
Tu redentor es el *Santo* de Israel;
será llamado 'Dios *de toda* la tierra'.
Como a una mujer *abandonada y abatida*
te vuelve a llamar el Señor.
¿*Acaso* repudia uno a la esposa *de la juventud*?, dice tu Dios.
Por un instante *te abandoné*,
pero con *inmensa* misericordia *te volveré* a tomar.
En un *arrebato* de ira *te oculté* un instante mi rostro,
pero con *amor eterno* me he apiadado *de ti*,
dice el Señor, *tu redentor*.
Me pasa *ahora* como en los días de Noé:
entonces *juré* que las aguas del diluvio
no volverían a cubrir la tierra;
ahora *juro* no enojarme ya *contra ti* ni volver a amenazarte.
Podrán *desaparecer* los montes *y hundirse* las colinas,
pero mi amor por ti *no desaparecerá*
y mi alianza de paz quedará firme *para siempre*.
Lo dice el Señor, el que se apiada *de ti*.
Tú, la afligida, la zarandeada *por la tempestad*, la *no consolada*:
He aquí que *yo mismo* coloco tus piedras sobre piedras finas,
tus cimientos sobre *zafiros*;
te pondré *almenas* de rubí y puertas de esmeralda
y *murallas* de piedras preciosas.
Todos tus hijos serán *discípulos* del Señor,
y *será grande* su prosperidad.
Serás consolidada *en la justicia*.
Destierra la angustia, pues ya *nada* tienes que temer;
olvida tu miedo, porque ya no se acercará *a ti*".

IV LECTURA **El poeta que canta este oráculo de salvación es un discípulo del profeta Isaías. Este discípulo tiene una gran sensibilidad para comunicar de manera hermosa y fiel la palabra del Señor. En esta ocasión, aparece como el portavoz de Dios. En su nombre personifica al marido que con un apasionado discurso busca reconquistar a la esposa que un tiempo atrás había repudiado.**

Ateniéndonos a la clásica imagen matrimonial usada en la tradición profética, Dios es visto como el esposo engañado por la infidelidad idolátrica de su esposa, mientras que el pueblo de Israel encarna a la mujer repudiada que es echada de casa, y que es despedida y enviada al exilio, quedando abandonada y sin hijos. Una vez que habían transcurrido varias décadas desde que había tenido lugar la marcha forzada de los hijos de Israel a Babilonia, el marido se ha serenado y ha aplacado ya su ira. Más aún, ha olvidado la traición de la esposa y está dispuesto a amarla nuevamente con el mismo amor eterno con el cual siempre la ha distinguido.

La paz y la tranquilidad de que disfrutará nuevamente Jerusalén serán simultáneamente don y conquista. Por un lado, serán regalos ofrecidos por Dios a su esposa; por otro lado, Israel tendrá que mantenerse dócil a la instrucción del Señor y perseverar en la justicia. Son las dos dimensiones inseparables de la salvación: el llamado de Dios y la respuesta creyente de su pueblo, la gracia divina y la naturaleza humana actuando de conformidad.

III LECTURA continuación L E U

Creyó en el Señor y en Moisés, su siervo.
Entonces Moisés y los hijos de Israel
cantaron este cántico al Señor:

[*El lector no dice "Palabra de Dios" y el salmista de inmediato canta el salmo responsorial.*]

IV LECTURA Isaías 54,5–14 L E U

Lectura del libro del profeta Isaías

Tu *creador* va a ser tu esposo.
El Señor de los *ejércitos* es su nombre.
Te liberará el *Santo* de Israel,
quien se llama *Dios* de toda la tierra.
Sí, el Señor te *llama* como a la esposa *abandonada*,
que se encuentra *afligida*.
¿Se puede rechazar la *esposa* que uno toma siendo *joven*?
Así habla tu Dios:
Te había abandonado un *momento*,
pero con *inmensa* piedad voy a *reunir* a tus hijos.
En un *arrebato* de ira, por unos instantes, no te mostré mi *cara*,
mas con *amor* que dura para siempre, me he *apiadado* de ti.
Así dice el Señor, que te *salva*:
Voy a hacer como en los días de *Noé*,
cuando *juré* que las aguas *no* inundarían más la tierra.
Así, juro yo no *enojarme* más contigo,
ni *amenazarte* nunca más.
Los cerros podrán *correrse* y *moverse* las lomas;
mas yo no retiraré mi *amor*, ni se romperá mi alianza
de *paz* contigo;
lo afirma el *Señor*, que se *compadece* de ti.
¡Pobrecilla, *azotada* por la tempestad y *sin* consuelo!
Yo asentaré tus muros sobre piedras *preciosas*,
y serán tus cimientos de *zafiro*.
Haré tus murallas de *rubíes*, tus puertas de *cristal*,
y *todo* tu contorno de piedras *preciosas*.
Todos tus hijos serán *instruidos* por el Señor,
y grande será la *felicidad* de tus hijos.
Te mantendrás *firme* por la justicia,
y no tendrás que *temer* la opresión;
el terror no se te *acercará*.

La voz del profeta está cargada de amor y ternura. El marido busca hacer olvidar a la esposa los agravios justamente infringidos por él en el pasado. Procura por tanto impregnar tu lectura de esos sentimientos.

Da un tono compasivo y cariñoso a esta reflexión hecha por Dios acerca del severo comportamiento que había mostrado hacia su esposa. Enfatiza especialmente el juramento que Dios le hace de no volver a enojarse con su amada.

Al describir la fabulosa reconstrucción de la ciudad de Jerusalén, dale un tono maravillado y grandioso a tu voz. Hazlo con la certidumbre de saber que es el Dios todopoderoso quien está haciendo estas promesas.

V LECTURA Isaías 55,1–11 LM

V LECTURA Estos versículos constituyen el último capítulo de la sección asignada por los estudiosos a la obra del llamado "Segundo Isaías". Este oráculo es una invitación abierta hecha por el profeta, en nombre de Dios, para que el pueblo que padece el infortunio del destierro se acerque confiadamente a él. La invitación va dirigida a un pueblo sediento, hambriento y cansado para que participe en un banquete donde se servirán platillos sustanciales y sabrosos, donde se ofrecerá el vino y la leche gratuitamente.

La única condición para participar de ese banquete es volver al Señor y hacer caso a su voluntad soberana (versículos 2–3). En adelante, el pueblo tendrá que acatar el proyecto de Dios y no sus propios proyectos (versículo 9). El plan divino es muy sencillo. Dios dirigirá su palabra e instruirá a su pueblo, y éste tendrá que acoger dócilmente sus enseñanzas, como la tierra sedienta acoge el agua y se empapa de la lluvia fecunda. No olvidemos que este profeta anónimo que llamamos "Segundo Isaías" es el profeta que con mayor dedicación y esmero meditó en el poder y la eficacia extraordinarias de la palabra del Señor.

De hecho, la sección final de este oráculo de salvación es un cántico optimista y animoso sobre la potencialidad de la palabra santa. El cántico no se reduce a un exceso retórico del poeta, sino que es un reconocimiento exacto de los cambios transcendentales que han ido verificándose en la historia, cuando el pueblo ha decidido acoger con apertura la palabra de su Dios y Señor. Estas características notables de la Palabra de Dios no han quedado nulificadas con el paso de los siglos, sino que continúan desplegando su dinamismo dondequiera que son acogidas como lo que son—palabras de vida y salvación.

Lectura del libro del profeta Isaías

Esto dice el Señor:
"*Todos* ustedes, los que tienen sed, *vengan* por agua;
y los que no tienen dinero, *vengan*, tomen trigo y *coman*;
tomen vino y leche *sin pagar*.
¿*Por qué* gastar el dinero en lo que *no es pan*
y el salario, en lo que no alimenta?
Escúchenme atentos y comerán bien,
saborearán platillos sustanciosos.
Préstenme atención, *vengan* a mí, escúchenme y *vivirán*.
Sellaré con ustedes una alianza *perpetua*,
cumpliré las promesas que hice a David.
Como a él lo puse *por testigo* ante los pueblos,
como *príncipe* y soberano de las naciones,
así tú *reunirás* a un pueblo *desconocido*,
y las naciones que *no te conocían*
acudirán *a ti*, por amor del Señor, tu Dios,
por el Santo de Israel, que *te ha honrado*.
Busquen al Señor mientras lo pueden encontrar,
invóquenlo mientras está cerca;
que el malvado *abandone* su camino, y el criminal, sus planes;
que *regrese* al Señor, *y él* tendrá piedad;
a nuestro Dios, que es *rico* en perdón.
Mis pensamientos *no son* los pensamientos de ustedes,
sus caminos *no son* mis caminos.
Porque *así* como aventajan los cielos a la tierra,
así aventajan mis caminos *a los de ustedes*
y mis pensamientos *a sus pensamientos*.
Como *bajan* del cielo la lluvia y la nieve y *no vuelven allá*,
sino *después* de empapar la tierra, *de fecundarla*
y hacerla germinar,
a fin de que dé semilla para sembrar y pan *para comer*,
así será la palabra que sale de mi boca:
no volverá a mí sin resultado,
sino que *hará* mi voluntad y *cumplirá* su misión".

V LECTURA Isaías 55,1–11 LEU

Lectura del libro del profeta Isaías

Esto dice el Señor:
A ver ustedes, que andan con *sed*, ¡*vengan* a tomar agua!
No importa que estén sin plata, *vengan* no más.
Pidan *trigo* para el consumo,
y también *vino* y leche, sin pagar.
¿Para qué van a *gastar* su dinero en lo que no es pan
y su *salario* en cosas que no alimentan?
Si ustedes me hacen caso, *comerán cosas ricas*
y su paladar *se deleitará* con comidas exquisitas.
Atiéndanme y acérquense a mí,
escúchenme y su alma vivirá.
Voy a hacer con ustedes un *trato* que nunca se *acabará*,
en *consideración* a lo que le había prometido a David.
Mira, lo había nombrado mi *delegado* para varios pueblos
y como *líder* y orientador de naciones.
Pero tú ahora vas a *llamar* a una nación que no conocías,
y esos desconocidos llegarán a *correr* por verte.
Esto será nada más que por *el Señor*, tu Dios,
el Santo de Israel, que te dio este puesto *importante*.
Busquen al Señor, ahora que lo *pueden* encontrar,
llámenlo, ahora que está cerca.
Que el malvado deje su *mala* conducta
y el criminal sus proyectos.
Vuélvase al Señor, que tendrá *piedad* de él,
a nuestro Dios, que está *siempre* dispuesto a perdonar.
Pues sus proyectos no son los *míos*
y mis *caminos* no son los mismos de ustedes, dice el Señor.
Así como el cielo está muy alto por encima de la tierra,
así también mis caminos se *elevan* por encima de sus caminos,
y mis proyectos son muy *superiores* a los de ustedes.
Como baja la lluvia y la nieve de los cielos
y no vuelven allá sin haber *empapado* y *fecundado* la tierra
y haberla hecho *germinar*,
dando la simiente para *sembrar* y el pan para *comer*,
así será la *palabra* que salga de mi boca.
No volverá a mí sin haber hecho lo que yo *quería*,
y haber llevado a cabo su *misión*.

Al formular esta invitación abierta, dirígete directamente a la asamblea de manera que ellos también se sientan incluidos en la invitación.

Da a tus palabras un tono condicionado. Estás ofreciendo dones magníficos, y solamente exiges ser escuchado y tomado en cuenta.

Al hacer las exhortaciones que Dios dirige a su pueblo (busquen, vuélvase), usa un tono persuasivo. Procura convencer a tus oyentes para que hagan caso a tus palabras.

Al leer estas comparaciones, da a tus palabras un tono firme y seguro. Estás hablando con mucha convicción de la extraordinaria fuerza de la palabra de Dios. Recita estos versos finales como un elogio sincero de la potencia de la santa palabra.

VI LECTURA El profeta Baruc se ubica imaginariamente de frente al pueblo que padece el destierro en Babilonia. Les dirige una serie de preguntas claras y directas que él mismo les va respondiendo con tono de un maestro que repasa la lección a sus discípulos. El objetivo buscado por el profeta es hacerles caer en la cuenta de que la única explicación de todas sus desgracias radica en la elección equivocada que asumieron: abandonaron a Dios, fuente de sabiduría, y se obstinaron en cumplir su propia voluntad.

Para Baruc, sin embargo, continúa habiendo una esperanza, y ésta consiste en buscar de nuevo la sabiduría, y como él lo explica, la sabiduría divina no está en un sitio lejano, sino que está al alcance de la mano, registrada en cada uno de los mandatos divinos revelados por Dios a Israel. Israel volverá a ser un pueblo sabio cuando acate y cumpla fielmente lo que agrada a su Dios.

El profeta concluye su elogio de la sabiduría felicitando al pueblo de Israel por la condición privilegiada en que Dios los ha puesto, al revelarles cuáles son los caminos que le son gratos. El pueblo no tendrá que ceder a las presiones culturales del momento ni dejarse deslumbrar por la supuesta superioridad de las ofertas de sabiduría que los griegos propagaban. Si el pueblo se mantiene fiel a sus auténticas tradiciones, logrará mantenerse vivo y unido. Los pueblos que hoy experimentan la seducción de asimilar acríticamente la cultura de las naciones poderosas harían bien en reflexionar en la experiencia descrita por este profeta, y mantenerse vinculados a sus legítimas tradiciones originales.

VI LECTURA Baruc 3,9–15.32—4,4 LM

Lectura del libro del profeta Baruc

Escucha, Israel, los mandatos de vida,
presta oído para que adquieras *prudencia*.
¿A *qué* se debe, Israel, que estés aún *en país enemigo*,
que *envejezcas* en tierra extranjera,
que te hayas *contaminado* por el trato con los muertos,
que *te veas contado* entre los que descienden *al abismo*?
Es que *abandonaste* la fuente de la sabiduría.
Si *hubieras seguido* los senderos de Dios,
habitarías en paz *eternamente*.
Aprende *dónde están* la prudencia, la inteligencia *y la energía*,
así aprenderás *dónde* se encuentra el secreto de vivir *larga vida*,
y *dónde* la luz de los ojos *y la paz*.
¿*Quién* es el que *halló* el lugar de la sabiduría
y tuvo *acceso* a sus tesoros?
El que *todo* lo sabe, la conoce;
con su inteligencia la ha *escudriñado*.
El que *cimentó* la tierra para *todos* los tiempos,
y la *pobló* de animales cuadrúpedos;
el que *envía* la luz, y ella *va*,
la llama, y *temblorosa* le obedece;
llama a los astros, que brillan *jubilosos*
en sus puestos de guardia,
y ellos le responden:
"*Aquí estamos*", y refulgen *gozosos* para aquel que los hizo.
Él es nuestro Dios y *no hay otro* como él;
él ha *escudriñado* los caminos de la sabiduría
y se la dio a su hijo Jacob, a Israel, su *predilecto*.
Después de esto, ella *apareció* en el mundo
y *convivió* con los hombres.
La *sabiduría* es el libro de los mandatos de Dios,
la ley de validez *eterna*;
los que la guardan, *vivirán*,
los que la abandonan, *morirán*.
Vuélvete a ella, Jacob, y *abrázala*;
camina hacia la *claridad* de su luz;
no entregues *a otros* tu gloria,
ni tu dignidad a un pueblo *extranjero*.
Bienaventurados *nosotros*, Israel,
porque lo que agrada al Señor nos *ha sido revelado*.

VI LECTURA Baruc 3,9–15.32—4,4 LEU

Lectura del libro del profeta Baruc

Escucha, Israel, los *mandatos* de la vida,
pon *atención* y *conoce* la Sabiduría.
Israel, ¿por qué te encuentras en *tierra* de *enemigos*
y *envejeces* en un país extraño,
donde te *manchas* con hombres *impuros*,
como se mancha uno *tocando* cadáveres?
¿Acaso *dejaste* la fuente de la Sabiduría?
Si hubieras seguido lo que Dios te *ordenó*,
habrías *vivido* en paz eternamente.
Aprende dónde está la prudencia, la fuerza y la *inteligencia*,
para que *tengas* larga vida, días alegres y paz.
¿En qué lugar *hallarás* la Sabiduría?
¿Cómo *entrarás* en la bodega de sus tesoros?
La conoce el que *todo* lo sabe,
la *descubrió* con su inteligencia
el que *arregló* la tierra para *siempre*,
y la *llenó* de animales.
El que *envía* la luz, y la luz llega,
el que la *llama* y vuelve temblorosa;
brillan los astros en su puesto de guardia *llenos* de alegría.
Los llama él y responden: "¡*Aquí* estamos!"
y brillan *alegres* para su Creador.
Éste es *nuestro* Dios,
ningún otro se puede *comparar* a él.
El conoció *todos* los caminos de *la ciencia*
y se la dio a su servidor Jacob,
a los hijos de Israel, sus *predilectos*.
Después se apareció *la Sabiduría* en *la tierra*
y vino a *convivir* con los hombres.
Ella *misma* es el libro de los mandamientos,
y la Ley de Dios que *permanece* para siempre.
Todos los que la conservan *alcanzarán* la vida;
pero los que la abandonan, *morirán*.
Vuelve, Jacob, y *abrázala*,
camina hacia la claridad de su luz, nación *privilegiada*.
No cambies por la de otro pueblo la *Sabiduría* que sólo tú tienes.
¡*Felices* somos, Israel,
pues nos ha sido *revelado* lo que *gusta* al Señor!

Utiliza un tono convincente para captar la atención de un pueblo que vive distraído y ensimismado en sus problemas.

Formula con mucho detenimiento y precisión cada una de las preguntas. Recuérdales tú mismo las respuestas, que tus oyentes ya conocían y que parecen haber olvidado.

Al identificar la sabiduría con los mandamientos, procura darle un tono seguro a lo que dices. Siéntete parte de ese pueblo que se sentía preferido de Dios.

Recita estas invitaciones finales con voz urgente y decidida. Contempla de frente a tus oyentes y anímales a permanecer fieles a su Dios y a sus raíces culturales.

VII LECTURA El capítulo 36 se encuentra en la sección de oráculos de esperanza reunidos en Ezequiel 33—48, como todo oráculo de restauración tiene la mirada puesta en un futuro pleno de esperanza. La acción principal que Dios promete realizar es la transformación interior del corazón de Israel. Sólo con este cambio radical será posible que el pueblo cumpla los mandamientos y sea fiel a la alianza sellada con su Dios (verso 28).

Esta nueva alianza será precedida por la repatriación de los desterrados que volverán a Judá, provenientes del destierro que habían sufrido en Tel Aviv (ver Ezequiel 3,15) y en otros sitios. Con esta otra acción salvadora, Dios pretende recuperar su honra y su gloria que habían sido profanadas y desacreditadas delante de los pueblos vecinos. No es que Dios esté condicionado por la opinión o imagen que de él tengan las naciones paganas, sino que si Dios no consigue manifestarse a través de sus acciones como alguien poderoso, capaz de darle paz y prosperidad a su pueblo, aparecerá ante las naciones como un refugio vano, y un auxilio incierto para sus aliados, como un Dios impotente que no socorre a los que acuden a él.

La resurrección de Jesús es la mayor acción con la cual Dios acredita su fama y su nombre. Jesús, que confió y se abandonó a él entregándose a la muerte, recibió la respuesta patente de la resurrección. De ese modo, Dios ha santificado y engrandecido de manera excelsa su nombre ante los pueblos.

VII LECTURA Ezequiel 36,16–28 LM

Lectura del libro del profeta Ezequiel

En aquel tiempo,
me fue dirigida la palabra del Señor en *estos términos*:
"*Hijo* de hombre, cuando los de la casa de Israel
habitaban en *su tierra*,
la *mancharon* con su conducta y con sus obras;
como *inmundicia* fue su proceder ante mis ojos.
Entonces *descargué* mi furor contra ellos,
por la sangre que habían *derramado* en el país
y por haberlo *profanado* con sus idolatrías.
Los *dispersé* entre las naciones
y anduvieron *errantes* por *todas* las tierras.
Los juzgué *según* su conducta, según sus acciones *los sentencié*.
Y en las naciones a las que se fueron,
desacreditaron mi santo nombre,
haciendo que de ellos *se dijera*:
'Éste es el pueblo del Señor, y ha *tenido que salir* de su tierra'.
Pero, por mi *santo* nombre,
que la casa de Israel *profanó* entre las naciones a donde llegó,
me *he compadecido*.
Por eso, *dile* a la casa de Israel:
'*Esto* dice el Señor: no lo hago *por ustedes*, casa de Israel.
Yo mismo mostraré la santidad de mi nombre excelso,
que ustedes *profanaron* entre las naciones.
Entonces ellas *reconocerán* que yo soy el Señor,
cuando, por medio de ustedes *les haga ver* mi santidad.
Los *sacaré* a ustedes de entre las naciones,
los reuniré de *todos* los países y los *llevaré* a su tierra.
Los rociaré con agua pura y *quedarán* purificados;
los purificaré *de todas* sus inmundicias e idolatrías.
Les daré un corazón *nuevo* y *les infundiré* un espíritu nuevo;
arrancaré de ustedes el corazón *de piedra*
y les daré un corazón *de carne*.
Les infundiré *mi espíritu*
y los haré vivir *según* mis preceptos
y *guardar y cumplir* mis mandamientos.
Habitarán en la tierra que di *a sus padres*;
ustedes serán mi pueblo *y yo seré su Dios*'".

VII LECTURA Ezequiel 36,16–17a.18–28 LEU

Lectura del libro del profeta Ezequiel

Me vino esta Palabra del Señor:
"*Hijo* de hombre, los hijos de Israel habitaron en su *tierra*
y la *infestaron* con sus acciones y sus costumbres.
Y *descargué* sobre ellos mi indignación,
en *castigo* de la sangre que derramaron sobre *la tierra*
que *mancharon* con sus ídolos,
y los *dispersé* entre las naciones
y fueron *arrojados* aquí y allá a *todos* los vientos:
los juzgué de acuerdo a sus *obras* y su conducta.
Llegados a las naciones donde estuvieron,
fueron una causa de *desprecio* para mí,
ya que decían de ellos: 'Éste es el *pueblo* del *Señor*
y, sin embargo, tuvieron que *salirse* de la tierra de él'.
Pero yo *cuidaré* el honor de mi *nombre*,
que ha sido *deshonrado* por la gente de Israel
entre las naciones en que habitaba".
Dice el Señor: "No hago esto por tenerles *lástima* a ustedes,
sino para *salvar* el honor de mi *nombre*,
que a causa de ustedes ha sido *despreciado*
en *todas* las naciones donde han llegado.
Yo ahora *santificaré* mi gran Nombre que ustedes han *profanado*.
Estas naciones *sabrán* que yo soy el *Señor*,
cuando *manifieste* mi poder, *salvándolos* a ustedes.
Los *recogeré* de todos los países, los *reuniré*
y los *conduciré* a su tierra.
Derramaré sobre ustedes agua purificadora
y quedarán purificados.
Los purificaré de *toda* mancha y de todos sus ídolos.
Les daré un *corazón nuevo*,
y *pondré* dentro de ustedes un espíritu *nuevo*.
Les *quitaré* del cuerpo el corazón *de piedra*
y les pondré un *corazón* de carne.
Infundiré mi espíritu en *ustedes*
para que vivan según mis mandatos y *respeten* mis órdenes.
Habitarán en la tierra que yo *di* a sus padres.
Ustedes serán para mí un *pueblo* y a mí me tendrán
por su *Dios*".

Refiere las primeras palabras de Dios con un tono acusador, que luego se convierte en una revisión pormenorizada de las desgracias ocurridas a Israel. Proclámalas pausadamente reflejando el pesar que Dios siente por el sufrimiento que su pueblo padeció.

Cambia el tono al empezar a anunciar las acciones que Dios cumplirá en el futuro. Proyecta una actitud de firme y renovada esperanza. Pronuncia con calma los versos donde se describe la transformación interior que Dios realizará en el corazón de su pueblo.

Proclama con más fuerza la promesa que Dios les hace de darles un nuevo corazón y un nuevo espíritu.

La última frase es una fórmula de alianza. Recítala pausadamente con toda la solemnidad que amerita ("Ustedes serán . . .").

EPÍSTOLA En esta decena de versículos, san Pablo presenta elocuentemente la nueva condición que empezamos a vivir los cristianos a partir del bautismo. Los bautizados nos unimos con la muerte y resurrección de Cristo, muriendo también así nosotros al pecado, para renacer a la vida nueva para Dios.

San Pablo no está haciendo solamente una fría exposición doctrinal acerca de las consecuencias del bautismo en la vida del creyente. Además de exponer la transcendencia del sacramento, urge, amonesta y exhorta con insistencia a los cristianos de Roma y a los creyentes de hoy a vivir la vida nueva según el Espíritu de Jesucristo. En concreto, la invitación más reiterada es a morir al pecado y a liberarse de esa fuerza esclavizadora (versos 6 y 11), para vivir como personas libres, reconociendo a Dios como único Señor y a su hijo Jesucristo como único Salvador.

Esta profunda reflexión hecha por el apóstol Pablo es una oportunidad de revalorar el significado profundo y permanente que nos ofrece la recepción del bautismo. Los que ahora lo reciben y los que ya hemos sido bautizados lo hemos de revalorar por igual.

EVANGELIO En este capítulo, Mateo nos relata los eventos sorprendentes que marcaron el recomienzo de la reorganización del grupo de los discípulos en torno de Jesús resucitado.

Las mujeres que habían acompañado a Jesús ofreciendo sus servicios y su generoso seguimiento, las mismas mujeres que se habían mantenido junto a él en el trance doloroso de la crucifixión, son las que se encaminan presurosas al sepulcro de Jesús. Apenas concluido el reposo sabático se disponen a buscar al Señor entre los muertos, ellas pensaban concluir con el cuerpo de Jesús los últimos gestos de cariño y reverencia. Es por eso que compran aromas y se encaminan al sepulcro, pensando en darle a Jesús lo último que puede recibir: una honrosa sepultura. También para sus

EPÍSTOLA Romanos 6,3–11 LM

Lectura de la carta del apóstol san Pablo a los romanos

Hermanos:
Todos los que hemos sido *incorporados* a Cristo Jesús
por medio *del bautismo,*
hemos sido incorporados a su muerte.
En efecto, por el bautismo fuimos *sepultados con él* en su muerte,
para que, así como Cristo *resucitó* de entre los muertos
por *la gloria* del Padre,
así también nosotros llevemos una vida nueva.
Porque, si hemos estado *íntimamente* unidos a él
por una muerte *semejante* a la suya,
también lo estaremos en su resurrección.
Sabemos que nuestro viejo yo fue *crucificado* con Cristo,
para que el cuerpo del pecado quedara *destruido,*
a fin de que ya *no sirvamos* al pecado,
pues el que ha muerto *queda libre* del pecado.
Por lo tanto, si hemos muerto *con Cristo,*
estamos *seguros* de que también *viviremos* con él;
pues *sabemos* que Cristo,
una vez *resucitado* de entre los muertos, ya *nunca* morirá.
La muerte ya *no tiene* dominio sobre él,
porque al morir, murió al pecado de una vez *para siempre*;
y al resucitar, vive ahora *para Dios.*
Lo mismo *ustedes,* considérense *muertos* al pecado
y vivos para Dios en Cristo Jesús, *Señor nuestro.*

EVANGELIO Mateo 28,1–10 LM

Lectura del santo Evangelio según san Mateo

Transcurrido *el sábado,* al amanecer del *primer día* de la semana,
María Magdalena y la otra María fueron a ver el sepulcro.
De pronto se produjo un *gran temblor,*
porque el *ángel* del Señor *bajó* del cielo
y acercándose al sepulcro,
hizo rodar la piedra que lo tapaba y se sentó *encima* de ella.
Su rostro *brillaba* como el relámpago
y sus vestiduras eran blancas *como la nieve.*

EPÍSTOLA Romanos 6,3–11 LEU

Lectura de la carta del apóstol san Pablo a los romanos

Los que fuimos *sumergidos* por el bautismo en Cristo Jesús,
fuimos sumergidos con él para *participar* de su muerte.
Pues al ser *bautizados* fuimos *sepultados* junto con *Cristo*
para *compartir* su muerte,
a fin de que, al *igual* que Cristo,
quien fue *resucitado* de entre los muertos
por la *gloria* del Padre,
también nosotros *caminemos* en una vida nueva.
Hemos sido *injertados* en él en una muerte como la suya
pero también *participaremos* de su resurrección.
Comprendan bien esto:
con Cristo fue *crucificado* algo de nosotros, el hombre *viejo*,
a fin de que fuera *destruido*
lo que de nuestro cuerpo estaba *esclavizado al* pecado
y de esta manera nunca más seamos *esclavos* del pecado.
Pues el que ha muerto ha quedado definitivamente
libre del pecado.
Por lo tanto, si hemos *muerto* con Cristo,
creemos también que *viviremos* con él,
sabiendo que Cristo, una vez *resucitado* de entre los muertos,
ya no muere *más*:
la *muerte* ya no tiene dominio sobre él.
La muerte de Cristo fue un *morir* al pecado,
y un *morir* para siempre;
su *vida* ahora es un vivir para Dios.
Así *también* ustedes considérense como *muertos*
para el pecado
y vivan *para* Dios en *Cristo* Jesús.

Refiere estas palabras del apóstol con el tono de un misionero que recuerda a sus discípulos los compromisos recientemente adquiridos.

Expón cada uno de estos argumentos con detenimiento, sin prisas, para que los participantes en la liturgia logren asimilar tan profunda reflexión.

Estás concluyendo tu argumentación. Dale énfasis y contundencia a tu voz y procura persuadir y animar a los creyentes a decidirse a vivir según el Espíritu de Cristo resucitado.

EVANGELIO Mateo 28,1–10 LEU

Lectura del santo Evangelio según san Mateo

Pasado el *sábado*, al despertar el alba del *primer*
día de la semana,
fueron *María Magdalena* y la otra *María* a visitar el sepulcro.
De repente se produjo un *gran* temblor:
el *Ángel* del Señor *bajó* del cielo y, llegando al sepulcro,
hizo *rodar* la piedra que lo tapaba y se sentó *encima*.
Su aspecto era como el *relámpago* y sus ropas *blancas*
como la nieve.

Relata estos eventos con la seguridad de haber participado de esos sorprendentes acontecimientos que cambiaron el rumbo de la historia humana.

Describe pausadamente los sucesos con los cuales se presenta la presentación del ángel del Señor. Destaca suficientemente la reacción de grandísimo asombro y pánico con que se sorprenden los guardias.

amigos parece cerrado para siempre el destino de Jesús.

Las mujeres no se dan cuenta de que en el transcurso de la noche todo ha cambiado. Los alrededores de Jerusalén parecen idénticos, pero el relato de la tumba vacía quiere cerciorarnos de una gran ausencia. Jesús *ya no está* encerrado en la entraña de la roca—ha desaparecido. Como servidoras de los muertos, las mujeres ya no tienen nada que hacer. Es a Jesús viviente a quien servirán como mensajeras. Las mujeres y no los varones, que huyeron de Jerusalén (ver Mateo 26,56) y probablemente se dirigieron inmediatamente hacia Galilea, serán buenas mensajeras de su muerte y resurrección, porque sólo ellas permanecieron fieles a Jesús hasta el final. Por eso, ahora tendrán que poner sus palabras, sus recuerdos y valentía al servicio del resucitado.

Este gozoso relato pascual es también una llamada de atención a todos, y muy especialmente a los que desempeñan ministerios de conducción dentro de la comunidad eclesial, a revalorar más firme y decididamente el valor y el lugar de las mujeres en la vida ministerial de la Iglesia de hoy.

La reconstitución del grupo de los discípulos tendrá lugar, como lo ha prometido el Señor a las mujeres, en el mismo lugar donde los había llamado por vez primera. Ellos y ellas se reencontrarán con él en Galilea para recomenzar la tarea que habían dejado interrumpida: anunciar la buena noticia de la llegada del Reino, verificado con plenitud en la resurrección de Jesús.

EVANGELIO continuación LM

Los guardias, *atemorizados* ante él, se pusieron a *temblar*
y se quedaron *como muertos*.
El ángel se dirigió a las mujeres y les dijo:
"*No teman*. Ya sé que buscan a Jesús, el crucificado.
No está aquí;
ha resucitado, como lo había dicho.
Vengan a ver el lugar donde lo habían puesto.
Y *ahora*, vayan *de prisa* a decir a sus discípulos:
'*Ha resucitado* de entre los muertos
e irá delante de ustedes *a Galilea*; *allá* lo verán'. Eso es todo".
Ellas se alejaron *a toda prisa* del sepulcro,
y *llenas* de temor y de *gran alegría*,
corrieron a dar la noticia a los discípulos.
Pero de repente *Jesús* les salió al encuentro y *las saludó*.
Ellas se le acercaron, le *abrazaron* los pies y *lo adoraron*.
Entonces les dijo Jesús: "*No tengan miedo*.
Vayan a decir a mis hermanos que se dirijan *a Galilea*.
Allá me verán".

EVANGELIO continuación LEU

Al verlo, los guardias *temblaron* de miedo y quedaron
como *muertos*.
El Ángel dijo a las *mujeres*:
"Ustedes, *no teman*, porque yo sé que *buscan*
a Jesús crucificado.
No está aquí.
Ha resucitado tal como lo había *anunciado*.
Vengan a ver el lugar donde lo habían puesto.
Y ahora *vayan* pronto a decir a sus *discípulos*
que ha *resucitado* de entre los muertos
y que ya se les *adelanta* camino de Galilea; allí lo *verán*.
Esto es lo que yo tenía que decirles".
Ellas salieron al *instante* del sepulcro con temor,
pero con una alegría *inmensa* a la vez,
y *corriendo* fueron a dar la noticia a los *discípulos*.
En eso, Jesús les salió al *encuentro* y les dijo:
"*Paz* a ustedes".
Las mujeres se acercaron, se *abrazaron* a sus pies y lo *adoraron*.
Jesús les dijo en *seguida*: "No teman;
vayan a *anunciarlo* a mis *hermanos*
para que se hagan presentes en *Galilea*
y *allí* me verán".

Las palabras del ángel han de ser resaltadas y pronunciadas con gran determinación y seguridad. Ese mensajero celeste está anunciando eventos nunca antes ocurridos.

Da un tono de urgencia a las palabras con las cuales el ángel comunica el encargo a las mujeres.

Proclama el episodio final con más fuerza. Es el momento culminante del relato.

DOMINGO DE PASCUA

I LECTURA El discurso kerigmático que Pedro proclama en Cesarea en la casa de Cornelio es confirmado por la venida del Espíritu Santo sobre los ahí reunidos. Este evento, que ha sido llamado el "Pentecostés de los gentiles", está equiparando a los convertidos que provienen del mundo pagano, con los cristianos de origen judío que también habían vivido el "Pentecostés de Israel". En el mismo contexto, del encuentro de Pedro con los simpatizantes del mensaje cristiano, congregados bajo la hospitalidad del capitán romano en Cesarea, tiene lugar el reajuste mental donde el primero de los apóstoles llega a la conclusión de que Dios acoge por igual a hombres y mujeres de toda raza y condición.

Como es costumbre en todos los discursos proclamados por los discípulos de Jesús en el libro de los Hechos de los Apóstoles, también en esta proclama Pedro se ajusta a la estructura presente en dichos discursos. En primer lugar, encontramos la introducción (10,34–37) donde el autor se atrae la benevolencia de los presentes al afirmar la condición de plena igualdad entre judíos y gentiles. Enseguida viene el cuerpo del discurso, donde Pedro proclama el hecho fundamental de la muerte y resurrección de Cristo, para apelar de inmediato al testimonio profético y avalar la oferta de salvación que Dios extiende a quienes creen en él. Finalmente, con la venida del Espíritu Santo se verifica la convalidación de todo cuanto acaba de anunciar el apóstol.

II LECTURA A partir de Colosenses 2,20 y hasta 3,17 el autor de la carta se ocupa de exponer el tema de la muerte y el renacimiento espiritual por el cual los bautizados se han asociado con Cristo. La frase condicional "si han resucitado con Cristo", con que Pablo interpela a sus lectores, es una manera indirecta de urgirles a que rindan los frutos de justicia

I LECTURA Hechos 10,34.37–43 LM

Lectura del libro de los Hechos de los Apóstoles

En *aquellos* días, Pedro *tomó* la palabra y dijo:
"*Ya saben* ustedes lo sucedido en *toda* Judea,
que tuvo principio *en Galilea*,
después del bautismo predicado por Juan:
cómo Dios *ungió* con el *poder* del Espíritu Santo
a *Jesús de Nazaret*
y cómo *éste* pasó *haciendo el bien*,
sanando a todos los oprimidos por el diablo,
porque Dios *estaba con él*.
Nosotros *somos testigos* de cuanto él hizo en Judea
y en Jerusalén.
Lo mataron *colgándolo* de la cruz,
pero Dios *lo resucitó* al tercer día y concedió verlo,
no a todo el pueblo,
sino *únicamente* a los testigos que él,
de antemano, *había escogido*:
a *nosotros*, que hemos *comido y bebido* con él
después de que *resucitó* de entre los muertos.
Él nos *mandó* predicar al pueblo
y *dar testimonio* de que Dios lo ha constituido
juez *de vivos y muertos*.
El *testimonio* de los profetas es *unánime*:
que cuantos *creen* en él
reciben, por su medio, el *perdón* de los pecados".

I LECTURA Hechos 10,34a.37–43 L E U

Lectura del libro de los Hechos de los Apóstoles

En aquellos días, Pedro tomó la palabra y dijo:
"Hermanos, ustedes *saben* lo sucedido en toda Judea,
comenzando por *Galilea,*
después que Juan *predicó* el bautismo:
Cómo Dios *consagró* a Jesús de Nazaret con el *Espíritu Santo,*
comunicándole su poder.
Éste pasó *haciendo el bien*
y *sanando a* cuantos estaban dominados por el diablo,
porque Dios *estaba* con él.
Nosotros somos *testigos* de todo lo que hizo
en la provincia de los judíos
e incluso en Jerusalén.
Al final ellos lo mataron *colgándolo* de un madero.
Pero Dios lo *resucitó* al tercer día
y le concedió que se dejara ver no por todo el pueblo,
sino por *los testigos* que Dios había escogido de antemano,
a nosotros, que *comimos* y bebimos *con él*
después que *resucitó* de entre los muertos.
Y nos mandó a *predicar* al pueblo
y a dar *testimonio* de que él fue puesto por Dios
como *juez* de vivos y muertos.
A él se refieren *todos* los *profetas,*
al decir que quien *cree* en él recibe por su *nombre*
el *perdón* de los pecados".

Recita esta exhortación inicial con voz afectuosa que denote el gesto fraternal con el cual el apóstol se dirige a la asamblea. Refiere cada uno de los sucesos históricos vividos por Jesús con voz satisfecha y emocionada.

Haz una pausa antes de destacar el anuncio básico de la muerte y resurrección de Cristo. Presenta con gran dignidad el testimonio colegial de la resurrección que ofrece Pedro a los presentes.

Recalca la determinación con que Pedro ha comprendido su misión de ser testigo del resucitado.

Concluye la lectura señalando con plena seguridad la identidad entre Jesús resucitado y las predicciones contenidas en los profetas.

y santidad que corresponden a su nueva condición de renacidos en Cristo.

Las oposiciones básicas que estructuran esta exposición contrastan lo celeste y lo terreno, lo bajo y lo alto, y ubican a Jesús en la esfera superior y terrena, mientras que coloca las conductas inmorales practicadas por los colosenses en el pasado (ver Colosenses 3,5–8) entre las realidades bajas y terrenas que el bautizado no debe seguir practicando.

Después de enunciar este principio fundamental del nuevo nacimiento, el autor extraerá enseguida las consecuencias prácticas que derivan de su condición de elegidos y consagrados por Dios.

II LECTURA **En ocasión del conflicto que se generó en la comunidad cristiana de Corinto cuando un hermano vivía una relación incestuosa con su madrasta, el apóstol Pablo ventila abiertamente el asunto en esta carta, porque considera que ese mal podía cundir en la comunidad y degradar sus relaciones internas. San Pablo reacciona con gran energía para denunciar la falta y excluir de la comunidad a ese sujeto; al hacerlo, apela a la clásica tradición pascual de eliminar toda la levadura antigua para no contaminar al resto de la comunidad.**

En el contexto de la celebración pascual cristiana, es más que oportuno apelar a este pasaje para remarcar la urgencia de operar una revisión completa de la propia vida y eliminar así todas las prácticas y conductas que simbolizan la levadura fermentada del pasado.

EVANGELIO **Los protagonistas de este relato pascual son tres: María Magdalena, Juan y Pedro. Primero aparece María Magdalena, la cual había acompañado a Jesús al pie de la cruz, y mantenía todavía una esperanza en el triunfo de su Señor. Al llegar al sepulcro, es sorprendida por el hallazgo de su desaparición y por el descubrimiento del sepulcro**

II LECTURA Colosenses 3,1–4 L M

Lectura de la carta del apóstol san Pablo a los colosenses

Hermanos:
Puesto que ustedes *han resucitado* con Cristo,
busquen los bienes *de arriba*,
donde está Cristo, *sentado* a la derecha de Dios.
Pongan *todo* el corazón en los bienes *del cielo*,
no en los de la tierra,
porque *han muerto* y su vida está *escondida*
con Cristo *en Dios*.
Cuando se manifieste *Cristo*, *vida* de ustedes,
entonces *también* ustedes se manifestarán *gloriosos*,
juntamente con él.

O bien:

II LECTURA 1 Corintios 5,6–8 L M

Lectura de la primera carta del apóstol san Pablo a los corintios

Hermanos:
¿*No saben* ustedes
que un *poco* de levadura hace fermentar *toda* la masa?
Tiren la antigua levadura,
para que sean ustedes una *masa nueva*,
ya que son pan *sin levadura*,
pues *Cristo*, nuestro cordero pascual, ha sido *inmolado*.
Celebremos, pues, la fiesta de la Pascua,
no con la *antigua* levadura, que es de vicio *y maldad*,
sino con el pan *sin levadura*, que es de sinceridad y *verdad*.

II LECTURA Colosenses 3,1–4 LEU

Lectura de la carta del apóstol san Pablo a los colosenses

Así pues, si han sido *resucitados* con Cristo,
busquen las cosas de *arriba*,
donde se *encuentra* Cristo, sentado a *la derecha* de Dios;
piensen en las cosas de *arriba*,
no en las de la tierra.
Pues *ustedes* han *muerto*,
y su vida está ahora *escondida* con Cristo, en Dios.
Cuando se *manifieste* Cristo, que es nuestra vida,
ustedes *también* vendrán a la luz *con él*,
y les *tocará* una parte de su gloria.

Observa de frente a la asamblea e invítalos a reconsiderar su condición de bautizados y renacidos en Cristo. Exhórtalos a ocuparse de las cosas verdaderamente importantes.

Anima a los presentes a esperar confiadamente la plena manifestación de la vida cristiana que se manifestará al aparecer entre ellos el Señor glorioso.

O bien:

II LECTURA 1 Corintios 5,6b–8 LEU

Lectura de la primera carta del apóstol san Pablo a los corintios

¿No saben que basta un poco de levadura
para *transformar* toda la masa?
Echen, pues, fuera esa levadura vieja,
para que sean una masa *nueva*.
Ustedes son los *Panes* sin levadura de la Pascua *Nueva*,
en que Cristo fue *sacrificado*.
Celebremos, pues, la Pascua;
no más levadura *vieja*, que es la *maldad* y la perversidad;
tengamos pan sin levadura, o sea *la pureza* y la *sinceridad*.

Plantea este interrogante con cierto tono de reclamo. En realidad, el apóstol está reprochando el descuido que han mostrado los cristianos de Corinto ante la conducta licenciosa del incestuoso.

Concluye la lectura animando a los presentes a dar el paso decisivo, a celebrar la Pascua de manera auténtica, excluyendo todas las prácticas viejas y contaminadas que afectan la vida de la comunidad.

vacío, y se encamina a toda prisa a comunicar a Pedro y Juan, los otros dos protagonistas del relato, el extraño suceso de la desaparición del cuerpo de Jesús.

Al escuchar el informe de labios de María Magdalena, los apóstoles corren apresuradamente hacia el sepulcro y observan por separado los signos dejados por tierra (el sudario, los lienzos, la piedra rodada) y alcanzan la comprensión creyente del evento pascual. Explícitamente, nos informa el narrador del cambio que este descubrimiento del sepulcro vacío provocó en la vida de los discípulos, quienes, iluminados por los signos contemplados en el sepulcro, llegaron a la plena comprensión de la Sagrada Escritura que habían anunciado de antemano la resurrección de Cristo de entre los muertos.

Dada la peculiar predilección que muestra el cuarto evangelista por el discípulo amado, resulta comprensible la distinción que establece entre el comportamiento mostrado por Juan y Pedro, mientras que este último fue el primero que ingresó al sepulcro y vio las señales. Es solamente del discípulo amado que nos dice que "vio y creyó". Al señalar este contraste, el evangelista insinúa implícitamente que, aunque Pedro sea el discípulo a quien Jesús le confió la autoridad (por eso mismo, aunque llega más tarde que Juan al sepulcro, tiene el derecho de entrar en primer lugar), no fue el primero en contemplar de manera creyente las cosas recién sucedidas.

Es claro que para el autor de este relato no basta ver los signos del resucitado; se necesita interpretarlos adecuadamente para alcanzar la plena comprensión creyente del evento pascual. Para lograrlo, será necesario vincular los signos pascuales con las predicciones proféticas contenidas en la Sagrada Escritura.

EVANGELIO Juan 20,1–9 LM

Lectura del santo Evangelio según san Juan

El *primer* día después del sábado, estando todavía *oscuro*,
fue *María Magdalena* al sepulcro
y vio *removida* la piedra que lo cerraba.
Echó a *correr*,
llegó a la casa donde estaban *Simón Pedro* y el otro discípulo,
a quien Jesús *amaba*, y les dijo:
"Se *han llevado* del sepulcro al Señor
y *no sabemos* dónde lo habrán puesto".
Salieron Pedro y el otro discípulo camino del sepulcro.
Los dos iban *corriendo* juntos,
pero el otro discípulo corrió *más aprisa* que Pedro
y llegó *primero* al sepulcro,
e *inclinándose*, miró los lienzos puestos en el suelo,
pero *no entró*.
En eso llegó también *Simón Pedro*, que lo venía siguiendo,
y *entró* en el sepulcro.
Contempló los lienzos puestos en el suelo
y el *sudario*, que había estado sobre *la cabeza* de Jesús,
puesto no con los lienzos *en el suelo*,
sino *doblado* en sitio aparte.
Entonces entró *también* el otro discípulo,
el que había llegado *primero* al sepulcro,
y vio y creyó, porque hasta entonces
no habían entendido las Escrituras,
según las cuales Jesús *debía resucitar* de entre los muertos.

EVANGELIO Juan 20,1–9 L E U

Lectura del santo Evangelio según san Juan

El primer día de la semana, *muy* temprano,
cuando *todavía* estaba oscuro,
María *Magdalena* fue a visitar el sepulcro.
Vio que la *piedra* de entrada estaba removida.
Fue *corriendo* en busca de Simón *Pedro* y del otro *discípulo*,
el *amigo* de Jesús, y les dijo:
"Han *sacado* al Señor de la tumba
y no sabemos *dónde* lo han puesto".
Pedro y el otro *discípulo* partieron al sepulcro.
Corrían los dos *juntos*.
Pero el otro discípulo corría *más* que Pedro
y llegó *primero* al sepulcro.
Se *agachó* y vio los lienzos en el *suelo*, pero no entró.
Después llegó *Pedro*.
Entró a la sepultura y vio los *lienzos* en el suelo.
El sudario que había cubierto el *rostro* de Jesús
no *estaba* junto con las *vendas*,
sino *aparte* y doblado.
El otro *discípulo* que había llegado *primero*,
entró a su vez, vio y *creyó*.
Aún no había comprendido la *Escritura*,
según la cual Jesús *debía* resucitar de entre los muertos.

Relata como testigo presencial este viaje matinal que emprende María hacia el sepulcro del Señor.

Narra de manera fogosa y entusiasta la crónica que esta mujer ofrece a los discípulos del extraño suceso del sepulcro vacío.

Haz una pausa antes de referir esta segundo episodio. Con el ingreso de estos dos personajes, se abre una nueva escena. Remarca suficientemente el contraste creado por el autor entre los dos discípulos.

Destaca con especial énfasis la actitud ejemplar del discípulo amado. Pon de manifiesto el cambio de perspectiva que adquirieron los apóstoles a partir del hallazgo del sepulcro vacío.

3 DE ABRIL DE 2005

2º DOMINGO DE PASCUA (DOMINGO DE MISERICORDIA DIVINA)

I LECTURA Este retrato apretado de la vida de la primera comunidad cristiana de Jerusalén es considerado como el primero de los sumarios que nos presenta san Lucas en los Hechos de los Apóstoles. Las tres síntesis, que refiere el autor en los primeros capítulos de su segunda obra, le sirven para retratar el saludable estado en que se encontraba la Iglesia madre de Jerusalén. El primero de los sumarios mencionados (2,42–47) se ocupa de enunciar los aspectos esenciales de la vida de la Iglesia, mientras que el segundo se interesa del asunto de la comunión de bienes (4,32–35). El tercer sumario (5,11–16) centra su atención sobre la actividad curativa que realizaban los apóstoles. Éstos cumplían una serie de señales y curaciones que despertaban el interés y el acercamiento de muchos enfermos en torno suyo.

Este sumario es indudablemente el más importante porque resalta los aspectos constitutivos del ser y quehacer eclesial. Los discípulos viven en comunión, acogen la enseñanza de los apóstoles, y se reúnen en las casas para celebrar la Eucaristía y las comidas fraternas y la oración. Aunque este cuadro contenga matices un tanto idealizados del estilo de vida de la Iglesia primitiva, siempre tendrá un carácter ejemplar y servirá por tanto para estimular a las Iglesias de todas las épocas a configurarse con este original prototipo.

Los apóstoles tienen conciencia de su arraigo judío y siguen frecuentando a diario el templo; sin embargo, son vistos por el resto de los israelitas, como un grupo bien diferenciado, que va despertando y gozando de la simpatía popular. Estas reacciones favorables no se quedan en el mero sentimiento, sino que se concretizan en una incorporación constante de discípulos que van acrecentando y fortaleciendo el dinamismo de la Iglesia naciente.

I LECTURA Hechos 2,42–47 LM

Lectura del libro de los Hechos de los Apóstoles

En los *primeros días* de la Iglesia,
todos los hermanos
acudían *asiduamente* a escuchar
las enseñanzas *de los apóstoles*,
vivían en comunión *fraterna*
y se *congregaban* para orar *en común*
y celebrar *la fracción del pan*.
Toda la gente estaba *llena* de asombro y de *temor*,
al ver los milagros y *prodigios* que los apóstoles
hacían en Jerusalén.
Todos los creyentes vivían *unidos* y lo tenían todo *en común*.
Los que eran *dueños* de bienes o propiedades *los vendían*,
y el producto era distribuido *entre todos*,
según las necesidades *de cada uno*.
Diariamente se reunían en *el templo*,
y en las casas *partían el pan*
y comían *juntos*, con *alegría* y sencillez *de corazón*.
Alababan a Dios y *toda* la gente los estimaba.
Y el Señor aumentaba *cada día*
el número de los que *habían de salvarse*.

II LECTURA 1 Pedro 1,3–9 LM

Lectura de la primera carta del apóstol san Pedro

Bendito sea Dios, *Padre* de nuestro Señor Jesucristo,
por su *gran misericordia*,
porque al *resucitar* a Jesucristo de entre *los muertos*,
nos concedió *renacer* a la esperanza de una vida *nueva*,
que *no puede* corromperse *ni mancharse*
y que él nos tiene *reservada* como herencia en el cielo.
Porque ustedes *tienen fe* en Dios, él los protege *con su poder*,
para que *alcancen* la salvación que les tiene *preparada*
y que él *revelará* al final de los tiempos.
Por esta razón, *alégrense*,
aun cuando *ahora*
tengan que sufrir *un poco* por adversidades *de todas* clases,
a fin de que su fe, *sometid*a a la prueba,

I LECTURA Hechos 2,42–47 LEU

Lectura del libro de los Hechos de los Apóstoles

Los hermanos acudían *asiduamente* a la enseñanza
de los apóstoles,
a la *convivencia*, a la *fracción del pan* y a las oraciones.
Toda la gente estaba *asombrada*,
ya que se *multiplicaban* los prodigios y milagros hechos
por los *apóstoles*.
Todos los creyentes vivían *unidos* y compartían *todo*
cuanto tenían.
Vendían sus bienes y *propiedades*
y se *repartían* de acuerdo a lo que cada uno de ellos *necesitaba*.
Acudían *diariamente* al Templo con *mucho entusiasmo*
y con un *mismo* espíritu
y *compartían* el pan en *sus casas*,
comiendo con *alegría* y sencillez.
Alababan a Dios y gozaban de la simpatía de *todo* el pueblo;
y el Señor cada día *integraba* a la *comunidad*
a los que habían de *salvarse*.

Recita pausadamente este cuadro memorable que retrata los aspectos esenciales que vivía la joven Iglesia de Jerusalén.

Aumenta el tono de admiración y acentúa los milagros y señales que el Señor obraba por mediación de los apóstoles. Destaca la favorable impresión que provocaban en los habitantes de Jerusalén.

Haz una pausa antes de referir esta ampliación de los aspectos constitutivos de la vida de la Iglesia. Expresa con gran entusiasmo el saludable estado que guardaba la comunidad primitiva.

II LECTURA 1 Pedro 1,3–9 LEU

Lectura de la primera carta del apóstol san Pedro

¡*Bendito* sea Dios, *Padre* de Cristo Jesús *nuestro* Señor,
por su *gran* misericordia!
Resucitando a Cristo Jesús de entre los *muertos*,
nos concedió *renacer* para la vida que esperamos,
más allá de la muerte, del pecado y de *todo* lo que pasa;
ésta es la *herencia* que a ustedes les tiene *reservada*
en los cielos.
Por *tener* la fe, son desde ahora *protegidos* por el Poder de Dios;
él les ha preparado esta *liberación*
que se verá al *final* de los tiempos.
Por esto, *alégrense*,
aunque por un tiempo quizá les sea *necesario* sufrir
varias pruebas.

Entona este cántico con voz gozosa y agradecida. Hazlo con toda la gratitud y sinceridad que te sea posible. Proclama esta confesión comunitaria de manera directa. Hazlo de tal manera que los presentes se sientan partícipes en esos beneficios.

Dirige una mirada incluyente que abarque a todos los presentes y proclama enseguida esta promesa incomparable que el apóstol Pedro les participa.

Exhorta a la asamblea a alegrarse y sostenerse firme ante los embates de las pruebas y padecimientos presentes.

II LECTURA **La primera carta de Pedro está plena de un gran espíritu de esperanza. El autor está bien cierto de que los sufrimientos pasajeros que enfrentan los cristianos a quienes él se dirige servirán para aquilatar su fe y para alcanzar la gloria final que Cristo vendrá a revelar.**

En esta acción de gracias que el apóstol Pedro dirige al Padre, invoca la manifestación grandiosa de la misericordia divina, y les recuerda a sus lectores su condición de personas regeneradas por el bautismo. Además, les alienta a vivir con entusiasmo en espera de la magnífica herencia que les aguarda al lado del Padre. Para sostenerse y resistir ante los embates de la persecución y los sufrimientos presentes, los cristianos tienen la protección incomparable de la fe en Dios, que los ha de alegrar y fortalecer.

Ese llamado a la esperanza no es una vana ilusión, sino que está fundada en la fidelidad de Dios, y está particularmente garantizada por la gloriosa resurrección que ha alcanzado su hijo Jesús (ver 1 3,3).

EVANGELIO **Este relato pascual recogido por Juan conserva la memoria de una de las apariciones más importantes de Jesús resucitado a sus discípulos. En la secuencia narrativa del Cuarto Evangelio, esta aparición es presentada como el tercer evento que tiene lugar durante "el primer día de la semana". Previamente, se nos narra la visita de Juan y Pedro al sepulcro, quienes luego de ser informados por María Magdalena corren a toda prisa para encontrarse con la señal de la tumba vacía (20,1–10). Posteriormente, Jesús se deja ver por María Magdalena (ver 20,11–18); ahora en este tercer relato se conservan dos episodios: uno sucedido al atardecer de ese primer día (20,19–25) y otro muy semejante verificado ocho días después (20,26–31).**

Juan crea un claro contraste entre la primera y la última escena. Mientras que Juan logró creer con sólo ver la tumba vacía (20,8), Tomás no consigue creer en el mensaje pascual, sino que reclama señales

II LECTURA continuación L M

sea hallada *digna* de alabanza, gloria y honor,
el día de la manifestación de Cristo.
Porque *la fe* de ustedes es *más preciosa* que el oro,
y el oro *se acrisola* por el fuego.
A Cristo Jesús ustedes *no lo han visto* y, sin embargo, *lo aman*;
al creer en él ahora, *sin verlo*,
se llenan de una alegría radiante e indescriptible,
seguros de alcanzar la salvación de sus almas,
que es la *meta* de la fe.

EVANGELIO Juan 20,19–31 L M

Lectura del santo Evangelio según san Juan

Al *anochecer* del día de la resurrección,
estando *cerradas* las puertas de la casa
donde se hallaban los discípulos,
por *miedo* a los judíos,
se presentó Jesús *en medio* de ellos y les dijo:
"*La paz* esté con ustedes".
Dicho esto, *les mostró* las manos y el costado.
Cuando los discípulos *vieron* al Señor, se llenaron *de alegría*.
De nuevo les dijo Jesús: "La paz *esté* con ustedes.
Como *el Padre* me ha enviado, *así también* los envío yo".
Después de decir esto, *sopló* sobre ellos y les dijo:
"*Reciban* al Espíritu Santo.
A los que les perdonen los pecados, *les quedarán perdonados*;
y a los que *no* se los perdonen, les quedarán *sin perdonar*".
Tomás, uno de los Doce, a quien llamaban *el Gemelo*,
no estaba con ellos cuando vino Jesús,
y los otros discípulos le decían: "*Hemos visto* al Señor".
Pero *él* les contestó:
"Si *no veo* en sus manos la señal de los clavos
y si *no meto* mi dedo en los *agujeros* de los clavos
y *no meto* mi mano en su costado, *no creeré*".
Ocho días después, estaban reunidos los discípulos
a puerta cerrada
y *Tomás* estaba con ellos.

I LECTURA continuación LEU

Su *fe* saldrá de ahí *probada*,
como el oro que pasa por el *fuego*.
En *realidad*, el oro ha de *desaparecer*;
en cambio, la *fe*, que vale *mucho* más, *no* se *perderá*
hasta el *día* en que se nos *revele* Cristo Jesús:
entonces *recibirán* por ella alabanza, gloria y honor.
A Cristo Jesús no lo han *visto* y, sin embargo, lo *aman*:
no lo ven *todavía* pero sí *creen*,
y por eso sienten una *alegría* celestial que
no se puede expresar;
al final *alcanzarán* como premio de su fe la *salvación*
de sus almas.

Expón con mucha seguridad este último argumento con el que el apóstol pretende alentar la fe de esa comunidad.

EVANGELIO Juan 20,19–31 LEU

Lectura del santo Evangelio según san Juan

La *tarde* de aquel día, el *primero* de la semana,
los *discípulos* estaban a puertas *cerradas* por *miedo*
a los judíos.
Jesús se hizo presente allí, de pie en *medio* de ellos.
Les dijo: "La *paz* sea con ustedes".
Después de saludarlos así, les mostró las manos
y el costado.
Los discípulos se *llenaron* de gozo al ver al Señor.
El les *volvió* a decir: "La *paz* esté con ustedes.
Así como el Padre me *envió* a mí, así yo los envío a ustedes".
Dicho esto, *sopló* sobre ellos:
"*Reciban* el Espíritu Santo,
a quienes ustedes *perdonen*, queden perdonados,
y a quienes *no* libren de sus pecados, queden *atados*".
Uno de los *Doce* no estaba cuando vino Jesús.
Era *Tomás*, llamado el Gemelo.
Los otros discípulos le *dijeron* después: "*Vimos* al Señor".
Contestó:
"No creeré sino cuando *vea* la marca de los clavos
en sus manos,
meta mis dedos en el lugar de los clavos
y *palpe* la herida del costado".
Ocho días después, los discípulos estaban de nuevo
reunidos dentro
y *Tomás* con ellos.

Relata con enorme gozo esta escena. Refiere con mucha naturalidad la manifestación de Jesús en medio de sus discípulos.

Proclama el doble saludo de Jesús con tono familiar y cariñoso. Enmarca solemnemente las palabras de Jesús al entregar el Espíritu a sus discípulos.

Relata estas escenas con tono diferente. Al recitar las palabras desafiantes de Tomás, remarca sus reclamos con toda exigencia.

Haz una breve pausa antes de introducir la siguiente aparición a los Once.

contundentes para poder creer. Estos dos cuadros nos presentan de manera implícita la enseñanza que Jesús refiere a sus discípulos, y especialmente a Tomás, al explicarle la relación entre la fe y los signos.

Jesús se deja ver por sus discípulos una vez más, y de manera especial intenta darle una lección a Tomás y a todos los discípulos que en los siglos venideros reclamarían pruebas contundentes para creer en él. Jesús invita a Tomás a comprobar la realidad de su cuerpo resucitado por medio del tacto, y le ofrece el camino de la verificación de su corporeidad como medio y auxilio para conducirle a la fe.

Existen otros discípulos (de los cuales el discípulo amado es el prototipo) a los cuales Jesús considera bienaventurados; éstos consiguen llegar a la fe sin necesidad de ver signos: "Tú crees porque me has visto, dichosos los que creen sin haber visto (ver 20,29).

Según lo que Jesús acaba de enseñarnos, podemos afirmar que existen dos tipos de personas: una mayoría que está retratada en la figura de Tomás, y que reclama signos para poder creer; y una minoría de gente con una enorme fe en Dios, a la cual le basta con escuchar la predicación de la vida, muerte y resurrección de Jesús para creer en él.

EVANGELIO continuación LM

Jesús se presentó *de nuevo en medio* de ellos y les dijo:
"La paz *esté* con ustedes".
Luego le dijo a Tomás: "*Aquí están* mis manos; *acerca* tu dedo.
Trae acá tu mano, *métela* en mi costado
y no sigas dudando, sino *cree*".
Tomás le respondió: "¡*Señor mío y Dios mío*!"
Jesús añadió: "Tú crees porque *me has visto*;
dichosos los que creen *sin haber* visto".
Otras muchas señales milagrosas hizo Jesús
en presencia de sus discípulos,
pero no están escritas *en este libro*.
Se escribieron *éstas* para que ustedes
crean que Jesús es *el Mesías*,
el *Hijo de Dios*,
y para que, creyendo,
tengan vida en su nombre.

EVANGELIO continuación LEU

Se presentó *Jesús* a pesar de estar las puertas *cerradas*,
y se puso de pie en *medio* de ellos.
Les dijo: "La *paz* sea con ustedes".
Después dijo a *Tomás*:
"*Ven* acá, *mira* mis manos:
extiende tu mano y *palpa* mi costado.
En adelante no seas *incrédulo*, sino hombre de *fe*".
Tomás exclamó: "*Tú* eres mi *Señor* y mi Dios".
Jesús le dijo: "tú *crees* porque has *visto*.
Felices los que creen *sin haber visto*".
Muchas otras señales milagrosas hizo Jesús en *presencia*
de sus discípulos
que no están *escritas* en este libro.
Éstas han sido escritas para que *crean* que Jesús es el Cristo,
el *Hijo* de Dios,
y que por esta fe tengan la *vida* que
él *solo* puede comunicar.

Con un tono de voz lleno de paciencia y comprensión, recita las frases con las cuales Jesús se dirige a Tomás.

Recita con gran devoción la respuesta creyente de Tomás. Resalta con gran fuerza esta última declaración de Jesús.

Concluye el relato lentamente. No olvides de que estas frases son el cierre original con el que se concluía el Cuarto Evangelio en su primera versión.

3er. DOMINGO DE PASCUA

I LECTURA El primer discurso que registran los Hechos de los Apóstoles lo proclama Pedro animado por la fuerza y el impulso que ha recibido del Espíritu Santo. Este primer pronunciamiento tiene dos partes bien diferenciadas, las cuales son manifiestas por la introducción que antecede a cada una de ellas: la primera abarca los versículos 15–21 y la segunda los versículos 22–36. Es esta última parte la que nos reporta la celebración litúrgica actual.

La proclama dirigida por el apóstol va orientada a convencer a sus interlocutores del equivocado proceder que han mostrado al entregar a Jesús a la muerte, no obstante la acreditación que Dios le había otorgado al realizar numerosos signos y milagros en medio del pueblo. Sin embargo, Pedro aclara que esa muerte injusta, que le causaron, de alguna manera ya estaba prevista en el designio divino que, al igual que su resurrección, también ya había sido prefigurada en los salmos y oráculos proféticos.

En efecto, la parte más sustancial del discurso elaborado por Pedro refleja una aguda habilidad para interpretar los libros bíblicos. Lucas conocía indudablemente de estas cuestiones y coloca en boca del apóstol una ingeniosa argumentación con la cual demuestra que los Salmos 16 y 110, atribuidos en ese entonces al rey David, eran el anuncio claro de la resurrección, y que ésta no se había verificado en la persona del monarca mencionado, sino justamente en la persona de Jesús. La novedad que resurge de este discurso es que las referidas profecías habían llegado a su pleno cumplimiento a partir de la resurrección de Jesús.

II LECTURA En la segunda parte del primer capítulo de la primera carta de Pedro (1,13–25), el autor nos expone una serie de consejos en los cuales opone la conducta antigua que sus lectores

I LECTURA Hechos 2,14.22–33 LM

Lectura del libro de los Hechos de los Apóstoles

El día de *Pentecostés*,
se presentó *Pedro*, *junto* con los Once, ante la multitud,
y *levantando* la voz, dijo: "Israelitas, *escúchenme*.
Jesús de Nazaret fue un hombre *acreditado* por Dios ante ustedes,
mediante los *milagros*, *prodigios y señales*
que Dios *realizó* por medio *de él*
y que ustedes *bien* conocen.
Conforme al plan *previsto* y *sancionado* por Dios,
Jesús *fue entregado*,
y ustedes *utilizaron* a los paganos para *clavarlo* en la cruz.
Pero Dios *lo resucitó*, *rompiendo* las ataduras de la muerte,
ya que *no era* posible que la muerte
lo retuviera bajo su dominio.
En efecto, David dice, *refiriéndose* a él:
Yo veía co*nstantemente* al Señor *delante* de mí,
puesto que *él* está *a mi lad*o para que yo *no tropiece*.
Por eso *se alegra* mi corazón y mi lengua *se alboroza*,
por eso también mi cuerpo *vivirá* en la esperanza,
porque tú, *Señor, no me abandonarás* a la muerte,
ni dejarás que tu santo sufra la corrupción.
Me has enseñado *el sendero* de la vida
y me *saciarás* de gozo en tu presencia.
Hermanos,
que me sea *permitido* hablarles con *toda claridad*:
el patriarca David *murió* y lo enterraron,
y su sepulcro se conserva entre nosotros *hasta el día de hoy*.
Pero, como *era profeta*,
y *sabía* que Dios le había prometido con juramento
que un *descendiente* suyo ocuparía *su trono*,
con visión *profética* habló de la resurrección de Cristo,
el cual *no fue* abandonado a la muerte ni sufrió la corrupción.
Pues bien, a este Jesús Dios *lo resucitó*,
y de ello *todos* nosotros somos testigos.
Llevado a los cielos por *el poder* de Dios,
recibió del Padre el *Espíritu Santo* prometido a él
y lo *ha comunicado*,
como ustedes lo están *viendo* y *oyendo*".

I LECTURA Hechos 2,14.22–33 L E U

Lectura del libro de los Hechos de los Apóstoles

El día de *Pentecostés*, *Pedro*, presentándose con los *once*,
levantó su voz
y dijo a la gente allí *reunida*:
"Judíos y habitantes de Jerusalén, pongan *atención*
a mis palabras:
Dios había dado *autoridad* a Jesús de Nazaret entre *todos* ustedes;
hizo por medio de él *milagros*, prodigios
y cosas *maravillosas*, como ustedes *saben*.
Sin embargo, *ustedes* lo entregaron a los *malvados*,
dándole *muerte*,
clavándolo en la cruz, según el *plan* de Dios,
que conoció *todo* esto de antemano.
A él, Dios lo *resucitó*,
librándolo de los dolores del Lugar de los Muertos,
ya que *no* era posible que quedara bajo su dominio;
porque *David* dice de él en un salmo lo *siguiente*:
'Veía *continuamente* al Señor *delante* de mí,
puesto que *está* a mi derecha, para que *no* vacile,
por eso, mi corazón se ha *alegrado* y te alabo con *alegría*;
y hasta mi cuerpo *descansará* en la esperanza
de que no *abandonarás* mi alma en el lugar de los *muertos*,
ni permitirás que tu servidor sufra la *corrupción*.
Me has dado a *conocer* caminos de vida,
me *llenarás* de gozo con tu *presencia*'.
Hermanos, *permítanme* que les diga con *toda* claridad:
el patriarca David *murió* y fue sepultado
y su tumba *permanece* entre nosotros hasta *ahora*.
Pero, como él era *profeta*
y *sabía* que Dios le había *asegurado* con juramento
que un *descendiente* de su sangre se *sentaría* en su trono,
vio a lo lejos y habló de la *resurrección* de Cristo,
que no fue *abandonado* entre los muertos,
ni su carne fue *corrompida*.
A Jesús, Dios lo *resucitó*,
de lo cual *todos* nosotros somos *testigos*.
Y *engrandecido* por la mano poderosa de *Dios*,
ha *recibido* del Padre el Espíritu Santo *prometido*:
Hoy lo acaba de derramar y *eso* es lo que ustedes ven y oyen".

Recita de manera solemne y clara esta introducción inicial con la cual el apóstol Pedro atrae la atención de los presentes.

Refiere como testigo confiable cada una de las afirmaciones con las cuales el apóstol va narrando los episodios centrales del ministerio público cumplido por Jesús.

Expón los argumentos bíblicos con voz serena y pausada, haciéndolo así ayudarás a que la asamblea vaya siguiendo atentamente el hilo de tu exposición.

Concluye la argumentación mostrando que el verdadero momento en que se cumplen esas promesas es con la resurrección de Jesús. Dale un tono más solemne a esta declaración final.

Rinde el testimonio final con voz segura y convincente. Estás afirmando la realidad de unos eventos que tú mismo experimentaste.

mostraban en el pasado, con la nueva práctica que ellos han iniciado a partir de su incorporación a Cristo muerto y resucitado.

En el breve trozo que la liturgia nos proclama, identificamos el tercero de los consejos dados por el autor. En esta ocasión, les recuerda que procedan y vivan de manera prudente y cautelosa en los días de su permanencia terrestre, puesto que un día habrán de comparecer ante Dios Padre, que como juez imparcial sancionará las acciones que cada cual ha realizado.

Para gravar más fuertemente la conciencia de sus lectores, el autor les recuerda cuál ha sido el precio que debió pagarse por su libertad. Los cristianos, en efecto, fueron rescatados no en base a la entrega de cuantiosas sumas de dinero, sino gracias a la entrega sacrificial de Jesucristo, que derramó su sangre por la redención de todos.

EVANGELIO **Este relato pascual es uno de los aportes originales del Evangelio de Lucas. En efecto, solamente Lucas nos relata el episodio ocurrido en el camino de Emaús. Con esto no se quiere decir que Lucas haya inventado de su propia iniciativa esta narración, sino que investigó detenidamente entre algunos testigos e informantes y recogió esta tradición que juzgó valiosa y no quiso que permaneciera en el olvido.**

La narración tiene dos partes distintas. La primera escena se verifica en el camino que corría de Jerusalén a Emaús, y en ella asistimos al diálogo que sostienen dos discípulos anónimos con Jesús resucitado (24,13–27). La segunda tiene lugar en el interior de la casa de uno de ellos, mientras comparten el pan con "el desconocido", que los alcanzó por el camino.

Durante su recorrido, los caminantes son interpelados por Jesús acerca de la conversación que iban llevando. Ellos le rinden un informe pormenorizado donde dejan entrever diversas noticias, entre las que sobresale la de la aflicción y desconcierto en que estaban sumidos al ver que el

II LECTURA 1 Pedro 1,17–21 L M

Lectura de la primera carta del apóstol san Pedro

Hermanos:
Puesto que ustedes llaman *Padre* a Dios,
que juzga *imparcialmente* la conducta de cada uno
según sus obras,
vivan *siempre* con temor filial durante su peregrinar
por la tierra.
Bien saben ustedes que de su *estéril* manera de vivir,
heredada de sus padres,
los *ha rescatado* Dios,
no con bienes *efímeros*, como el oro y la plata,
sino con la *sangre preciosa* de Cristo,
el cordero *sin defecto* ni mancha,
al cual Dios *había elegido* desde *antes* de la creación del mundo,
y por *amor* a ustedes,
lo ha manifestado en *estos* tiempos, que son *los últimos*.
Por Cristo, ustedes *creen* en Dios,
quien *lo resucitó* de entre los muertos y lo *llenó* de gloria,
a fin de que *la fe* de ustedes
sea también *esperanza* en Dios.

EVANGELIO Lucas 24,13–35 L M

Lectura del santo Evangelio según san Lucas

El *mismo día* de la resurrección,
iban *dos* de los discípulos hacia un pueblo llamado *Emaús*,
situado a unos *once* kilómetros de Jerusalén,
y comentaban *todo* lo que había sucedido.
Mientras conversaban y discutían,
Jesús se les acercó y comenzó a *caminar* con ellos;
pero los ojos de los dos discípulos *estaban velados*
y *no* lo reconocieron.
Él les preguntó:
"¿De *qué cosas* vienen hablando, tan *llenos* de tristeza?"
Uno de ellos, llamado *Cleofás*, le respondió:
"¿Eres tú el *único* forastero
que *no sabe* lo que ha sucedido *estos días* en Jerusalén?"
Él les preguntó: "*¿Qué cosa?*"
Ellos le respondieron: "Lo de Jesús el *nazareno*,
que era un profeta *poderoso* en obras y palabras,
ante *Dios* y ante *todo* el pueblo.

II LECTURA 1 Pedro 1,17–21 LEU

Lectura de la primera carta del apóstol san Pedro

Ustedes llaman *Padre* al que no hace *diferencia* entre las personas,
sino que *juzga* a cada uno según sus *obras*;
tomen en *serio* estos años en que viven *fuera* de la patria.
No olviden que han sido *liberados* de la vida *inútil* que llevaban *antes*
imitando a sus padres,
no con algún rescate *material* de oro o plata,
sino con la sangre *preciosa* del Cordero sin mancha ni defecto.
Ése es *Cristo*, en el que pensaba Dios ya desde el *principio* del mundo
y que se *presentó* para ustedes al final de los tiempos.
Gracias a él, ustedes creen en *Dios*,
que lo *resucitó* de entre los muertos y lo glorificó,
precisamente con el fin de que *pusieran* en Dios su fe y su esperanza.

Interpela a los presentes con gestos directos y con palabras claras que los convenzan de tomar en serio la oportunidad de vivir, que Dios les concede.

Expón este primer argumento a la manera que lo haría un maestro que recuerda a sus discípulos una lección ampliamente conocida.

Después de una breve pausa, culmina tu argumentación exponiendo la noticia de que Cristo ha inaugurado los tiempos últimos y definitivos.

Termina tu proclamación remarcando el papel mediador de Cristo en la vida de cada uno de los creyentes.

EVANGELIO Lucas 24,13–35 LEU

Lectura del santo Evangelio según san Lucas

Aquel *mismo* día, el *primero* de la semana,
dos discípulos de Jesús iban de camino a un pueblito llamado *Emaús*,
a unos treinta kilómetros de *Jerusalén*,
conversando de *todo* lo que había pasado.
Mientras *conversaban* y discutían,
Jesús en *persona* se les acercó y se puso a *caminar* a su lado,
pero algo les *impedía* reconocerlo.
Jesús les dijo:
"¿Qué es lo que van conversando *juntos* por el camino?"
Ellos se *detuvieron*, con la cara *triste*.
Uno de ellos, llamado *Cleofás*, le contestó:
"¿*Cómo*, así que tú eres el *único* peregrino en Jerusalén
que no sabe lo que pasó en *estos* días?"
"¿Qué pasó?", preguntó Jesús.
Le contestaron: "Todo ese asunto de Jesús Nazareno.
Este hombre se *manifestó* como un profeta *poderoso*
en obras y en palabras,

Proclama esta introducción con la seguridad de tener una comprensión superior a la que manifiestan tener los discípulos de Emaús.

Recita de forma interesada y curiosa la pregunta que les dirige Jesús.

Refiere esta síntesis pormenorizada con voz autorizada. Cleofás está informando de sucesos importantes en los que él estuvo involucrado. Destaca con fuerza cada uno de los títulos con los cuales se refiere a Jesús.

profeta que esperaban les trajera la ansiada liberación política había terminado sus días clavado en una cruz. De paso le aclaraban sobre los rumores que circulaban entre el grupo de los discípulos, difundidos por algunas mujeres que aseguraban haber sido informadas de que Jesús estaba vivo.

Este informe incompleto da pie para que Jesús les transmita una elocuente lección sobre la manera correcta en que tenían que leerse los oráculos y promesas contenidos en la ley y los profetas. Jesús va a reorientar el método para leer las Escrituras. En adelante éstas tendrán que ser leídas a la luz de la muerte y resurrección de Cristo. Ese criterio será normativo a partir de entonces para todos los lectores e intérpretes cristianos de la Escritura. Será necesario en lo sucesivo hacer una lectura cristiana del Antiguo Testamento.

En la segunda escena, se va a operar el evento culminante del relato. Este cambio tendrá lugar cuando Jesús realice el gesto de la fracción del pan, siguiendo el ritmo y los gestos rituales que había acostumbrado hacer en las comidas previas que había celebrado con sus discípulos. En ese momento, se les "abrirán los ojos" a los discípulos, es decir, Dios les facilitará las cosas y les revelará de alguna manera cuál era la identidad del extraño caminante que los había aleccionado por el camino.

Como en otros relatos pascuales, los protagonistas de esta aparición experimentan una trasformación radical de su mentalidad, superan el desconcierto y la desilusión que les había provocado la crucifixión de Jesús, y alcanzan la comprensión creyente de los sucesos pascuales. Identifican al resucitado y se convierten en testigos decididos de la resurrección de Jesús.

EVANGELIO continuación LM

Cómo los sumos sacerdotes y nuestros jefes
lo entregaron para que lo condenaran *a muerte*,
y *lo crucificaron*.
Nosotros *esperábamos* que él sería *el libertador* de Israel,
y sin embargo, han pasado ya *tres días*
desde que estas cosas sucedieron.
Es cierto que *algunas* mujeres de nuestro grupo
nos han *desconcertado*,
pues fueron *de madrugada* al sepulcro, *no encontraron* el cuerpo
y llegaron contando que se les *habían aparecido* unos ángeles,
que les dijeron que *estaba vivo*.
Algunos de nuestros compañeros fueron al sepulcro
y hallaron *todo* como habían dicho las mujeres,
pero a él *no lo vieron*".
Entonces Jesús les dijo:
"¡*Qué* insensatos son ustedes
y *qué duros* de corazón *para creer* todo lo anunciado
por los profetas!
¿*Acaso* no era *necesario* que el Mesías p*adeciera* todo esto
y *así* entrara en su gloria?"
Y *comenzando* por Moisés y siguiendo con *todos* los profetas,
les explicó *todos* los pasajes de la Escritura que se referían *a él*.
Ya *cerca* del pueblo a donde se dirigían,
él hizo como que iba *más lejos*;
pero *ellos le insistieron*, diciendo:
"*Quédate* con nosotros, porque *ya es tarde*
y pronto va a oscurecer".
Y *entró* para quedarse con ellos.
Cuando estaban a la mesa,
tomó un pan, *pronunció* la bendición, lo partió y se lo dio.
Entonces se les abrieron los ojos y *lo reconocieron*,
pero *él* se les *desapareció*.
Y ellos se decían *el uno al otro*:
"¡*Con razón* nuestro corazón ardía,
mientras nos hablaba por el camino
y nos *explicaba* las Escrituras!"
Se levantaron *inmediatamente* y regresaron a Jerusalén,
donde encontraron *reunidos* a los Once con sus compañeros,
los cuales les dijeron:
"De veras *ha resucitado* el Señor y se le *ha aparecido* a Simón".
Entonces ellos contaron lo que les había pasado *por el camino*
y *cómo* lo habían *reconocido* al *partir el pan*.

EVANGELIO continuación LEÚ

aceptado tanto por Dios como por el pueblo *entero*.
Hace unos días, los *jefes* de los sacerdotes
y los jefes de nuestra nación
lo hicieron condenar a *muerte* y clavar en la cruz.
Nosotros *esperábamos* que él fuera el *libertador* de Israel,
pero a todo esto van *dos* días que sucedieron estas cosas.
En realidad, *algunas* mujeres de nuestro grupo
nos dejaron *sorprendidos*.
Fueron *muy* de mañana al sepulcro y, al *no* hallar su cuerpo,
volvieron a contarnos que se les habían *aparecido* unos ángeles
que decían que estaba *vivo*.
Algunos de los nuestros fueron al *sepulcro*
y hallaron todo *tal* como habían dicho las mujeres,
pero a él *no* lo vieron".
Entonces *Jesús* les dijo: "¡Qué *poco* entienden ustedes
y *cuánto* les cuesta creer todo lo que *anunciaron*
los profetas!
¿Acaso no era *necesario* que el Cristo *padeciera* para entrar
en su gloria?"
Y comenzando por *Moisés* y recorriendo *todos* los profetas,
les *interpretó* todo lo que las Escrituras decían *sobre* él.
Cuando ya estaban *cerca* de pueblo al que ellos iban,
él *aparentó* seguir adelante.
Pero ellos le *insistieron*, diciéndole:
"*Quédate* con nosotros,
porque cae la tarde y se *termina* el día".
Entró entonces para *quedarse* con ellos.
Una vez que estuvo *a la mesa* con ellos,
tomó el pan, lo *bendijo*, lo *partió* y se lo *dio*.
En *ese* momento se les *abrieron* los ojos y lo *reconocieron*,
pero ya había *desaparecido*.
Se dijeron uno al otro:
"¿No sentíamos *arder* nuestro *corazón*
cuando nos *hablaba* en el camino y nos *explicaba*
las *Escrituras*?"
Y en ese *mismo* momento se levantaron para volver
a Jerusalén.
Allí encontraron *reunidos* a los Once y a los de su grupo.
Estos les dijeron: "¡Es *verdad*!
El Señor *resucitó* y se dejó ver por Simón".
Ellos, por su parte, *contaron* lo sucedido en el camino
y cómo lo habían reconocido al *partir* el pan.

Resalta el tono desilusionado y escandalizado con el cual el informante le participa a Jesús de la crisis por la que atraviesa el grupo de los discípulos y discípulas.

Presenta la réplica que Jesús dirige a los discípulos con tono severo. Enfatiza el tono sugerente de la pregunta que él les formula.

Informa a los presentes con gran seguridad de las intenciones y la actitud discreta con la cual Jesús finge seguir de largo.

Recita la invitación de los discípulos con verdadera sinceridad. Hazlo como harías una sentida invitación a tu amigo o amiga más querida. Enfatiza suficientemente el momento culminante en el que los discípulos identifican a Jesús.

Proclama el comentario final de los discípulos con voz entusiasmada y animosa.

Concluye la proclamación relatando pausadamente el viaje de retorno y el consecuente testimonio que los discípulos rinden al resto del grupo en Jerusalén.

17 DE ABRIL DE 2005

4º DOMINGO DE PASCUA

I LECTURA Hechos 2,14.36–41 LM

Lectura del libro de los Hechos de los Apóstoles

El *día* de Pentecostés,
se presentó *Pedro* junto con los Once ante la multitud
y *levantando* la voz, dijo:
"Sepa *todo* Israel con *absoluta* certeza,
que Dios *ha constituido* Señor y Mesías al *mismo* Jesús,
a quien ustedes *han crucificado*".
Estas palabras les llegaron *al corazón*
y preguntaron a Pedro y a los demás apóstoles:
"*¿Qué* tenemos que hacer, hermanos?"
Pedro les contestó: "*Arrepiéntanse*
y *bautícense* en el nombre de Jesucristo
para el *perdón* de sus pecados
y *recibirán* el Espíritu Santo.
Porque las promesas de Dios *valen* para ustedes y para sus hijos
y también *para todos* los paganos
que el Señor, Dios nuestro, *quiera llamar*,
aunque estén lejos".
Con *éstas* y otras *muchas* razones,
los instaba y *exhortaba*, diciéndoles:
"*Pónganse* a salvo de este mundo *corrompido*".
Los que *aceptaron* sus palabras *se bautizaron*,
y *aquel día* se les agregaron unas *tres mil* personas.

II LECTURA 1 Pedro 2,20–25 LM

Lectura de la primera carta del apóstol san Pedro

Hermanos:
Soportar *con paciencia*
los sufrimientos que les vienen a ustedes por *hacer el bien*,
es cosa *agradable* a los ojos de Dios,
pues a esto *han sido* llamados,
ya que también Cristo *sufrió* por ustedes
y les *dejó así* un ejemplo para que *sigan* sus huellas.
Él *no cometió* pecado *ni hubo* engaño en su boca;
insultado, *no devolvió* los insultos;
maltratado, *no profería* amenazas,
sino que *encomendaba* su causa al *único* que juzga con justicia;

I LECTURA Habiendo ofrecido una amplia argumentación en los versículos precedentes (ver la lectura del domingo anterior), el apóstol Pedro extrae la conclusión de su larga exposición y la convierte en una invitación expresa para que sus oyentes reconozcan a Jesús como Señor y Mesías. Esta breve conclusión movió al arrepentimiento a los presentes, los cuales solicitaron a los apóstoles les indicarán lo que convenía hacer. Éstos les responden indicándoles la conveniencia de confesar con fe el nombre de Jesús y bautizarse a fin de recibir el perdón de los pecados y el don del Espíritu Santo.

II LECTURA En una sección que el autor de la carta dedica a presentar la ejemplar vocación que los cristianos han de asumir animados por el ejemplo de Cristo, encontramos esta amonestación dirigida a unos lectores que atraviesan por un período de hostilidad y sufrimiento. El apóstol Pedro los anima, advirtiéndoles que el aguante en las persecuciones no se consigue a fuerza de buena voluntad, sino que es una gracia que Dios concede. El motivo principal con que busca convencerlos para que se sostengan firmes en la tribulación es la referencia clara a la ejemplar fidelidad que Cristo mostró durante su pasión. Puesto que siendo inocente soportó todos los padecimientos que injustamente le propinaron, sin reaccionar jamás con espíritu revanchista o vengativo, así también los interlocutores de Pedro tendrán que aguantar sus sufrimientos, sin guardar resentimiento a sus verdugos.

Dado que los cristianos han vuelto sus pasos hacia su verdadero pastor, Jesucristo, tendrán que conducirse ejemplarmente, siguiendo sus huellas .

I LECTURA Hechos 2,14a.36–41 LEU

Lectura del libro de los Hechos de los Apóstoles

El día de *Pentecostés*, Pedro, presentándose
con los *once*,
levantó su voz y dijo a la gente *allí* reunida:
"Sepa con seguridad *toda* la gente de Israel
que Dios ha hecho *Señor* y Cristo a este *Jesús*
a quien ustedes *crucificaron*".
Al oír *esto*, se afligieron *profundamente*.
Dijeron, pues, a *Pedro* y a los demás apóstoles:
"Hermanos, ¿*qué* debemos hacer?"
Pedro les contestó: "*Conviértanse* y háganse *bautizar*
cada uno de ustedes en el *nombre* de Jesucristo,
para que sus pecados *sean* perdonados.
Y Dios les *dará* el Espíritu Santo,
porque la *promesa* es para ustedes y *para* sus hijos,
y para *todos* los extranjeros a los que el Señor *llame*".
Con *muchas* otras palabras les hablaba y les invitaba
con *insistencia*:
"*Sálvense* de esta generación malvada".
Los que creyeron fueron *bautizados*
y en *aquel* día se les unieron alrededor de *tres mil* personas.

Recita con voz urgente y decidida esta invitación dirigida a toda la casa de Israel. Confiesa con actitud solemne los dos títulos dados a Jesús por el apóstol.

Proclama la pregunta formulada por los presentes con verdadera humildad, de modo que quede patente su voluntad de convertirse.

Lee la respuesta transmitida por el apóstol con una gran seguridad. Aunque es la primera formulación del poder salvador de Jesús, Pedro la propone con plena certidumbre.

Concluye la narración con tono satisfecho. Tú también estás orgulloso del positivo comienzo de la labor misionera.

II LECTURA 1 Pedro 2,20b–25 LEU

Lectura de la primera carta del apóstol san Pedro

Si al hacer el *bien* tienen que *sufrir* y lo soportan,
ésa es una *gracia* ante Dios.
A *esto* han sido llamados,
pues Cristo también *sufrió* por *ustedes*,
dejándoles un *ejemplo* con el fin de que *sigan* sus huellas.
El *no* cometió pecado ni se encontró *mentira* en su boca.
Insultado *no* devolvía los insultos,
y maltratado no *amenazaba*,
sino que se *encomendaba* a Dios, que juzga *justamente*.

Expón esta advertencia con gran seguridad, sabiendo que hablas en nombre de un apóstol que ha vivido en carne propia la fidelidad a Jesús.

Proclama este elogio a Jesús por la resistencia y ejemplar perseverancia con la cual afrontó los sufrimientos de su pasión.

II LECTURA continuación L M

cargado con nuestros pecados, *subió* al madero de la cruz,
para que, *muertos* al pecado, *vivamos* para la justicia.
Por *sus llagas* ustedes han sido *curados*,
porque ustedes eran como ovejas *descarriadas*,
pero ahora han vuelto al pastor y guardián de sus vidas.

EVANGELIO Juan 10,1–10 L M

Lectura del santo Evangelio según san Juan

En *aquel* tiempo, Jesús dijo a los fariseos:
"Yo *les aseguro* que el que *no entra*
por la puerta del redil de las ovejas,
sino que salta *por otro lado*, es un *ladrón*, un bandido;
pero el que entra *por la puerta*, *ése* es el pastor de las ovejas.
A *ése* le abre el que cuida la puerta, y las ovejas *reconocen* su voz;
él llama a *cada una* por su nombre y *las conduce* afuera.
Y cuando ha sacado *a todas* sus ovejas, camina *delante* de ellas,
y ellas *lo siguen*, porque conocen su voz.
Pero a un extraño *no* lo seguirán, sino que *huirán* de él,
porque *no conocen* la voz de los extraños".
Jesús les puso *esta comparación*,
pero ellos *no entendieron* lo que les quería decir.
Por eso *añadió*:
"Les *aseguro* que *yo soy* la puerta de las ovejas.
Todos los que han venido antes que yo, son *ladrones y bandidos*;
pero mis ovejas *no* los han escuchado.
Yo soy la puerta; quien entre por mí *se salvará*,
podrá entrar y salir y encontrará *pastos*.
El ladrón sólo viene *a robar*, a matar y *a destruir*.
Yo he venido para que *tengan vida*
y la tengan *en abundancia*".

EVANGELIO El discurso narrado en Juan 10,1–10 es el conocido discurso del buen pastor. En la primera parte (ver 1,1–5), Jesús comienza a proclamar su discurso y hemos de decir que el autor lo presenta de manera un tanto abrupta. Puesto que sin mediar introducción alguna que señale las circunstancias de tiempo y lugar donde tuvo verificación esta enseñanza, y concluido apenas el relato de la curación del ciego en el capítulo noveno, el evangelista nos reporta este famoso discurso del buen pastor. En la segunda parte, Jesús se identifica a sí mismo con la puerta ya no sólo del rebaño, sino que reclama ser la única puerta que conduce a la salvación.

En esta narración quedan de un lado ciertas figuras tales como los ladrones que saltan para ingresar al redil y los extraños que no son reconocidos por las ovejas. De otro lado, se ubican el pastor, el portero y las ovejas. En la primera parte de esta "parábola", no se deja entrever quienes serán esos extraños ladrones, mientras que en el versículo octavo nos dirá que estos tales antecedieron a Jesús. De esta manera, este versículo es una acusación implícita contra ciertos líderes y autoridades de Israel que no supieron conducir a los hombres y mujeres de Israel.

Dado que sus oyentes no consiguieron entender el significado de la primera versión de esta parábola, en la parte siguiente del discurso Jesús se las irá aclarando, y así comenzará por identificarse con la puerta del redil y veladamente ya desde el versículo octavo se apropiará del título de buen pastor, aunque lo hará de manera expresa hasta el versículo undécimo.

En los versos finales, Jesús establece un contraste notorio entre el proceder de los ladrones y el del buen pastor. Los primeros provocan muerte y destrucción en el rebaño, mientras que el auténtico pastor da la vida por sus ovejas. Habiendo afirmado expresamente en el versículo noveno que él viene a dar vida abundante, puede aceptarse la conclusión que Jesús proclamara que él mismo es el buen pastor.

II LECTURA continuación LEU

El *mismo* subiendo a la cruz cargó con *nuestros* pecados
para que, *muertos* a nuestros pecados,
empecemos una vida *santa*.
Y por sus llagas fueron ustedes *sanados*.
Pues eran ovejas *descarriadas*,
pero *han vuelto* al Pastor y guardián de sus almas.

Enfatiza con voz clara y firme la regeneración que los lectores están invitados a vivir a partir de su adhesión personal a Cristo Jesús, su verdadero pastor.

EVANGELIO Juan 10,1–10 LEU

Lectura del santo Evangelio según san Juan

En *aquel* tiempo, dijo *Jesús*:
"En *verdad* les digo,
quien no entra *por la puerta* al corral de las ovejas,
sino por cualquier *otra* parte,
es un *ladrón* y un salteador.
Pero el *pastor* de las ovejas entra por la *puerta*.
El *cuidador* le abre, y las ovejas *escuchan* su voz:
llama *por su nombre* a cada una de sus ovejas
y las saca *fuera* del corral.
Cuando ha sacado a *todas* las que son *suyas*,
va caminando al *frente* de ellas,
y lo *siguen* porque *conocen* su voz.
A otro *no* lo seguirán:
más bien *huirán* de él porque *desconocen* la voz del extraño".
Jesús propuso esta *comparación*,
pero ellos *no* comprendieron lo que les quería decir.
Jesús tomó entonces de *nuevo* la palabra:
"En *verdad* les digo, yo soy la *puerta* para las ovejas.
Todos los que se presentaron *antes* que yo son *ladrones*
y malhechores,
pero las ovejas *no* les hicieron caso.
Yo *soy* la Puerta:
el que *entra* por mí está *a salvo*,
circula *libremente* y encuentra *alimento*.
El ladrón entra *solamente* a robar, a *matar* y a destruir.
Yo, en cambio, vine para que tengan *vida*
y *encuentren* la plenitud".

Relata esta narración parabólica con voz reposada y firme. El relato aparentemente ingenuo está lleno de alusiones y acusaciones muy severas. Conviene que las detectes previamente y que las formules con toda su fuerza.

Al comenzar a describir el proceder del pastor, deja a un lado el tono de voz que habías usado para referirte al accionar de los ladrones. Ahora se impone usar una voz elogiosa y entusiasta.

Introduce este comentario del narrador con voz más tranquila e impersonal.

Haz una pausa breve y crea cierto suspenso en la asamblea, para que de esa manera quede suficientemente destacada la gran revelación que va a proclamar Jesús al designarse como la única puerta que conduce a la salvación.

Culmina tu exposición usando tonos contrastantes para presentar el proceder homicida del ladrón y la misión vivificadora que viene a cumplir Jesús.

24 DE ABRIL DE 2005

5º DOMINGO DE PASCUA

I LECTURA Hechos 6,1–7 LM

Lectura del libro de los Hechos de los Apóstoles

En *aquellos* días, como *aumentaba* mucho
el número de los discípulos,
hubo *ciertas* quejas de los judíos griegos *contra* los hebreos,
de que *no se atendía bien* a sus viudas
en el servicio de caridad de *todos* los días.
Los Doce *convocaron* entonces a la multitud de los discípulos
y les dijeron:
"*No es justo* que, *dejando* el ministerio de la *palabra* de Dios,
nos dediquemos a *administrar* los bienes.
Escojan entre ustedes a *siete* hombres de *buena* reputación,
llenos del Espíritu Santo y de sabiduría,
a los cuales *encargaremos* este servicio.
Nosotros nos dedicaremos *a la oración*
y al servicio de *la palabra*".
Todos estuvieron de acuerdo y *eligieron* a Esteban,
hombre *lleno* de fe y del *Espíritu Santo*,
a Felipe, *Prócoro*, Nicanor, *Timón*, Pármenas
y Nicolás, *prosélito* de Antioquía.
Se los presentaron a los apóstoles
y éstos, después de haber orado, *les impusieron* las manos.
Mientras tanto, la palabra de Dios iba cundiendo.
En Jerusalén se multiplicaba *grandemente*
el número de los discípulos.
Incluso un grupo *numeroso* de sacerdotes había *aceptado* la fe.

I LECTURA Este relato presentado por san Lucas destaca la presencia de dos grupos lingüística y culturalmente diferentes. De un lado se encuentran los cristianos helenistas, es decir, judíos provenientes de las numerosas colonias diseminadas en el mundo mediterráneo, cuya lengua era el griego. De ellos mismos se puede decir que mantenían posturas más flexibles en relación a cuestiones de pureza y de relaciones con los paganos. Del otro lado están los cristianos establecidos en Jerusalén cuya lengua y cultura es netamente judía, los cuales eran más respetuosos de la sacralidad del templo y que además eran reticentes a ofrecer de manera indistinta el mensaje cristiano a los extranjeros.

Los primeros reclaman mayor atención para las viudas helenistas. Para solucionar ese diferendo se elige a siete personas que recibirán el nombre de diáconos. Los veremos en el resto del libro de los Hechos de los Apóstoles, realizando ministerios relacionados con la proclamación de la palabra. Estos diáconos son en realidad la institución colegial que preside en la comunión a los cristianos helenistas. No son en manera alguna un grupo confrontado con los Doce; al contrario, son colaboradores subordinados que reciben el impulso y el reconocimiento del colegio apostólico, y a los cuales el autor reconoce la decisión de ofrecer por primera vez el mensaje cristiano a los paganos.

II LECTURA La primera decena de versículos del capítulo segundo de la primera carta de Pedro está estructurada en torno de la imagen de la piedra. Con dicha imagen, el autor se refiere en primer lugar a la posición fundamental que Cristo ocupa en la vida de fe de cada uno de los cristianos. Según esta comparación, Jesús es el cimiento sobre el que se erige el edificio espiritual que conforman los hermanos todos, y es a la vez la piedra

I LECTURA Hechos 6,1–7 L E U

Lectura del libro de los Hechos de los Apóstoles

En *aquellos* días, habiendo *aumentado* el número
de los discípulos,
los helenistas se *quejaron* contra los hebreos,
porque sus viudas eran *desatendidas* en el servicio diario.
Los *Doce* reunieron la multitud de los *discípulos* y les dijeron:
"*No* es conveniente que *descuidemos* la Palabra de *Dios*
por el *servicio* de las mesas.
Por eso *busquen* de entre ustedes a *siete* hombres de buena fama,
llenos del Espíritu Santo y de *sabiduría*,
para *confiarles* este oficio.
Nosotros nos dedicaremos a la *oración* y al ministerio
de la *palabra*".
Toda la asamblea estuvo de acuerdo
y *eligieron* a Esteban,
hombre lleno de fe y del Espíritu Santo,
a Felipe, Prócoro, Nicanor, Timón, Parmenas
y a Nicolás, prosélito de Antioquía;
los presentaron a los *apóstoles*,
quienes después de orar les *impusieron* las manos.
La Palabra de Dios se *difundía*
y el *número* de los discípulos en Jerusalén
aumentaba *considerablemente*.
Incluso un *gran* número de sacerdotes *aceptaron* la fe.

Relata este episodio con la neutralidad y sencillez que conviene. Estás refiriendo sin falso rubor el lado humano de la Iglesia y los roces y tensiones que generaba la diversidad cultural en la comunidad cristiana de Jerusalén.

Proclama con especial énfasis y solemnidad la declaración sensata que los apóstoles plantean al resto de la comunidad. Resalta suficientemente el puesto prioritario que ocupa la proclamación de la palabra.

Presenta de manera pausada la lista de los siete diáconos. Destaca el sitio preeminente que ocupa Esteban, el protomártir.

Refiere esta visión sumaria con voz satisfecha y animosa. Estás proclamando de alguna manera los triunfos pastorales de nuestros primeros padres en la fe.

angular que corona y remata la entera edificación eclesial. La imagen de la piedra también sirve para retratar el carácter participativo y dinámico con que se incorpora cada bautizado a la comunidad eclesial.

Los bautizados no forman un conglomerado amorfo de personas extrañas; no son un mero agregado social que se reúne de forma fugaz y pasajera. Es una comunidad estructurada y bien trabada que está solidamente unida consigo misma y con Jesús. El aspecto dinámico de esas "piedras" está concretizado en el ofrecimiento de sacrificios y ofrendas espirituales dirigidas a Dios Padre por medio de Jesucristo.

Por último, Pedro concluye recordándoles a sus lectores la dignidad que recientemente han adquirido. Ellos que provenían de pueblos gentiles ahora son parte del nuevo y definitivo Israel, del auténtico pueblo de Dios.

EVANGELIO En continuidad con el tono propio de los discursos de despedida, Jesús se dirige a sus discípulos para reafirmarles el evento inminente que va a vivir: su partida de este mundo para ir hacia la casa del Padre. Jesús parte, como diríamos hoy, a realizar las tareas de logística necesarias para que sus discípulos sean bien recibidos al momento de su arribo a la casa común.

Jesús les anuncia reiteradamente a sus discípulos que está a punto de iniciar ese viaje decisivo, y que ese viaje no significará una separación definitiva entre él y los suyos. Al contrario, Jesús regresará para conducir consigo a todos cuantos hayan creído en él.

Intencionalmente, Jesús les insinúa a sus discípulos que ellos ya están informados acerca del camino que lo conducirá hacia el Padre y, como es su costumbre, lo hace para dar pie a que surja un malentendido en la mentalidad de sus interlocutores que, una vez más entienden las palabras de Jesús de manera llana, imaginándose que el camino al que Jesús se refiere sería una

II LECTURA 1 Pedro 2,4–9 L M

Lectura de la primera carta del apóstol san Pedro

Hermanos:
Acérquense al Señor Jesús,
la piedra viva, *rechazada* por los hombres,
pero *escogida y preciosa* a los ojos de Dios;
porque ustedes *también* son piedras *vivas*,
que van entrando en la *edificación* del templo espiritual,
para formar un *sacerdocio santo*,
destinado a *ofrecer* sacrificios espirituales,
agradables a Dios, por *medio* de Jesucristo.
Tengan presente que *está escrito*:
He aquí que pongo en Sión una piedra angular,
escogida y preciosa;
el que *crea* en ella *no quedará* defraudado.
Dichosos, pues, ustedes, los que *han creído*.
En cambio, para aquellos que se *negaron* a creer,
vale lo que dice la Escritura:
La piedra que *rechazaron* los constructores
ha llegado a ser la piedra *angular*,
y *también* tropiezo y roca de escándalo.
Tropiezan en ella los que *no creen* en la palabra,
y en esto *se cumple* un designio de Dios.
Ustedes, por el contrario, son estirpe *elegida*,
sacerdocio *real*, nación *consagrada* a Dios
y pueblo *de su propiedad*,
para que *proclamen* las obras maravillosas
de *aquél* que *los llamó* de las tinieblas a su *luz* admirable.

II LECTURA 1 Pedro 2,4–9 LEU

Lectura de la primera carta del apóstol san Pedro

Acérquense al Señor:
ahí tienen la piedra *viva rechazada* por los hombres,
y sin embargo, preciosa para Dios que la *escogió*.
Y *también* ustedes son piedras *vivas*
con las que se *construye* el templo espiritual destinado
al culto *perfecto*,
en el que por Cristo Jesús se ofrecen *sacrificios espirituales*
y *agradables* a Dios.
Él dice en la Escritura:
"Coloco en Sión una *piedra* de base, *escogida* y preciosa:
quien *cree* en él no quedará *defraudado*".
Así ustedes *recibirán* honor por haber creído.
En cambio, para los *incrédulos* está escrito:
"La piedra que *rechazaron* los *constructores*
ha pasado a ser piedra de *base*", y también:
"Contra esta piedra *tropezarán* y contra esta roca *caerán*".
Tropiezan en ella porque no creen en la palabra,
y en esto se *cumple* un designio de Dios.
Ustedes, al contrario, son una raza *elegida*,
un reino de *sacerdotes*, una nación *consagrada*,
un *pueblo* que Dios *eligió* para que fuera *suyo*
y *proclamara* sus maravillas.
Ustedes estaban en las *tinieblas*
y los llamó Dios a su *luz admirable*.

Con tono cariñoso, amonesta a tus lectores a que también ellos se decidan a acercarse a Jesús con toda confianza.

Resalta con viva emoción la afirmación central donde se afirma la vocación de los cristianos de convertirse en el templo espiritual donde se presentan ofrendas gratas al Padre.

Expón con voz grave y solemne, como corresponde hacerlo cuando se proclama un texto cargado de autoridad.

Haz una pausa antes de exponer el fracaso que enfrentaron los que rechazaron a Jesús. Proclama estos versos con cierto aire de pesadumbre.

Concluye la lectura dirigiendo directamente a la asamblea. Persuádelos de la incomparable vocación que Dios les ha asignado a partir del bautismo.

ruta o calzada que los conduciría a un determinado sitio de la geografía de Palestina o de algún otro territorio.

Jesús le contestará a Tomás presentándose como "el camino, la verdad y la vida", ya no entendido como una ruta de viaje, sino como el revelador único y exclusivo que manifiesta a todos el modo de acceder a la vida definitiva al lado del Padre. Cumpliendo la función de desvelar el misterio del Padre es como Jesús hace las veces de camino que nos facilita el tránsito hacia la amplia morada, la de las numerosas habitaciones, dispuestas por él mismo, para hospedar definitivamente a los suyos.

Al final de este trozo que nos proclama la liturgia, aparecerá un segundo malentendido, cuando Felipe solicite a Jesús que les muestre al Padre. La respuesta de Jesús deja entrever la incomprensión del discípulo, el cual no ha entendido el alcance de la obra y la persona de Jesús. Es por eso que san Juan ratifica una de las lecciones preferidas por él: conocer a Jesús equivale a conocer al Padre. Puesto que ambos están íntimamente unidos y de ese modo la persona, las palabras y el accionar del Hijo revelan y manifiestan efectivamente al Padre.

La conclusión de este discurso es evidente: la contemplación creyente de la obra cumplida por Jesús ha despejado toda duda sobre la persona del Padre. En lo sucesivo los hombres y las mujeres no caminarán "a tientas", buscando entre sombras el descanso gozoso al lado del Padre. Ya cuentan con la luz incomparable del Hijo, que les ayuda a creer y a caminar seguros hacia la morada definitiva.

EVANGELIO Juan 14,1–12 LM

Lectura del santo Evangelio según san Juan

En aquel tiempo, *Jesús* dijo a sus discípulos: "*No pierdan* la paz.
Si *creen* en Dios, *crean* también *en mí*.
En la *casa* de mi Padre hay *muchas* habitaciones.
Si no fuera *así*,
yo se lo *habría dicho* a ustedes,
porque *voy* a prepararles un lugar.
Cuando *me vaya* y les prepare un sitio,
volveré y los llevaré *conmigo*,
para que donde *yo esté*, estén *también* ustedes.
Y *ya saben* el camino para *llegar* al lugar a donde *voy*".
Entonces *Tomás* le dijo: "*Señor, no sabemos* a dónde vas,
¿*cómo* podemos *saber* el camino?"
Jesús le respondió: "*Yo soy* el camino, *la verdad* y la vida.
Nadie va al Padre si no es *por mí*.
Si ustedes me conocen *a mí*, conocen *también* a mi Padre.
Ya desde *ahora* lo conocen y lo *han visto*".
Le dijo *Felipe*: "Señor, *muéstranos* al Padre y eso nos basta".
Jesús le replicó:
"Felipe, *tanto tiempo* hace que estoy con ustedes,
¿y *todavía* no me conoces?
Quien me ha visto *a mí*, ha visto *al Padre*.
¿Entonces *por qué* dices: '*Muéstranos* al Padre'?
¿O *no crees* que yo estoy *en el Padre* y que el Padre *está en mí*?
Las palabras que *yo* les digo, no las digo por mi *propia* cuenta.
Es *el Padre*, que *permanece* en mí, *quien hace* las obras.
Créanme: yo *estoy* en el Padre y el Padre *está en mí*.
Si no me dan fe *a mí*, *créanlo* por las obras.
Yo *les aseguro*:
el que crea *en mí*, *hará* las obras que hago yo
y las hará *aún* mayores,
porque yo me *voy* al Padre".

EVANGELIO Juan 14,1–12 LEU

Lectura del santo Evangelio según san Juan

En aquel tiempo dijo *Jesús* a sus discípulos: "No se turben.
Ustedes *confían* en Dios: confíen *también* en mí.
En la casa de mi Padre hay *muchas* mansiones;
si no fuera así, ¿les habría dicho que voy allá a *prepararles* un lugar?
Después que yo haya ido a prepararles un lugar,
volveré a buscarlos
para que donde yo *estoy*, estén *también* ustedes.
Para ir donde voy, ustedes *saben* el camino".
Tomás le dijo: "*Señor*, no sabemos adónde vas,
¿*cómo* vamos a conocer el camino?"
Jesús contestó: "Yo soy el *Camino*, la Verdad y la Vida.
Nadie va al Padre sino por *mí*.
Si me *conocieran* a mí, *también* conocerían al Padre.
En realidad, *ya* lo conocen y lo han *visto*".
Felipe le dijo: "Señor, *muéstranos* al Padre y *eso* nos basta".
Jesús respondió:
"Hace tanto tiempo que *estoy* con ustedes
¿y *todavía* no me conoces, Felipe?
El que me ha visto a *mí* ha visto al *Padre*.
¿Cómo, pues, dices: '*Muéstranos* al Padre'?
¿No crees que yo *estoy* en el *Padre*,
y que el Padre *está* en mí?
Las *palabras* que yo les he dicho no vienen de *mí* mismo.
El Padre que está en mí *obra* por mí.
Créanme: Yo *estoy* en el Padre, y el Padre *está* en mí.
Al menos *créanmelo* por mis obras.
En verdad, el que cree en *mí* hará las *mismas* cosas que yo hago,
y aun hará cosas *mayores* que éstas,
pues *ahora* me toca irme al Padre".

Expón con ánimo cariñoso y cercano esta revelación íntima que Jesús comparte con sus discípulos. Recita con tono un tanto misterioso la afirmación de que los discípulos ya conocen cuál es el camino que Jesús recorrerá.

Plantea el interrogante formulado por Tomás con voz cargada de ingenuidad. Expón la respuesta de Jesús con gran firmeza. Recuerda que es la declaración más importante de este pasaje.

Haz una pausa antes de introducir la intervención de Felipe. Resalta el tono suplicante de la petición. Destaca con fuerza la solemne declaración de Jesús. Enfatiza suficientemente el tono de sus dos preguntas.

Termina esta proclama realzando la íntima comunión existente entre el Padre y el Hijo. Cada una de las frases finales de Jesús recítalas de manera lenta y pausada.

6° DOMINGO DE PASCUA

I LECTURA **Simón el mago es retratado como alguien que trafica con la religiosidad popular y que finge convertirse al Evangelio, porque espera incorporar el gesto de la imposición de manos a la serie de ritos y técnicas mágicas con las cuales planeaba seguir abusando de la credulidad de los samaritanos. Felipe y Pedro, por su parte, realizan el gesto de la imposición de manos gratuitamente y van confirmando en la fe a los bautizados que habían creído sinceramente en el nombre de Jesús.**

II LECTURA **El autor de esta carta exhorta a sus lectores a afrontar con paciencia los sufrimientos y contrariedades que les sobrevienen por causa de su fe en Cristo. Además de animarles a confesar con firmeza y reciedumbre el señorío de Jesús, el apóstol Pedro urge a los discípulos a que respondan con cortesía y bondad a cuantos se sientan inquietos y cuestionados por su esperanza perseverante. Los cristianos podrán ser interrogados de buena o mala fe acerca de su esperanza cristiana, y en cualquier circunstancia tendrán que conducirse con modestia y respeto ante sus interlocutores. De esa manera, resplandecerá más claramente la autenticidad de su fidelidad a Jesucristo.**

El apóstol Pedro nos hace comprender que la generación cristiana, a la cual él dirigía su carta, era una comunidad que llamaba la atención de sus conciudadanos por una razón en especial: vivían la vida con esperanza y conseguían afrontar y testimoniar los retos y contrariedades cotidianas con optimismo y entereza. Como ellos tenían conciencia de vivir en este mundo en calidad de forasteros y emigrantes, mantenían su mirada en un plano superior al de sus demás vecinos y parientes.

I LECTURA Hechos 8,5–8.14–17 LM

Lectura del libro de los Hechos de los Apóstoles

En aquellos días,
Felipe bajó a la ciudad de Samaria y *predicaba* allí a Cristo.
La multitud *escuchaba* con atención lo que *decía* Felipe,
porque *habían oído* hablar de los milagros *que hacía*
y los estaban *viendo*:
de *muchos* poseídos *salían* los espíritus inmundos,
lanzando gritos,
y *muchos* paralíticos y lisiados *quedaban* curados.
Esto despertó *gran alegría* en aquella ciudad.
Cuando *los apóstoles* que estaban en Jerusalén
se enteraron de que Samaria *había recibido* la palabra de Dios,
enviaron allá a Pedro y a Juan.
Éstos, al llegar, *oraron* por los que se habían convertido,
para que *recibieran* al Espíritu Santo,
porque *aún* no lo habían recibido
y *solamente* habían sido bautizados
en el *nombre* del Señor Jesús.
Entonces Pedro y Juan *impusieron* las manos sobre ellos,
y ellos *recibieron* al Espíritu Santo.

II LECTURA 1 Pedro 3,15–18 LM

Lectura de la primera carta del apóstol san Pedro

Hermanos:
Veneren en sus corazones a Cristo, *el Señor*,
dispuestos *siempre* a dar, al que las pidiere,
las *razones* de la esperanza de ustedes.
Pero *háganlo* con sencillez y respeto
y estando *en paz* con su conciencia.
Así quedarán *avergonzados* los que *denigran* la conducta
cristiana de ustedes,
pues *mejor* es padecer haciendo *el bien*,
si *tal es* la voluntad de Dios,
que *padecer* haciendo *el mal*.
Porque *también* Cristo murió, *una sola vez* y para siempre,
por los pecados *de los hombres*:
él, *el justo*, por nosotros, los injustos, para *llevarnos* a Dios;
murió en su cuerpo y resucitó *glorificado*.

I LECTURA Hechos 8,5–8.14–17 L E U

Lectura del libro de los Hechos de los Apóstoles

En *aquellos* días, Felipe *por su cuenta* fue
a una ciudad de Samaria,
donde empezó a *predicar* a Cristo.
Toda la gente se *interesó* por la predicación de Felipe.
Iban a *oírlo* y a ver los *prodigios* que *realizaba*;
pues de *muchos* endemoniados salían los espíritus malos
dando gritos,
y *numerosos* paralíticos y cojos quedaron *sanos*,
de tal modo que hubo una gran *alegría* en aquella ciudad.
En Jerusalén los apóstoles *supieron*
que los samaritanos habían *aceptado* la Palabra de Dios,
y les *mandaron* a Pedro y Juan.
Éstos vinieron y oraron por *ellos*
para que *recibieran* el Espíritu Santo;
ya que *todavía* no había bajado sobre *ninguno* de ellos,
y *sólo* estaban bautizados en el nombre del Señor Jesús.
Les *impusieron* las manos y recibieron el *Espíritu* Santo.

Relata pausadamente esta introducción y refiere con entusiasmo el progreso creciente que Felipe alcanza en Samaria.

Haz una breve pausa para que los lectores adviertan el cambio de escenario. Introduce con voz solemne a los dos apóstoles que vienen a Samaria para confirmar en la fe a los recién convertidos.

Concluye la lectura destacando el momento culminante del relato: la venida del Espíritu Santo sobre una comunidad de creyentes de origen samaritano.

II LECTURA 1 Pedro 3,15–18 L E U

Lectura de la primera carta del apóstol san Pedro

Sigan adorando *interiormente* al Señor, a Cristo,
siempre dispuestos para *justificar* la esperanza que los anima,
ante *cualquiera* que les pida razón.
Pero *háganlo* con sencillez y respeto,
como quien tiene la conciencia en *paz*.
Así, tendrán *vergüenza* de sus *acusaciones*
todos aquellos que a ustedes los *calumnian*
por llevar la *hermosa* vida cristiana.
Es *mejor* sufrir por hacer el bien,
si tal es la *voluntad* de Dios,
que por hacer el *mal*.
Miren cómo Cristo murió una vez a *causa* del pecado.
Siendo él *santo*, murió por los malos para *conducirnos* a Dios.
Murió *según* la carne y resucitó según el *Espíritu*.

Recita esta breve recomendación con un tono cargado de afecto y entereza. El apóstol está hablando a sus lectores de un asunto esencial para la difusión del mensaje cristiano.

Enfatiza la urgencia de tratar con benevolencia y respeto a todos los interlocutores curiosos que planteen preguntas sobre los motivos de la esperanza cristiana.

Con tono satisfecho y convencido, recuerda el ejemplar testimonio de fidelidad rendido por Jesús a la hora de su pasión y muerte.

No se dejaban seducir por los afanes terrenales ni por la cultura idolátrica circundante, sino que se conducían con honestidad, como "piedras vivas, rescatadas por la sangre preciosa del Mesías".

EVANGELIO Jesús continúa pronunciando su discurso de despedida en presencia de sus discípulos, y les invita a no acobardarse ni perder la paz luego de su partida. Él se tiene que marchar de en medio de los suyos, porque ha entendido que debe entregar su vida al Padre.

Jesús había despertado en el grupo de sus discípulos grandes esperanzas (ver Lucas 24,21); por eso, los suyos no podían resignarse a su rápida partida. Jesús no podía desentenderse de explicarles que luego de su resurrección, se inauguraría un nuevo modo de presencia.

Esa presencia se verificaría de varias maneras. En primer lugar, cuando cualquier creyente cumpliera la palabra de Jesús, quedaría convertido en morada del Padre y del Hijo. En segundo lugar, por medio de la presencia del Espíritu, Jesús seguiría viviendo en medio de los suyos para enseñarles y recordarles toda las enseñanzas que previamente les había revelado.

Aunque los seres humanos estamos acostumbrados por nuestra condición de criaturas a experimentar más fácilmente sensaciones, emociones y contactos físicos, no podemos olvidar la otra dimensión: la del Espíritu. Las palabras de despedida de Jesús nos recuerdan que existe otro modo de presencia más sutil, pero igualmente eficaz: la del Espíritu del resucitado que acompaña a su Iglesia, y le asiste para ir enfrentando con ánimo y valentía cada uno de los desafíos propios de su misión.

Es tan grande la certeza que tiene la Iglesia sobre la presencia del Espíritu en su interior que no vacila en confesar con plena seguridad que sus decisiones asumidas con apertura y responsabilidad están apoyadas por el Espíritu: "El Espíritu Santo y nosotros hemos decidido . . .".

EVANGELIO Juan 14,15–21 LM

Lectura del santo Evangelio según san Juan

En aquel tiempo, *Jesús* dijo a sus discípulos:
"Si me aman, *cumplirán* mis mandamientos;
yo le rogaré al Padre
y él *les enviará* otro Consolador que esté *siempre* con ustedes,
el Espíritu *de verdad*.
El mundo *no puede* recibirlo, porque no lo ve *ni lo conoce*;
ustedes, en cambio, *sí* lo conocen,
porque *habita* entre ustedes y *estará* en ustedes.
No los dejaré *desamparados*, sino que *volveré* a ustedes.
Dentro de poco, el mundo *no* me verá más,
pero ustedes *sí* me verán,
porque yo *permanezco* vivo y ustedes *también* vivirán.
En *aquel* día *entenderán* que yo *estoy* en mi Padre,
ustedes *en mí* y *yo* en ustedes.
El que *acepta* mis mandamientos y *los cumple*, *ése* me ama.
Al que me ama *a mí*, lo *amará* mi Padre,
yo *también* lo amaré y me manifestaré *a él*".

EVANGELIO Juan 14,15–21 LEU

Lectura del santo Evangelio según san Juan

En aquel tiempo, dijo *Jesús* a sus discípulos:
"*Si* ustedes me aman, *guardarán* mis mandamientos,
y yo *rogaré* al Padre y les dará *otro* Defensor
que permanecerá *siempre* con ustedes.
Éste es el *Espíritu* de Verdad,
que el mundo *no* puede recibir porque *no* lo ve *ni* lo conoce.
Pero ustedes lo *conocen* porque *permanece* con ustedes
y *estará* con ustedes.
No los dejaré *huérfanos*, sino que *vengo* a ustedes.
Dentro de *poco*, el mundo no me verá *más*,
pero ustedes me *verán*, porque *yo vivo*,
y ustedes *también* vivirán.
En ese día ustedes *comprenderán* que yo estoy en mi Padre,
y que ustedes *están* en mí, y yo en *ustedes*.
El que *conoce* mis mandamientos y los *guarda*,
ése *es* el que me *ama* a mí,
y yo *también* lo amaré y me *mostraré* a él".

Con palabras llenas de fuerza y convicción, convence a la asamblea de que las promesas hechas por Jesús también los incluyen a ellos.

Proclama estas calurosas palabras con el tono paciente de un maestro que habla confiadamente a sus discípulos.

Aumenta el tono cálido de tus palabras y procura contagiar a tus oyentes de la paz que Jesús les transmite.

Recita estas frases finales con el tono de una promesa y una advertencia. Las promesas quedan condicionadas a la respuesta de los discípulos.

LA ASCENSIÓN DEL SEÑOR

I LECTURA El relato de la ascensión del Señor es encuadrado en el marco de una comida celebrada entre Jesús y sus discípulos. En ese contexto, Jesús les recuerda el encargo de permanecer en Jerusalén hasta que reciban el don del Espíritu Santo. Al escuchar estas promesas, los apóstoles reaccionan con los típicos sentimientos nacionalistas que animaban a muchos israelitas e imaginan que se acerca el momento de la revancha y la reivindicación política del reino de Israel. Al registrar este corto diálogo, Lucas exhibe el desconcierto y la incomprensión que mostraban los discípulos antes de recibir al Espíritu Santo; ellos siguen esperando la restauración del predominio político de Israel.

La respuesta de Jesús devuelve a los discípulos a su condición de subordinados. No son ellos, sino Dios, quien habrá de ir conduciendo la historia de salvación. Será una historia donde los hijos de Israel no fungirán como reyes, sino como testigos de Jesús. Ésa es la única tarea que Jesús encarga a sus discípulos: la de ser testigos suyos, proclamando el mensaje pascual primero en Jerusalén, posteriormente en las regiones circunvecinas y finalmente en el mundo entero.

La respuesta de Jesús a las inquietudes políticas de sus discípulos (1,6), como la pregunta dirigida por los dos hombres vestidos de blanco (1,11), le sirven al autor del libro para frenar el ansía y la excesiva curiosidad que la Iglesia lucana de fines del primer siglo mostraba a propósito de la segunda venida del Señor.

La celebración de la ascensión de Jesús es la ocasión de que la Iglesia, alentada por el triunfo de su Señor, retome con nuevos bríos su dinamismo misionero, y no se quede "parada" ni encerrada dentro de sus murallas, sino que continúe saliendo y marchando al encuentro de todas las realidades y situaciones que reclaman su presencia misionera.

I LECTURA Hechos 1,1–11 L M

Lectura del libro de los Hechos de los Apóstoles

En mi *primer* libro, querido *Teófilo*,
escribí acerca *de todo* lo que Jesús *hizo* y enseñó,
hasta el día en que *ascendió* al cielo,
después de dar sus instrucciones,
por medio del *Espíritu Santo*, a los apóstoles que había *elegido*.
A ellos se les *apareció* después de la pasión,
les dio *numerosas* pruebas de que estaba *vivo*
y durante *cuarenta* días *se dejó* ver por ellos y *les habló*
del Reino de Dios.
Un día, estando con ellos a la mesa, *les mandó*:
"*No se alejen* de Jerusalén. Aguarden *aquí*
a que *se cumpla* la promesa de mi Padre,
de la que *ya* les he hablado:
Juan bautizó *con agua*;
dentro de *pocos* días ustedes serán bautizados
con *el Espíritu Santo*".
Los ahí reunidos le preguntaban:
"*Señor*, ¿*ahora* sí vas a restablecer la soberanía de Israel?"
Jesús les contestó:
"A ustedes *no les toca* conocer el tiempo y la hora
que el Padre *ha determinado* con su autoridad;
pero cuando el Espíritu Santo *descienda* sobre ustedes,
los *llenará* de fortaleza y *serán mis testigos* en Jerusalén,
en toda Judea, en Samaria y hasta los *últimos* rincones
de la tierra".
Dicho esto, se fue *elevando* a la vista de ellos,
hasta que una nube *lo ocultó* a sus ojos.
Mientras miraban *fijamente* al cielo, viéndolo alejarse,
se les presentaron *dos hombres* vestidos de blanco,
que les dijeron:
"*Galileos, ¿qué hacen allí parados*, mirando al cielo?
Ese mismo Jesús que los ha dejado para *subir* al cielo,
volverá como lo han visto alejarse".

I LECTURA Hechos 1,1–11 LEU

Lectura del libro de los Hechos de los Apóstoles

Teófilo, yo *escribí* en mi primer libro *todo*
lo que *Jesús* hizo y *enseñó* desde el *principio* hasta el día
en que fue *llevado al cielo*,
después que *dio instrucciones* por medio del *Espíritu Santo*,
a los *apóstoles*, que había elegido.
Después de su pasión se les *presentó*,
dándoles *muchas pruebas de* que vivía,
y durante *cuarenta días* les habló acerca del *Reino de Dios*.
Mientras *comía con ellos*, les mandó:
"No se *ausenten* de Jerusalén,
sino *esperen* lo que ha *prometido* el Padre,
de lo que ya les *he hablado*:
que Juan bautizó *con agua*,
pero ustedes *serán bautizados* en el soplo del *Espíritu Santo*
dentro de pocos días".
Los que *estaban reunidos* le preguntaron:
"Señor, ¿*es ahora cuando vas* a restablecer el Reino de Israel?"
Él les *contestó*:
"A ustedes *no les corresponde* saber el tiempo y el *momento*
que el *Padre* ha *elegido* y *decidido*,
sino que *recibirán la fuerza* del Espíritu Santo,
que vendrá *sobre ustedes*,
y serán mis *testigos en Jerusalén*, en toda Judea y Samaria,
y hasta los *límites de la tierra*".
Entonces, en presencia de ellos, Jesús *fue levantado*
y una nube *lo ocultó*.
Mientras miraban *fijamente al cielo* hacia donde iba Jesús,
se les *aparecieron* dos hombres *vestidos de blanco* que
les dijeron:
"Hombres de Galilea, ¿*qué hacen* ahí mirando al cielo?
Éste que *ha sido llevado*, este mismo Jesús,
vendrá como lo han visto subir al cielo".

Proclama este relato con ánimo entusiasta. Recuerda que estás refiriendo las primeras páginas de la vida de la Iglesia.

Refiere este sumario de las apariciones de manera reposada. Resalta de manera tajante la orden dada a los discípulos para que permanezcan en Jerusalén hasta que reciban el bautismo del Espíritu.

Recita la pregunta de los discípulos con cierto tono de curiosa ingenuidad.

Enfatiza con firmeza la respuesta contundente con la cual Jesús corrige la visión errada de sus discípulos. Expresa con gran solemnidad el encargo de ser testigos de Jesús en todo el universo.

Éste es el momento culminante del relato. Procura destacarlo de manera suficiente.

Pronuncia esta interrogante con cierto tono de reproche, de manera que la asamblea también se sienta impulsada a retomar su compromiso misionero.

II LECTURA Efesios 1,17–23 L M

Lectura de la carta del apóstol san Pablo a los efesios

Hermanos:
Pido al Dios de nuestro Señor Jesucristo, el *Padre* de la gloria,
que *les conceda* espíritu de sabiduría
y de reflexión *para conocerlo*.
Le pido que les *ilumine* la mente
para que comprendan *cuál* es la esperanza
que les da su llamamiento,
cuán gloriosa y rica es *la herencia*
que Dios da a los que *son suyos*
y cuál *la extraordinaria* grandeza
de su poder para *con nosotros*,
los que *confiamos* en él,
por la *eficacia* de su fuerza *poderosa*.
Con esta fuerza *resucitó* a Cristo de entre los muertos
y lo hizo sentar *a su derecha* en el cielo,
por encima *de todos* los ángeles, principados,
potestades, virtudes y dominaciones,
y por encima de *cualquier* persona,
no sólo del mundo *actual* sino también *del futuro*.
Todo lo puso bajo sus pies
y *a él mismo* lo constituyó *cabeza suprema* de la Iglesia,
que es *su cuerpo*,
y *la plenitud* del que lo consuma *todo* en todo.

II LECTURA **En el contexto de la introducción de la carta dedicada por el apóstol Pablo a la Iglesia de Efeso, encontramos después del acostumbrado saludo y la bendición iniciales la súplica que el autor dirige al Padre para que colme de sus dones a los destinatarios de su misiva. En esta densa y cargada petición, san Pablo implora una triple petición al Padre. En primer lugar, demanda el don de sabiduría necesario para comprender el misterio de Jesús. En segundo lugar, reclama les conceda la luz suficiente para mantener viva su esperanza. Finalmente, les augura ese misma iluminación para que aprecien y comprendan la eficacia y el poder desplegado por Dios Padre a través de la gloriosa exaltación de su Hijo Jesús.**

En efecto, Efesios 1,20–23 es un apretado texto cristológico donde se afirma de manera particular la victoria que el Padre ha otorgado a su Hijo al rescatarle de la muerte y al exaltarle hasta colocarlo a su misma diestra. El apóstol juzga conveniente enfatizar que esa exaltación ha sido completa y universal, puesto que todas las criaturas y potestades angélicas han quedado subordinadas a la soberanía de Jesús.

El capítulo concluye vinculando estrechamente a Cristo con el cuerpo que es su Iglesia. Esta Iglesia ha quedado revestida y llena de la plenitud de Dios Padre, que todo lo llena con su fuerza. La celebración de la fiesta de la ascensión nos fortalece en la esperanza, puesto que si la cabeza (Cristo) ha alcanzado la gloriosa exaltación. Y el cuerpo (Iglesia) también la alcanzará en el momento oportuno.

EVANGELIO **La última escena del Evangelio de Mateo no es de manera alguna un apéndice insustancial que se haya añadido como un pegoste en la obra del evangelista. Al contrario, es una escena magistral que sintetiza y reafirma las enseñanzas fundamentales que el autor ha expuesto a lo largo de su Evangelio, acerca de la figura de Jesús y del quehacer de la Iglesia.**

II LECTURA Efesios 1,17–23 LEU

Lectura de la carta del apóstol san Pablo a los efesios

Que el *Dios de Cristo* Jesús nuestro Señor, el *Padre de la Gloria,*
se *manifieste* a ustedes *dándoles* un espíritu de *sabiduría,*
para que lo *puedan conocer.*
Que les *ilumine* la mirada *interior,*
para que *vean* lo que *esperamos* a raíz del *llamado de Dios,*
y que *entiendan* la *herencia* grande y gloriosa
que *Dios* reserva a sus *santos;*
y *comprendan* con qué *extraordinaria fuerza*
actúa en favor de nosotros los creyentes,
usando toda la eficacia de *su poder.*
Su fuerza *todopoderosa* es la que se *manifestó* en Cristo,
cuando lo *resucitó* de entre los *muertos*
y lo *hizo sentar* a su lado, en *los cielos,*
mucho *más arriba* que todo poder, *autoridad,*
dominio, o *cualquier* otra fuerza *sobrenatural*
que se pueda *mencionar,*
no sólo en *este mundo,*
sino también *en el mundo futuro.*
Dios, pues, *colocó* todo bajo los pies *de Cristo,*
y lo puso *como cabeza* suprema de *la Iglesia.*
Ella es su *cuerpo,*
y el que *llena* todo en toda *forma,*
despliega en ella su *plenitud.*

Dirígete con una mirada suplicante al Padre e implora toda esta serie de dones y bendiciones para los cristianos que participan de la celebración.

Continúa proclamando estas otras dos súplicas con el mismo tono confiado y respetuoso con que te diriges de manera íntima al Padre.

Destaca con voz solemne y fuerte esta confesión cristológica. Destaca particularmente los verbos donde se enuncian los gloriosos eventos pascuales. Remarca con la debida fuerza el puesto supremo que Dios ha concedido a su Hijo Jesús.

Culmina la proclamación subrayando con vivo énfasis el puesto capital que Cristo ocupa dentro de su Iglesia.

Jesús se manifiesta como en el resto de las apariciones concedidas a los discípulos, con la finalidad de confirmar la fe vacilante de los suyos y de persuadirles de la realidad de su condición de resucitado. Los Once marchan a Galilea tal como se los había indicado el Señor (28,7). Lo hacen movidos por una esperanza firme; anhelan reencontrarse allá con su Señor. Al contemplarlo, se postran ante él, reaccionando con la actitud creyente que muestran los auténticos seguidores en la trama del Evangelio, los cuales postrándose confiesan el señorío de Jesús.

El momento culminante del relato llega con la solemne declaración que Jesús proclama ante los Once. En primer lugar, afirma la plena autoridad que el Padre le ha concedido. Ya no se trata de que él cumpla una misión restringida a las fronteras de Israel (ver 10,5–6). Ahora tendrá que enviar a sus discípulos a cumplir una misión abierta y universal, destinada a todos los pueblos y razas de la tierra. La Iglesia convocada por Jesús tendrá que recomenzar permanentemente su misión, puesto que la asistencia prometida por él está asegurada hasta el final de los tiempos.

Los Once reciben el encargo de hacer discípulos a todas las gentes, a quienes se decidan a seguir a Jesús como su Señor. Los consagrarán bautizándoles en el nombre del Padre, del Hijo y del Espíritu Santo, pero la misión no termina ahí, sino que incluye la enseñanza. Los enviados habrán de instruir a los recién convertidos para que aprendan a vivir en conformidad con los mandatos de Jesús.

Esta tarea es enorme y sobrepasa las capacidades humanas de los enviados, pero éstos no estarán desvalidos. Contarán con la presencia invaluable de Jesús, el verdadero Emmanuel, que hará presente y cercano a Dios en medio de su Iglesia.

El evangelista Mateo no afirma expresamente la exaltación gloriosa de Jesús, pero al menos lo insinúa al presentarnos a Jesús revestido de una autoridad universal. Sabemos que el Padre otorgó pleno poder a su Hijo a partir de su gloriosa exaltación a su diestra.

EVANGELIO Mateo 28,16–20 LM

Lectura del santo Evangelio según san Mateo

En aquel tiempo,
los once discípulos se fueron a *Galilea*
y *subieron* al monte en el que Jesús los había *citado*.
Al ver a Jesús, *se postraron*, aunque algunos *titubeaban*.
Entonces, Jesús *se acercó* a ellos y les dijo:
"Me ha sido dado *todo* poder en el cielo y en la tierra.
Vayan, pues, y enseñen *a todas* las naciones,
bautizándolas en *el nombre* del Padre y del Hijo
y del Espíritu Santo,
y *enseñándolas* a cumplir todo cuanto yo les *he mandado*;
y *sepan* que yo *estaré* con ustedes *todos* los días,
hasta *el fin del mundo*".

EVANGELIO Mateo 28,16–20 LEU

Lectura del santo Evangelio según san Mateo

En aquel tiempo, *los Once discípulos* partieron para *Galilea*,
al *cerro* donde *Jesús* los había *citado*.
Cuando *vinieron* a Jesús se *postraron ante él*,
aunque *algunos* todavía *desconfiaban*.
Entonces *Jesús*, acercándose, *les habló* con estas palabras:
"*Todo poder* se me ha dado en el *cielo y* en la *tierra*.
Por eso, *vayan* y *hagan* que todos los pueblos sean *mis discípulos*.
Bautícenlos, en el nombre del *Padre*, y *del Hijo*
y del *Espíritu Santo*, y enséñenles a *cumplir*
todo lo que yo les he *encomendado*.
Yo *estoy con ustedes* todos los días
hasta que se *termine* este *mundo*".

Relata esta escena solemne y magistral con la emoción que narrarías cada uno de los grandes sucesos de la vida del Señor. Con viva emoción, transmite la reacción humilde con la cual los Once adoran a su Señor. Acota de manera discreta la actitud todavía vacilante de algunos de los discípulos.

Relata con especial solemnidad esta escena de despedida, en la cual Jesús se aparta de los suyos.

ORGANIZA LAS ANOTACIONES E IDEAS QUE VAS A COMUNICAR

- Anota las ideas principales que quieres comunicar usando los comentarios que acompañan el texto en este manual.
- Sitúate en la perspectiva del personaje que habla en el texto. Ponte en su lugar o trata de entender su situación y su pensamiento.
- Escoge de antemano dónde quieres hacer una pausa y si quieres usar algún movimiento de las manos para darle sentido a la lectura. Practica frente al espejo sin hablar, sólo con los movimientos de las manos.
- Anota cualquier cambio de perspectiva o de actitud del personaje que habla en la lectura. Fíjate si el texto es diálogo, poema, o exhortación y léelo de esa manera.

7º DOMINGO DE PASCUA

I LECTURA Este apretado resumen destaca la oración continua y la íntima comunión que vivía el núcleo de los discípulos: las mujeres que lo habían acompañado durante su ministerio y los parientes del Señor, entre los cuales sobresale indudablemente su propia madre.

Este pequeño grupo aún no aborda la tarea misionera que su Señor le había encomendado. Por el momento, y al igual que lo hizo su Señor antes de comenzar su ministerio, están preparándose con una intensa vida de oración para iniciar su ministerio apostólico. La misión no podrá cumplirse con las solas fuerzas humanas. No será tampoco el fruto de la buena voluntad y el esfuerzo de los discípulos. Es antes que todo una obra de Dios; así lo entienden ellos y por eso se mantienen concordes y unidos en comunión íntima con el Padre.

II LECTURA En esta corta exhortación con la cual el apóstol Pedro alerta a los cristianos a no alarmarse ante la persecución violenta que se ha desatado en su contra, el apóstol se refiere a los sufrimientos que padecen por su condición de cristianos.

El autor distingue claramente entre los justos sufrimientos que padecen los asesinos y criminales y los padecimientos que ocasionalmente enfrentan los que se profesan públicamente como cristianos. Indudablemente, san Pedro no está deseando ni empujando a sus lectores a que provoquen o busquen que les sobrevenga la persecución. El autor se expresa de manera condicionada ("si padece por ser cristiano"), es decir, él está contemplando una posibilidad entre varias. Si la persecución llegará a ocurrir y al parecer en ese momento estaba ocurriendo, habría que considerarse dichoso de haber sido distinguido con tan singular privilegio. Tal como está asentado en la última de las bienaventuranzas, el cristiano que sufre por serlo puede considerarse dichoso, pues esos sufrimientos

I LECTURA Hechos 1,12–14 LM

Lectura del libro de los Hechos de los Apóstoles

Después de la *ascensión* de Jesús a los cielos,
los apóstoles *regresaron* a Jerusalén
desde el monte de los Olivos,
que *dista* de la ciudad lo que *se permite* caminar *en sábado*.
Cuando *llegaron* a la ciudad, *subieron* al piso alto de la casa
donde se alojaban, *Pedro y Juan*, Santiago y Andrés,
Felipe y Tomás, *Bartolomé* y Mateo, Santiago (el hijo de Alfeo),
Simón *el cananeo* y Judas, el hijo de Santiago.
Todos ellos perseveraban *unánimes* en la oración,
junto con *María*, la *madre* de Jesús,
con los *parientes* de Jesús y *algunas* mujeres.

II LECTURA 1 Pedro 4,13–16 LM

Lectura de la primera carta del apóstol san Pedro

Queridos hermanos:
Alégrense de compartir *ahora* los padecimientos de Cristo,
para que, cuando se manifieste *su gloria*,
el *júbilo* de ustedes sea *desbordante*.
Si los injurian por *el nombre* de Cristo, *ténganse* por dichosos,
porque *la fuerza* y *la gloria* del Espíritu de Dios
descansa sobre ustedes.
Pero que *ninguno* de ustedes *tenga* que sufrir *por criminal*,
ladrón, malhechor,
o simplemente *por entrometido*.
En cambio, si sufre *por ser cristiano*,
que *le dé* gracias a Dios por *llevar* ese nombre.

I LECTURA Hechos 1,12–14 L E U

Lectura del libro de los Hechos de los Apóstoles

Después de *subir* Jesús al cielo,
los apóstoles *volvieron* a Jerusalén desde el monte
de los Olivos,
que está a un cuarto de hora de la ciudad.
Y cuando llegaron *subieron* a la habitación superior donde vivían:
Pedro, Juan, Santiago de Alfeo;
Simón el que fue Zelotes, y Judas, hermano de Santiago.
Todos ellos perseveraban en la *oración* y con un *mismo* espíritu,
en *compañía* de algunas mujeres,
de *María*, la madre de Jesús, y de sus hermanos.

Como un testigo presencial de la ascensión del Señor, relata los eventos sucesivos que se verificaron en medio del grupo de los discípulos.

Enumera con voz pausada y tranquila la lista de los apóstoles que encabezaban a la pequeña comunidad que se mantenía unánime en la oración.

Concluye relatando con vivo entusiasmo el buen ánimo que priva en la comunidad de testigos que se reunía en Jerusalén.

II LECTURA 1 Pedro 4,13–16 L E U

Lectura de la primera carta del apóstol san Pedro

Alégrense de participar en los sufrimientos de Cristo;
de ese modo, en el día en que él venga *glorioso*,
ustedes estarán *también* en el gozo y la alegría.
Si los *insultan* por el nombre de Cristo, ¡*felices* ustedes!,
porque el *Espíritu* que comunica la gloria,
descansa sobre ustedes.
Que *ninguno* tenga que sufrir por asesino o ladrón,
malhechor o delator.
En cambio, si alguien sufre por ser *cristiano*, no se *avergüence*,
sino que dé *gracias* a Dios por llevar el nombre de cristiano.

Con voz jovial y animosa, infunde en la asamblea la fortaleza necesaria para asumir las contrariedades derivadas de su vida como cristianos.

Recita esta última advertencia con tonos diferenciados. Con voz severa, formula la primera aclaración; con voz gozosa y segura, proclama la segunda y última exhortación.

asumidos libremente son la prenda segura de que alcanzarán una recompensa abundante de parte del Señor.

EVANGELIO **La sección que nos ofrece la liturgia dominical es la parte inicial de dicha oración, en la cual el Señor solicita al Padre que le otorgue la gloria en la "hora" decisiva que va a enfrentar a partir de su muerte en cruz y de su consecuente triunfo y resurrección.**

La súplica fundamental que Jesús plantea al Padre va asociada a la mutua glorificación que el Hijo y el Padre se dan. El Hijo glorifica al Padre al asumir y cumplir cabalmente el encargo de revelarlo ante los suyos. Con la conciencia de que él ha culminado a la perfección esa obra reveladora, demanda al Padre que le otorgue la gloria merecida que ya poseía desde antes de manifestarse como el enviado del Padre. Podemos decir que esta primera parte de su oración está centrada en la íntima relación mantenida entre el Padre y el Hijo.

En cambio, en la segunda parte (ver 17,9–19) Jesús enfoca su súplica a favor de sus discípulos. Sustancialmente implora que los preserve del mundo, es decir, que los libre del sistema hostil que prevalece en la sociedad y que se opone a los criterios de Dios que Jesús les ha revelado. Mientras Jesús acompañó a sus discípulos, los fue guiando y preservando para resistir a la seducción que podía ejercer sobre ellos el sistema imperante. Ahora que se apartará de en medio de los suyos, los confía al cuidado del Padre para que él los guarde y los proteja.

EVANGELIO Juan 17,1–11 LM

Lectura del santo Evangelio según san Juan

En *aquel* tiempo, Jesús *levantó* los ojos al cielo y dijo:
"Padre, *ha llegado* la hora.
Glorifica a tu Hijo, para que tu Hijo *también* te glorifique,
y por el *poder* que le diste sobre *toda* la humanidad,
dé la *vida eterna* a cuantos le *has confiado*.
La vida eterna *consiste* en que te conozcan a ti,
único Dios *verdadero*,
y a *Jesucristo*, a quien *tú* has enviado.
Yo te he *glorificado* sobre la tierra,
llevando *a cabo* la obra que me *encomendaste*.
Ahora, Padre, *glorifícame* en ti con la gloria que *tenía*,
antes de que el mundo *existiera*.
He manifestado *tu nombre*
a los hombres que *tú tomaste* del mundo y *me diste*.
Eran *tuyos* y *tú* me los diste.
Ellos *han cumplido* tu palabra
y ahora *conocen* que *todo* lo que me has dado *viene de ti*,
porque yo les *he comunicado* las palabras que *tú* me diste;
ellos las han recibido
y ahora *reconocen* que yo salí *de ti*
y *creen* que tú me *has enviado*.
Te pido *por ellos*;
no te pido *por el mundo*,
sino por *éstos*, que *tú* me diste, porque *son tuyos*.
Todo lo mío *es tuyo* y todo lo tuyo *es mío*.
Yo he sido *glorificado* en ellos.
Ya no estaré más *en el mundo*,
pues *voy a ti*; pero ellos *se quedan* en el mundo".

EVANGELIO Juan 17,1–11a LEU

Lectura del santo Evangelio según san Juan

En aquel tiempo, Jesús *elevó* los ojos al cielo y dijo:
"Padre, ha *llegado* la hora:
da gloria a tu Hijo para que tu Hijo te dé *gloria a ti*,
usando el poder que a él le diste sobre *todos* los hombres
para *comunicar* la vida eterna a *todos* aquellos
que le diste a él.
Pues *ésta* es la vida eterna:
conocerte a ti, único Dios verdadero,
y al que enviaste, *Jesús*, el Cristo.
Te he *glorificado* en la *tierra*,
cumpliendo la obra que me habías *encargado*.
Ahora tú, Padre, dame junto a ti la *misma gloria*
que tenía a tu lado desde *antes* que comenzara el mundo.
A los que me *diste*, salvándolos del *mundo*,
les he hecho saber *quién* eres tú.
Los *sacaste* del mundo, pues eran *tuyos*,
y me los *diste*, y han hecho caso de tu *palabra*.
Ahora ellos *reconocen* que viene de ti *todo* lo que me diste.
Las palabras que me *confiaste*, se las he *entregado*
y las han recibido.
Reconocieron *verdaderamente* que yo he salido de ti,
y *creen* que tú me enviaste.
Yo *ruego* por ellos.
No ruego por el mundo, sino por los que tú me diste,
que ya son *tuyos*
—todo lo mío es tuyo y todo lo tuyo es mío—
y yo he sido *glorificado* en ellos.
Yo ya *no* estoy en el mundo,
pero ellos *quedan* en el mundo, mientras yo *vuelvo* a ti".

Modula cuidadosamente tu voz para que expreses con un tono familiar e íntimo esta petición que el Hijo dirige confiadamente al Padre.

Destaca con suficiente claridad esta solemne declaración sobre el significado de la vida eterna.

Formula esta nueva súplica con ánimo humilde. Jesús está solicitando al Padre le conceda aquello que le pertenece.

Resalta cada una de las frases donde Jesús se refiere a las actitudes cumplidas por los discípulos.

Culmina la proclamación de esta súplica con diferente tono y ritmo de voz. Se impone destacar de manera clara el aire de despedida que tiene este último párrafo.

DOMINGO DE PENTECOSTÉS, MISA DE LA VIGILIA

I LECTURA Génesis 11,1–9 LM

Lectura del libro del Génesis

En aquel tiempo, *toda* la tierra tenía una *sola* lengua
y unas *mismas* palabras.
Al *emigrar* los hombres desde *el oriente*,
encontraron una llanura en la región de Sinaar
y *ahí* se establecieron.
Entonces se dijeron *unos a otros*:
"*Vamos* a fabricar ladrillos y a *cocerlos*".
Utilizaron, pues, *ladrillos* en vez de piedra,
y *asfalto* en vez de mezcla. Luego dijeron:
"Construyamos *una ciudad*
y una torre que llegue *hasta el cielo* para hacernos *famosos*,
antes de dispersarnos por la tierra".
El Señor *bajó* a ver la ciudad
y la torre que los hombres *estaban construyendo* y se dijo:
"Son un *solo* pueblo y hablan una *sola* lengua.
Si ya empezaron *esta obra*,
en adelante *ningún* proyecto les parecerá *imposible*.
Vayamos, pues, y *confundamos* su lengua,
para que *no se entiendan* unos con otros".
Entonces el Señor *los dispersó* por toda la tierra
y *dejaron* de construir su ciudad;
por eso, la ciudad se llamó *Babel*,
porque *ahí* confundió el Señor la lengua *de todos* los hombres
y desde ahí *los dispersó* por la superficie de la tierra.

I LECTURA Este conocido relato de la Torre de Babel puede ser considerado como una composición que está abierta a diferentes y variadas interpretaciones. De hecho, la narración ha sido entendida como una crítica directa a las excesivas pretensiones de grandeza de cierta generación, que buscó alcanzar metas ostentosas para conseguirse fama y celebridad. También puede ser explicado como un relato que procura anclar en un hecho antiquísimo la situación de la multiplicidad de lenguas existentes en el Antiguo Cercano Oriente.

Esta breve narración es el broche que cierra "el ciclo de los orígenes" (Génesis 1—11) y, aunque se ubique en unas circunstancias concretas y precisas (el país de Senaar), en realidad está describiendo una conducta tan generalizada que no puede ser vista como exclusiva de los babilonios, los cuales fueron famosos por ser constructores de enormes torres o zigurats. Lo que real y verdaderamente está retratando esta magnífica narración es el desmedido afán de soberbia que se anida en el corazón humano de las personas de cualquier época o lugar.

La narración ha sido clasificada como un relato de crimen y castigo. Los habitantes cometen una falta al dejarse encandilar por la soberbia y la sed de grandeza, y ésta falta es castigada con la dispersión de los habitantes y la aparición de diferentes lenguas que producen aislamiento e incomunicación entre ellos. Esta seria carencia será un día colmada con creces, por la irrupción poderosa del Espíritu Santo que descenderá sobre los discípulos de Jesús, y les facilitará el camino para la reunificación de la humanidad a través de la guía del Espíritu.

I LECTURA Génesis 11,1–9 LEU

Lectura del libro del Génesis

Todo el mundo tenía un mismo idioma
y usaba las *mismas* expresiones.
Al *extenderse* la humanidad, desde *Oriente,*
encontraron una llanura en la región de *Seenar*
y allí se *establecieron.*
Entonces se dijeron unos a otros:
"*Vamos* a hacer ladrillos y cocerlos al *fuego*".
El ladrillo les servía de *piedra* y el alquitrán de *mezcla.*
Después dijeron:
"*Construyamos* una ciudad con una *torre*
que llegue *hasta* el cielo;
así nos haremos *famosos*
y no andaremos *desparramados* por el mundo".
El Señor *bajó* para ver la ciudad y *la torre*
que los hombres estaban *levantando* y dijo:
"Veo que todos forman un *mismo* pueblo
y hablan *una misma lengua,*
siendo esto el *principio* de su obra.
Ahora *nada* les impedirá que consigan *todo* lo que se propongan.
Pues bien, *bajemos* y una vez allí *confundamos* su *lenguaje*
de modo que no se entiendan los unos a los otros".
Así el Señor los *dispersó* sobre la superficie de *la tierra*
y *dejaron* de construir la ciudad.
Por eso se llamó *Babel,*
porque allí el Señor *confundió* el *lenguaje*
de *todos* los habitantes de la *tierra.*

[*Puedes escoger también como primera lectura cualquiera de las que siguen.*]

Relata este antiquísimo evento con la voz grave de quien rememora eventos ocurridos en un pasado remoto.

Proclama con voz entusiasta y con cierto tono presuntuoso los planes y propósitos que acarician los habitantes de Senaar.

Recita los pensamientos divinos con cierto tono de preocupación. Al leer la determinación que Dios piensa ejecutar, recítala con un tono rígido y severo.

Concluye la narración con voz pausada y serena que refleje la justa sanción impuesta por Dios.

ÉXODO

El evento registrado en el capítulo 19 alcanza una posición destacada en el ciclo de la travesía que Israel emprendió por el desierto. Su notable importancia reside en que en este encuentro se sentarán las bases que regularán las relaciones entre Dios y su pueblo. Dios, que funge como soberano único del pueblo que se ha conseguido en Egipto, le hace una oferta atractiva: establecer una alianza que los vincule definitivamente, como soberano y vasallo respectivamente.

Dios comunica el ofrecimiento a Moisés (ver Éxodo 19,5). Éste se lo transmite al pueblo (versículo 7) que, luego de escuchar detenidamente cuanto les informa Moisés, decide acatar libre y voluntariamente el ofrecimiento divino (versículo 8).

Después de que Moisés comunica la respuesta del pueblo, ocurre el hecho más decisivo: la manifestación divina en el monte Sinaí, en medio de nubes, relámpagos y humareda—elementos que sirven para velar y, a la vez, anunciar la cercanía de la presencia divina. En ese monte, Israel experimentó, gracias a la mediación de Moisés, la aproximación entre el cielo y lo tierra, entre lo divino y lo humano. A partir de entonces, vivió con la clara conciencia de ser un reino sacerdotal, una nación consagrada al Señor.

I LECTURA Éxodo 19,3–8.16–20 LM

Lectura del libro del Éxodo

En aquellos días, *Moisés* subió al monte Sinaí
para *hablar con Dios*.
El Señor lo llamó desde el monte y le dijo:
"*Esto* dirás a la casa de Jacob, esto *anunciarás* a los hijos de Israel:
'*Ustedes* han visto *cómo* castigué a los egipcios
y *de qué manera* los he levantado a ustedes sobre *alas de águila*
y los he traído *a mí*.
Ahora bien, si escuchan mi voz y *guardan* mi alianza,
serán mi especial tesoro *entre todos* los pueblos,
aunque *toda* la tierra es mía.
Ustedes serán para mí *un reino* de sacerdotes
y una nación *consagrada*'.
Éstas son las palabras que *has de decir* a los hijos de Israel".
Moisés *convocó* entonces a los ancianos del pueblo
y les expuso *todo* lo que el Señor le *había mandado*.
Todo el pueblo, a una, *respondió*:
"Haremos cuanto *ha dicho* el Señor".
Al rayar el alba del *tercer* día, hubo truenos y relámpagos;
una *densa* nube cubrió el monte
y se escuchó un *fragoroso* resonar de trompetas.
Esto hizo *temblar* al pueblo, que estaba en el campamento.
Moisés *hizo salir* al pueblo para ir al encuentro de Dios;
pero la gente *se detuvo* al pie del monte.
Todo el monte Sinaí *humeaba*,
porque el Señor *había descendido* sobre él en medio del fuego.
Salía humo *como de un horno*
y todo el monte *retemblaba* con violencia.
El sonido de las trompetas se hacía *cada vez* más fuerte.
Moisés hablaba y Dios le respondía *con truenos*.
El Señor *bajó* a la cumbre del monte
y le dijo a Moisés *que subiera*.

I LECTURA Éxodo 19,3–8a.10–20b L E U

Lectura del libro del Éxodo

En aquellos días, *Moisés* empezó a subir hacia Dios.
El *Señor* lo llamó del cerro y le dijo:
"Esto es lo que tienes que *decir* y *explicar* a los hijos de Israel.
*Ustede*s han visto cómo he tratado a los egipcios
y que a ustedes los he *llevado* sobre las alas del águila
y los he traído *hacia* mí.
Ahora, pues, si ustedes me escuchan *atentamente*
y *respetan* mi alianza,
los *tendré* por mi pueblo entre *todos* los pueblos.
Pues el mundo es *todo* mío.
Los tendré a *ustedes* como mi pueblo de sacerdotes,
y una nación que me es *consagrada*".
Entonces Moisés *bajó* del cerro y *llamó* a los jefes del *pueblo*,
y les *explicó* lo que el Señor le había *ordenado*.
Todo el pueblo a una voz contestó:
"Haremos todo lo que el Señor ha *mandado*".
Al *tercer* día, al amanecer, hubo sobre el monte
truenos y *relámpagos*;
una *espesa* nube cubrió el cerro;
hubo un sonido muy *fuerte* de cuerno.
En el campamento *todo* el pueblo se puso *a temblar*.
Entonces *Moisés* los hizo salir del *campamento*
para ir al *encuentro* de Dios.
Se *detuvieron* al pie del monte.
El Sinaí *entero humeaba*,
porque el Señor había *bajado* en medio del fuego.
Subía aquel humo como de *un horno*,
y todo el monte *temblaba* con violencia.
El sonido del cuerno se hacía cada vez más *fuerte*;
Moisés hablaba y Dios le *contestaba* con el trueno.
El Señor *bajó* a la cumbre del monte Sinaí,
y desde allí *llamó* a Moisés.

Refiere el ofrecimiento divino con voz entusiasta y esperanzada. No olvides que Dios está transmitiendo algo verdaderamente trascendente. Está haciendo una oferta que tendrá consecuencias decisivas en la vida de su pueblo.

Haz una breve pausa antes de narrar la breve comparecencia de Dios ante el pueblo de Israel. Recita con voz decidida y segura la respuesta dada por los hijos de Israel.

Con voz cargada de dramatismo, proclama los eventos terribles que ocurren en el monte Sinaí.

Procura ir aumentando progresivamente el tono de tu voz al ir refiriendo cada una de las manifestaciones sensibles de la presencia de Dios en medio de su pueblo.

EZEQUIEL

El capítulo 37 del libro de Ezequiel forma parte de la serie de oráculos transmitidos después de la caída de la ciudad de Jerusalén (ver Ezequiel 33—48). En dichos oráculos, el profeta comunica al pueblo desterrado en Babilonia un mensaje esperanzador y optimista.

Teniendo presente la desolada realidad de los desterrados que viven en Babilonia, el profeta les comunica una visión poética donde equipara su desastrosa situación con un montón de huesos resecos y calcinados, que pronto se cubrirán de carne, tendones y, sobre todo, del aliento vital que los devolverá a la vida.

En el momento histórico en que el profeta Ezequiel comunicó estas palabras proféticas, estaba anunciando un evento preciso: la vuelta de los desterrados a su patria. Posteriormente, los cristianos entendieron que detrás de estas imágenes compartidas y acuñadas por la sensibilidad poética del profeta Ezequiel, se escondía un mensaje más profundo y decisivo: el del anuncio y la venida del Espíritu, que, como viento divino, vendría a dar la vida nueva y definitiva a los discípulos de Jesús.

I LECTURA Ezequiel 37,1–14 LM

Lectura del libro del profeta Ezequiel

En *aquellos* días, la mano del Señor se posó *sobre mí*,
y su espíritu *me trasladó*
y me colocó *en medio* de un campo *lleno* de huesos.
Me hizo dar vuelta *en torno* a ellos.
Había una cantidad *innumerable* de huesos
sobre la superficie del campo
y estaban *completamente* secos.
Entonces el Señor me preguntó:
"*Hijo* de hombre, ¿*podrán* acaso *revivir* estos huesos?"
Yo respondí: "Señor, *tú* lo sabes".
Él me dijo: "Habla *en mi nombre* a estos huesos y *diles*:
'Huesos secos, *escuchen* la palabra del Señor.
Esto dice el Señor Dios a *estos huesos*:
He aquí que yo les *infundiré* el espíritu y *revivirán*.
Les pondré *nervios*, haré que les brote *carne*,
la *cubriré* de piel, les *infundiré* el espíritu y *revivirán*.
Entonces *reconocerán* ustedes que *yo soy* el Señor'".
Yo pronuncié *en nombre del Señor* las palabras
que él me *había ordenado*,
y mientras hablaba, se oyó un *gran* estrépito,
se produjo un *terremoto* y los huesos se juntaron *unos con otros*.
Y vi *cómo* les iban saliendo *nervios y carne*
y *cómo* se cubrían de piel; pero *no tenían* espíritu.
Entonces me dijo el Señor:
"*Hijo* de hombre, habla *en mi nombre* al espíritu y dile:
'*Esto* dice el Señor: *Ven*, *espíritu*, desde los *cuatro* vientos
y *sopla* sobre *estos muertos*, para que *vuelvan* a la vida'".
Yo hablé *en nombre* del Señor, como *él* me había ordenado.
Vino sobre ellos el espíritu, *revivieron* y se pusieron *de pie*.
Era una multitud *innumerable*.
El Señor me dijo: "*Hijo* de hombre:
Estos huesos son *toda* la casa de Israel, que ha dicho:
'Nuestros huesos están *secos*; *pereció* nuestra esperanza
y estamos *destrozados*'.
Por eso, habla *en mi nombre* y diles:
'*Esto* dice el Señor: *Pueblo mío*, yo mismo *abriré* sus sepulcros,
los haré *salir* de ellos
y *los conduciré* de nuevo a la tierra de Israel.
Cuando *abra* sus sepulcros y *los saque* de ellos, *pueblo mío*,
ustedes dirán que *yo* soy el Señor.
Entonces *les infundiré* mi espíritu,
los estableceré *en su tierra*
y *sabrán* que yo, el Señor, lo dije *y lo cumplí*'".

I LECTURA Ezequiel 37,1–14 LEU

Lectura del libro del profeta Ezequiel

El *Señor* puso sobre mí su mano, y su *Espíritu me llevó*,
dejándome en una llanura llena de huesos.
Me hizo pasar en *todas* direcciones en medio de ellos:
los huesos, *completamente* secos,
eran muy *numerosos* sobre la superficie de la llanura.
El *Señor* me preguntó:
"¿Piensas que podrán *revivir* estos huesos?"
Yo le contesté: "Señor Dios, tú *sólo* lo sabes".
Entonces me dijo:
"Habla de parte *mía* sobre estos huesos y les dirás:
'Huesos secos, *escuchen* la palabra del Señor.
Voy a hacer *entrar* un espíritu en ustedes y *volverán* a vivir.
Pondré sobre ustedes nervios y haré *crecer carne*
y los *cubriré* con piel y pondré en ustedes mi *Espíritu*,
de manera que *vivirán* y sabrán que Yo soy el Señor'".
Yo hablé como el Señor me lo *había* dicho.
Mientras lo hacía, se produjo un ruido y un alboroto:
los *huesos* se juntaron, se *cubrieron* de nervios;
se formó *carne*, y la piel se *extendía* por encima,
pero no había *espíritu* en ellos.
El *Señor* entonces me dijo:
"Habla de parte *mía* al Espíritu,
llámalo, hijo de hombre, y *dile* de parte del Señor Dios:
'Espíritu, *ven* por los cuatro lados
y *sopla* sobre estos muertos para que *vivan*'".
Lo hice *según* la orden del Señor y el Espíritu *entró* en ellos.
Se *reanimaron* y se pusieron de pie;
eran un ejército *grande, muy* grande.
Entonces, el *Señor* me dijo:
"Estos huesos son *todo* el pueblo de Israel.
Ellos andan diciendo: 'Se han *secado* nuestros huesos.
Se *perdió* nuestra esperanza,
el fin ha llegado para nosotros'.
Por eso *anúnciales* esta palabra:
Yo, el Señor, voy *a abrir* sus tumbas.
Pueblo *mío*, los haré *salir* de sus *tumbas*
y los llevaré de *nuevo* a la tierra de Israel.
Ustedes sabrán que yo soy *el Señor*,
cuando *abra* sus tumbas, pueblo mío, y los haga *salir*.
Infundiré mi Espíritu en ustedes y *volverán* a vivir,
y los *estableceré* sobre su tierra,
y ustedes entonces *sabrán* que Yo, el *Señor*, digo
y *pongo* por obra".

Narra este evento extraordinario con la firmeza y convicción de quien está relatando eventos inverosímiles. Procura persuadir a la asamblea de la realidad de tu experiencia y de la veracidad de cuanto afirmas.

Al proclamar cada una de las preguntas y respuestas dirigidas por Dios a Ezequiel, utiliza una voz especialmente grave y solemne.

Al leer este oráculo esperanzador, dale a tu voz el tono de una promesa cierta y segura que se cumplirá próximamente.

Relata la orden divina y la ejecución cumplida por Ezequiel con diferentes tonos de voz. Usa una voz firme para recitar las palabras de Dios y un tono humilde y comedido para leer las palabras del profeta.

Al concluir la proclamación de este anuncio de salvación, se impone usar un tono lleno de gozo y de esperanza que entusiasme a tus oyentes.

JOEL

Este oráculo es uno de los pasajes más conocidos y familiares del libro que es asignado al profeta Joel. La Iglesia lo ha asociado de manera especial con la fiesta de Pentecostés, cuyas vísperas celebramos. El oráculo es particularmente novedoso por el contenido de sus promesas, pues a diferencia de lo ocurrido durante todo el período del Antiguo Testamento, cuando Dios hacía descender su Espíritu sobre unos cuantos escogidos (a saber, los jueces, Moisés o los profetas), el oráculo proclamado por Joel anuncia un futuro totalmente nuevo y distinto, en el cual Dios derramará la fuerza de su Espíritu sobre todas las personas.

El profeta lo dice de diferentes maneras, afirmando expresamente que ese Espíritu descenderá sobre todos, y afirmándolo también que, más allá de las diferencias de género (hijos e hijas), de edad (ancianos y jóvenes), de clase social (siervos y siervas), el Espíritu hermanará a todos, haciendo sentir su fuerza y su presencia en todo el pueblo de Israel. La Iglesia ensancha aún más esta promesa al superar las barreras raciales y abrir el mensaje cristiano a todos los pueblos. Abre también el acceso de toda criatura de cualquier condición a la promesa universal del Espíritu.

II LECTURA **Este trozo de la carta a los Romanos se encuentra en uno de los capítulos más bellos y sublimes de dicha obra. Es en esas páginas donde el apóstol san Pablo expresa formidablemente sus reflexiones a propósito de la nueva vida, inaugurada por la presencia del Espíritu Santo en el corazón del creyente.**

De manera particular, estos versículos se ocupan de presentar al Espíritu Santo como el intérprete e intercesor que logra expresar de manera adecuada los deseos y pensamientos que el ser humano no consigue formular de manera clara. El Espíritu actúa como un intermediario eficiente que indaga los anhelos arraigados en el corazón de la persona y los hace salir para presentarlos delante del Padre.

I LECTURA Joel 3,1–5 LM

Lectura del libro del profeta Joel

Esto dice el Señor Dios:
"*Derramaré* mi espíritu *sobre todos*;
profetizarán sus hijos y sus hijas,
sus ancianos soñarán *sueños*
y sus jóvenes *verán visiones*.
También sobre mis siervos y mis siervas
derramaré mi espíritu en aquellos días.
Haré prodigios en el cielo *y en la tierra*:
sangre, fuego, *columnas de humo*.
El sol *se oscurecerá*,
la luna se pondrá color *de sangre*,
antes de que llegue el día *grande y terrible* del Señor.
Cuando *invoquen* el nombre del Señor *se salvarán*,
porque en el monte *Sión* y en *Jerusalén* quedará un grupo,
como lo ha *prometido* el Señor
a los sobrevivientes que *ha elegido*".

II LECTURA Romanos 8,22–27 LM

Lectura de la carta del apóstol san Pablo a los romanos

Hermanos:
Sabemos que la creación *entera* gime *hasta el presente*
y *sufre* dolores de parto;
y *no sólo* ella, sino *también* nosotros,
los que *poseemos* las primicias del Espíritu,
gemimos *interiormente*,
anhelando que se realice *plenamente*
nuestra condición de *hijos de Dios*,
la *redención* de nuestro cuerpo.
Porque *ya es nuestra* la salvación,
pero su plenitud es *todavía* objeto de esperanza.
Esperar lo que ya se posee *no es* tener esperanza,
porque, ¿*cómo* se puede *esperar* lo que *ya* se posee?
En cambio, si esperamos *algo* que *todavía* no poseemos,
tenemos que esperarlo *con paciencia*.
El Espíritu nos ayuda en nuestra debilidad,
porque nosotros *no sabemos pedir* lo que nos conviene;
pero el Espíritu mismo *intercede* por nosotros
con gemidos que *no pueden* expresarse con palabras.
Y Dios, que conoce *profundamente* los corazones,
sabe lo que el Espíritu *quiere decir*,
porque el Espíritu ruega *conforme* a la voluntad de Dios,
por los que *le pertenecen*.

I LECTURA Joel 3,1–5 LEU

Lectura del libro del profeta Joel

Así dice el *Señor* Dios:
Derramaré mi Espíritu sobre todos.
Tus hijos y tus hijas hablarán de parte mía,
los ancianos tendrán *sueños* y los jóvenes verán *visiones*.
En *aquellos* días,
hasta sobre los siervos y las sirvientas *derramaré* mi Espíritu.
Daré a ver *señales* en el cielo,
y en la tierra *habrá* sangre, fuego y nubes de humo.
El sol será *cambiado* en tinieblas y la luna *en sangre*
cuando se acerque el *día* del Señor,
día *grande* y *terrible*.
Y serán salvados *todos* los que invoquen el nombre del Señor.
Pues se dará una *liberación* en el cerro Sión,
en *Jerusalén* como lo ha dicho el *Señor*;
allí estarán los que llame el Señor.

Inicia la proclamación con un tono animoso que exprese las formidables promesas que Dios hace a su pueblo.

Con cierto tono misterioso, relata los eventos cósmicos que acompañarán la llegada del día del Señor.

Expresa esta oferta condicionada de salvación con el tono propio de una urgente advertencia.

II LECTURA Romanos 8,22–27 LEU

Lectura de la carta del apóstol san Pablo a los romanos

Vemos cómo *todavía* el universo gime y sufre dolores de *parto*.
Y no *sólo* el universo, sino *nosotros* mismos,
aunque se nos dio el *Espíritu*
como un *anticipo* de lo que tendremos,
gemimos *interiormente*,
esperando el día en que Dios nos *adopte*
y *libere* nuestro cuerpo.
Hemos sido *salvados* por la esperanza;
pero *ver* lo que se espera ya no es esperar.
¿*Cómo* se podría esperar lo *que* se ve?
Pero, si esperamos cosas que no vemos,
con *paciencia* las debemos esperar.
Además el Espíritu nos viene a *socorrer* en nuestra debilidad,
porque *no* sabemos qué pedir ni *cómo* pedir
en nuestras oraciones.
Pero el propio Espíritu *ruega* por *nosotros*,
con gemidos y súplicas que no se pueden *expresar*.
Y *Dios*, que penetra los *secretos* del corazón,
escucha los anhelos del Espíritu
porque, cuando el Espíritu *ruega* por los santos,
lo hace *según* la manera de Dios.

Recita estas reflexiones densas y profundas con un tono reposado, como el que usaría un maestro que expone lecciones complicadas.

Procura incorporar con tu mirada a la asamblea para que se sientan partícipes en las realidades descritas por el apóstol.

Proclama estas finas reflexiones con voz gozosa y satisfecha. Estás explicando el misterio de la presencia real del Espíritu en el corazón de los creyentes.

El Espíritu consigue expresar con eficacia los recónditos reclamos que se esconden en lo más íntimo de los creyentes, y los presenta puntualmente en presencia del Padre. De esa manera, nos auxilia para poder dialogar con Dios. El Espíritu es el mediador eficaz porque conoce cuanto ocurre en lo íntimo de la persona, y a la vez sabe cuál es el querer divino. Por eso, se expresa con la propiedad que amerita su oficio de intermediario entre Dios y sus hijos.

EVANGELIO **En el ambiente propio de la fiesta de las Chozas celebrada en Jerusalén, Jesús hace una solemne declaración con la cual se presenta como el manantial inagotable que viene a calmar la sed de la persona. Conviene recordar que la celebración de las Chozas, o Tabernáculos, rememoraba la estadía del pueblo de Israel en el desierto. Durante varios, días los israelitas habitaban en tiendas, trasportaban agua desde las fuentes bajas de la ciudad de Jerusalén y la conducían procesionalmente hasta el templo, recordando y agradeciendo a Dios por haberles otorgado agua abundante a sus antepasados por mediación de Moisés (ver Éxodo 17,6).**

El narrador que relata los eventos contenidos en el Cuarto Evangelio no quiere dejar lugar a dudas en sus lectores y descubre el significado preciso de la oferta de agua viva ofrecida por Jesús. El evangelista explica con todas sus letras que la promesa del agua ofrecida por el Señor; apunta a la realidad salvífica del Espíritu que Jesús resucitado derramaría sobre todos cuantos creyeran en él.

La imagen del agua para referirse al don del Espíritu es luminosa y elocuente. El agua es un símbolo claro de la vida y el nacimiento nuevo. Como bien sabemos, los creyentes en Jesús, a partir de la recepción del Espíritu Santo, alcanzamos la nueva vida y el nuevo nacimiento. Nos convertimos en criaturas nuevas alentadas por un dinamismo interior que suscita el Espíritu en nosotros.

EVANGELIO Juan 7,37–39 L M

Lectura del santo Evangelio según san Juan

El último día de la fiesta, que era el *más solemne*,
exclamó Jesús en voz alta:
"El que *tenga* sed, que venga *a mí*; y *beba*, aquel que *cree en mí*.
Como dice *la Escritura*:
Del corazón del que cree en mí *brotarán* ríos de *agua viva*".
Al decir *esto*, se refería al *Espíritu Santo*
que habían de recibir los que *creyeran en él*,
pues *aún* no había venido el Espíritu,
porque Jesús no había sido *glorificado*.

EVANGELIO Juan 7,37–39 LEU

Lectura del santo Evangelio según san Juan

El *último* día, el más *solemne* de la fiesta,
 Jesús, de pie, decía a *toda* voz:
 "Si alguien tiene *sed*, *venga* a mí y beba.
Si alguien *cree* en mí, el agua viva *brotará* en él,
 según lo *anunció* la Escritura".
Jesús, al decir *esto*, se refería al *Espíritu Santo*
 que luego *recibirían* los que creyeran en él.
Todavía no se comunicaba el Espíritu,
 porque Jesús aún no había *entrado* en su gloria.

Recita el ofrecimiento hecho por Jesús con la voz potente de un heraldo que proclama un mensaje urgente.

Haz una pausa para que los oyentes adviertan el cambio de tono. Nota que la voz del narrador descifra el significado de las palabras de Jesús.

ARTICULACIÓN Y TONO, RITMO Y EXPRESIÓN

Articulación y tono. La lectura debe llegar al auditorio sin que se pierda una palabra o una sílaba. Al leer se debe abrir la boca lo suficiente para que se escuchen perfectamente todas las vocales, y las consonantes con nitidez.

Es necesario atender al estilo y estructura de cada frase, para que los oyentes las perciban con claridad. Las frases o palabras deben ser leídas sin interrupción para no romper el sentido del conjunto.

Hay que darle vida al texto. Aunque se lea con claridad, se puede caer en la monotonía. Esto se evita con el tono y el ritmo que se den a la lectura. Es preciso huir de la voz monocorde y del "tonillo". Las interrogaciones y los paréntesis en el texto son una buena ocasión para subir o bajar la voz. Los finales de frase no tienen por qué obligar a hacer inflexiones de manera sistemática.

Por otra parte, la acústica del templo o del lugar de la proclamación impone también ciertas condiciones al lector. Tan molesta puede resultar una voz hiriente, que grita, en un templo pequeño, como una voz apagada y mortecina en un templo grande.

Ritmo de proclamación. El ritmo es elemento indispensable para la comprensión del texto que se proclama; es manifestación externa del dinamismo interno del pasaje. Cada lector tiene ritmo propio, incluso cada lectura exige el suyo. Lo verdaderamente importante es que los oyentes entiendan el mensaje transmitido. De ahí que sea necesario equilibrar diversos movimientos en una lectura. El lector, desde la primera frase, debe imponer la atención por medio de una voz sosegada y firme, que anuncia y transmite un mensaje.

Una lectura demasiado rápida es incomprensible, pues obliga al oído a hacer un esfuerzo mayor. Por el contrario, la excesiva lentitud provoca apatía y somnolencia. La estructura del texto es la que impone el ritmo, pues no todo tiene la misma importancia dentro del conjunto. Se puede leer más a prisa un pasaje que tiene una importancia menor, y dar un ritmo más lento a las frases que merecen un mayor interés.

La puntuación debe ser escrupulosamente respetada. Las pausas del texto permiten respirar al lector, y ayudan al auditorio a comprender plenamente lo que se está leyendo.

Leer con expresión. El lector debe identificarse con lo que lee, para que la palabra que transmite surja viva y espontánea, captando a los oyentes, y penetre en el corazón de quien escucha.

Para que la lectura sea expresiva, el lector tiene que procurar leer con:

- sinceridad, es decir, sin condicionamientos, hinchazón o artificios;
- claridad y precisión, conduciendo al oyente hacia el contenido, sin detenerle en las palabras;
- originalidad, imprimiendo a la lectura un sello de distinción y personalidad, de acuerdo con los matices que ofrece cada texto;
- misión y convicción, actitudes que encierran fuerza y persuasión;
- recogimiento y respeto, como corresponde a una acción sagrada.

DOMINGO DE PENTECOSTÉS

I LECTURA San Lucas presenta la irrupción del Espíritu Santo valiéndose de los elementos propios de las manifestaciones divinas que encontramos relatadas especialmente en el libro del Éxodo (ver 19,16–19). Ese relato teofánico refiere la aparición del viento y el fuego, dos elementos simbólicos que tienen un significado precioso, que no podemos olvidar. Por su parte, san Lucas, al referirnos el suceso de Pentecostés, nos describe la aparición de una violenta ráfaga de viento y la imposición de unas lenguas como de fuego, fuego y viento que dinamizan y transforman a los apóstoles que comienzan a proclamar las maravillas de Dios en distintas lenguas. El viento apunta al aspecto dinámico e inesperado del Espíritu Santo, que llega de improviso y reviste con su fuerza a los discípulos. Por su parte, el fuego es un elemento típicamente asociado con lo divino, que destruye y transforma lo que toca. Sin embargo, en Pentecostés las lenguas de fuego no destruyen a los apóstoles, sino que transforman su capacidad de lenguaje, constituyéndolos en pregoneros hábiles para emprender la misión universal, iniciada ya de manera germinal al ser proclamado el mensaje cristiano ante peregrinos venidos de todos los rincones del mundo conocido.

El Espíritu Santo reviste con su fuerza y su dinamismo al grupo apostólico. Les facilita la manera de comunicarse ante escuchas de lenguas desconocidas para ellos, y de esa manera se recupera de algún modo la unidad perdida desde antiguo, según lo rememoraba el episodio de la Torre de Babel que se nos proclamó en la celebración de la vigilia (ver Génesis 11,1–9).

I LECTURA Hechos 2,1–11 LM

Lectura del libro de los Hechos de los Apóstoles

El día de Pentecostés, *todos* los discípulos
estaban reunidos *en un mismo lugar*.
De repente se oyó un *gran ruido* que venía del cielo,
como cuando sopla un *viento fuerte*,
que *resonó* por toda la casa donde se encontraban.
Entonces aparecieron *lenguas de fuego*,
que se distribuyeron y se posaron sobre ellos;
se *llenaron todos* del Espíritu Santo
y *empezaron* a hablar *en otros idiomas*,
según el Espíritu *los inducía* a expresarse.
En *esos días* había en Jerusalén judíos devotos,
venidos de todas partes del mundo.
Al oír el ruido, acudieron *en masa* y quedaron *desconcertados*,
porque *cada uno* los oía hablar en *su propio* idioma.
Atónitos y *llenos* de admiración, preguntaban:
"¿No son galileos *todos estos* que están hablando?
¿*Cómo*, pues, los oímos hablar en *nuestra lengua* nativa?
Entre nosotros hay medos, partos y *elamitas*;
otros vivimos en *Mesopotamia*, Judea, Capadocia,
en el Ponto y *en Asia*, en Frigia y en *Panfilia*,
en Egipto o en la zona de Libia que limita con Cirene.
Algunos somos visitantes, venidos *de Roma*, judíos y prosélitos;
también hay cretenses y árabes.
Y *sin embargo*,
cada quien los oye hablar de las maravillas de Dios
en su propia lengua".

I LECTURA Hechos 2,1–11 LEU

Lectura del libro de los Hechos de los Apóstoles

Cuando llegó el día de *Pentecostés*,
estaban *todos* reunidos en un mismo lugar.
De pronto *vino* del cielo un ruido,
como el de una *violenta* ráfaga de viento,
que llenó *toda* la casa donde estaban.
Se les aparecieron unas *lenguas* como de fuego,
las que, separándose, se fueron *posando*
sobre cada uno de ellos;
y quedaron *llenos* del Espíritu Santo
y se pusieron a *hablar* idiomas distintos,
en los cuales el Espíritu les *concedía* expresarse.
Había en *Jerusalén* judíos y hombres *temerosos* de Dios,
venidos de *todas* las naciones de la tierra.
Al *producirse* aquel ruido, la gente se *reunió*
y quedó *asombrada* al oír a los apóstoles *hablar*
cada uno en su lengua *propia*.
Asombrados y *admirados* decían:
"¿No son *galileos* todos éstos que están hablando?
Entonces, ¿*cómo* cada uno de nosotros los oímos *hablar*
en nuestro *propio* idioma?
Entre *nosotros* hay partos, medos y elamitas;
habitantes de Mesopotamia, Judea, Capadocia y del Ponto;
hay hombres provenientes de Asia, Frigia, Panfilia y Egipto;
y de la parte de Libia que limita con Cirene;
hay *forasteros* romanos, *judíos*
y hombres no judíos que *aceptaron* sus creencias;
cretenses y árabes;
y sin embargo, *todos* los oímos hablar en *nuestros* idiomas
las *maravillas* de Dios".

Refiere gustosamente estos acontecimientos transcendentales con los cuales se inició propiamente la misión de la Iglesia. Hazlo con la seguridad de sentirte testigo directo de tales eventos.

Proclama estos sucesos sobrenaturales con firmeza y autoridad, de manera que tus oyentes queden persuadidos de la veracidad de lo que estás relatando.

Plantea los interrogantes formulados por los testigos ahí presentes con palabras llenas de admiración y asombro.

Enumera detenidamente cada una de las razas y naciones ahí mencionadas. Procura transmitir la dimensión verdaderamente universal de la Iglesia. Culmina la lectura destacando la rotunda afirmación con que se cierra esta narración.

II LECTURA Por lo que comenta el apóstol Pablo, podemos intuir que algunos de la comunidad cristiana se consideraban "supercristianos" por haber recibido tales dones. San Pablo reacciona ante tales excesos, exponiendo brillantemente diversos argumentos para persuadir a los carismáticos presuntuosos de lo errado de su proceder. En el primer argumento, les explica que si los dones del Espíritu tienen como único e idéntico origen a Dios, no pueden las diferentes manifestaciones del Espíritu ser utilizadas para fomentar la división y la rivalidad, pues contradecirían la finalidad para la que fueron dados.

EVANGELIO El narrador de este relato tiene cuidado de presentarnos la actitud en que se hallaban los discípulos, quienes estaban recluidos por temor a correr la misma suerte de su maestro, que recién había sido ejecutado. Al parecer, estaban sobrecogidos de miedo, y justamente por eso Jesús los saluda deseándoles la paz. De manera expresa, el evangelista quiere recalcar que Jesús resucitado ha alcanzado otro tipo de corporeidad, puesto que las puertas cerradas no impiden que pase por entre ellas y se coloque en medio de los suyos. Pero a la vez quiere destacar la identidad entre el resucitado y el crucificado, pues aquél todavía lleva los signos de los ultrajes que sufrió durante la pasión.

Una vez que los discípulos identifican al resucitado como el Señor, vienen los dos hechos más importantes del relato: el envío oficial por el cual Jesús los constituye en sus testigos y en continuadores de la misión que el Padre le encomendó; por lo tanto, no actuarán en lo sucesivo en nombre propio, sino como enviados autorizados del Padre. Enseguida viene la habilitación para el cumplimiento de esa misión, al otorgarles la presencia del Espíritu, y recrearlos interiormente. Jesús resucitado, que ha sido revestido del poder del Padre, participa a los suyos del aliento de su Espíritu y a la vez del poder de acoger y excluir, en nombre de Dios, a los hermanos de la comunión eclesial.

II LECTURA 1 Corintios 12,3–7.12–13 LM

Lectura de la primera carta del apóstol san Pablo a los corintios

Hermanos:
Nadie puede llamar a Jesús "*Señor*",
si no es *bajo la acción* del Espíritu Santo.
Hay *diferentes* dones, pero el Espíritu *es el mismo*.
Hay *diferentes* servicios, pero el Señor *es el mismo*.
Hay *diferentes* actividades, pero Dios,
que hace todo *en todos*, es el mismo.
En *cada uno* se manifiesta el Espíritu para el *bien común*.
Porque así como el cuerpo *es uno* y tiene *muchos* miembros
y *todos ellos*, a pesar de ser muchos, forman un *solo cuerpo*,
así también es Cristo.
Porque *todos* nosotros, seamos judíos o *no judíos*,
esclavos o libres, hemos sido *bautizados*
en un *mismo* Espíritu
para *formar* un *solo cuerpo*,
y *a todos* se nos ha dado a beber del mismo Espíritu.

EVANGELIO Juan 20,19–23 LM

Lectura del santo Evangelio según san Juan

Al *anochecer* del día de la resurrección,
estando *cerradas* las puertas de la casa
donde se hallaban los discípulos,
por *miedo* a los judíos,
se presentó Jesús *en medio* de ellos y les dijo:
"*La paz* esté con ustedes".
Dicho esto, *les mostró* las manos y el costado.
Cuando los discípulos *vieron* al Señor, se *llenaron* de alegría.
De nuevo les dijo Jesús:
"*La paz* esté con ustedes.
Como el Padre me *ha enviado*, *así también* los envío yo".
Después de decir esto, *sopló* sobre ellos y les dijo:
"*Reciban* al Espíritu Santo.
A los que *les perdonen* los pecados, les quedarán perdonados;
y a los que *no se los perdonen*, les quedarán *sin perdonar*".

II LECTURA 1 Corintios 12,3b–7.12–13 LEU

Lectura de la primera carta del apóstol san Pablo a los corintios

Nadie puede decir: "Jesús es el Señor",
sino *guiado* por el Espíritu Santo.
Hay *diferentes* dones espirituales, pero el Espíritu es el *mismo*;
hay *diversos* servicios, pero el Señor es el *mismo*;
hay *diferentes* obras,
pero es el *mismo* Dios quien obra *todo* y en todos.
En cada uno el Espíritu Santo *revela* su presencia,
dándole algo que es para el *bien* de todos.
Del *mismo* modo que el cuerpo es uno y tiene *muchas* partes
y todas las partes del *cuerpo*, aun siendo muchas,
forman un *solo* cuerpo,
así *también* Cristo.
Todos nosotros, ya seamos judíos o griegos, esclavos o libres,
hemos sido *bautizados* en un mismo Espíritu,
para formar un *único* cuerpo.
Y a *todos* se nos ha dado a beber del *único* Espíritu.

Inicia tu proclamación destacando tajantemente la solemne confesión con la cual el apóstol abre su exposición.

Recita estos versos conservando el ritmo con que los ha ordenado el apóstol. Haz una pausa entre la primera ("hay diferentes . . .") y la segunda afirmación ("pero el Espíritu . . .").

Explica pausadamente la lección que san Pablo expone a partir de la imagen del cuerpo.

Al presentar este segundo argumento, involucra con tu mirada a la asamblea, de manera que también ellos redescubran su vocación a vivir la unidad del Espíritu.

EVANGELIO Juan 20,19–23 LEU

Lectura del santo Evangelio según san Juan

La tarde de ese *mismo* día, el *primero* de la semana,
los discípulos estaban a puertas *cerradas*
por miedo a los judíos.
Jesús se hizo *presente* allí, de pie en *medio* de ellos.
Les dijo: "La paz sea con ustedes".
Después de *saludarlos* así, les mostró las *manos* y el costado.
Los discípulos se llenaron de *gozo* al ver al Señor.
Él les *volvió* a decir: "La paz *esté* con ustedes.
Así como el Padre me *envió* a mí,
así yo los *envío* a ustedes".
Dicho esto, *sopló* sobre ellos:
"*Reciban* el Espíritu Santo,
a quienes ustedes *perdonen*, queden perdonados,
y a quienes no libren de sus pecados, queden *atados*".

Refiere este evento como lo harías al rememorar un episodio que te dejó marcado para toda tu vida. Recuerda que estás contando el suceso que cambió para siempre la vida y la historia de los discípulos.

Haz una ligera pausa antes de proclamar solemnemente las palabras con las cuales Jesús constituye a sus discípulos en sus testigos oficiales.

Lee estos versos finales con voz especialmente grave y llena de autoridad. Jesús les está participando del poder que el Padre le ha confiado.

LA SANTÍSIMA TRINIDAD

I LECTURA Éxodo 34,4–6.8–9 LM

Lectura del libro del Éxodo

En *aquellos* días,
Moisés subió de madrugada al monte *Sinaí*,
llevando en la mano las *dos tablas* de piedra,
como le había *mandado* el Señor.
El Señor *descendió* en una nube y se le hizo *presente.*
Moisés pronunció entonces el nombre del Señor,
y el Señor, pasando *delante de él*, proclamó:
"*Yo soy* el Señor, el Señor Dios,
compasivo y clemente, paciente, *misericordioso* y fiel".
Al instante, Moisés se postró en tierra *y lo adoró*, diciendo:
"Si *de veras he hallado gracia a tus ojos*,
dígnate venir ahora *con nosotros*,
aunque este pueblo sea *de cabeza dura*;
perdona nuestras iniquidades y pecados,
y *tómanos* como cosa tuya".

II LECTURA 2 Corintios 13,11–13 LM

Lectura de la segunda carta del apóstol san Pablo a los corintios

Hermanos:
Estén *alegres*, trabajen por *su perfección*,
anímense *mutuamente*, vivan en paz *y armonía*.
Y el *Dios* del amor y de la paz *estará* con ustedes.
Salúdense los *unos a los otros* con el saludo de paz.
Los saludan *todos* los fieles.
La *gracia* de nuestro Señor Jesucristo,
el amor del Padre y la comunión del *Espíritu Santo*
estén *siempre* con ustedes.

I LECTURA El capítulo 34 del Éxodo es una narración fundamental en el conjunto del Pentateuco, y lo es en razón de que recoge la memoria de la renovación de la alianza que Dios vuelve a ofertar a los hijos de Israel en el monte Sinaí. Una vez más, Moisés tendrá que labrar unas losas de piedra y escribir en ellas los mandatos que el Señor le dicte. Antes que esto suceda viene una autopresentación de Dios donde él enumera sus cualidades más sobresalientes. Es precisamente el texto de esta lectura.

Si en esta presentación que Dios hace de sí mismo se destacan particularmente los aspectos de su compasión, bondad y misericordia, no es por azar o capricho. El autor no busca mostrarnos el aspecto omnipotente y sobrecogedor del Dios creador, sino al Padre clemente y compasivo que no duda en recomenzar una segunda vez su relación con Israel. Aunque éstos habían quebrantado la alianza que recién habían celebrado, Dios atiende a las suplicas de Moisés, que intercede demandado perdón y protección para su pueblo.

II LECTURA Estas afectuosas palabras son el broche con el cual el apóstol Pablo concluye la segunda carta enviada a la Iglesia de Corinto. Esta breve despedida incluye varias recomendaciones y algunos saludos. El apóstol anima a los hermanos a convivir pacíficamente entre ellos, como corresponde hacerlo a quienes viven consagrados a Dios. Sin embargo, el motivo principal por el cual evocamos esta página escrita por san Pablo es porque en el último versículo recoge un saludo que formula de manera clara y expresa la relación amorosa que cada creyente vive con Dios Padre, con Jesucristo y con el Espíritu Santo. De hecho, este saludo final ha sido preservado como el saludo inicial que da comienzo a la celebración eucarística.

I LECTURA Éxodo 34,4b–6.8–9 LEU

Lectura del libro del Éxodo

En aquellos días, de madrugada *subió* Moisés
al monte *Sinaí*,
como lo había *ordenado* el Señor;
en sus manos llevaba las dos *tablas* de piedra.
El Señor *bajó* en una nube y pronunció el *nombre* del Señor.
Luego pasó *delante* de Moisés y dijo con voz *fuerte*:
"El *Señor*, el *Señor*, es un Dios *misericordioso* y clemente,
tardo a la cólera y rico en amor *verdadero*
que *mantiene* su amor por mil generaciones".
Al momento *cayó* Moisés de rodillas al suelo,
adorando a Dios, y dijo:
"Señor, si *realmente* me quieres,
ven y *camina* en medio de nosotros,
aunque sea un pueblo *rebelde*;
perdona nuestras faltas y pecados
y recíbenos por *herencia* tuya".

Relata este suceso con voz emocionada. Estás refiriendo algo extraordinario que vivió Moisés en la intimidad con el Señor. Refiere las acciones cumplidas por Dios con voz solemne y respetuosa.

Proclama esta revelación que Dios hace de sí mismo con voz cargada de confianza y seguridad. Afirma con plena certeza cada una de las cualidades divinas.

Haz una pausa antes de introducir la súplica de Moisés. Utiliza también un tono confiado y familiar para exponer su petición.

II LECTURA 2 Corintios 13,11–13 LEU

Lectura de la segunda carta del apóstol san Pablo a los corintios

Estén *alegres*, trabajen para ser *perfectos*, anímense,
tengan un *mismo* sentir y vivan en *paz*.
Y el Dios del *amor* y de la paz *estará* con ustedes.
Salúdense los unos a los otros con un *abrazo* santo.
Les saludan *todos* los santos.
La *gracia* de Cristo Jesús el Señor, el *amor* de Dios
y la *comunión* del Espíritu Santo
sean con *todos* ustedes. Amén.

Dirígete a la asamblea con voz cargada de autoridad y afecto. San Pablo les está hablando con la familiaridad que siente un padre por sus hijos.

Remarca con toda su fuerza el saludo final. Destaca con voz suave y pausada el nombre de cada una de las personas de la Trinidad.

EVANGELIO Esta escena es usada por el narrador para enmarcar una de las más profundas revelaciones transmitidas por el Cuarto Evangelio. Nos referimos al conocido pasaje de Juan 3,16: "Tanto amó Dios al mundo que le dio a su Hijo único, para que todo el que crea en él no se pierda, sino que tenga vida eterna".

Este verso destaca en particular el tratamiento amoroso que Dios Padre ha dispensado al género humano al entregarles sin regateos a su único Hijo, el cual se ha encarnado y ha asumido la naturaleza humana para convertirse en el auténtico mediador que logrará rescatar a sus hermanos. Esta incomparable condición de enviado del Padre convierte a Jesús en el intermediario decisivo que otorga o niega el acceso a la salvación. En realidad, el desenlace último (castigo o salvación) no depende del proceder del Hijo, sino de la respuesta que la persona muestre ante la oferta que él viene a plantear.

Para el cuarto evangelista, Jesús no es un mediador como tantos otros que lo antecedieron a lo largo de la historia de Israel. Es el portador del llamado definitivo y crucial que Dios dirige a sus criaturas. Del tratamiento dado a la persona y el mensaje de Jesús depende la suerte última de todos los seres humanos. Desairar y rechazar a Jesús equivale en este caso a rechazar el ofrecimiento generoso y magnánimo que el Padre nos propone.

Como bien lo remarca la proposición aclaratoria del versículo 17, la intención del Padre no apunta de ninguna manera al castigo ni a la condenación de nadie. Dios no quiere aislar ni privar a nadie de la participación de su vida divina. Al contrario, es tanta su voluntad de extender a todos el ofrecimiento de su vida que no vacila en desprenderse de su Hijo para conseguirlo. Aquí reside la gravedad del asunto. El envío del Hijo de Dios al mundo no es un suceso intrascendente; al contrario, es el evento capital de toda la revelación de Dios.

EVANGELIO Juan 3,16–18 LM

Lectura del santo Evangelio según san Juan

"*Tanto* amó Dios al mundo, que *le entregó* a su Hijo *único*,
para que *todo* el que crea en él *no perezca*,
sino que tenga la *vida eterna*.
Porque Dios *no envió* a su Hijo para *condenar* al mundo,
sino para que el mundo se salvara *por él*.
El que cree en él *no será* condenado;
pero el que no cree *ya está* condenado,
por *no haber creído* en el Hijo *único* de Dios".

EVANGELIO Juan 3,16–18 LEU

Lectura del santo Evangelio según san Juan

En *aquel* tiempo dijo Jesús a *Nicodemo*:
"*Tanto* amó Dios al mundo que le *dio* su Hijo *único*,
para que *todo* el que crea en él *no* se pierda, sino que tenga vida *eterna*.
Dios *no* mandó a su Hijo a este mundo para *condenar* al mundo sino para *salvarlo*.
El que *cree* en él no se pierde;
pero el que *no* cree ya se ha *condenado*
por *no* creerle al Hijo *único* de Dios".

Proclama con claridad y gran convicción esta contundente afirmación sobre el enorme amor de Dios. Destaca el contraste existente entre los dos verbos opuestos: condenar y salvar.

Haz una ligera pausa antes de introducir las dos posibilidades expresadas en el versículo final. Procura resaltar con especial fuerza cada una de las menciones del Padre y del Hijo.

TU PRESENCIA, ERRORES COMUNES

Tu presencia ante la asamblea

• Vístete con recato, ya que no deseas llamar la atención hacia tu manera de vestir sino hacia la Palabra que vas a proclamar.

El momento de la lectura

• Antes de que te toque leer, escucha al otro lector. Pon atención en su manera distinta de proclamar. Imagina que eres el que habla.

• Cuando el otro lector termine de leer, respira profundamente y cálmate.

• Al llegar al micrófono, asegúrate de que estés a la altura de la boca. No le soples ni lo golpees. Ajústalo con cuidado. Párate derecho detrás de él sin inclinarte hacia el frente y distribuye el peso en ambos pies. Es decir, sin apoyarte más en un pie que en el otro. No te muevas de un lado al otro.

• Nunca leas del misalito, ¡sino sólo del *Leccionario!* Este debe estar abierto a la página que corresponde a la lectura del día.

• Después de dar una mirada confiada y una sonrisa a la asamblea, presenta la lectura con voz firme y que capta la atención de todos. Manten constantemente la vista en la asamblea.

• Para facilitar la presentación, apréndete de memoria las frases que sirven de introducción para todas las lecturas. Así en cada lectura sólo necesitarás cambiar el nombre del libro. Además debes hacer una pausa entre la introducción de la lectura: "Lectura del Libro del *Exodo*", y la lectura en sí. ¡De esta manera podrás mantener la vista fija en la asamblea desde el comienzo de todas las lecturas!

• Haz una pausa al final del texto antes de decir:
"Hermanas y hermanos, ésta es la Palabra de Dios".
Espera la respuesta de la asamblea antes de regresar a tu asiento.

Errores comunes

• Si por alguna razón te pierdes en un versículo, pronuncias mal algunas palabras o interrumpes la lectura, haz una pausa corta, tranquilízate, pide una disculpa y repite el texto que has pronunciado mal.

• No debes mantener los ojos pegados al libro porque así no le comunicarás las palabras a la asamblea.

• No debes darle la espalda a los oyentes cuando ellos respondan y poner atención al altar y al celebrante; reza y celebra con la asamblea.

Si te preparas de la manera sugerida aquí, podrás no sólo proclamar la Palabra con dignidad, sinceridad y claridad, sino también orar y celebrar con la comunidad. Tu participación en la celebración eucarística será plena y tu ministerio de lector será un verdadero servicio a Dios y a la comunidad. Ciertamente podrás decir:
"Dios está en mi corazón y en mis labios, y así anuncio dignamente su Evangelio".

29 DE MAYO DE 2005

SANTÍSIMO CUERPO Y SANGRE DE CRISTO

I LECTURA El libro del Deuteronomio se presenta como un amplio y solemne discurso de despedida de Moisés donde, además de ofrecer ordenamientos y reglas precisas para las más variadas situaciones de la vida cotidiana, procura inculcar en el corazón del pueblo una actitud de fidelidad a Dios.

Estos versículos procuran mantener vivo el recuerdo de las señales formidables que Dios les ofreció en el desierto al darles el maná y al ofrecerles el agua de la roca. El maná es y ha sido considerado un símbolo y una figura que anticipa proféticamente la realidad plena de la Eucaristía, verdadero alimento que da vida y fortaleza a los creyentes.

II LECTURA Dentro de la sección que san Pablo dedica a la cuestión de la participación en banquetes y comidas ofrecidas a los dioses paganos, encontramos la exposición concisa y breve acerca de la enseñanza fundamental sobre la comunión íntima que se establece en la Eucaristía entre el participante y los demás hermanos que concelebran, y entre el participante y Jesús.

El apóstol despliega su argumentación con una gran brillantez y claridad, manejando un estrecho paralelismo entre dos realidades: la del cuerpo y la sangre de Cristo que se ofrecen en cada Eucaristía y la del cuerpo eclesial de Jesús, que conforman los participantes en dicho banquete. Los que viven esa celebración eucarística confiesan el único señorío de Jesús y reafirman esa comunión cada vez que se asocian al banquete y fraccionan y comparten el mismo pan. La comunión de fe los anima a celebrar la comunión de mesa y a vivir a diario la comunión fraterna, manifestada en gestos y actitudes solidarias.

I LECTURA Deuteronomio 8,2–3.14–16 LM

Lectura del libro del Deuteronomio

En aquel tiempo, *habló* Moisés al pueblo y le dijo:
"*Recuerda* el camino que el Señor, *tu Dios*,
te ha *hecho recorrer* estos *cuarenta* años por el desierto,
para *afligirte*, para ponerte *a prueba*
y *conocer* si ibas a guardar sus mandamientos *o no*.
Él te *afligió*, haciéndote *pasar hambre*,
y después te *alimentó* con el maná,
que *ni tú ni tus padres* conocían,
para *enseñarte* que *no sólo* de pan vive el hombre,
sino también de *toda palabra* que *sale* de la boca de Dios.
No sea que te *olvides* del Señor, tu Dios,
que te *sacó* de Egipto y de la esclavitud;
que te hizo *recorrer* aquel desierto *inmenso* y terrible,
lleno de serpientes y alacranes;
que en una tierra *árida* hizo brotar *para ti*
agua de la roca más dura,
y que te *alimentó* en el desierto con un maná
que *no conocían* tus padres".

II LECTURA 1 Corintios 10,16–17 LM

Lectura de la primera carta del apóstol san Pablo a los corintios

Hermanos:
El cáliz de la bendición con el que damos gracias,
¿no nos une a Cristo por medio de su sangre?
Y el pan que partimos,
¿no nos une a Cristo por medio de su cuerpo?
El pan es uno, y así nosotros, aunque somos muchos,
formamos un solo cuerpo,
porque todos comemos del mismo pan.

I LECTURA Deuteronomio 8,2–3.14b–16a LEU

Lectura del libro del Deuteronomio

Habló *Moisés* al pueblo y dijo:
"*Acuérdate* de todos los caminos
por donde te ha *conducido* el Señor, *tu Dios*,
en el desierto, por espacio de *cuarenta* años,
para *probarte* y humillarte y conocer lo que había
en tu *corazón*;
si ibas o no a *guardar* sus mandamientos.
Y *después* de tus pruebas, cuando pasaste *hambre*,
te dio a comer *maná*, que ni tú ni tus padres habían *conocido*,
para *mostrarte* que no *sólo* de pan vive el hombre,
sino que *todo* lo que sale de la *boca* de Dios
es *vida* para el hombre.
No sea que *olvides* al Señor, tu Dios,
que te *sacó* del país de Egipto, de la Casa de la *esclavitud*.
El que te ha *conducido* a través de este desierto grande y *terrible*,
lleno de serpientes *abrasadoras* y escorpiones,
tierra *árida* donde no hay agua.
Pero la hizo *brotar* de una roca durísima para *ti*
y te *alimentó* en el desierto con el *maná*,
que *no* conocían tus padres".

Imprime a tus palabras un vivo aire de esperanza. Estás tratando de mantener el espíritu de fidelidad y gratitud hacia Dios.

Refiere con gratitud y concisión las extraordinarias muestras de cuidado y protección que Dios les mostró durante la travesía por el desierto.

Haz una pausa antes de proclamar la advertencia final. Destaca en particular las dos menciones dedicadas al maná.

II LECTURA 1 Corintios 10,16–17 LEU

Lectura de la primera carta del apóstol san Pablo a los corintios

La *copa* de bendición que bendecimos,
¿no es acaso la *comunión* de la sangre de Cristo?
Y el *pan* que partimos,
¿no es la comunión del *cuerpo* de Cristo?
Uno es el pan y por eso formamos todos *un* solo cuerpo,
porque participamos todos del *mismo* pan.

Advierte el desarrollo de la argumentación hecha por san Pablo. Fíjate cómo va alternando una afirmación con una interrogación. Pronuncia de tal manera esas preguntas que dejes persuadidos a los lectores de la veracidad de lo que estás proponiendo.

EVANGELIO Juan 6,51–58 LM

Lectura del santo Evangelio según san Juan

En *aquel* tiempo, Jesús dijo a los judíos:
"*Yo soy* el pan vivo que *ha bajado* del cielo;
el que coma de *este* pan vivirá *para siempre.*
Y el pan que yo les *voy* a dar
es *mi carne* para que el mundo *tenga vida*".
Entonces los judíos se pusieron a discutir *entre sí*:
"¿*Cómo* puede éste darnos a comer *su carne*?"
Jesús les dijo:
"Yo *les aseguro*:
Si *no comen* la carne del Hijo del hombre y *no beben* su sangre,
no podrán *tener vida* en ustedes.
El que *come* mi carne y *bebe* mi sangre,
tiene *vida eterna* y yo lo resucitaré *el último día.*
Mi carne es *verdadera* comida
y mi sangre es *verdadera* bebida.
El que come *mi carne* y bebe *mi sangre,*
permanece en mí y yo *en él.*
Como el Padre, que *me ha enviado,*
posee la vida y yo vivo *por él,*
así también el que me come *vivirá* por mí.
Éste es el pan que *ha bajado* del cielo;
no es como el *maná* que comieron *sus padres,*
pues *murieron.*
El que *come* de este pan *vivirá* para siempre".

EVANGELIO El capítulo sexto del Evangelio de Juan está dedicado casi completamente al tema del pan y la comida. En la primera parte, se nos presenta una narración sobre la multiplicación de los panes y posteriormente viene una amplia exposición doctrinal donde Jesús se presenta reiteradamente como "el pan de vida". Los versículos que entresaca la liturgia constituyen la penúltima sección del mencionado discurso, y en ellos se destaca en particular la insistente reiteración donde Jesús invita a comer su carne a fin de participar en la vida divina.

Ambos términos (carne y vida) aparecen seis y ocho veces respectivamente en estos versículos. La oferta sustancial que Jesús plantea a todos sus oyentes es precisa: a cuantos participen de su cuerpo y sangre les garantiza la consecución de la vida eterna, la resurrección y la presencia permanente de Cristo en su vida. Son ofrecimientos aparentemente atractivos porque, a cambio de los enormes beneficios que se prometen, solamente demandan la participación en el banquete eucarístico.

Sin embargo, tal como lo registra el autor, los judíos reaccionan escandalizados ante ese extraño ofrecimiento. Ellos interpretan aparentemente las palabras de Jesús en sentido llano, como si les estuviera ofreciendo participar en una práctica de canibalismo, la cual era ajena a las costumbres judías. Además, estaba severamente penalizada por la legislación judía (ver Génesis 9,4; Levítico 17,14).

Este discurso provocó un notorio escándalo y una consecuente desbandada en el grupo de los discípulos (Juan 6,66) que a partir de entonces le abandonaron. Más aún, pareciera que el autor nos quiere dar la impresión que en ese entonces ninguno de los presentes comprendió el alcance sacramental de sus palabras, según el cual Jesús estaría refiriéndose a la entrega total de su persona en un acto de perfecta obediencia al Padre.

EVANGELIO Juan 6,51–58 LEU

Lectura del santo Evangelio según san Juan

En aquel tiempo, dijo Jesús a los *judíos*:
"Yo *soy* el pan vivo *bajado* del cielo,
el que coma de este pan vivirá para *siempre*.
El pan que yo daré es mi *carne*,
y la daré para la *vida* del mundo".
Los judíos *discutían* entre ellos.
Unos decían: "¿*Cómo* este hombre va a darnos
a comer *su* carne?"
Jesús les contestó: "En *verdad* les digo:
si no comen la *carne* del Hijo del Hombre,
y no *beben* su sangre,
no viven *de verdad*.
El que come *mi* carne y bebe *mi* sangre, vive de vida *eterna*,
y yo lo *resucitaré* en el último día.
Mi carne es comida *verdadera* y mi sangre es bebida *verdadera*.
El que *come* mi carne y *bebe* mi sangre *vive* en mí, y yo en él.
Como el Padre que vive me *envió*, y yo vivo *por* él,
así, quien me come a *mí* tendrá de mí la *vida*.
Éste es el pan que *bajó* del cielo,
no como el que comieron los *antepasados* de ustedes,
los cuales *murieron*.
El que come este pan vivirá para *siempre*".

Recita con mucha seguridad y gran aplomo estas solemnes y duras declaraciones de Jesús. Destaca suficientemente cada una de las menciones de los términos claves (cuerpo, sangre y vida).

Plantea la reacción escandalizada de los judíos con verdadera indignación. Reafirma enseguida con mayor fuerza la segunda declaración hecha por el Señor.

Haz una ligera pausa antes de introducir esta segunda declaración. Hazla con el tono que harías un ofrecimiento abierto y generoso.

Procura establecer un contraste entre los dos panes mencionados: el pan celestial y el pan que alimentó a los hijos de Israel en el desierto. Destaca la oposición entre la muerte y la vida.

5 DE JUNIO DE 2005

10° DOMINGO DEL TIEMPO ORDINARIO

I LECTURA Oseas 6,3–6 LM

Lectura del libro del profeta Oseas

Esforcémonos por *conocer* al Señor;
tan *cierta* como la aurora es *su aparición*
y su juicio *surge* como la luz;
bajará sobre nosotros como lluvia *temprana*,
como lluvia de primavera que *empapa* la tierra.
"¿*Qué* voy a hacer contigo, *Efraín*?
¿*Qué* voy a hacer contigo, *Judá*?
Tu amor es como *nube mañanera*,
como *rocío matinal* que se evapora.
Por eso los he azotado por medio de los profetas
y les he *dado muerte* con mis palabras.
Porque *yo quiero* amor y no sacrificios,
conocimiento de Dios, más que holocaustos".

I LECTURA Oseas era un mediador que había servido con toda cabalidad a Dios, hasta el punto de acoger, por encargo divino, a una prostituta como esposa. Él conocía en carne propia lo que era el desengaño y la infidelidad en el terreno del amor; por eso, desenmascara las intenciones torcidas que cínicamente pregonan los hijos de Israel cuando deciden convertirse al Señor. Lo que les interesa sobremanera es alcanzar su propio bienestar, y con tal de lograrlo simularán una auténtica conversión al Señor. Así como ellos han evocado las imágenes acuáticas de la lluvia y el aguacero. Así también el profeta se mofará de la brevedad de sus propósitos de conversión, los cuales se evaporan y desaparecen con la rapidez del rocío matinal. Este oráculo se cierra con la conocida frase donde Dios manifiesta su predilección por la misericordia y la lealtad antes de que por el culto y los sacrificios.

II LECTURA Romanos 4,18–25 LM

Lectura de la carta del apóstol san Pablo a los romanos

Hermanos:
Abraham, esperando contra toda esperanza,
creyó que habría de ser *padre* de *muchos* pueblos,
conforme a lo que Dios le *había* prometido:
Así de numerosa *será* tu descendencia.
Y su fe *no se debilitó* a pesar de que
a la edad de casi *cien años*, su cuerpo ya *no tenía* vigor,
y *además*, Sara, su esposa, *no podía* tener hijos.
Ante la firme promesa de Dios *no dudó ni tuvo* desconfianza,
antes bien su fe *se fortaleció* y dio con ello *gloria* a Dios,
convencido de que él es poderoso
para *cumplir* lo que promete.
Por eso, Dios *le acreditó* esta fe como justicia.
Ahora bien, *no sólo* por él *está escrito* que "*se le acreditó*",
sino *también* por nosotros,
a quienes se *nos acreditará*,
si creemos en aquel que *resucitó* de entre los muertos,
en nuestro Señor *Jesucristo*,
que fue *entregado* a la muerte por *nuestros* pecados
y *resucitó* para *nuestra* justificación.

II LECTURA En el contexto de la polémica doctrinal sobre la supremacía de la fe o las obras, san Pablo remite a sus lectores al testimonio de Abraham. El apóstol hace un apretado repaso de los gestos memorables con los cuales quedó manifiesto el comportamiento creyente del patriarca.

Para describir su ejemplar actitud, el autor acuña la conocida sentencia que elogia la enorme fe de Abraham, y afirma que éste "esperó contra toda esperanza", pues no le pareció imposible que la promesa se cumpliera en la persona de dos ancianos estériles. Ese gesto de confianza total le fue reconocido por Dios y se le apuntó en su haber.

Habiendo mostrado Pablo, con el auxilio de la Escritura, que el camino de la fe plena fue el que rehabilitó a Abraham, pasa enseguida a establecer su conclusión: a todos cuantos crean en Jesús, se les tomará en cuenta y alcanzarán de ese modo la santidad prometida.

I LECTURA Oseas 6,3–6 LEU

Lectura del libro del profeta Oseas

Empeñémonos en servir al Señor:
su *amanecer* es como la aurora
y su *sentencia* surge como la *luz*;
y caerá sobre *nosotros* como aguacero,
como la lluvia de primavera que *riega la tierra*.
¿Qué he de hacer contigo *Efraím*?
¿Cómo tratarte *Judá*?
El *cariño* que me tienen es como nube matinal,
como el *rocío* que sólo dura algunas *horas*.
Les *envié los profetas* para destrozarlos
y de mi propia boca salió su *sentencia* de muerte.
Porque yo *quiero amor*, no sacrificios;
y *conocimiento* de Dios,
más que *víctimas* consumidas por el fuego.

Proclama esta exhortación con ánimo sincero, como conviene hacerlo al tratar de entusiasmar a un pueblo rebelde para que se convierta al Señor.

Formula estas dos preguntas con cierto tono de desesperanza. Dios ha intentado variados caminos para tratar a su pueblo, y todos han resultado fallidos.

Realiza una pausa en tu proclamación y destaca con voz contrastante y alternada la oposición final. Recita con voz anhelante los valores mencionados (misericordia y conocimiento de Dios) y con tono desdeñoso las práctica cultuales impugnadas.

II LECTURA Romanos 4,18–25 LEU

Lectura de la carta del apóstol san Pablo a los romanos

Hermanos:
Abraham, esperando contra toda *esperanza*, *creyó*,
llegando a *ser padre* de muchas naciones
según le había *sido dicho*:
"Esos serán tus *descendientes*".
No *vaciló* en su fe,
a pesar de que su cuerpo ya no podía dar vida
—tenía entonces unos cien años—
y a pesar de que *su esposa* Sara no podía tener *hijos*.
Sin embargo, frente a la *promesa* que Dios le hizo *no dudó*,
antes bien *cobró vigor* con la fe dando así *gloria a Dios*,
plenamente *convencido* de que Dios es poderoso
para *cumplir* lo que ha prometido.
Y Dios *tomó* en cuenta esa fe para *constituirlo* santo.
"Se le *tomó* en cuenta".
Estas palabras de la *Escritura* no valen solamente para *él*,
sino también para *nosotros*.
Se nos toma en cuenta la *fe en Dios*
que *resucitó* de entre los muertos a Jesús, *Señor* nuestro,
el cual fue *entregado* por nuestros pecados
y fue *resucitado* para que fuéramos *constituidos* santos.

Dirígete a los presentes con ánimo persuasivo. Evoca los pasajes del Génesis con el cuidadoso tino de un maestro que va hilvanando finamente su argumentación. Pronuncia con distintos tonos de voz los comentarios paulinos y los pasajes del Antiguo Testamento.

En esta reflexión sobresalen los verbos que describen cada una de las acciones memorables que cumplió el patriarca. Resáltalos con debida fuerza.

Expón la conclusión con vivacidad y certidumbre. Estás extrayendo las enseñanzas preciosas que más interesan a los presentes.

EVANGELIO Después de que Mateo, un recaudador de impuestos al servicio del fisco romano, era catalogado, según las categorías fariseas, como un pecador público, se dispone a atender con prontitud al llamado de Jesús, y viene una ruptura y un cambio sustancial en su vida. Ese cambio es festejado con un banquete ofrecido por el antiguo cobrador de impuestos.

En el marco de ese banquete hacen acto de presencia fariseos y pecadores públicos, recaudadores y discípulos de Jesús. En esas circunstancias festivas, los fariseos muestran su inconformidad ante la apertura con la cual el maestro comparte la mesa con "los impuros" y marginados de aquel entonces. Jesús apela a una experiencia cotidiana fácilmente comprensible: los médicos se muestran especialmente cuidadosos de atender a los enfermos y no a los sanos.

Establecido ese presupuesto, y después de citar un pasaje bíblico que nos es referido en la primera lectura, el Señor establece una jerarquía de intereses y valores en su labor ministerial: "No vine a llamar a los justos sino a los pecadores". Según esta sentencia novedosa, los predilectos de Dios no son los santos y los buenos que se han mantenido fieles toda la vida. Él muestra especial cuidado y predilección por los descarriados y enfermos que habían sido excluidos del ingreso al banquete.

EVANGELIO Mateo 9,9–13 LM

Lectura del santo Evangelio según san Mateo

En *aquel* tiempo,
Jesús vio a un hombre llamado *Mateo*,
sentado a su mesa de *recaudador* de impuestos,
y le dijo: "Sígueme".
Él se levantó y *lo siguió*.
Después, cuando estaba a la mesa en *casa* de Mateo,
muchos publicanos y pecadores
se sentaron *también* a comer con Jesús y sus discípulos.
Viendo esto, los fariseos *preguntaron* a los discípulos:
"*¿Por qué* su Maestro come con *publicanos* y *pecadores*?"
Jesús los oyó y les dijo:
"*No son* los sanos los que *necesitan* de médico,
sino los enfermos.
Vayan, pues, y *aprendan* lo que significa:
Yo *quiero* misericordia y *no* sacrificios.
Yo *no he venido* a llamar a los justos, sino *a los pecadores*".

EVANGELIO Mateo 9,9–13 L E U

Lectura del santo Evangelio según san Mateo

En aquel tiempo, Jesús, *al pasar*,
vio a un hombre llamado *Mateo*,
en su puesto de *cobrador* de impuestos,
y le dijo: "*Ven*".
Mateo, *levantándose*, lo siguió.
Estando Jesús *comiendo* en casa de Mateo
vinieron muchos cobradores de impuestos y otros *pecadores*
y se *sentaron* a la mesa con sus discípulos.
Los *fariseos*, al ver esto, decían a los *discípulos*:
"¿Por qué su Maestro *come* con publicanos y *pecadores*?"
Pero Jesús *los oyó* y dijo:
"Los santos *no necesitan* del médico, sino los enfermos.
Aprendan lo que *significa* esta palabra de Dios:
'más me gusta la *compasión* que el culto'.
Pues no vine a *llamar* a hombres perfectos sino a *pecadores*".

Narra este suceso con la certidumbre de haber sido testigo presencial del llamado que Jesús le dirigió a Mateo. Enfatiza la prontitud con la cual el publicano responde a la invitación a convertirse en seguidor de Jesús.

Recita con prontitud la reacción atinada con la cual Jesús responde a sus acusadores. Cita con voz clara el proverbio alusivo a los médicos y la cita de Oseas. Haz otra pausa antes de recitar la frase final con la que Jesús se presenta como el heraldo que viene a llamar a los pecadores a la conversión.

11er. DOMINGO DEL TIEMPO ORDINARIO

I LECTURA Este breve relato recoge el ofrecimiento inicial hecho por Dios a su pueblo a fin de celebrar una alianza y un pacto recíproco. El arreglo consistirá en un compromiso bilateral en el cual ambos participantes asumirán obligaciones y derechos.

Antes de exponer las cláusulas y condiciones que regirán ese acuerdo, Dios les recuerda por mediación de Moisés la favorable intervención que él realizó en Egipto al rescatarlos de la opresión y conducirlos por el desierto, hasta hacerlos llegar al sitio escogido para celebrar el pacto que regirá sus relaciones en el futuro.

Este pueblo adquirirá un compromiso peculiar: ellos quedarán consagrados al Señor para proclamar y difundir sus maravillas en medio de las naciones. La Iglesia, pueblo peregrino que camina hacia el encuentro con su Señor, también se reconoce comprometida en una relación de fidelidad y compromiso exclusivo con su Dios.

II LECTURA En el texto de hoy se destaca particularmente el amor incondicional con el cual Dios Padre nos acogió en Jesucristo. Pablo argumenta ingeniosamente para mostrar el proceder excepcional de Dios, quien, por encima de las estrechas prácticas humanas, manifestó una misericordia desmesurada hacia nosotros. El gesto más sobresaliente de ese amor es sin duda la entrega de su propio Hijo a la muerte.

La exposición ofrecida por el autor gira en torno de dos parejas de oposiciones, en las cuales se acumulan los adjetivos que describen el comportamiento errado de los humanos (malvados, pecadores, enemigos) y, a la vez, las acciones que Dios realizó a favor nuestro (perdón, reconciliación e indulto). A partir de esa demostración, el apóstol concluye el párrafo invitando a sus lectores a poner su orgullo en Dios, que les ha mostrado un amor tan singular.

I LECTURA Éxodo 19,2–6 LM

Lectura del libro del Éxodo

En *aquellos* días,
el pueblo de Israel *salió* de Refidim,
llegó al desierto del Sinaí y *acampó* frente al monte.
Moisés *subió* al monte para *hablar* con Dios.
El Señor lo llamó desde el monte y le dijo:
"*Esto* dirás a la *casa* de Jacob, esto *anunciarás* a los *hijos* de Israel:
'*Ustedes* han visto *cómo castigué* a los egipcios
y *de qué* manera los *he levantado* a ustedes
sobre alas de águila y los he traído *a mí*.
Ahora bien, si *escuchan* mi voz y *guardan* mi alianza,
serán mi especial tesoro entre *todos* los pueblos,
aunque *toda* la tierra *es mía*.
Ustedes serán para mí *un reino* de sacerdotes
y una nación *consagrada*'".

II LECTURA Romanos 5,6–1 LM

Lectura de la carta del apóstol san Pablo a los romanos

Hermanos:
Cuando *todavía* no teníamos fuerzas para *salir* del pecado,
Cristo *murió* por los pecadores en el tiempo *señalado*.
Difícilmente habrá alguien que *quiera* morir por un justo,
aunque *puede* haber alguno
que esté *dispuesto* a morir por una persona *sumamente* buena.
Y la *prueba* de que Dios nos ama *está*
en que Cristo *murió* por nosotros,
cuando *aún* éramos pecador.
Con *mayor* razón, *ahora* que ya hemos sido *justificados*
por su sangre,
seremos salvados *por él* del castigo final.
Porque, si cuando éramos *enemigos* de Dios,
fuimos reconciliados *con él* por la *muerte* de su Hijo,
con mucho más razón, estando *ya* reconciliados,
recibiremos la salvación participando de *la vida* de su Hijo.

I LECTURA Éxodo 19,2–6a LEU

Lectura del libro del Éxodo

En aquellos días,
los *israelitas* llegaron al *desierto* de Sinaí
con sus tiendas de campaña.
Allí acamparon frente al monte.
Cuando *Moisés* empezó a subir hacia Dios,
el Señor lo llamó del cerro y le dijo:
"Esto es lo que tienes que decir y explicar a los *hijos* de *Israel*.
Ustedes han visto cómo he tratado a los egipcios
y que a ustedes los he *llevado* sobre las *alas* del *águila*
y los he traído hacia mí.
Ahora, pues, si ustedes me *escuchan* atentamente
y respetan mi *Alianza*,
los tendré por *mi pueblo* entre todos los pueblos.
Pues el mundo es todo mío.
Los tendré a ustedes como *mi pueblo* de *sacerdotes*,
y una *nación* que me es *consagrada*".

Proclama esta introducción inicial con voz reposada y tranquila. Involúcrate en el relato como si fueras participante directo de esos sucesos.

Recita las palabras del Señor con voz marcadamente solemne y llena de autoridad. El Señor está recordándoles los favorables sucesos que obró en su favor.

Con tono resuelto y animoso, proclama las promesas y propuestas que Dios extiende a los israelitas. Recalca los términos que expresan la íntima vinculación entre Dios y su pueblo (mi pueblo, pueblo de sacerdotes, nación consagrada).

II LECTURA Romanos 5,6–11 LEU

Lectura de la carta del apóstol san Pablo a los romanos

Cuando todavía no podíamos hacer *nada*,
vino Cristo en el tiempo fijado y entregó su vida por nosotros
que estábamos *alejados* de Dios.
Ya es difícil encontrar a alguien que acepte *morir*
por una persona *buena*.
Aunque si se trata de una persona realmente buena,
tal vez alguien se atreva a morir por él.
Pero *Cristo murió* por nosotros
cuando todavía éramos *pecadores*.
Es así cómo Dios nos demostró su *amor*.
Ahora que por su *sangre* hemos sido constituidos justos,
con mayor razón nos veremos *libres*, gracias a él,
de la condenación.
Si, en efecto, cuando éramos enemigos
fuimos *reconciliados* con Dios,
por la muerte de su *Hijo*,

Recita esta argumentación con voz pausada, de manera que facilites la escucha atenta de la asamblea y la comprensión precisa de lo que anuncias.

Expón este primer argumento a manera de un paréntesis. En realidad, estás describiendo una situación irreal que pretendes que tus oyentes imaginen.

Enfatiza vivamente el contraste entre el proceder ordinario de los humanos y la extraordinaria grandeza del amor de Cristo que vas a enunciar enseguida.

Remarca aún con más vigor este último argumento. Destaca en particular los verbos con los cuales el autor se refiere a las acciones cumplidas por Dios (reconciliados, salvados).

Si un tiempo los judíos podían estar orgullosos de los privilegios de su condición de pueblo elegido, los lectores paganos, a quienes se dirige san Pablo, no tienen de que enorgullecerse, pues Dios les ha escogido de manera incondicional, y los ha salvado gratuitamente.

II LECTURA continuación L M

Y *no sólo esto*, sino que *también* nos gloriamos en Dios,
por medio de *nuestro Señor Jesucristo*,
por quien hemos obtenido *ahora* la reconciliación.

EVANGELIO **Jesús hace suyo el desconcierto de las multitudes que le asedian y exhorta y anima a sus discípulos a incorporarse como colaboradores de su misión. Acto seguido viene el llamado de los Doce y la consiguiente transmisión de poderes curativos con los cuales aliviarán el dolor de sus hermanos. De inmediato, san Mateo nos refiere ordenada y solemnemente la lista completa de los Doce.**

Como sucede en todas las listas presentes en los Evangelios, éstas siempre son encabezadas por el pescador galileo llamado Pedro y concluyen con la mención de Judas Iscariote, que se distinguió por haber traicionado a Jesús. En el grupo sobresalen los primeros cuatro discípulos llamados por Jesús, y llama la atención la diversidad de tendencias políticas y religiosas presentes en el grupo. De un lado, encontramos uno que fue colaborador directo de los invasores romanos (Mateo) y, del otro, un "fundamentalista" que se declaraba abierto oponente de Roma (Simón el zelota). A todos ellos Jesús los llamó para que pusieran sus habilidades y talentos al servicio de la misión que él estaba cumpliendo en medio de Israel.

EVANGELIO Mateo 9,36—10,8 L M

Lectura del santo Evangelio según san Mateo

En *aquel* tiempo,
al ver *Jesús* a las multitudes, se *compadecía* de ellas,
porque estaban *extenuadas* y *desamparadas*,
como ovejas sin pastor.
Entonces dijo a sus discípulos:
"La cosecha *es mucha* y los trabajadores, *pocos*.
Rueguen, por tanto, al dueño de la mies
que *envíe* trabajadores a sus campos".
Después, llamando a sus doce discípulos,
les dio *poder* para expulsar a los espíritus impuros
y curar *toda* clase de enfermedades y dolencias.
Éstos son los nombres de los *doce* apóstoles:
el *primero* de todos, *Simon*, llamado Pedro,
y su hermano *Andrés*;
Santiago y su hermano *Juan*, *hijos* de Zebedeo;
Felipe y *Bartolomé*; *Tomás* y *Mateo*, *el publicano*;
Santiago, *hijo* de Alfeo, y *Tadeo*; Simón, *el cananeo*,
y Judas *Iscariote*, que fue *el traidor*.
A estos *doce* los *envió Jesús* con *estas* instrucciones:
"*No vayan* a tierra de paganos
ni entren en ciudades de samaritanos.
Vayan *más bien* en busca de las ovejas *perdidas*
de la casa de Israel.
Vayan y proclamen por el camino que *ya se acerca*
el Reino de los cielos.
Curen a los leprosos y demás enfermos;
resuciten a los muertos y echen fuera a los demonios.
Gratuitamente han recibido *este poder*;
ejérzanlo, pues, *gratuitamente*".

II LECTURA continuación L E U

con mucha mayor razón ahora ya reconciliados
seremos *salvados* por su *vida*.
No sólo esto:
nos sentimos *seguros* en Dios por Cristo Jesús, nuestro *Señor*,
por medio del cual hemos obtenido la *reconciliación*.

EVANGELIO Mateo 9,36—10,8 L E U

Lectura del santo Evangelio según san Mateo

Viendo Jesús el gentío,
se *compadeció* porque estaban *cansados* y *decaídos*,
como *ovejas* sin *pastor*.
Dijo entonces a sus discípulos:
"La *cosecha* es grande y pocos los *obreros*.
Por eso rueguen al dueño de la siembra
que mande obreros para hacer la cosecha".
Jesús, pues, llamó a sus doce discípulos
y les dio poder para *expulsar* a los *demonios*
y para curar toda clase de *enfermedades* y *dolencias*.
Éstos son los nombres de los doce apóstoles:
primero, *Simón*, llamado *Pedro*, y Andrés, su hermano;
Santiago y *Juan*, hijos de Zebedeo;
Felipe y Bartolomé; Tomás y Mateo, el publicano;
Santiago, hijo de Alfeo; Tadeo; Simón, el cananero,
y *Judas Iscariote*, que fue el que lo *traicionó*.
Éstos son los Doce que Jesus envió
con las *instrucciones* siguientes:
"No vayan a tierras *extranjeras*
ni entren en ciudades de los *samaritanos*,
sino que primero vayan en busca de las *ovejas perdidas*
del pueblo de Israel.
Mientras vayan caminando,
proclamen que el *Reino* de *Dios* está cerca.
Sanen *enfermos*, resuciten *muertos*,
limpien *leprosos*, echen *demonios*.
Den gratuitamente, puesto que *recibieron* gratuitamente".

Describe con gran naturalidad esta escena campirana y pastoril. Remarca con particular cuidado el gesto acogedor con el cual Jesús hace suyo el desconcierto de la multitud.

Lee la exhortación dada por Jesús a los Doce con vivo interés. Haz una ligera pausa antes de referir la acción decisiva con la cual Jesús llama a los doce y les confiere su poder curativo.

Proclama con calma y con voz pausada la lista de los Doce. Haz una muy ligera pausa al presentar a cada una de las seis parejas que conforman esta lista.

Recita la orden dada por Jesús con voz imperiosa y grave. Hazlo con la seguridad de que estás hablando en nombre de Dios.

Termina la proclamación refiriendo de manera clara y distinta cada una de las señales del Reino que habrán de realizar los misioneros de Jesús.

12° DOMINGO DEL TIEMPO ORDINARIO

I LECTURA Esta lamentación individual recoge una emotiva confesión con la cual se cierra el ciclo de las así llamadas "confesiones de Jeremías". El profeta reitera su plena confianza en Dios y le externa una súplica para que juzgue justamente la querella que opone al profeta con sus detractores. Jeremías, sintiéndose tranquilo en su conciencia, demanda de manera implícita que Dios lo examine y que le otorgue el trato merecido. Su lamento se cierra con una jubilosa exclamación final, donde se trasluce el ánimo entusiasta con el cual el profeta se sobrepone a los sinsabores de su misión profética.

El auténtico profeta ayer, hoy y siempre conocerá hostilidades y persecuciones. Ésa es la señal que autentifica su misión. Los profetas cristianos que cumplen fielmente su misión no están inermes; cuentan con el apoyo constante del Señor.

II LECTURA Como ocurre frecuentemente en las exposiciones doctrinales más complejas que nos propone san Pablo, en este capítulo de la carta a los Romanos también observamos una ingeniosa argumentación encaminada a desentrañar lo más profundo del misterio del pecado y la gracia. Esta célebre página ha servido a los teólogos cristianos para ahondar en la comprensión del así llamado "pecado original". Indudablemente, san Pablo no utiliza esos términos, pero se ocupa de analizar esa misma realidad. El autor contrasta decididamente a Adán y a Cristo. De esa oposición fundamental y primera, derivan otras tantas, tales como gracia y pecado, muerte y vida. De manera paralela, el apóstol va exponiendo las nefastas consecuencias que brotaron del desacato cometido por el primer hombre y los saludables beneficios que manaron de la fidelidad de Jesucristo.

Por la desobediencia del primer Adán, se ha propagado no sólo la muerte, sino también la perniciosa realidad del pecado

I LECTURA Jeremías 20,10–13 LM

Lectura del libro del profeta Jeremías

En *aquel* tiempo, dijo *Jeremías*:
"Yo *oía* el cuchicheo de la gente que decía:
'*Denunciemos* a Jeremías, *denunciemos* al profeta del terror'.
Todos los que eran mis amigos *espiaban* mis pasos,
esperaban que *tropezara y me cayera*, diciendo:
'Si se tropieza y *se cae*, lo venceremosy podremos *vengarnos* de él'.
Pero el Señor, *guerrero poderoso*, *está* a mi lado;
por eso mis perseguidores caerán por tierra
y *no podrán* conmigo;
quedarán *avergonzados* de su fracaso
y su ignominia será *eterna* e inolvidable.
Señor de los ejércitos,
que *pones a prueba* al justo
y *conoces* lo *más* profundo de los corazones,
haz que *yo vea* tu venganza contra ellos,
porque a ti he *encomendado* mi causa.
Canten y *alaben* al Señor,
porque *él ha salvado* la vida de su pobre
de la *mano* de los malvados".

II LECTURA Romanos 5,12–15 LM

Lectura de la carta del apóstol san Pablo a los romanos

Hermanos:
Por un *solo* hombre *entró* el pecado en el mundo
y por el pecado *entró* la muerte,
y *así* la muerte pasó a todos los hombres,
porque *todos* pecaron.
Antes de la ley de Moisés *ya existía* el pecado en el mundo
y, si bien es cierto que el pecado *no* se castiga
cuando *no hay ley*,
sin embargo, la muerte *reinó* desde Adán hasta Moisés,
aun sobre aquellos que *no* pecaron como *pecó* Adán,
cuando *desobedeció* un mandato *directo* de Dios.
Por lo demás, Adán era *figura* de Cristo, el que *había* de venir.
Ahora bien, el don de Dios *supera* con mucho al delito.

I LECTURA Jeremías 20,10–13 LEU

Lectura del libro del profeta Jeremías

Dijo Jeremías:
"Yo oía a mis *adversarios* que decían *contra* mí:
'¿Cuándo, por fin, lo *denunciarán*?'
Ahora me observan los que *antes* me saludaban,
esperando que yo *tropiece* para *desquitarse* de mí.
Pero el Señor *está* conmigo, él, mi poderoso *defensor*.
Los que me *persiguen no* me vencerán.
Caerán ellos y tendrán la vergüenza de su *fracaso*,
y su humillación no se olvidará *jamás*.
Señor, tus ojos están pendientes del hombre *justo*.
Tú *conoces* las conciencias y los corazones,
haz que vea cómo te harás *justicia*,
porque a ti he *confiado* mi defensa.
¡*Canten* y alaben al *Señor*,
que *salvó* al desamparado de las manos de los *malvados*!"

Proclama con ánimo quejumbroso este lamento doloroso que el profeta Jeremías nos comparte. Hazlo de manera natural, sin sobreactuar tus palabras.

Recita esta firme expresión de confianza con un tono diferente al anterior. Ahora estás animoso y, por eso, describes el futuro positivo que el Señor te augura.

Dirígete en forma confiada y directa al Señor. Estás externándole tus sentimientos más profundos. Concluye la proclamación entonando con vivo entusiasmo la exhortación final.

II LECTURA Romanos 5,12–15 LEU

Lectura de la carta del apóstol san Pablo a los romanos

Por un *solo* hombre el pecado había *entrado* en el mundo,
y por el pecado la *muerte*,
y luego la muerte se propagó a *toda* la humanidad,
ya que *todos* pecaron.
Del mismo modo *ahora* . . .
Entiéndanme: no había *ley*
y, sin embargo, había *pecado* en el mundo;
solamente que, al no tener una *ley*, no *reconocían* el pecado.
De ahí que la muerte *reinó* desde Adán hasta Moisés
sobre *todos* ellos,
aun cuando no habían cometido una *desobediencia*
como la de Adán.

El párrafo esta dividido en dos partes bien diferenciadas. La primera se dedica al primer Adán, la segunda a Jesucristo. Es conveniente utilizar distintos tonos de voz para proclamar esas dos partes del misterio del pecado y la gracia.

Recita la referencia directa al primer Adán con tono pausado y grave. Ve exponiendo paulatinamente las diferentes etapas de ese proceso.

que esclaviza y aliena a la persona. Pero por encima de esa miserable situación que afecta a todo el género humano, resplandece otra realidad más esperanzadora: la de la oferta de gracia que Dios nos hace a través de su Hijo Jesucristo. La oferta de gracia es abierta y universal. Está al alcance de toda persona que reconozca la condición única de Cristo liberador del pecado, la muerte y la injusticia.

EVANGELIO **En esta entusiasta exhortación misionera destacan dos argumentos principales. Ambos giran en torno de la persona del Padre. En el primero, aparece mencionado de manera implícita al aludir al "que puede echar alma y cuerpo al infierno". En el segundo, Jesús utiliza una elocuente comparación para persuadirles del cuidado providente con el cual Dios Padre cuida a sus hijos. En una palabra, la vida y la muerte de cada persona no es ajena ni extraña a las preocupaciones de Dios. Más aún, por encima de cualquier otra realidad, los seres humanos vivimos y morimos cuando Dios Padre lo permite.**

Por tanto las asechanzas y ataques que los adversarios y perseguidores infrinjan a los predicadores cristianos no serán definitivas. Por encima de su pretendido poderío, se encuentra la custodia cuidadosa de Dios Padre que vela amorosamente por los suyos. Esta seguridad es más grande que todos los miedos y temores que nos asaltan y perturban.

II LECTURA continuación — L M

Pues si por el pecado de un *solo* hombre
todos fueron castigados *con la muerte,*
por el *don* de un solo hombre, *Jesucristo,*
se ha *desbordado* sobre todos la *abundancia* de la *vida*
y la *gracia* de Dios.

EVANGELIO Mateo 10,26–33 — L M

Lectura del santo Evangelio según san Mateo

En *aquel* tiempo, *Jesús* dijo a sus apóstoles:
"*No teman* a los hombres.
No hay *nada* oculto que *no llegue* a descubrirse;
no hay *nada* secreto que no llegue *a saberse.*
Lo que les digo de noche, *repítanlo* en pleno día,
y lo que les digo *al oído, pregónenlo* desde las azoteas.
No tengan miedo a los que *matan* el cuerpo,
pero *no pueden* matar el alma.
Teman, *más bien,* a quien puede *arrojar*
al lugar de castigo el alma y el cuerpo.
¿No *es verdad* que se venden *dos* pajarillos por *una* moneda?
Sin embargo, *ni uno solo* de ellos *cae* por tierra
si no lo permite *el Padre.*
En cuanto a ustedes, *hasta* los cabellos de su cabeza
están contados.
Por lo tanto, *no tengan* miedo,
porque ustedes valen *mucho* más que *todos* los pájaros
del mundo.
A quien me reconozca *delante* de los hombres,
yo *también* lo reconoceré ante mi Padre, que *está* en los cielos;
pero al que me *niegue* delante de los hombres,
yo *también* lo negaré ante mi Padre, que *está* en los cielos".

II LECTURA continuación LEU

Pero después de este *primer* Adán tenía que venir *otro*.
En realidad,
no debemos *contraponer* sin más la *caída* del hombre
y el *don* de Dios.
Pues de por la *falta* de uno pudieron *morir* tantos,
es cosa más *trascendental* cuando *desborda* sobre los *hombres*
la *gracia* de Dios y el *regalo* que él nos hizo
en consideración a ese *único* hombre que es *Jesucristo*.

Haz una pausa antes de proclamar los eventos relacionados con el "Segundo Adán". Dale un tono optimista y animoso a esta parte final. Procura leer de manera global el último versículo. Destaca la posición culminante que ocupa el nombre de Jesucristo al final de la lectura.

EVANGELIO Mateo 10,26–33 LEU

Lectura del santo Evangelio según san Mateo

En aquel tiempo dijo *Jesús* a sus apóstoles:
"*No* teman a los hombres.
Lo escondido *tiene* que descubrirse,
y lo oculto *tiene* que saberse.
Así, pues, lo que les digo a *oscuras*, repítanlo a *la luz del día*,
y lo que les digo al *oído*, predíquenlo desde los *techos*
de las casas.
No teman a los que *sólo* pueden *matar* el cuerpo, pero no el *alma*;
teman *más bien* al que puede echar el alma y el cuerpo
al *infierno*.
¿No es cierto que dos pajaritos se *venden* en unos centavos?
Y, sin embargo, no cae a tierra *ni uno solo*,
si no lo *permite* el Padre.
Entonces no teman,
pues *hasta* los cabellos de sus cabezas están *contados*:
con todo, *ustedes* valen *más* que los pajaritos.
Al que me *reconozca* delante de los hombres,
yo lo reconoceré *delante* de mi *Padre* que está en los cielos;
y a los que me *nieguen* delante de los hombres,
yo *también* los negaré delante de mi *Padre*
que está en los cielos".

Con voz paternal y cariñosa transmite estas animosas recomendaciones dadas por Jesús a sus discípulos. Mira de frente a la asamblea al pregonar cada una de estas exhortaciones.

Marca los contrastes presentes en el pasaje (cuerpo y alma, oscuras, luz del día).

Entona con voz fresca la comparación de los pajaritos. Hazlo como si fuera la primera vez que estuvieras recitando esta narración.

Retoma el tono paternal del principio. Concluye la proclamación exponiendo estas advertencias directas con las cuales Jesús insta a sus misioneros a mantenerse fieles a su Señor.

13er. DOMINGO DEL TIEMPO ORDINARIO

I LECTURA Esta narración popular maneja dos motivos tradicionales en la literatura de Israel. El primero es el de la virtud de la hospitalidad, usualmente practicada hasta el presente entre los pueblos del Cercano Oriente. El segundo es el de la promesa y anuncio del nacimiento de un hijo para una pareja de esposos estériles. Lo novedoso es que en esta ocasión el beneficiario de esa hospitalidad es Eliseo, un "hombre de Dios", es decir, un profeta que obraba señales poderosas en nombre de Dios. Tales personajes aparecían en Israel especialmente en tiempos de crisis y aliviaban en la medida de sus posibilidades el hambre, el dolor y las penas de los israelitas afligidos.

La pareja de esposos abrieron su casa "de par en par" para Eliseo, hasta el punto que construyeron una estancia especial en el piso superior y la reservaron para las ocasionales visitas del profeta. En efecto, Eliseo era un profeta itinerante que se desplazaba de pueblo en pueblo, acompañado de su discípulo Guejazí para socorrer las necesidades de los israelitas fieles a Dios.

II LECTURA El apóstol Pablo expone su pensamiento recurriendo a los contrastes y las oposiciones. Entre otras, sobresale la antítesis sobre la muerte y la vida, y es que no podía ser de otra manera, puesto que el autor está explicando el significado trascendente del bautismo cristiano. Los gestos de sumergir y emerger del agua al recién bautizado simbolizan la participación mística en la muerte y resurrección de Cristo.

Son tan apretadas las correlaciones que el apóstol establece entre la muerte y la vida, entre la obediencia y el pecado, que llega a decir que "Cristo murió al pecado" definitivamente, con lo cual podría pensarse que el pecado le habría afectado a Jesús de alguna manera antes de morir, cosa por demás absurda. Lo que san Pablo pretende

I LECTURA 2 Reyes 4,8–11.14–16 LM

Lectura del segundo libro de los Reyes

Un día pasaba *Eliseo* por la ciudad de Sunem
y una mujer *distinguida* lo invitó *con insistencia*
a comer en su casa.
Desde entonces, *siempre* que Eliseo *pasaba por ahí*,
iba a comer a su casa.
En una ocasión, *ella* le dijo a su marido:
"*Yo sé* que este hombre, que con *tanta* frecuencia nos visita,
es un *hombre de Dios*.
Vamos a construirle en los altos una *pequeña* habitación.
Le pondremos *allí* una cama, una mesa, una silla y una lámpara,
para que se quede allí, cuando *venga* a visitarnos".
Así se hizo y cuando Eliseo *regresó* a Sunem,
subió a la habitación y se *recostó* en la cama.
Entonces le dijo a su criado:
"¿*Qué* podemos *hacer* por esta mujer?"
El criado le dijo: "Mira, no *tiene hijos*
y su marido *ya es* un anciano".
Entonces dijo Eliseo: "*Llámala*".
El criado *la llamó* y ella, al llegar, se detuvo en la puerta.
Eliseo le dijo: "El año *que viene*, por *estas* mismas fechas,
tendrás *un hijo* en tus brazos".

II LECTURA Romanos 6,3–4.8–11 LM

Lectura de la carta del apóstol san Pablo a los romanos

Hermanos:
Todos los que hemos sido *incorporados* a Cristo Jesús
por medio *del bautismo*,
hemos sido incorporados *a su muerte*.
En efecto, por el bautismo fuimos sepultados *con él* en su muerte,
para que, *así* como Cristo *resucitó* de entre los muertos por la
gloria del Padre,
así *también* nosotros llevemos una vida *nueva*.
Por lo tanto, si hemos *muerto* con Cristo,
estamos seguros de que *también* viviremos *con él*;
pues sabemos que *Cristo*,

I LECTURA 2 Reyes 4,8–11.14–16a L E U

Lectura del segundo libro de los Reyes

Un día que *Eliseo* pasaba por Sunem, una *dama* lo invitó
a comer.
Y después, *siempre* que viajaba a ese pueblo, iba a *esa* casa
a comer.
La *dama* dijo entonces a su marido:
"*Mira*, este hombre que *siempre* pasa por nuestra *casa*,
es un *santo* varón de Dios.
Si quieres le hacemos una *pequeña* habitación en la terraza,
y *ponemos* en ella una cama, una silla y una lámpara.
De *esta* manera, cuando *venga* a nosotros,
podrá quedarse y *descansar*".
Un día pasó *Eliseo*.
Se fue a la *habitación* de la terraza y se *acostó*.
Dijo a Guejazí, su *muchacho*:
"¿*Qué* podemos hacer por ella?"
Respondió el muchacho:
"Ella *no* tiene hijos y su marido ya *es viejo*".
Eliseo, pues, le dijo: "*Llámala*".
La *llamó* el muchacho y la dama se *paró* en la puerta.
Eliseo dijo:
"El año *próximo*, por este tiempo, tendrás un *hijo* en brazos".

Recita este relato popular con la confianza de estar narrando eventos que tú mismo pudiste atestiguar.

Introduce el monólogo que tiene la mujer con su marido con voz entusiasta y animosa. Observa que el perfil del marido aparece desdibujado ante la personalidad y la iniciativa de su esposa.

Haz una pausa antes de introducir en escena el breve diálogo sostenido entre Eliseo y Guejazí. Utiliza distintos tonos de voz para referir cada una de esas intervenciones.

Concluye la proclamación refiriendo con voz firme y segura la promesa que Eliseo hace a la Sunamita.

II LECTURA Romanos 6,3–4.8–11 L E U

Lectura de la carta del apóstol san Pablo a los romanos

Los que fuimos *sumergidos* por el bautismo en Cristo Jesús,
fuimos sumergidos *con* él para *participar* de su muerte.
Pues al ser *bautizados* fuimos *sepultados* junto con Cristo
para *compartir* su muerte,
a fin de que, al *igual* que Cristo,
quien fue *resucitado* de entre los muertos
por la *gloria* del Padre,
también nosotros *caminemos* en una vida *nueva*.
Por lo tanto, si hemos *muerto* con Cristo,
creemos también que *viviremos* con él,
sabiendo que Cristo, una vez *resucitado* de entre los muertos,

Recita esta enseñanza en el tono testimonial e inclusivo que utiliza el apóstol. Al leer estas importantes declaraciones, dirígete de frente a toda la asamblea.

Expón con voz contundente y clara las consecuencias que se derivan de haber sido incorporado a la muerte de Cristo por medio del bautismo.

decir es que Jesús murió y superó definitivamente la situación de pecado que reinaba en el mundo mientras vivió en el.

EVANGELIO **Los planteamientos que Jesús dirige a los Doce que parten en misión son por demás claros y trasparentes; él no esconde sus intenciones y sus propósitos, ni los envuelve con palabras melosas. Sobresalen tres sentencias semejantes en cuanto a la forma y el contenido. Se trata de establecer las condiciones mínimas para considerarse digno de pertenecer a Jesús: el discípulo tendrá en primer lugar que subordinar la lealtad debida a padres e hijos a la fidelidad mostrada al Señor Jesús; en segundo lugar, se menciona la urgencia de asumir la propia cruz y marchar detrás de Cristo.**

Jesús expone en los versículos finales las normas de hospitalidad y acogida que habrán de dispensar las comunidades cristianas a los profetas y justos que los visiten. No sólo los personajes notables serán merecedores de dicho trato, sino los discípulos de Jesús en general tendrán que recibir el tratamiento cariñoso y fraterno de parte de cualquier comunidad cristiana donde soliciten ser acogidos.

En un país de continuo movimiento de emigrantes, la Iglesia tendrá que retomar con nueva decisión la vocación de brindar la acogida fraterna, la recepción cálida a todos los hermanos que los visiten, sean de la raza, condición o religión que sea. Procediendo así, los cristianos de hoy estarán dando cumplimiento a las exigencias planteadas en este discurso por Jesús.

II LECTURA continuación — L M

una vez *resucitado* de entre los muertos, ya *nunca* morirá.
La muerte ya *no tiene* dominio sobre él,
porque al morir, murió al pecado de una vez *para siempre*;
y al resucitar, vive *ahora* para Dios.
Lo mismo *ustedes*,
considérense muertos al pecado y *vivos* para Dios
en *Cristo Jesús*, Señor nuestro.

EVANGELIO Mateo 10,37–42 — L M

Lectura del santo Evangelio según san Mateo

En *aquel* tiempo, *Jesús* dijo a sus apóstoles:
"El que ama a su padre o a su madre *más* que a mí,
no es digno de mí;
el que ama a su hijo o a su hija *más* que a mí, *no es* digno de mí;
y el que no toma su cruz y *me sigue*, no es digno de mí.
El que *salve* su vida *la perderá* y el que la pierda *por mí*,
la salvará.
Quien los recibe *a ustedes* me recibe *a mí*;
y quien me recibe *a mí*, *recibe* al que me ha enviado.
El que recibe a un profeta *por ser profeta*,
recibirá *recompensa de profeta*;
el que recibe a un justo *por ser justo*,
recibirá *recompensa de justo*.
Quien diere, aunque no sea *más* que un vaso de *agua fría*
a uno de *estos* pequeños,
por *ser* discípulo mío,
yo *les aseguro* que *no perderá* su recompensa".

II LECTURA continuación L E U

ya no muere *más*:
la *muerte* ya no tiene *dominio* sobre él.
La muerte de Cristo fue un *morir* al pecado,
y un morir para *siempre*;
su vida *ahora* es un vivir para Dios.
Así *también* ustedes considérense como *muertos* para el pecado
y *vivan* para Dios en Cristo *Jesús*.

Proclama de manera persuasiva y satisfecha esta conclusión. Tu intención más firme es la de entusiasmar a los presentes a que vivan coherentemente su compromiso bautismal.

EVANGELIO Mateo 10,37–42 L E U

Lectura del santo Evangelio según san Mateo

En aquel tiempo, dijo *Jesús* a sus apóstoles:
"No es digno de mí el que *ama* a su padre o a su madre
más que a mí;
no es digno de mí el que *ama* a su hijo o a su hija *más* que a mí.
No es digno de mí el que no toma su cruz para *seguirme*.
El que procure *salvar* su vida, la *perderá*,
y el que la *pierda* por amor a mí, la *hallará*.
El que los recibe *a ustedes*, a *mí* mc recibe,
y el que me recibe a *mí*, recibe al que me *envió*.
El que *recibe* a un profeta porque es *profeta*,
recibirá *recompensa digna* de un profeta.
El que *recibe* a un hombre bueno por ser *bueno*,
recibirá la recompensa que corresponde a un hombre *bueno*.
Lo *mismo*, el que dé un vaso de agua fresca a uno de los *míos*,
porque es *discípulo* mío,
yo les aseguro que no quedará sin *recompensa*".

Proclama cada una de estas tres duras advertencias con voz firme y clara. Hazlo de manera que no quede lugar a dudas de lo que estás exigiendo.

Recita esta nueva serie de exigencias con la gravedad y claridad que se necesita. Procura persuadir a tus oyentes de la importancia de practicar la hospitalidad y la acogida con los hermanos que los visiten.

Concluye la proclamación remarcando el tono cierto con el cual Jesús promete dar una buena recompensa a quienes acojan a los hermanos con la debida caridad y amabilidad.

14º DOMINGO DEL TIEMPO ORDINARIO

I LECTURA Este oráculo fue invocado expresamente por la tradición evangélica para interpretar el ingreso triunfal de Jesús en la ciudad de Jerusalén (ver Mateo 21,4). Es notable que prácticamente todo este texto está construido en perfectas binas paralelas que reafirman doblemente la idea expresada (alégrate/aclama, ciudad de Sión/Jerusalén, etcétera). La excepción la constituyen dos renglones que solamente son mencionados de manera simple y que forman indudablemente la parte más destacada del pasaje: "Mira a tu rey que está llegando, justo, victorioso y humilde".

Con este recurso literario, el autor quiere destacar el enunciado principal que afirma la llegada de un gobernante justo que ingresa victorioso a la capital para inaugurar un nuevo período de gobierno, el cual estará marcado por la paz universal y la eliminación de los implementos y artefactos militares.

A diferencia de los ingresos violentos de conquistadores y verdugos que le antecedieron, este rey pacífico arribará a Jerusalén montado en una modesta cabalgadura, simbolizando así los métodos alternativos que empleará para ganarse a los pobladores de la célebre ciudad de David.

II LECTURA En esta sección de la carta a los Romanos, el apóstol san Pablo se aboca a describir la naturaleza y las características de la vida nueva que infunde el Espíritu en el corazón de los cristianos. El dinamismo nuevo que genera el Espíritu permite a los creyentes vivir con plena libertad, sobreponiéndose a los embates perniciosos del instinto.

Un criterio decisivo para distinguir a los verdaderos cristianos es la presencia y la docilidad del Espíritu Santo en sus vidas. Auxiliados con la fuerza sobrenatural del Espíritu, los creyentes logran refrenar las consecuencias mortales del pecado y alcanzan la vida verdadera, de que ya goza el Señor resucitado.

I LECTURA Zacarías 9,9–10 L M

Lectura del libro del profeta Zacarías

Esto dice el Señor:
"*Alégrate sobremanera*, hija de Sión;
da gritos de júbilo, *hija* de Jerusalén;
mira a tu rey que viene a ti, *justo y victorioso*,
humilde y montado en un burrito.
Él hará *desaparecer* de la tierra de Efraín los *carros de guerra*
y de Jerusalén, *los caballos* de combate.
Romperá el arco del guerrero y *anunciará* la paz a las naciones.
Su poder se extenderá *de mar a mar*
y desde el *gran* río hasta los *últimos* rincones de la tierra".

II LECTURA Romanos 8,9.11–13 L M

Lectura de la carta del apóstol san Pablo a los romano

Hermanos:
Ustedes *no viven* conforme al *desorden* egoísta del hombre,
sino conforme al Espíritu, puesto que el *Espíritu de Dios*
habita *verdaderamente* en ustedes.
Quien *no tiene* el Espíritu de Cristo, *no es* de Cristo.
Si el Espíritu del Padre,
que *resucitó* a Jesús de entre los muertos, habita *en ustedes*,
entonces *el Padre*, que *resucitó* a Jesús de entre los muertos,
también les dará *vida* a sus cuerpos mortales,
por obra de *su Espíritu*, que *habita* en ustedes.
Por lo tanto, *hermanos*,
no estamos sujetos al desorden egoísta del hombre,
para hacer de *ese* desorden nuestra *regla* de conducta.
Pues si ustedes viven *de ese modo*, *ciertamente* serán *destruidos*.
Por el *contrario*, si con la ayuda del Espíritu *destruyen*
sus *malas* acciones,
entonces *vivirán*.

I LECTURA Zacarías 9,9–10 LEU

Lectura del libro del profeta Zacarías

Así dice el Señor:
Salta, *llena* de gozo, oh hija de Sión.
Lanza *gritos* de alegría, hija de Jerusalén.
Pues tu *rey* viene hacia ti;
él es *santo* y victorioso, *humilde*,
y va montado *sobre* un burro,
sobre el hijo *pequeño* de una burra.
Destruirá los carros de Efraím
y los *caballos* de Jerusalén.
Desaparecerá el arco con flechas
y dictará *la paz* a las naciones.
Extenderá su *dominio* desde el Mediterráneo *hasta* el mar Rojo
y *desde* el Eufrates hasta el *fin* del mundo.

Proclama con ánimo entusiasta y jubiloso esta invitación a la alegría. Procura contagiar de un profundo gozo a los presentes.

Enuncia con firmeza el motivo que llena de alegría a los habitantes de Jerusalén: la llegada del rey pacífico que ingresa a su amada ciudad.

Enumera pausadamente cada una de las acciones que cumplirá este rey. Hazlo con la satisfacción de estar anunciando eventos que te llenan de felicidad.

II LECTURA Romanos 8,9.11–13 LEU

Lectura de la carta del apóstol san Pablo a los romanos

Ustedes *no* se dejan conducir por la *carne* sino por el *Espíritu*,
pues el Espíritu de Dios *habita* en ustedes.
Si alguien *no* tuviera el Espíritu de Cristo, no *sería* de Cristo.
Y si el Espíritu de *Aquél* que resucitó a Cristo
de entre los muertos *está* en ustedes,
el que *resucitó* a Jesús de entre los muertos
dará también *vida* a sus cuerpos mortales;
lo hará por *medio* de su Espíritu que *ya* habita en ustedes.
Entonces, hermanos, si debemos a *alguien*,
no es precisamente a la *carne*,
para que tengamos que vivir *según* ella.
Porque si ustedes viven *según* la carne, irán a la *muerte*.
En cambio, si *matan* por el Espíritu las obras de la carne, *vivirán*.

Proclama reposada y serenamente este hermoso párrafo. Hazlo de tal modo que tus oyentes vayan comprendiendo las enseñanzas que les participas.

Resalta el tono condicional de estas frases. Utiliza el tono que acostumbras usar cuando comunicas alguna promesa ligada al cumplimiento de ciertas exigencias previas.

Concluye con tono contundente tu exposición. Fíjate que estás proponiendo las conclusiones pertinentes que se derivan de lo que acabas de enseñar.

EVANGELIO Esta densa sección recogida por san Mateo contiene dos trozos marcadamente diferenciados. La primera parte (11,25–27) es una jubilosa acción de gracias que el Hijo dirige confiadamente a su Padre y Señor. La segunda parte es una exhortación abierta que Jesús dirige a sus interlocutores, a quienes anima a llevar gustosamente el yugo de su enseñanza (11,28–30).

La oración que Jesús proclama ante su Padre ha sido conocida como "el himno del júbilo" y, al igual que Mateo, también la recoge el evangelista Lucas (ver Lucas 10,21). Esta oración es una concisa exclamación en la que el maestro celebra los designios misteriosos del Padre, según los cuales él ha facilitado la comprensión sobre la presencia y persona de Jesús a la gente menuda de los poblados galileos, y se la ha velado a quienes se consideraban entendidos en los caminos del Reino. Precisamente, la sección inmediatamente anterior a la que ahora nos ocupa ilustra la incredulidad de los habitantes de las ciudades ribereñas de Cafarnaúm y Corazaín que rechazaron las señales de Jesús.

En esta íntima comunicación sostenida entre Jesús y su Padre, destaca la revelación que el evangelista nos transmite sobre la estrecha y exclusiva vinculación que existe entre ambos. Jesús nos desvela su condición inigualable como mediador incomparable que facilita a sus elegidos el camino para acceder al Padre. Aunque Mateo, a diferencia de Juan, no designe a Jesús como "el camino". Por medio de estas contundentes afirmaciones, le reconoce una función idéntica: conducir efectivamente a sus hermanos al escubrimiento del Padre.

El inicio de este proceso revelador comienza con el regalo de la fe que el Padre concede a la gente sencilla, para que acoja con alegría el "yugo suave y ligero" que Jesús les ofrece.

EVANGELIO Mateo 11,25–30 LM

Lectura del santo Evangelio según san Mateo

En *aquel* tiempo, *Jesús exclamó*:
"¡Te *doy* gracias, *Padre*, Señor del cielo y de la tierra,
porque *has escondido* estas cosas a los *sabios* y entendidos,
y las *has revelado* a la gente *sencilla*!
Gracias, *Padre*, porque *así* te ha parecido bien.
El Padre ha puesto *todas* las cosas en mis manos.
Nadie conoce al Hijo sino el Padre,
y *nadie* conoce *al Padre* sino el Hijo
y *aquel* a quien el *Hijo* se lo *quiera* revelar.
Vengan a mí, *todos* los que están *fatigados*
y agobiados *por la carga*,
y *yo* los aliviaré.
Tomen mi yugo sobre ustedes y *aprendan* de mí,
que soy *manso* y *humilde* de corazón,
y *encontrarán* descanso,
porque mi yugo *es suave* y mi carga *ligera*".

EVANGELIO Mateo 11,25–30 L E U

Lectura del santo Evangelio según san Mateo

Por aquel tiempo *exclamó* Jesús:
"*Padre*, Señor del cielo y de la tierra, yo te *alabo*
porque has mantenido *ocultas* estas cosas a los sabios
y prudentes
y las *revelaste* a la gente *sencilla*.
Sí, *Padre*, así te *pareció* bien.
El Padre puso *todas* las cosas en mis manos.
Nadie conoce al Hijo sino el *Padre*,
ni *nadie* conoce al Padre sino el *Hijo*
y *aquellos* a los que el Hijo *quiere* dárselo a conocer.
Vengan a mí los que se sienten *cargados* y agobiados,
porque yo los *aliviaré*.
Carguen con mi yugo y *aprendan* de mí
que soy *paciente* de corazón y humilde,
y sus almas encontrarán *alivio*.
Pues mi yugo es *bueno* y mi carga *liviana*".

Proclama esta entusiasta acción de gracias con viva alegría. Dirígete al Padre con toda la confianza y seguridad con la cual lo hacía Jesús.

Haz una ligera pausa antes de introducir esta solemne revelación que Jesús comparte con sus discípulos. Al recitarla, hazla con un tono de voz claro y pausado.

Participa esta invitación a toda la asamblea. Dirígete a ellos mirándolos de frente, inclúyelos a todos, y recita solemnemente esta exhortación.

10 DE JULIO DE 2005

15º DOMINGO DEL TIEMPO ORDINARIO

I LECTURA Al discípulo anónimo de Isaías que le correspondió predicar a los israelitas desterrados en Babilonia, le conocemos con el título del "Segundo Isaías". Este profeta tuvo que predicar en una situación particularmente adversa, cuando sus hermanos vivían una profunda crisis religiosa y política. Viviendo como cautivos, desterrados en una tierra extranjera y deslumbrados por el esplendor del poderío babilonio, estaban amenazados de abandonar al Dios de sus padres, que "aparentemente" había sido vencido por los dioses de Babel. En ese contexto difícil, no eran bien acogidos los mensajes proféticos que el heraldo divino les transmitía. Juzgaban que eran palabrería vana, carente de sentido en la adversa realidad que vivían en el destierro.

Es por eso que una de las grandes tareas que asumirá este profeta será la de ayudar a redescubrir a sus hermanos el valor y la fuerza de la palabra divina. No sólo en este célebre pasaje, sino a lo largo de todos los capítulos compuestos por él, encontramos agudas reflexiones sobre la eficacia incomparable de la palabra del Señor (ver 44,6–8; 46,8–13).

II LECTURA En este esperanzador ensayo que nos propone el apóstol Pablo aparece la tensión constante entre el sufrimiento presente y la gloria futura que se manifestará en el momento que Dios considere oportuno. El autor comienza hablando en primera persona, externando así su propio parecer (versículo 18), y enseguida se decide a proclamar la fe y la esperanza que alienta en el corazón de cada uno de los hermanos cristianos (versículo 22).

La oposición más destacada gira en torno a la esclavitud y la libertad, el sometimiento y la filiación. Los que han creído en Jesús han abandonado su antigua condición de esclavos, y ahora viven alentados por la presencia del Espíritu de Dios. Ya son

I LECTURA Isaías 55,10–11 LM

Lectura del libro del profeta Isaías

Esto dice *el Señor*:
"Como *bajan* del cielo la lluvia y la nieve
y *no vuelven* allá, sino después de *empapar* la tierra,
de *fecundarla* y hacerla *germinar*,
a *fin* de que *dé semilla* para sembrar y *pan* para comer,
así será la palabra que sale de mi boca:
no volverá a mí sin resultado,
sino que *hará* mi voluntad y *cumplirá* su misión".

II LECTURA Romanos 8,18–23 LM

Lectura de la carta del apóstol san Pablo a los romanos

Hermanos:
Considero que los sufrimientos de *esta vida*
no se pueden *comparar* con la gloria que un día se
manifestará en nosotros;
porque *toda* la creación espera, con *seguridad* e impaciencia,
la *revelación* de esa gloria de los *hijos* de Dios.
La creación está ahora *sometida* al desorden,
no por su querer, sino por voluntad de *aquel* que la sometió.
Pero *dándole* al *mismo tiempo esta* esperanza:
que también *ella misma* va a ser *liberada*
de la esclavitud de la corrupción,
para *compartir* la gloriosa libertad de *los hijos* de Dios.
Sabemos, *en efecto*,
que la creación *entera gime* hasta el presente
y *sufre* dolores de parto;
y no sólo ella, sino *también* nosotros,
los que poseemos las primicias del Espíritu,
gemimos *interiormente*,
anhelando que se realice *plenamente*
nuestra condición de hijos de Dios,
la *redención* de nuestro cuerpo.

I LECTURA Isaías 55,10–11 LEU

Lectura del libro del profeta Isaías

Esto *dice* el Señor:
Como *baja* la lluvia y la nieve de los *cielos*
y no vuelven *allá* sin haber *empapado* y fecundado la tierra
y haberla hecho *germinar*,
dando la *simiente* para sembrar y el *pan* para comer;
así será la *palabra* que salga de mi boca.
No volverá a mí sin haber hecho lo que yo *quería*,
y haber llevado a cabo su *misión*.

Proclama esta bella comparación con la sencillez y profundidad que ha sido compuesta. Destaca en particular cada uno de los verbos que denotan una acción transformadora (empapar, fecundar, germinar).

Expón a manera de conclusión la identificación que hace el autor entre la lluvia y la palabra. Resalta especialmente el "yo" de Dios que habla por boca del profeta.

II LECTURA Romanos 8,18–23 LEU

Lectura de la carta del apóstol san Pablo a los romanos

En *verdad*, me parece que lo que *sufrimos* en la vida presente
no se puede comparar
con la gloria que se *manifestará* después en nosotros.
Y *toda* la creación espera *ansiosamente*
que los hijos de Dios *reciban* esa gloria que les *corresponde*.
Pues si la *creación* está al servicio de *vanas* ambiciones,
no es porque ella hubiese *deseado* esa suerte,
sino que *le* vino del que la *sometió*.
Por eso *tiene* que esperar hasta que ella *misma* sea liberada
del destino de *muerte* que pesa sobre ella
y pueda así *compartir* la libertad y la gloria de los *hijos* de Dios.
Vemos cómo *todavía* el universo gime y sufre *dolores* de parto.
Y *no sólo* el universo, sino nosotros *mismos*,
aunque se nos dio el *Espíritu* como un *anticipo* de lo que tendremos,
gemimos interiormente,
esperando el día en que Dios nos *adopte*
y *libere* nuestro cuerpo.

Esta reflexión es densa y profunda; por lo tanto, conviene exponerla con la serenidad y claridad que el tema amerita. Este primer enunciado encierra la enseñanza básica que el autor expondrá posteriormente. Conviene destacarlo suficientemente.

Fíjate como el apóstol describe la situación de parturienta que experimenta la creación entera. Expresa esa tensión con ánimo firme y esperanzado. Remarca todos los contrastes presentes en este breve párrafo.

Ahora estás confesando tus más firmes esperanzas. Hazlo con plena convicción, denotando en tu voz la certeza y seguridad de tu fe cristiana.

verdaderos hijos de Dios, aun cuando todavía no resplandezca con toda nitidez esa gloriosa condición filial.

Las huellas del viejo régimen de esclavitud se dejan sentir no solamente en el corazón de las personas, sino en toda la creación en general. Pero ese malestar está concluyendo porque ya se experimentan los signos del nuevo nacimiento, es decir, ya han aparecido los dolores de parto, que hacen presagiar el ansiado alumbramiento de una nueva criatura.

La prenda que garantiza el surgimiento de una humanidad nueva, regenerada y orientada dócilmente hacia Dios Padre, es el Espíritu de Dios que impulsa y mueve a cada uno de los cristianos para que vivan como criaturas libres y fieles.

EVANGELIO **Mateo dedica completamente este capítulo a recoger siete parábolas de Jesús. Algunas de éstas son breves y concisas, mientras que otras son narraciones amplias y profusas. En el caso de la conocida "parábola del sembrador", el autor nos proporciona, además del relato original, una interpretación alegórica que sirvió para actualizar la narración en la época de la redacción de dicha obra.**

Podemos suponer que el relato parabólico (ver 13,4–9) recoge la predicación misma de Jesús, mientras que la explicación alegórica (13,19–23) reproduce la comprensión que la comunidad de Mateo tenía de dicha parábola.

La narración contada por Jesús describe de alguna manera la respuesta escasa que mostraron los contemporáneos del maestro ante su persona y su obra. Entre otras actitudes, se señala la inconsistencia, la indiferencia y la escasa acogida que brindaron a su proclama del Reino. Pero el relato no concluye con la perspectiva del fracaso, sino que se cierra con la referencia clara a la cosecha y el fruto, signos inequívocos de la eficacia del Reino en el corazón de los discípulos.

EVANGELIO Mateo 13,1–23 LM

Lectura del santo Evangelio según san Mateo

Un día *salió* Jesús de la casa donde se hospedaba
y *se sentó* a la orilla del mar.
Se reunió en torno suyo *tanta gente,*
que *él* se vio *obligado* a subir a una barca, donde *se sentó,*
mientras la gente *permanecía* en la orilla.
Entonces Jesús les habló de *muchas* cosas en *parábolas* y les dijo:
"Una vez *salió* un sembrador a sembrar,
y al *ir* arrojando la semilla,
unos granos *cayeron* a lo largo del camino;
vinieron los pájaros y *se los comieron.*
Otros granos cayeron en terreno *pedregoso,* que tenía *poca* tierra;
ahí germinaron pronto, porque la tierra *no era* gruesa;
pero cuando *subió* el sol, los brotes *se marchitaron,*
y como *no tenían* raíces, *se secaron.*
Otros *cayeron* entre espinos, y cuando los espinos *crecieron,*
sofocaron las plantitas. Otros granos cayeron en *tierra buena* y dieron fruto:
unos, *ciento por uno*; otros, *sesenta*; y otros, *treinta.*
El que tenga oídos, *que oiga".*
Después se le acercaron sus discípulos y le preguntaron:
"*¿Por qué* les hablas *en parábolas*?"
Él les respondió:
"*A ustedes* se les ha concedido
conocer los misterios del Reino de los cielos,
pero a ellos *no.*
Al que *tiene,* se le dará más *y nadará* en la abundancia;
pero al que tiene *poco,* aun eso poco *se le quitará.*
Por eso les hablo *en parábolas,*
porque *viendo* no ven y oyendo no oyen *ni entienden.*
En ellos *se cumple* aquella profecía de *Isaías* que dice:
Oirán una y otra vez y *no entenderán*;
mirarán y volverán a mirar, *pero no verán*;
porque este pueblo *ha endurecido* su corazón,
ha cerrado sus ojos y *tapado* sus oídos,
con el fin de no ver con los ojos,
ni oír con los oídos, *ni comprender* con el corazón.
Porque *no quieren* convertirse ni que yo *los salve.*
Pero, *dichosos* ustedes, porque sus ojos *ven* y sus oídos *oyen.*
Yo *les aseguro* que *muchos* profetas y *muchos* justos
desearon *ver* lo que ustedes ven y *no lo vieron*
y *oír* lo que ustedes oyen *y no lo oyeron.*

EVANGELIO Mateo 13,1–23 LEU

Lectura del santo Evangelio según san Mateo

Aquel día, saliendo *Jesús* de la casa, fue y se *sentó*
a la orilla del lago.
Pero se juntaron alrededor de él *tantas* personas
que prefirió *subir* a una barca,
donde se *sentó* mientras toda la gente *estaba* en la orilla.
Jesús les habló de *muchas* cosas mediante *comparaciones*.
Les decía: "El *sembrador* sale a sembrar;
unos granos caen cerca del *camino*;
vienen las aves y se los *comen*.
Otros granos caen entre *piedras*
y, como hay *poca* tierra, brotan *pronto*.
Pero el sol los *quema* y por falta de raíces se *secan*.
Otros granos caen entre *espinas*,
crecen las espinas y los *ahogan*.
Otros, *finalmente*, caen en *buena* tierra
y producen unos el *ciento*, otro el *sesenta*,
y otro el *treinta* por uno.
El que *tenga* oídos, que *entienda*".
[Los discípulos se le acercaron para *preguntarle*:
"¿Por qué les hablas con *parábolas*?"
Jesús respondió: "Porque a ustedes se les ha permitido *conocer*
los misterios del Reino de los Cielos,
pero a ellos *no*.
Porque, al que ya tiene se le *dará* y tendrá en *abundancia*,
pero al que *no* tiene se le quitará *aun* lo que tiene.
Por eso les hablo con *parábolas*,
porque cuando miran *no ven*,
y cuando *oyen*, no escuchan ni *entienden*.
Así se *cumple* en ellos lo que escribió el profeta *Isaías*:
'Oirán, pero no *entenderán*
y, por más que miren, *no verán*.
Porque este pueblo ha *endurecido* su corazón,
ha *cerrado* sus ojos y *taponado* sus oídos.
Con el fin de no *ver*, ni de oír, ni de *comprender*
con el corazón.
No quieren convertirse ni que yo *los salve*'.
Al *contrario*, *dichosos* ustedes porque *ven* y oyen.
Yo les *aseguro* que muchos profetas y muchos *santos*
ansiaron ver lo que ustedes ven y *no* lo vieron,
y *oír* lo que ustedes oyen y *no* lo oyeron.

Recita con frescura y originalidad esta conocida parábola. Hazlo de manera nueva, como si fuera la primera vez que dieras lectura a este relato evangélico. Haz una brevísima pausa al pasar de un tipo de suelo a otro.

Plantea con cierta curiosidad el interrogante de los discípulos. Reporta con cierto tono de dureza la respuesta dada por Jesús a los suyos. Concluye su explicación con ánimo diverso, sobre todo al pronunciar la bienaventuranza final que él dirige a los discípulos.

La semilla es un símbolo que apunta al dinamismo y la fecundidad, y a la vez siendo una pequeña partícula vegetal conlleva el aspecto de modestia y discreción. Ambos aspectos van asociados a la proclama del Reino hecha por Jesús. Su predicación es una acción modesta, que no atrae de manera espectacular la atención de sus oyentes, pero esa singular proclamación está a la vez cargada de eficacia, puesto que consigue generar vida y frutos abundantes en quienes la acogen convenientemente.

El ministerio cumplido por Jesús en Galilea no tuvo efectos extraordinarios, como algunos ingenuos israelitas quizás esperaban. Fue una semilla colocada discretamente en la tierra, es decir, en el corazón de los receptores de su mensaje. Sería necesario dejar madurar y fecundar esa semilla para que en su momento arrojara los frutos esperados. Los cristianos que transmitieron esta narración luego de la Pascua de Jesús alcanzaron la certidumbre de que el ministerio cumplido por Jesús había arrojado el precioso fruto de la salvación para todos los que acogían con fe la palabra de gracia que ellos anunciaban. Se manifestaba finalmente lo anunciado por la parábola: la cosecha en proporciones de 30, 60 y 100 por uno.

EVANGELIO continuación LM

Escuchen, pues, ustedes lo que *significa* la parábola del sembrador.
A *todo* hombre que *oye* la palabra del Reino y *no la entiende*,
le llega el diablo y *le arrebata* lo sembrado en su corazón.
Esto es lo que significan los granos que cayeron
a *lo largo* del camino.
Lo sembrado sobre terrero *pedregoso* significa
al que *oye* la palabra y la acepta *inmediatamente* con alegría;
pero, como *es inconstante*, no la deja *echar raíces*,
y apenas le viene *una tribulación* o una *persecución*
por causa de la palabra, *sucumbe*.
Lo sembrado entre *los espinos* representa a aquel
que *oye* la palabra,
pero *las preocupaciones* de la vida y *la seducción* de las
riquezas *la sofocan*
y queda *sin fruto*.
En cambio, lo sembrado *en tierra buena*
representa a quienes *oyen* la palabra,
la entienden y *dan fruto*: unos,
el *ciento por uno*; otros, el *sesenta*; y otros, *el treinta*".

EVANGELIO continuación LEU

Escuchen ahora la *explicación* del sembrador:
Cuando uno oye la *Palabra* del Reino,
pero no la escucha con *atención*,
viene el Malo y le *arranca* lo que encuentra sembrado
en el corazón:
esto es lo sembrado en la *orilla* del camino.
Lo sembrado en tierra *pedregosa*
es la persona que al principio oye la Palabra *con gusto*,
pero no tiene raíces y dura *poco*.
Al sobrevenir las pruebas y la *persecución*
por causa de la Palabra,
inmediatamente *sucumbe*.
Lo sembrado entre *espinas* es la persona que oye la Palabra,
pero las *preocupaciones materiales*
y la *ceguera* propia de la riqueza
ahogan la Palabra y no puede producir *fruto*.
Por el *contrario*,
lo sembrado en tierra *buena* es el hombre que *oye* la Palabra,
la *medita* y produce fruto:
el *ciento*, el sesenta y el *treinta* por uno".]

Explica de manera pausada la interpretación alegórica de la parábola. Nuevamente, se impone hacer un corta pausa al pasar de un escenario a otro (el camino, las espinas, la tierra pedregosa, la tierra buena).

16º DOMINGO DEL TIEMPO ORDINARIO

I LECTURA En el contexto inmediatamente anterior a esta serie de alegatos a favor de la justicia divina, el autor del libro de la Sabiduría ha hecho mención de la destrucción de los pueblos cananeos realizada, según el decir del escritor, por obra de los israelitas comandados por Josué y apoyados por su Dios. A los ojos de algunas personas de mentalidad más despierta, el exterminio de esos pueblos podría parecer, ya en la época misma en que este libro se escribió, un acto bárbaro y reprobable, una acción difícilmente justificable para quien se preciaba de anunciar a un Dios justo y misericordioso.

El interés de este sabio es el de despejar a sus lectores, de cualquier duda sobre el justo proceder divino. Su argumento principal versa en torno del justo castigo, es decir, siempre que Dios castiga a un individuo, o en este caso a una nación, es porque éstos cometieron alguna acción reprobable que ameritó tal sentencia. En el caso concreto de los pueblos cananeos, se les atribuye la práctica de sacrificios de criaturas a sus pretendidos dioses, costumbre que podría corromper a los hijos de Israel.

II LECTURA Desde hace varios domingos se ha venido proclamando el pensamiento expuesto por san Pablo en el capítulo octavo, tal vez el más profundo e importante de todos los capítulos de esta carta. En esta ocasión, esta concisa pareja de versículos sirven para poner de manifiesto el papel de intercesor e intermediario que desempeña el Espíritu a favor de los creyentes.

San Pablo parte de la experiencia de la difícil comunicación entre las personas y Dios, y vincula expresamente al Espíritu de Dios con esa tarea hermenéutica, de hacer audible e inteligible el confuso parloteo que los humanos dirigimos al Padre.

I LECTURA Sabiduría 12,13.16–19 LM

Lectura del libro de la Sabiduría

No hay más Dios que tú, Señor, que *cuidas* de *todas* las cosas.
No hay *nadie* a quien *tengas* que *rendirle cuentas* de la justicia
de tus sentencias.
Tu poder es el *fundamento* de tu justicia,
y *por ser* el Señor *de todos*, eres *misericordioso* con todos.
Tú *muestras* tu fuerza a los que *dudan* de tu poder soberano
y *castigas* a quienes, *conociéndolo*, te desafían.
Siendo *tú el dueño* de la fuerza,
juzgas *con misericordia* y nos gobiernas con delicadeza,
porque *tienes* el poder y lo usas cuando quieres.
Con *todo esto* has enseñado a tu pueblo
que el justo *debe ser* humano,
y *has llenado* a tus hijos de una *dulce* esperanza,
ya que al pecador *le das tiempo* para que *se arrepienta*.

II LECTURA Romanos 8,26–27 LM

Lectura de la carta del apóstol san Pablo a los romanos

Hermanos:
El Espíritu nos ayuda en *nuestra* debilidad,
porque nosotros *no sabemos pedir* lo que nos conviene;
pero el Espíritu mismo *intercede* por nosotros
con gemidos que *no pueden* expresarse con palabras.
Y Dios, que conoce *profundamente* los corazones,
sabe lo que el Espíritu *quiere* decir,
porque el Espíritu *ruega* conforme a *la voluntad* de Dios,
por los que le pertenecen.

I LECTURA Sabiduría 12,13.16–19 LEU

Lectura del libro de la Sabiduría

No, *no* hay Dios *fuera* de ti, que *cuidas* de todos,
para que tengas que *demostrarle* la justicia de tu sentencia.
Tu fuerza es el *principio* de tu justicia
y tu *dominio* sobre todas las cosas te da poder para *perdonar*.
Tú *manifiestas* tu fuerza, si no se cree en tu poder *soberano*,
y *confundes* la audacia de los que la desconocen;
pero, por disponer de *fuerza*, juzgas con *moderación*,
nos gobiernas con grandes *miramientos*,
porque *sólo* tú puedes manifestar *tu poder*,
en el tiempo en que te *conviene*.
Al obrar así, *enseñaste* a tu pueblo que el justo debe ser *humano*,
y has dado a tus hijos la *dulce* esperanza
que después del pecado dejas lugar al *arrepentimiento*.

Recita esta aguerrida defensa del justo proceder divino con voz grave y respetuosa. Fíjate que el autor se está dirigiendo directamente a Dios con suma familiaridad. Destaca en particular cada una de las palabras que aluden al poder y la justicia divinas.

Al extraer la enseñanza final, hazlo con un tono de voz agradecido que refleje la admiración y respeto que experimentas ante la bondad y misericordia de Dios.

II LECTURA Romanos 8,26–27 LEU

Lectura de la carta del apóstol san Pablo a los romanos

El Espíritu nos viene a *socorrer* en nuestra debilidad;
porque *no* sabemos qué pedir ni *cómo* pedir
en nuestras oraciones.
Pero el *propio* Espíritu ruega por *nosotros*,
con *gemidos* y súplicas que no se pueden *expresar*.
Y Dios, que *penetra* los secretos del corazón,
escucha los anhelos del Espíritu
porque, cuando el Espíritu *ruega* por los santos,
lo hace según la *manera* de Dios.

Proclama esta breve lectura con voz pausada. Hazlo con la convicción de estar transmitiendo experiencias que tú has vivido de manera personal. Imprímele a tu voz la firmeza que demanda este testimonio.

Alude a la oportuna intervención de Dios con voz satisfecha y agradecida. Reafirma esta enseñanza con la seguridad de un orante experimentado que sabe a ciencia cierta lo que está afirmando.

Así como los niños pequeños no consiguen expresar con claridad, sino solamente con imprecisos balbuceos, sus deseos y sentimientos más íntimos, así también los cristianos, al momento de orar, no sabemos expresar ni pedir adecuadamente lo que nos conviene. Es por eso que el Espíritu Santo acude en nuestro auxilio para servirnos como "traductor" ante el Padre celestial.

EVANGELIO **En esta veintena de versículos, el evangelista nos comparte otras tres magistrales parábolas de Jesús. Una de ellas es la de la cizaña, acompañada además de su correspondiente interpretación alegórica. Por el puro hecho de la amplitud que se le dedica a esta narración (14 versículos de un total de 20), podemos intuir que el autor y la comunidad mateana la juzgaron especialmente importante.**

Atendiendo a la temática de dicha narración. podemos observar que Jesús asienta que hay una oposición férrea y agresiva que pretende malograr la buena nueva del Reino. Mientras que el sembrador actúa a plena luz, el adversario lo hace durante la noche y a escondidas. En efecto, la obra cumplida por Jesús fue llevada a cabo de manera abierta en los poblados y caseríos de Galilea; en cambio, "el adversario" actúa veladamente en el corazón de las personas.

El anterior sería el aspecto preocupante del relato parabólico, pero hace falta detenernos en la parte sensata que también se exhibe en ella, a saber, la prudencia con la cual el amo tranquiliza a los impacientes segadores que se ofrecen para arrancar de raíz a la mala hierba. En el período presente el Reino de Dios, no alcanzará su plenitud, sino que continuarán existiendo plantas benignas y malignas, buenos y malos. Además y sobre todo, dada la premura con que los segadores desean erradicar la cizaña, podrían involuntariamente arrancar también al trigo.

Podemos advertir que serán los servidores de Dios quienes cumplirán la difícil tarea de separar, exclusivamente en el momento que Dios lo determine, a la cizaña

EVANGELIO Mateo 13,24–43 LM

Lectura del santo Evangelio según san Mateo

En *aquel* tiempo, *Jesús* propuso *esta parábola* a la
muchedumbre:
"*El Reino* de los cielos se parece a un hombre
que sembró *buena* semilla en su campo;
pero mientras los trabajadores *dormían*,
llegó un enemigo del dueño,
sembró cizaña entre el trigo y se marchó.
Cuando crecieron las plantas y *se empezaba* a formar la espiga,
apareció también la cizaña.
Entonces los trabajadores fueron a decirle al amo:
'*Señor*, ¿qué no sembraste *buena* semilla en tu campo?
¿*De dónde*, pucs, salió *esta* cizaña?'
El amo les respondió: '*De seguro* lo hizo un enemigo mío'.
Ellos le dijeron: '¿Quieres que vayamos a arrancarla?'
Pero él les contestó:
'*No*. No sea que al arrancar la cizaña, *arranquen también* el trigo.
Dejen que *crezcan juntos* hasta el tiempo de la cosecha y,
cuando *llegue* la cosecha, diré a los segadores:
Arranquen *primero* la cizaña y átenla en gavillas para quemarla;
y *luego* almacenen el trigo en mi granero'".
Luego les propuso esta otra parábola:
"*El Reino* de los cielos
es *semejante* a la semilla de mostaza
que un hombre siembra en un huerto.
Ciertamente es la *más pequeña* de *todas* las semillas,
pero cuando crece, llega a ser más grande que las hortalizas
y se convierte en un arbusto,
de manera que los pájaros vienen y *hacen su nido* en las ramas".
Les dijo también *otra* parábola:
"*El Reino* de los cielos
se parece a *un poco de levadura* que tomó una mujer
y *la mezcló* con tres medidas de harina,
y toda la masa *acabó* por fermentar".
Jesús decía a la muchedumbre *todas* estas cosas *con parábolas*,
y sin parábolas *nada* les decía,
para que *se cumpliera* lo que dijo el profeta:
Abriré mi boca y les hablaré con parábolas;
anunciaré lo que *estaba oculto desde* la creación del mundo.
Luego *despidió* a la multitud y se fue a su casa.
Entonces se le acercaron sus discípulos y le dijeron:
"Explícanos la parábola de la cizaña sembrada en el campo".

EVANGELIO Mateo 13,24–43 LEU

Lectura del santo Evangelio según san Mateo

En aquel tiempo, Jesús propuso este *ejemplo* a la gente:
"El *Reino* de los Cielos es como un *hombre*
que sembró *buena* semilla en su campo.
Pero, cuando *todos* estaban durmiendo,
vino su *enemigo* y sembró *maleza* en medio del trigo.
Cuando el trigo estaba *echando* espigas, *apareció* la maleza.
Entonces los trabajadores *fueron* a decirle al patrón:
'Señor, ¿no sembró *buena* semilla en su campo?,
¿de *dónde*, pues, viene esta *maleza*?'
Respondió el *patrón*: 'Algún *enemigo* la ha sembrado'.
Los obreros le *preguntaron*: '¿Quieres que la *arranquemos*?'
'No, dijo el patrón,
no sea que al *arrancar* la maleza arranquen *también* el trigo.
Dejen crecer *juntos* el trigo y la maleza.
Cuando *llegue* el momento de la *cosecha* yo diré a los *segadores*:
Corten *primero* la maleza y en atados échenla al *fuego*,
y después *guarden* el trigo en las bodegas'".
[Les propuso *otro* ejemplo:
"El *Reino* de los Cielos es semejante al *grano* de *mostaza*
que un hombre *sembró* en su campo.
Este grano es muy *pequeño*,
pero cuando *crece* es la más *grande* de las plantas del *huerto*
y llega a hacerse *arbusto*,
de modo que las aves vienen a hacer *sus nidos* en sus ramas".
Y *añadió* esta parábola:
"El *Reino* de los Cielos es semejante a la *levadura*
que una mujer *mezcla* con tres partes de harina,
hasta que *toda* la masa fermente".
Todo esto lo dijo Jesús en *parábolas*,
o sea, por medio de *comparaciones*,
y no predicaba sin usar *comparaciones*.
Así se *cumplía* lo que dijo el profeta:
"Hablaré con *parábolas*;
daré a conocer cosas que estaban *ocultas*
desde la *creación* del mundo".
Jesús entonces *despidió* a sus oyentes y se fue *a casa*,
rodeado de sus discípulos.
Éstos le dijeron:
"*Explícanos* la parábola de la maleza *sembrada* en el campo".

Analiza detenidamente esta narración. Destaca de manera especial el tono narrativo al referir las tres parábolas y la interpretación alegórica. Al presentar el comentario que intercala el narrador sobre el cumplimiento de las profecías, se impone utilizar otro tono de voz.

Al referir la parábola de la cizaña, hazlo con mucha vivacidad. Recita con variados tonos de voz las sugerencias de los segadores y las órdenes firmes dadas por el amo. Haz una breve pausa al concluir esta primera narración.

del trigo. Mientras tanto, no conviene apresurarse a erradicar de nuestra Iglesia a los que todo mundo considera "mala hierba". De hacerlo, además de que podríamos cometer excesos e injusticias contra muchos inocentes, estaríamos usurpando un quehacer que sólo Dios Padre sabe cumplir con justicia: juzgar rectamente la vida de las personas.

EVANGELIO continuación

L M

Jesús les contestó:
"El sembrador de la buena semilla es el Hijo del hombre,
el campo es el mundo,
la buena semilla son los ciudadanos del Reino,
la cizaña son los partidarios *del maligno*,
el *enemigo* que la siembra es *el diablo*,
el *tiempo* de la cosecha es el *fin* del mundo,
y *los segadores* son *los ángeles*.
Y así como recogen la cizaña y la *queman* en el fuego,
así sucederá en el fin del mundo:
el Hijo del hombre *enviará* a sus ángeles
para que *arranquen* de su Reino
a *todos* los que inducen a otros al pecado
y a todos los malvados,
y *los arrojen* en el horno encendido.
Allí será el llanto *y la desesperación*.
Entonces los justos *brillarán* como el sol en *el Reino* de su Padre.
El que *tenga* oídos, *que oiga*".

EVANGELIO continuación LEU

Jesús les dijo:
"El que *siembra* la semilla buena es el *Hijo* del Hombre.
El campo es el *mundo*.
La *buena* semilla son los que pertenecen al *Reino*.
La *mala* hierba es la gente del *demonio*.
El *enemigo* que la siembra es el *diablo*.
La *cosecha* es el fin del mundo.
Los segadores son los *ángeles*.
Así como se *recoge* la maleza y se *quema*,
así será *el fin* del mundo.
El *Hijo* del Hombre enviará a sus *ángeles*
para que *quiten* de su Reino todos los *escándalos*
y saquen a los malvados.
Y los *arrojarán* en el horno ardiente.
Allí será el *llanto* y el rechinar de dientes.
Al mismo *tiempo*,
los justos *brillarán* como el sol en el *Reino* de su Padre.
Quien *tenga* oídos, que *entienda*".]

Al proclamar la escena final donde Jesús se encuentra a solas con sus discípulos, utiliza un tono más íntimo y familiar. Con tono paciente y comedido, ve exponiendo cada una de las equivalencias propuestas en la interpretación final.

17º DOMINGO DEL TIEMPO ORDINARIO

I LECTURA Indudablemente, los autores del libro de los Reyes presentan con honestidad y trasparencia la conducta y el proceder de los reyes de Judá. Particularmente el capítulo tercero hace mención de las prácticas idolátricas del rey Salomón, y acto seguido lo presenta ofreciendo numerosos sacrificios en el templo de Gabaón. Es en esa concreta circunstancia donde tiene lugar la famosa "visión de Salomón", en la cual Dios le hace un ofrecimiento amplio y abierto para que pida aquello que desee.

Contra todo lo esperado el rey Salomón demanda a Dios que le otorgue la sensibilidad para saber escuchar a su pueblo y para discernir atinadamente entre el bien y el mal. Dios queda complacido ante la sensata petición del monarca y le otorga el más preciado de los dones: la sabiduría.

Más aún, el autor especifica que fue tal la bendición que Dios otorgó a Salomón que nadie antes o después de él consiguió discurrir con tanta sensatez y acierto. Esta escena refleja una valoración idealizada de este gobernante, la cual tendrá que ser completada y equilibrada con otras opiniones más realistas que encontramos en otras páginas del primer libro de los Reyes (ver 11,1–13).

I LECTURA 1 Reyes 3,5–13 LM

Lectura del primer libro de los Reyes

En *aquellos* días, el Señor se le *apareció* al rey Salomón en
sueños y le dijo:
"Salomón, *pídeme* lo que quieras, y yo *te lo daré*".
Salomón le respondió:
"*Señor, tú trataste* con misericordia a tu siervo David, *mi padre,*
porque se portó contigo *con lealtad,*
con justicia y rectitud de corazón.
Más aún, también ahora lo sigues tratando con misericordia,
porque *has hecho* que un *hijo suyo* lo suceda en el trono.
Sí, tú quisiste, *Señor y Dios mío*, que *yo*, tu siervo,
sucediera en el trono a mi padre, David.
Pero yo no soy *más* que un muchacho y *no sé* cómo actuar.
Soy tu siervo y me encuentro *perdido*
en medio de este pueblo tuyo,
tan numeroso, que es *imposible* contarlo.
Por eso *te pido* que me concedas *sabiduría* de corazón,
para que sepa gobernar a tu pueblo
y *distinguir* entre el bien y el mal.
Pues sin ella, *¿quién* será capaz *de gobernar*
a este pueblo tuyo tan grande?"
Al Señor *le agradó* que Salomón le hubiera pedido *sabiduría*
y le dijo:
"Por haberme pedido *esto*, y no una *larga* vida, *ni riquezas,*
ni la muerte de tus enemigos, sino *sabiduría* para gobernar,
yo *te concedo* lo que me *has pedido.*
Te doy un corazón *sabio y prudente,*
como no lo ha habido antes, *ni lo habrá* después de ti.
Te voy a conceder, *además*, lo que no me has pedido:
tanta gloria y riqueza, que *no habrá* rey que se pueda
comparar *contigo*".

I LECTURA 1 Reyes 3,5.7–12 LEU

Lectura del primer libro de los Reyes

En *aquellos* días,
el Señor se apareció en *sueños* durante la noche a *Salomón*
y le dijo:
"*Pídeme* lo que quieras".
Salomón *respondió*:
"*Señor*, mi Dios, me has hecho *rey* en lugar de David,
pero no sé *todavía* conducirme;
soy muy *joven* para estar al frente del pueblo que has *elegido*,
pueblo tan *numeroso* que no se puede contar.
Dame, pues, a mí, tu servidor, la *capacidad* de juzgar bien
y de *decidir* entre lo bueno y lo malo, porque si no,
¿cómo podría *gobernar* este pueblo tan grande?"
Al Señor le *gustó* que Salomón le pidiese una cosa *así*.
Y le dijo: "*No* has pedido riquezas, *ni* la muerte para
tus enemigos,
sino que has pedido sabiduría para gobernar a tu pueblo.
Por eso te concedo lo que pides;
te doy sabiduría e inteligencia
como *nadie* la tuvo antes de ti ni la tendrá *después*".

Narra esta escena extraordinaria con la seguridad de saberte testigo presencial de este íntimo acercamiento entre Dios y Salomón. Recita la petición de Salomón de manera humilde y confiada.

Introduce pausadamente el comentario del narrador al igual que la respuesta divina. Proclama esta última de manera contrastante, utilizando un tono frío para aludir a la riqueza y la venganza y un tono entusiasta para referirte a los dones de sabiduría e inteligencia.

II LECTURA Romanos 8,28–30 L M

Lectura de la carta del apóstol san Pablo a los romanos

Hermanos:
Ya sabemos que *todo* contribuye para *bien* de los que
aman a Dios,
de *aquellos* que han sido llamados *por él*,
según su designio salvador.
En efecto, a quienes conoce *de antemano*,
los predestina para que reproduzcan *en sí mismos*
la imagen de su *propio* Hijo,
a fin de que él sea *el primogénito* entre *muchos* hermanos.
A quienes predestina, *los llama*;
a quienes llama, *los justifica*;
y a quienes justifica, los *glorifica*.

II LECTURA **Después de haber proclamado durante cuatro domingos diferentes trozos del capítulo octavo de la carta a los Romanos, en esta ocasión san Pablo dedica los versículos finales a ponderar la grandeza del amor de Dios que ha elegido gratuitamente a los creyentes para participar de su gloria.**

En particular, sobresale el aspecto del llamado y la elección divina. Esta llamada no es una simple concesión de privilegios; al contrario, es una invitación que genera altas responsabilidades. Tal como lo explica el apóstol san Pablo, el llamado divino está orientado a que cada persona reproduzca en su propia vida la imagen de Jesucristo, el Hijo del Padre y el hermano mayor de todos los creyentes.

Quienes atienden diligentemente al llamado divino y configuran su vida con la persona de Jesús viven efectivamente como personas santas y justas. Por eso, alcanzarán infaliblemente la gloria duradera que él consiguió a partir de la resurrección.

II LECTURA Romanos 8,28–30 LEU

Lectura de la carta del apóstol san Pablo a los romanos

Sabemos que Dios dispone todas las cosas para el *bien*
de los que lo aman,
a los que él ha llamado *según* su voluntad.
A los que de *antemano* conoció,
quiso que llegaran a ser como su *Hijo* y *semejantes* a él,
a fin de que él sea *primogénito* en medio
de *numerosos* hermanos.
Por eso, a los que *eligió* de antemano, *también* los llama,
y cuando los llama los hace *justos,*
y *después* de hacerlos justos, les dará la *gloria.*

Recita estos apretados renglones con la certidumbre de un creyente convencido plenamente de su fe. Destaca con la debida importancia cada una de las menciones dedicadas al Hijo de Dios.

Concluye la proclamación exponiendo con ánimo esperanzador el feliz desenlace que alcanzaremos todos los que hemos sido elegidos por Dios.

EVANGELIO Con esta serie de tres parábolas concluye el discurso parabólico recogido en el capítulo décimo tercero de Mateo, las tres narraciones se distinguen por la brevedad y concisión con que han sido compuestas. Por lo que se refiere a las dos primeras (el tesoro escondido y la perla preciosa), podemos decir que ambas sirven para expresar el carácter sorprendente e inesperado del Reino de Dios. Éste es el valor supremo al que tienen que ser sacrificados decididamente todos los demás valores. Todos los que fueron sorprendidos con el singular hallazgo del Reino anunciado por Jesús deben decidirse y abandonar con presteza los "tesoros" que les impiden ponerse completamente al servicio del Reino.

La tercera parábola (la de la red) establece el carácter decisivo que tiene el encuentro de la persona con Jesús. Ésta será juzgada por haber dado crédito o haberse desentendido de la llamada que el hallazgo del Reino de Dios les dirigía. Por el momento la paciencia divina no se extralimita, sino que tolera los desaires y la incredulidad de los que, escuchando el llamado, prefirieron desoírlo. Llegará el momento en que será abierta "la red repleta de peces"; ésa será la hora del juicio, en la cual Dios dará la sentencia merecida a justos y pecadores. Mientras tanto, hay que aguzar la inteligencia para comprender el llamado y el mensaje que se esconde en estos relatos parabólicos.

EVANGELIO Mateo 13,44–52 LM

Lectura del santo Evangelio según san Mateo

En *aquel* tiempo, *Jesús* dijo a la multitud:
"*El Reino* de los cielos se parece a un tesoro
escondido en un campo.
El que lo encuentra *lo vuelve* a esconder y,
lleno de alegría, va y *vende* cuanto tiene y *compra* aquel campo.
El Reino de los cielos se parece *también*
a un comerciante *en perlas finas*
que, al encontrar una perla *muy valiosa*, va y vende cuanto
tiene *y la compra*.
También se parece el Reino de los cielos a la red
que los pescadores *echan* en el mar
y recoge *toda* clase de peces.
Cuando se *llena* la red,
los pescadores la sacan a la playa y se sientan
a *escoger* los pescados;
ponen los buenos en canastos *y tiran* los malos.
Lo mismo sucederá *al final* de los tiempos:
vendrán los ángeles, *separarán* a los malos de los buenos
y los *arrojarán* al horno encendido.
Allí será el llanto y la desesperación.
¿*Han entendido* todo esto?" Ellos le contestaron: "*Sí*".
Entonces *él* les dijo:
"Por eso, *todo escriba* instruido en las cosas del Reino de los cielos
es *semejante* al padre de familia,
que *va sacando* de su tesoro *cosas nuevas* y *cosas antiguas*".

EVANGELIO Mateo 13,44–52 LEU

Lectura del santo Evangelio según san Mateo

En *aquel* tiempo, dijo *Jesús* a la gente:
"El *Reino* de los Cielos es semejante a un tesoro *escondido* en un campo.
El hombre que lo *descubre* lo vuelve a *esconder*
y, *feliz* de haberlo encontrado,
vende cuanto tiene y *compra* ese campo.
El *Reino* de los Cielos es semejante a un *comerciante*
que busca *perlas* finas.
Si *llega* a sus manos una perla de *gran* valor,
vende cuanto tiene, y la *compra*".
[El *Reino* de los Cielos es semejante a una *red* que se echa *al mar*
y recoge peces de *todas* clases.
Cuando está *llena*, los pescadores la *sacan* a la orilla.
Ahí se sientan, escogen los peces *buenos* y los echan en canastos,
y *tiran* los que no se pueden comer.
Así pasará al *fin* del mundo:
vendrán los ángeles y *separarán* a los malos de los buenos
y los arrojarán al horno *ardiente*,
donde habrá llanto y *desesperación*".
Preguntó Jesús: "¿*Entendieron* bien *todas* estas cosas?"
Ellos le respondieron: "Sí".
Entonces, Jesús *añadió*:
"Todo maestro de la *Ley*
que se ha hecho discípulo del *Reino* de los Cielos
se parece a un *padre* de *familia*
que de sus *reservas* va sacando cosas *nuevas* y cosas *antiguas*".]

Recita de manera diferenciada cada una de las tres breves parábolas. Haz una breve pausa al concluir cada una de éstas. Refiere estas narraciones con la frescura de un buen narrador que mantiene atentos a sus interlocutores.

Establece la conexión con el juicio final sin poses severas o tremendistas, sino con la sencillez de un maestro que sabe exponer serenamente sus enseñanzas.

Culmina la proclamación con ánimo satisfecho, sabiendo que en esta ocasión ha habido un verdadero entendimiento entre Jesús y sus discípulos.

18º DOMINGO DEL TIEMPO ORDINARIO

I LECTURA Isaías 55,1–3 LM

Lectura del libro del profeta Isaías

Esto dice el Señor:
"*Todos* ustedes, los que tienen sed, *vengan* por agua;
y los que *no tienen* dinero, *vengan*, tomen trigo *y coman*;
tomen vino y leche *sin pagar*.
¿*Por qué* gastar el dinero en lo que *no es* pan
y el salario, en lo que *no alimenta*?
Escúchenme atentos y comerán *bien*,
saborearán platillos *sustanciosos*.
Préstenme atención, *vengan* a mí, *escúchenme* y vivirán.
Sellaré con ustedes una alianza *perpetua*,
cumpliré las promesas *que hice* a David".

I LECTURA En el último capítulo que se asigna al profeta anónimo llamado Deuteroisaías, encontramos esta incisiva exhortación a buscar el agua y la comida. Confiados en el auxilio del Señor, ya no tiene caso que los israelitas desterrados en Babilonia continúen desperdiciando los escasos recursos que poseen en la compra de los víveres indispensables para sobrevivir en tierra extranjera. Dios mismo se los dará gratuitamente a cuantos escuchen y atiendan atentamente a sus palabras.

No vale la pena seguir ahorrando y comprando con miras a una prolongada estadía en Babel. Ha llegado la hora de la partida, y todos los que den crédito a las entusiastas palabras de este profeta saldrán para siempre del destierro y regresarán a la tierra de sus antepasados para disfrutar de los bienes que manan en abundancia en la tierra que Dios volverá a regalarles.

El Señor les advierte que volverá a tratarlos con benevolencia y, con un amor inquebrantable y eterno, lo hará en atención a las promesas que había prometido a su siervo David. Por su parte, el pueblo sólo deberá cumplir una condición: caminar fielmente delante de su Dios, atendiendo comedidamente sus enseñanzas.

II LECTURA Romanos 8,35.37–39 LM

Lectura de la carta del apóstol san Pablo a los romanos

Hermanos:
¿*Qué cosa podrá apartarnos* del amor
con que *nos ama* Cristo?
¿*Las tribulaciones*? ¿Las angustias? ¿*La persecución*?
¿*El hambre*? ¿La desnudez? ¿*El peligro*? ¿*La espada*?
Ciertamente de *todo esto* salimos *más* que victoriosos,
gracias a *aquel* que nos *ha amado*;
pues *estoy convencido* de que *ni la muerte ni la vida*,
ni los ángeles *ni los demonios*, ni el presente *ni el futuro*,
ni los poderes *de este mundo*,
ni lo alto *ni lo bajo*, ni creatura *alguna*
podrá apartarnos del amor que nos ha manifestado Dios
en Cristo Jesús.

II LECTURA San Pablo expone su pensamiento acerca del amor de Dios con una extraordinaria fuerza y con una argumentación rotunda y contundente. Quien habla así del amor de Cristo no es un teólogo ni un teórico que elabora complejas disquisiciones. Es antes que nada un testigo que ha experimentado en su propia vida la incomparable grandeza del amor de Cristo.

El apóstol ha sufrido todas las pruebas en carne propia, y ninguna de ésas ha menoscabado la certidumbre de saberse amado por Dios. San Pablo está desvelándonos aquí la clave de la incomparable fortaleza

I LECTURA Isaías 55,1–3 LEU

Lectura del libro del profeta Isaías

Esto dice el Señor:
A ver *ustedes*, que andan con *sed*,
¡*vengan* a tomar agua!
No importa que estén sin plata, *vengan* no más.
Pidan *trigo* para el consumo,
y *también* vino y leche, *sin* pagar.
¿Para qué van a *gastar* su dinero en lo que *no* es pan
y su *salario* en cosas que *no* alimentan?
Si ustedes me hacen *caso*, *comerán* cosas *ricas*
y su paladar se *deleitará* con comidas exquisitas.
Atiéndanme y acérquense a *mí*,
escúchenme y su alma *vivirá*.
Voy a hacer con ustedes un trato que *nunca* se *acabará*,
en consideración a lo que le había *prometido* a David.

Recita con tono efusivo y animoso este pregón. Procura contagiar a los presentes de lo extraordinario de los ofrecimientos que el Señor les promete.

Formula estas interrogantes de manera contundente. Enfatiza las condiciones que habrán de cumplir para gozar de dichos beneficios.

Reafirma la invitación a acercarse confiadamente al Señor. Imprímele a tu voz un aire de esperanza y alegría.

II LECTURA Romanos 8,35.37–39 LEU

Lectura de la carta del apóstol san Pablo a los romanos

¿*Quién* nos separará del *amor* de Cristo?
¿Las *pruebas* o la angustia, la persecución o el *hambre*,
la falta de ropa, los *peligros* o la espada?
No, en todo esto triunfaremos por la *fuerza* del que nos amó.
Estoy *seguro* de que *ni* la muerte, ni la *vida*,
ni los ángeles, ni los *poderes* espirituales,
ni el *presente*, ni el futuro,
ni las *fuerzas* del universo, sean de los cielos,
sean de los *abismos*,
ni criatura *alguna*, podrá *apartarnos* del amor de Dios,
que encontramos en *Cristo* Jesús, nuestro Señor.

Plantea este interrogante con una actitud firme y desafiante. Que tu voz refleje la profunda seguridad sobre lo que estás afirmando.

Haz esta enumeración de situaciones adversas con voz pausada. Mantén el ritmo de cada una de las parejas de realidades que el autor va mencionando (ni el presente, ni el futuro). Concluye afirmando enfáticamente la grandeza del amor de Dios manifestado en Cristo Jesús.

con la que ha logrado sobreponerse a las más variadas situaciones de peligro. Él es un converso que ha quedado prendado de la amorosa solicitud con la cual el Padre lo ha amado en la persona de su Hijo Jesús.

EVANGELIO **En cada uno de los Evangelios, encontramos una o dos versiones de una acción magnífica con la cual Jesús alimentó a las multitudes que le seguían desde toda Galilea. La narración que nos ofrece el primero de los Evangelios está construida de manera inteligente, con el fin de evidenciar la actitud contrastante que muestran Jesús y los discípulos. Éstos parecen mirar a las multitudes que les rodean como una amenaza y una perturbación para su tranquilidad. Es por eso que quieren desentenderse de ellos y de las necesidades que los agobian. Jesús en cambio hace suya la carencia de la gente y ordena a la muchedumbre que se siente.**

Entonces advertimos que el narrador nos refiere cómo desde entonces Jesús cumplió los mismos gestos usados en la Última Cena (ver 26,26), "dando gracias, partió el pan y se los dio a los discípulos para que se lo dieran a la gente", y anticipó de alguna manera el banquete eucarístico, alimentando sobrada y abundantemente a las personas que lo seguían.

Jesús alimenta a la muchedumbre valiéndose de los escasos recursos que ellos poseen. Asimismo, no alienta un paternalismo dependiente, sino que enseña a compartir cuanto se posee, y a ponerlo en las manos del Padre, que lo sabrá multiplicar con su poder para saciar a todos los que lo necesiten. Esta lección nos anima a recomenzar una y otra vez los gestos e iniciativas de solidaridad, sabedores de que Dios acrecentará una y otra vez los bienes que dispongamos para saciar el hambre a los demás. Nos toca emprender el camino de la fracción del pan.

EVANGELIO Mateo 14,13–21 LM

Lectura del santo Evangelio según san Mateo

En *aquel* tiempo, *al enterarse* Jesús de la muerte
de Juan el Bautista,
subió a una barca y se dirigió a un lugar *apartado y solitario*.
Al saberlo la gente, *lo siguió* por tierra desde los pueblos.
Cuando Jesús *desembarcó*, vio aquella muchedumbre,
se compadeció de ella y *curó* a los enfermos.
Como ya se hacía *tarde*, se acercaron sus discípulos a decirle:
"*Estamos* en despoblado y *empieza* a oscurecer.
*Despid*e a la gente para que *vayan* a los caseríos
y compren algo de *comer*".
Pero Jesús *les replicó*: "No hace falta que vayan.
Denles ustedes de comer".
Ellos le contestaron:
"No tenemos *aquí* más que *cinco* panes y *dos* pescados".
Él les dijo: "*Tráiganmelos*".
Luego *mandó* que la gente *se sentara* sobre el pasto.
Tomó los *cinco* panes y los *dos* pescados,
y *mirando* al cielo, *pronunció* una bendición,
partió los panes y se *los dio* a los discípulos
para que los distribuyeran *a la gente*.
Todos comieron hasta saciarse,
y con los pedazos que *habían sobrado*,
se llenaron *doce canastos*.
Los que comieron eran unos *cinco* mil hombres,
sin contar a las mujeres y a los niños.

EVANGELIO Mateo 14,13–21 LEU

Lectura del santo Evangelio según san Mateo

En *aquel* tiempo, al *enterarse* Jesús de la muerte de Juan
el Bautista,
se *fue* de allí en barca a un lugar *apartado* para estar *solo*.
Pero la *gente*, en cuanto lo *supo*, lo siguió *a pie* desde sus pueblos.
Jesús, al desembarcar y ver a *tanta* gente reunida,
tuvo *compasión* y *sanó* a los enfermos.
Al caer la *tarde*, sus discípulos se le *acercaron* para decirle:
"Éste es un lugar *desierto* y se hace tarde:
dile a esta gente que se *vaya* a las aldeas a comprar qué *comer*".
Pero *Jesús* les contestó:
"*No* tienen necesidad de irse:
denles ustedes de comer".
Y *ellos* le contestaron:
"No tenemos aquí más de *cinco* panes y *dos* pescados".
Jesús les dijo: "*Tráiganlos* para acá".
Entonces, manda *sentarse* a todos en la hierba.
Toma los *cinco* panes y los *dos* pescados,
levanta los ojos al cielo, pronuncia la *bendición*,
parte los panes y los *entrega* a los *discípulos*
para que se los *repartan* a la gente.
Y todos comieron hasta *saciarse*.
Se recogieron *doce* canastos llenos de los pedazos que sobraron.
Los que comieron fueron unos *cinco mil* hombres
sin contar las mujeres y los niños.

Introduce esta escena con voz tranquila. Refiere pormenorizadamente los detalles referidos por el evangelista.

Retrata con precisión los gestos y palabras con los cuales Jesús y los discípulos reaccionan ante el clamor de la gente.

Relata con viva emoción el breve diálogo sostenido entre Jesús y los discípulos. Pronuncia la recomendación de éstos con voz de fingida compasión.

Culmina la lectura leyendo con voz solemne los gestos marcadamente eucarísticos con los cuales Jesús sacia el hambre de la gente.

6 DE AGOSTO DE 2005

LA TRANSFIGURACIÓN DEL SEÑOR

I LECTURA Esta visión relatada por el libro de Daniel nos presenta la misteriosa figura de uno como Hijo del Hombre, que asciende entre las nubes del cielo para comparecer ante el anciano (Dios mismo) a fin de ser revestido del poder real. Los escritores cristianos evocaron con regular frecuencia este pasaje para encuadrar la función de juez último que Jesús realizaría al final de la historia.

En la perspectiva del libro de Daniel, el referido personaje asciende desde la tierra y por lo tanto su origen es terreno; en la perspectiva de varios pasajes evangélicos, el Hijo del Hombre, Jesús, viene del cielo y se dirige hacia la tierra para cumplir sus prerrogativas divinas, como juez supremo que juzgará al universo.

En el marco de la celebración de la Transfiguración del Señor, este pasaje profético es evocado como la prefiguración que anticipaba la gloriosa manifestación de Jesús. Moisés y Elías, que dialogan con Jesús en la hora de su luminosa transformación, vienen a cumplir, la misma función: ser testigos de la gloria incomparable del Hijo del Padre.

II LECTURA El autor de la segunda carta de Pedro enfrenta, entre otros problemas, el asunto del retraso de la parusía (la segunda venida del Señor). Con la intención de comprobar ante sus lectores que la anunciada venida de Jesús glorioso no es un invento surgido de la fantasía de los predicadores, el autor apela a su condición de testigo presencial de la transfiguración de Cristo.

Si Pedro y sus compañeros recibieron ya un anticipo de la gloriosa exaltación del Hijo, cuando fueron conducidos por su maestro a una montaña elevada, también llamada montaña santa (segunda carta de Pedro), no existen motivos para dudar del testimonio apostólico que proclama la inminencia de la próxima venida del Señor.

I LECTURA Daniel 7,9–10.13–14 LM

Lectura del libro del profeta Daniel

Yo, Daniel, tuve una *visión* nocturna:
Vi que *colocaban* unos tronos
y un *anciano* se sentó.
Su vestido era *blanco* como la *nieve*
Y sus cabellos, *blancos* como *lana.*
Su *trono,* llamas de fuego,
con ruedas encendidas.
Un río de *fuego* brotaba delante de él.
Miles y miles lo *servían,*
millones y millones estaban a sus *órdenes.*
Comenzó el *juicio* y se abrieron los libros.
Yo seguí *contemplando* en mi visión nocturna
y vi a alguien semejante a un *hijo de hombre,*
que *venía* entre las nubes del *cielo.*
Avanzó hacia el *anciano* de muchos siglos
y fue *introducido* a su presencia.
Entonces recibió la *soberanía,* la gloria y el reino.
Y *todos* los pueblos y naciones
de todas las *lenguas* le servían.
Su poder nunca se *acabará,* porque es un poder *eterno,*
y su reino *jamás* será destruido.

II LECTURA 2 Pedro 1,16–19 LM

Lectura de la segunda carta del apóstol san Pedro

Hermanos:
Cuando les *anunciamos* la venida gloriosa
y llena de *poder* de nuestro Señor Jesucristo,
no lo hicimos fundados en *fábulas* hechas con astucia,
sino por haberlo visto con *nuestros* propios ojos
en toda su *grandeza.*
En efecto,
Dios lo llenó de *gloria* y honor,
cuando la sublime *voz* del Padre *resonó* sobre él, diciendo:
"*Éste* es mi Hijo amado, en quien yo me *complazco*".

I LECTURA Daniel 7,9–10.13–14 LEU

Lectura del libro del profeta Daniel

Estaba *observando* y vi *esto:*
pusieron unos *tronos* y un anciano se *sentó*.
Su vestido era blanco como la *nieve;*
su *pelo,* albo como *lana.*
Su *trono* era de llamas de *fuego* con ruedas de fuego *ardiente.*
Un río de fuego salía y *corría* delante de él.
Miles y *miles* le servían,
una *gran* muchedumbre estaba de *pie* en su presencia.
Los del tribunal se *sentaron* y *abrieron* los libros.
Seguí *contemplando* la visión nocturna:
En la nube del cielo *venía* uno,
como un *hijo de hombre.*
Se dirigió hacia el *Anciano* y fue *llevado* a su presencia.
A él se le dio *poder,* honor y reino;
y todos los pueblos y las naciones
de *todos* los idiomas le sirvieron.
Su poder es para *siempre* y *nunca* pasará;
y su reino *jamás* será destruido.

Describe con voz pausada y serena cada uno de los rasgos con los cuales el profeta-visionario nos retrata la visión del anciano que reina desde siempre.

Antes de recitar la segunda parte de la visión, se impone hacer una breve pausa. Enfatiza con particular solemnidad cada uno de los rasgos, dones y atributos que el autor refiere acerca del Hijo del Hombre.

Concluye la proclamación reiterando con firmeza y seguridad el carácter eterno y universal del señorío de Jesús.

II LECTURA 2 Pedro 1,16–19 LEU

Lectura de la segunda carta del apóstol san Pedro

No hemos sacado de *fábulas* o de *teorías* inventadas
lo que les *enseñamos* sobre el poder
y la *vuelta* de Cristo Jesús nuestro Señor.
Al *contrario,*
les *hablamos* porque nosotros *contemplamos* su *majestad,*
cuando *recibió* de Dios Padre *gloria y honra,*
y desde la magnífica gloria llegó sobre él
esta palabra *tan* singular.
"*Éste* es mi hijo muy querido, al que miro con *cariño*".
Esta voz *enviada* del *cielo* la oímos nosotros mismos
cuando *estábamos* con él en el cerro santo.

Narra este recuerdo con la seguridad de saber que estás transmitiendo un dato cierto, que tú mismo pudiste comprobar.

Evoca con tono solemne la declaración con el cual el Padre presenta a Jesús como su Hijo amado.

Para confirmar el testimonio apostólico, el autor apela además al testimonio dado por los profetas. Ese testimonio profético tendrá que ser interpretado de manera correcta para que sirva de auténtica guía en la noche oscura por la cual atraviesa los destinatarios de dicha carta.

EVANGELIO Cada uno de los tres Evangelios sinópticos nos refiere su particular versión acerca de la manifestación gloriosa de Jesús, conocida como la transfiguración. Mateo resalta especialmente el aspecto de la luminosidad, la cual es considerada en toda la tradición literaria del Antiguo Testamento, como una manifestación de la gloria de Dios que se aproxima a su pueblo.

No sólo sus vestidos aparecieron luminosos, sino también la nube que velaba y desvelaba la presencia gloriosa, y particularmente su rostro. La gloria de Jesús es contemplada por el ojo atento y creyente de sus discípulos más cercanos (Pedro, Santiago y Juan), y es interpretada como una anticipación de la gloria que el Padre le concederá a partir de su resurrección.

Este suceso es ubicado como un momento culminante del relato evangélico y, al igual que en otros Evangelios, aparece colocado entre los dos primeros anuncios de la muerte y resurrección de Jesús. Por la misma razón, el relato de Mateo concluye haciendo una mención expresa del evento pascual. Los discípulos no podrán referir a nadie lo que acaban de contemplar, porque podría malinterpretarse su verdadero significado.

Los discípulos son los únicos beneficiarios del suceso. Ellos descenderán del monte robustecidos por la revelación y el testimonio que el Padre ha rendido sobre su Hijo. El Padre los urge a escuchar la voz de su Hijo. En las circunstancias de la proximidad de la pasión, ese mandato equivale a obedecer y a acompañar a Jesús en su camino hacia Jerusalén, donde les dará ejemplo de obediencia y así recibirá la gloria prometida.

II LECTURA continuación — LM

Y nosotros *escuchamos* esta voz,
venida del cielo,
mientras *estábamos* con el Señor en el monte santo.
Tenemos también la *firmísima* palabra de los *profetas,*
a la que con toda *razon* ustedes *consideran*
como una *lámpara* que ilumina en la oscuridad,
hasta que *despunte* el día y el lucero de la mañana
amanezca en los *corazones* de ustedes.

EVANGELIO Mateo 17,1–9 — LM

Lectura del santo Evangelio según san Mateo

En aquel tiempo,
Jesús *tomó* consigo a Pedro, a Santiago y a Juan,
el hermano de éste,
y los hizo subir a solas con él a un *monte* elevado.
Ahí se *transfiguró* en su presencia:
su rostro se puso *resplandeciente* como el sol
y sus vestiduras se volvieron *blancas* como la nieve.
De pronto *aparecieron* ante ellos Moisés y Elías,
conversando con Jesús.
Entonces Pedro le *dijo* a Jesús:
"Señor, ¡qué *bueno* serías quedarnos aquí!
Si quieres, haremos aquí tres *chozas,*
una para ti, otra para Moisés y otra para Elías".
Cuando aún estaba hablando
una nube luminosa los *cubrió*
y de ella salió una voz que decía:
"Éste es mi Hijo muy *amado,* en quien tengo puestas mis
complacencias; escúchenlo".
Al oír esto, los discípulos cayeron rostro en tierra,
llenos de un gran *temor.*
Jesús se acercó a ellos, los tocó y les dijo:
"Levántense y no teman".
Alzando entonces los ojos, ya no *vieron* a nadie más que Jesús.
Mientras *bajaban* del monte, Jesús los ordenó:
"No le *cuenten* a nadie lo que han visto,
hasta que el Hijo del hombre haya *resucitado*
de entre los muertos".

II LECTURA continuación L E U

Por eso, creemos *más* firmemente en los *mensajes*
de los profetas.
Ustedes hacen bien
al considerarlos como una *lámpara* que *brilla* en un lugar oscuro,
hasta que *principie* el día;
entonces la *estrella* de la mañana brillará
en sus corazones.

Termina la lectura con una perspectiva esperanzadora, tratando de infundir ánimo a tus lectores, que atraviesan por un momento de confusión y duda.

EVANGELIO Mateo 17,1–9 L E U

Lectura del santo Evangelio según san Mateo

En aquel tiempo,
Jesús *tomó* a Pedro, a Santiago y a Juan, su hermano
y los llevó a un *cerro* alto, lejos de todo.
En presencia de ellos, Jesús *cambió* de aspecto:
su cara brillaba como el sol
y su ropa se puso *resplandeciente* como la luz.
En ese *momento,*
Se les *aparecieron* Moisés y Elías hablando con Jesús.
Pedro tomó entonces la palabra y *dijo* a Jesús:
"Señor, ¡qué *bien* estamos aquí!
Si quieres, yoy a levantar en este lugar tres *chozas:*
una para ti, otra para Moisés y la tercera para Elías".
Pedro estaba todavía hablando
cuando una nube luminosa los *envolvió*
y una voz que salía de la nube decía:
"Éste es mu Hijo, *el Amado,* al que miro con cariño;
a él han de escuchar".
Al oír la voz, los discípulos cayeron al suelo,
llenos de gran *temor.*
Jesús se acercó, los tocó y les dijo:
"Levántense, no teman".
Ellos levantaron los ojos
pero no *vieron* a nadie más que jesús.
Mientras *bajaban* del cerro, Jesús los ordenó:
"No le *hablen* a nadie de lo que acaban de ver,
hasta que el Hijo del Hombre haya *resucitado*
de entre los muertos".

Proclama este marco introductorio con la seguridad de haber sido testigo directo de los sucesos que vas a referir. Hazlo con el tono evocativo que utilizas para rememorar sucesos gratos e importantes de tu vida.

Utiliza un tono reposado y suave al recitar los versículos centrales donde describes la transformación luminosa de Jesús.

Haz una pausa antes de introducir la sugerencia planteada por Pedro. Lee esta ocurrencia con aire de entusiasmo e ingenuidad.

Destaca con voz solemne la declaración que el Padre rinde acerca de su Hijo.

Termina la proclamación refiriendo con firmeza la amonestación final que Jesús dirige a sus discípulos para que guarden silencio.

19º DOMINGO DEL TIEMPO ORDINARIO

I LECTURA El relato que nos ofrece el libro de los Reyes, registra un momento de crisis en la actividad profética de Elías, un hombre de Dios que vivió para recordarle a Israel la fidelidad y la exclusividad totales que el Señor les reclamaba. Precisamente por cumplir esa misión, Elías fue perseguido a muerte por los soberanos reinantes que favorecían el culto sincretista a los dioses de la naturaleza. El profeta de Dios se convirtió en un fugitivo y marchó decidido hacia Bersebá, donde fue fortalecido con un alimento peculiar, que le sostuvo en su travesía hasta el monte de Dios, el Horeb.

Justamente en ese monte santo donde el Señor se reveló a Moisés, el profeta va a recibir una revelación particular que le fortalecerá para reemprender su misión. Informado por Dios de su inminente cercanía, Elías intenta infructuosamente descubrir a Dios en los elementos tradicionales en los que Dios se había manifestado en el Sinaí (viento huracanado, fuego, terremoto), pero no lo consigue hasta que finalmente el Señor se le manifiesta de manera apacible en la suave brisa que roza su piel.

II LECTURA En tres capítulos, san Pablo se va a ocupar de un tema doloroso y preocupante, un tema del cual no puede hablar sin apasionarse. El asunto de la elección y el destino de Israel no podía dejar tranquilo a un apóstol que, si bien había roto con tantas prácticas religiosas vividas durante buena parte de su vida dentro de la militancia farisea, seguía sintiéndose plenamente hermanado con todos los hijos de Israel.

El tono solemne de su introducción, y la invocación expresa del testimonio del Espíritu Santo nos advierten de la gravedad del asunto que va a exponer. El apóstol hace una declaración muy atrevida en la cual expone su voluntad de sacrificar su relación con Cristo, con tal de ver a sus hermanos

I LECTURA 1 Reyes 19,9.11–13 LM

Lectura del primer libro de los Reyes

Al llegar al monte de Dios, *el Horeb*,
el profeta Elías *entró* en una cueva y permaneció allí.
El Señor le dijo: "*Sal* de la cueva y *quédate* en el monte
para *ver al Señor*, porque el Señor *va a pasar*".
Así lo hizo Elías, y al *acercarse* el Señor,
vino *primero* un viento huracanado,
que *partía* las montañas y *resquebrajaba* las rocas;
pero el Señor *no estaba* en el viento.
Se produjo después *un terremoto*;
pero el Señor *no estaba* en el terremoto.
Luego vino un fuego; pero *el Señor no estaba* en el fuego.
Después del fuego se escuchó el *murmullo* de una brisa *suave*.
Al oírlo, Elías *se cubrió* el rostro con el manto
y *salió* a la entrada de la cueva.

II LECTURA Romanos 9,1–5 LM

Lectura de la carta del apóstol San Pablo a los romanos

Hermanos:
Les hablo con *toda* verdad en Cristo; *no miento*.
Mi conciencia me *atestigua*, con *la luz* del *Espíritu Santo*,
que tengo una *infinita* tristeza y un dolor incesante
tortura mi corazón.
Hasta *aceptaría* verme *separado* de Cristo,
si *esto* fuera para *bien* de mis hermanos,
los *de mi raza* y de mi sangre,
los israelitas, a quienes pertenecen la *adopción* filial,
la gloria, *la alianza*, *la ley*, el culto y *las promesas*.
Ellos son *descendientes* de los patriarcas;
y *de su raza*, según la carne, *nació* Cristo,
el cual está *por encima* de todo
y es *Dios bendito* por los siglos de los siglos. *Amén*.

I LECTURA 1 Reyes 19,9a.11–13a L E U

Lectura del primer libro de los Reyes

En *aquellos* días, al llegar Elías al *cerro* de Dios, al Horeb,
pasó la noche en una *cueva*.
Y el *Señor* le dirigió la palabra:
"*Sal* afuera a esperar al Señor, que va a *pasar*".
Vino primero un huracán tan *violento* que hendía los cerros
y *quebraba* las rocas delante del Señor.
Pero el Señor *no* estaba en el huracán.
Después hubo un *terremoto*,
pero el Señor *no* estaba en el terremoto.
Después brilló un *rayo*,
pero el Señor *no* estaba en el rayo.
Y *después* del rayo se sintió un murmullo de una *suave* brisa.
Elías al oírlo se *tapó* la cara con su manto,
salió de la cueva y se *paró* a su entrada.

Reporta este diálogo íntimo entre Dios y Elías con la certidumbre de haber sido testigo ocular de tales sucesos. Observa que la escena está estructurada en cuatro partes. Haz una pausa ligera al concluir la lectura de cada una de las tres primeras secciones (huracán, terremoto, rayo).

Refiere con voz particularmente emocionada la aparición de la suave brisa que desvela al profeta la cercana presencia del Señor.

II LECTURA Romanos 9,1–5 L E U

Lectura de la carta del apóstol San Pablo a los romanos

Les hablo *sinceramente* en Cristo Jesús;
mi conciencia me lo *asegura* en el Espíritu Santo:
yo siento *siempre* mi corazón muy *triste* y dolorido.
Hasta desearía ser *aborrecido* de Dios y *separado* de Cristo
en *bien* de mis hermanos, mis *iguales* según la carne.
Me refiero a los *israelitas*,
recibidos por Dios como sus *hijos* para compartir su gloria.
Recibieron la *alianza*, la Ley, el culto de Dios y las promesas.
Son *descendientes* de los patriarcas,
y por la raza *también* Cristo es uno de ellos,
el que, como *Dios*, está sobre *todo*.
Bendito sea él para siempre.
¡Amén!

Recita esta solemne declaración con voz cargada de sincera emoción. Expresa con naturalidad la congoja y el dolor que experimentas ante la situación de confusión en que se encuentran tus hermanos, los hijos de Israel.

Concluye la proclamación recitando con gratitud la alabanza que el apóstol dedica a Dios Padre.

de sangre asociados por la fe con Cristo Jesús. Por su actitud totalmente solidaria hacia sus hermanos de raza, Pablo queda equiparado con Moisés, quien no vaciló en poner en riesgo su amistad con Dios con tal de salvar a sus hermanos del castigo divino (ver Éxodo 32,22).

EVANGELIO Esta escena está ambientada entre el anochecer y la madrugada. Jesús se ha distanciado intencionalmente de los suyos para abandonarse al diálogo íntimo con su Padre. Al rayar el alba, se aproxima a los suyos. Éstos quedan sorprendidos y confundidos, al igual que se desconcertaban al contemplar las apariciones del Señor resucitado, y al igual que entonces dan de gritos porque juzgan estar delante de un fantasma.

Pedro, asumiendo la actitud desconfiada y exigente que mostró Tomás ante la noticia de las apariciones de Jesús (ver Juan 20,25), también reclama pruebas y signos para dar crédito a Jesús. Como en el pasaje aludido, el Señor se los concede también a Pedro, pero éste teme y se hunde en medio del mar, permitiendo así que el Señor no solo le rescate, sino que le convenza de una vez por todas de su condición de Hijo de Dios.

El relato cumple una función reveladora, pues concluye con la firme profesión de fe de parte de los discípulos que confiesan rotundamente la filiación divina de Jesús. Podemos decir que ha quedado anticipada parcialmente con esta escena una de las grandes revelaciones que los discípulos alcanzarán a partir del evento pascual.

En este relato, la figura de Pedro cumple una función emblemática, puesto que encarna la condición vacilante de todo discípulo que aún vive de manera inmadura su relación de creyente. Pedro exige pruebas para poder creer. Actuando así, pretende convertir la vida de fe en un proceso racional, fincado en certezas y demostraciones, olvidando que la fe es primero que nada un don, que nos permite abandonarnos sin miedo en las manos del Padre.

EVANGELIO Mateo 14,22–33 LM

Lectura del santo Evangelio según san Mateo

En *aquel* tiempo, inmediatamente *después*
de la *multiplicación* de los panes,
Jesús hizo que sus discípulos *subieran* a la barca
y se dirigieran a la otra orilla, mientras él *despedía* a la gente.
Después de despedirla, *subió* al monte a solas para orar.
Llegada la noche, estaba él *solo* allí.
Entretanto, la barca iba ya *muy lejos* de la costa
y las olas *la sacudían*, porque el viento *era contrario*.
A la madrugada, Jesús fue hacia ellos, caminando *sobre* el agua.
Los discípulos, al verlo *andar* sobre el agua,
se espantaron y decían:
"¡Es un fantasma!" Y daban *gritos* de terror.
Pero *Jesús* les dijo enseguida:
"*Tranquilícense* y *no teman*. *Soy yo*".
Entonces le dijo Pedro:
"*Señor*, si eres tú, *mándame ir a ti* caminando sobre el agua".
Jesús le contestó: "*Ven*".
Pedro *bajó* de la barca y *comenzó* a caminar sobre el agua
hacia Jesús;
pero *al sentir* la fuerza del viento, le entró *miedo*,
comenzó a hundirse y gritó: "¡*Sálvame* Señor!"
Inmediatamente Jesús *le tendió* la mano, *lo sostuvo* y le dijo:
"Hombre de *poca fe*, ¿*por qué* dudaste?"
En cuanto subieron a la barca, el viento *se calmó*.
Los que estaban en la barca *se postraron* ante Jesús, diciendo:
"*Verdaderamente tú eres* el *Hijo* de Dios".

EVANGELIO Mateo 14,22–33 LEU

Lectura del santo Evangelio según san Mateo

Después que se *sació* la gente,
Jesús *obligó* a sus discípulos a que se *embarcaran*
y fueran a esperarlo al *otro* lado,
mientras él *despedía* a la muchedumbre.
Una vez que los *despidió*,
subió *solo* a un cerro a *orar* hasta entrada la noche.
Entre tanto, la barca estaba ya muy *lejos* de tierra,
sacudida *fuertemente* por las olas,
porque *soplaba* viento en contra.
De *madrugada*, fue Jesús hacia ellos *caminando* sobre el lago.
Al verlo caminar sobre el agua se *asustaron* y exclamaron:
"¡Es un *fantasma*!"
Y *llenos* de miedo comenzaron *a gritar*.
Jesús les dijo al *instante*:
"¡*Animo*, no teman, soy *yo*!".
Pedro contestó:
"Señor, si eres *tú*, *manda* que yo vaya a ti *caminando*
sobre el agua".
Jesús le dijo: "*Ven*".
Pedro *bajó* de la barca y caminaba *sobre* el agua para llegar
a Jesús.
Pero al fijarse en la *violencia* del viento,
tuvo *miedo* y comenzó a *hundirse*.
Entonces *gritó*: "¡*Sálvame*, Señor!"
Al *instante* Jesús *extendió* la mano, diciendo:
"Hombre de *poca* fe, ¿por qué *vacilaste*?"
Cuando subieron a la barca, *cesó* el *viento*,
y los que estaban en ella se *postraron* delante de él, diciéndole:
"¡*Verdaderamente*, tú eres el *Hijo* de Dios!"

Relata cada uno de los detalles de esta despedida con la certidumbre de estar narrando eventos que viviste como testigo directo de los hechos.

Proclama con un tono íntimo esta escena de oración y vigilia en la cual Jesús se entrega al diálogo con su Padre.

Haz una breve pausa antes de introducir la escena ocurrida en la madrugada. Presenta con toda naturalidad las acciones ahí referidas (Jesús caminando sobre el mar).

Destaca suficientemente las reacciones contrariadas que muestran los discípulos. Resalta en particular el tono exigente con el cual Pedro reclama una señal para creer en Jesús.

Recita con tonos diferenciados cada una de las intervenciones siguientes: la súplica urgente que Pedro dirige a Jesús, el reclamo severo que el Señor les dirige y la confesión creyente con la cual los discípulos reconocen la filiación divina de Jesús.

14 DE AGOSTO DE 2005

20º DOMINGO DEL TIEMPO ORDINARIO

I LECTURA Isaías 56,1.6–7 LM

Lectura del libro del profeta Isaías

Esto dice el Señor:
"*Velen* por los derechos de los demás, *practiquen* la justicia,
porque mi salvación está *a punto* de llegar
y mi justicia a punto *de manifestarse*.
A los *extranjeros* que se han *adherido* al Señor para servirlo,
amarlo y darle culto,
a los que *guardan* el sábado *sin profanarlo*
y se mantienen *fieles* a mi alianza,
los *conduciré* a mi monte santo
y los *llenaré de alegría* en mi casa de oración.
Sus holocaustos y sacrificios *serán gratos* en mi altar,
porque mi casa será *casa de oración* para *todos* los pueblos".

I LECTURA **El oráculo con que comienza este capítulo del Tercer Isaías invita a los extranjeros de cualquier raza o condición a que practiquen la justicia y el derecho, y se incorporen de esa manera al culto renovado que se practicará en el templo de Jerusalén.**

Esta visión resultaba inusitada y novedosa no sólo en la época en que profetizaba este profeta, sino que lo sería aún varios siglos después, sobre todo si se recuerda la inscripción trilingüe (escrita en hebreo, latín y griego) que se encontraba expuesta en el atrio del templo de Jerusalén y que alertaba a los extranjeros para que no transpusieran las barreras del "atrio de los gentiles", si no querían correr el riesgo de ser lapidados.

Dentro de la visión universalista de Isaías, ya no será la sangre o la raza la que abrirá el acceso de las personas a una relación cercana con Dios, sino la disponibilidad de amar, obedecer y servir al Señor, practicando su voluntad.

II LECTURA Romanos 11,13–15.29–32 LM

Lectura de la carta del apóstol san Pablo a los romanos

Hermanos:
Tengo *algo* que decirles a ustedes, los que *no son* judíos,
y trato de desempeñar lo *mejor* posible *este* ministerio.
Pero *esto* lo hago *también* para ver si *provoco*
los celos de los de *mi raza*
y logro *salvar* a *algunos* de ellos.
Pues, si su *rechazo* ha sido *reconciliación* para el mundo,
¿qué no será su *reintegración*, sino *resurrección*
de entre los muertos?
Porque Dios *no se arrepiente* de sus dones ni de su *elección*.
Así como ustedes antes eran *rebeldes* contra Dios
y *ahora han alcanzado* su misericordia con ocasión
de *la rebeldía* de los judíos,
en la *misma* forma, *los judíos*, que *ahora* son los rebeldes
y que *fueron* la ocasión de que ustedes *alcanzaran*
la misericordia de Dios, *también* ellos *la alcanzarán*.
En efecto, Dios *ha permitido* que todos *cayéramos*
en la rebeldía,
para manifestarnos *a todos* su misericordia.

II LECTURA **San Pablo ha venido ocupándose a lo largo de los tres últimos capítulos de la carta a los Romanos de la cuestión de la elección y el destino de Israel. Al concluir la exposición, cambia de mira e interpela directamente a sus lectores para alertarlos a no repetir la misma actitud autosuficiente y engreída que perjudicó la relación de los hijos de Israel con su Dios.**

El autor elabora sus razonamientos y concluye esperanzadamente pronosticando la futura conversión de Israel. San Pablo parte del presupuesto fundamental de que los dones y las promesas divinas son irrevocables, y no están sujetos a los vaivenes y caprichos de unos cuantos mortales. Por esa razón, la presente rebeldía en que se han encerrado sus hermanos de raza será superada por la fuerza incomparable de la gracia de Dios que, al igual que salvó a los

I LECTURA Isaías 56,1.6–7 LEU

Lectura del libro del profeta Isaías

Así *dice* el Señor:
Actúen correctamente y hagan siempre lo debido,
pues mi *salvación* se viene *acercando*
y *mi justicia* está a punto de aparecer.
Y a los *extranjeros* que se han *puesto* de parte del Señor,
para *obedecerlo*, amar su nombre y ser sus *servidores*,
que tratan de no *profanar* el sábado
los *llevaré* a mi cerro santo
y haré que se *sientan* felices en mi Casa de *Oración*.
Serán *aceptados* los holocaustos
y los sacrificios que hagan *sobre mi altar*
ya que *mi casa* será llamada Casa de Oración
para *todo* el mundo.

Exhorta a los presentes a cumplir esta invitación a la práctica del derecho. Hazlo con el entusiasmo de estar anunciando la inminente llegada de la salvación.

Enumera cuales serán las condiciones precisas bajo las cuales los extranjeros serán admitidos al culto celebrado en Jerusalén.

Culmina la lectura realzando vigorosamente el nuevo nombre que será dado a la casa de Dios erigida en el monte Sión.

II LECTURA Romanos 11,13–15.29–32 LEU

Lectura de la carta del apóstol san Pablo a los romanos

A *ustedes*, que no son judíos, les *declaro* esto:
como *apóstol*, yo fui enviado a los *paganos*,
pero si me *dedico* tanto a mi trabajo,
es con la *esperanza* de despertar la *envidia* en los de mi raza
y así *salvar* a algunos de ellos.
Si bien es *cierto* que al ser ellos *desechados*,
el *mundo* se reconcilió con *Dios*,
¿qué será entonces cuando ellos se *conviertan*
sino un *pasar* de la muerte a la vida?
Porque *Dios* no se echa atrás después de *elegir* y dar sus *favores*.
En efecto, *ustedes* antes eran enemigos,
pero Dios les *mostró* su misericordia
al ver la *rebeldía* de los judíos.
Del mismo modo, los judíos,
que ahora *se niegan* a obedecer,
para dar lugar a *la misericordia*
que Dios ha *tenido* para con ustedes,
obtendrán también, a su vez, *misericordia*,
a fin de *ejercer con todos* su misericordia.

Observa el juego alterno que crea el apóstol en este párrafo. Fíjate cómo se dirige en dos ocasiones a los romanos y en dos a los judíos. Utiliza tonos diferenciados de voz para recitar las secciones que corresponden a cada grupo.

Expón este brillante argumento con la voz reposada de un experimentado maestro que explica con sencillez cuestiones complejas y delicadas.

A manera de paréntesis aclaratorio, dirige esta escueta aclaración a los hermanos que escuchan la proclamación.

Culmina tu lectura con el tono esperanzando que exige este último párrafo. Acentúa suficientemente cada uno de los términos relativos a la misericordia divina.

gentiles, salvará y reconciliará consigo a su pueblo elegido.

San Pablo no pretende recriminar ni condenar a sus hermanos de raza, sino amonestar a los cristianos de Roma y a los de cualquier otra época o lugar a que aprendan la lección derivada de la experiencia vivida por los hijos de Israel.

EVANGELIO **Esta anónima mujer a la que el evangelista designa con el calificativo de "cananea" se ha convertido en una figura celebre del Evangelio. Aun cuando nos resulte desconocido su perfil más personal (no sabemos ni su nombre, ni su edad ni su oficio), se nos ha convertido en una persona familiar.**

Y es que descubrimos en ella una tenacidad y una firmeza que la convierten en prototipo de la mujer creyente. Si nos fijamos detenidamente en el relato evangélico, observamos que el autor le dedica mayor atención a la presentación y a las declaraciones de la mujer, que a la figura misma de Jesús. De esa manera, nos está insinuando en cual personaje de la narración debemos concentrar nuestra mirada.

Esta "cananea" no se rindió ante los desaires de los discípulos, ni ante la indiferencia inicial o los regateos mostrados por Jesús. Al contrario, "se armó de valor" y reaccionó con ingenio y agudeza ante los argumentos exclusivistas con los cuales Jesús ponía a prueba su fe.

Finalmente, Jesús está plenamente convencido de la fe de esta mujer que esperaba el alivio para su hija. Así pues, casi sin alternativa, accedió a sus ruegos y, después de reconocerle abiertamente lo profundo de su fe, le devolvió la salud y la cordura a la pequeña que había vivido enajenada de su dignidad personal. Con este singular relato, Mateo anticipa de alguna manera la vocación universalista de la misión cristiana.

EVANGELIO Mateo 15,21–28 L M

Lectura del santo Evangelio según san Mateo

En *aquel* tiempo, *Jesús* se retiró a la comarca de Tiro y Sidón.
Entonces una mujer *cananea* le *salió* al encuentro
y se puso *a gritar*:
"Señor, *hijo* de David, *ten compasión* de mí.
Mi hija está *terriblemente* atormentada por un demonio".
Jesús no le contestó *una sola* palabra;
pero los discípulos se acercaron y *le rogaban*:
"*Atiéndela*, porque viene gritando detrás de nosotros".
Él les contestó:
"Yo *no he sido enviado* sino a las ovejas *descarriadas*
de la casa de Israel".
Ella se acercó entonces a Jesús, y *postrada* ante él, le dijo:
"¡Señor, *ayúdame*!"
Él le respondió:
"No está bien *quitarles* el pan a los hijos para *echárselo*
a los perritos".
Pero ella *replicó*:
"Es cierto, *Señor*;
pero *también* los perritos se comen las migajas
que caen de la mesa de sus amos".
Entonces *Jesús* le respondió:
"*Mujer*, ¡*qué grande* es tu fe! Que *se cumpla* lo que deseas".
Y en *aquel* mismo instante *quedó curada* su hija.

EVANGELIO Mateo 15,21–28 LEU

Lectura del santo Evangelio según san Mateo

En aquel tiempo,
Jesús *se apartó* hacia la región fronteriza de Tiro y Sidón.
Pues bien,
una *mujer cananea* que había salido de esos territorios
lo fue a ver y se puso a *gritar*:
"Señor, hijo de David, ten *compasión* de mí:
mi hija está *atormentada* por un demonio".
Pero Jesús *no le contestó* ni una palabra.
Entonces sus *discípulos* se le acercaron y le *dijeron*:
"*Despáchala*, pues no deja de gritar detrás de nosotros".
Jesús contestó:
"no *fui enviado* sino a las ovejas perdidas del *pueblo de Israel*".
Pero la mujer *se acercó* a Jesús
y *arrodillándose* ante él, le dijo:
"Señor, *socórreme*".
Jesús le contestó:
"no se *debe echar* a los perros el pan de los hijos".
"Es *verdad* Señor", contestó la mujer,
pero los perritos *comen las migas* que caen de la mesa de sus patrones".
Entonces Jesús le *contestó*:
"Mujer, ¡qué *grande* es tu *fe*!
que se *cumpla* tu deseo".
Y en ese momento *quedó sana* su hija.

Describe los gestos insistentes de esta mujer con vivo entusiasmo. Preséntala con la seguridad de estar retratando a un personaje familiar y conocido de tu comunidad.

Recita el "consejo" dado por los discípulos con cierto tono de enfado y molestia. Igualmente, pronuncia con cierto desaire el dicho proclamado por Jesús.

Retoma la narración con renovado entusiasmo y describe vivamente la segunda intervención suplicante de la mujer. Destaca este último intercambio de argumentos, pues son la parte medular del relato.

Concluye la proclamación entonando esta emotiva alabanza con la cual Jesús celebra la fe de la mujer y accede a sus deseos.

14 DE AGOSTO DE 2005

LA ASUNCIÓN DE LA VIRGEN MARÍA, MISA DE LA VIGILIA

I LECTURA Desde los primeros siglos del cristianismo, los Padres de la Iglesia se apropiaron del símbolo del arca de la alianza para designar de manera figurada a la Virgen María. Hacían así una lectura simbólica de este objeto sacro tan importante en la religiosidad de Israel. En su lectura, ofrecían la siguiente relación: En la antigua alianza, el arca era apreciada y respetada (ver 1 Crónicas 15,12.14) por conservar en su interior las tablas de la ley que regulaban las relaciones entre Dios y su pueblo. En la nueva alianza, la Virgen María es quien conserva en su vientre al Verbo eterno de Dios, inspirador de la nueva ley del amor universal, siendo así considerada la verdadera arca de la nueva alianza.

Es por eso que la liturgia de esta festividad mariana nos refiere el relato con el cual el cronista nos relata los festejos religiosos ofrecidos por el rey David al trasladar el arca de Dios desde la casa de Obededón hasta la tienda establecida para ese propósito en la parte más segura de Sión, la ciudad de David.

La Virgen María también es objeto de un traslado triunfal. Es elevada gloriosamente, ya no a la ciudad de David sino a la presencia misma de Dios en la esfera celestial.

II LECTURA Todo el capítulo 15 de la primera carta a los Corintios es una exposición amplia y fundamentada sobre la resurrección de Cristo y la consecuente resurrección de los cristianos. En los versículos conclusivos que nos proclama la liturgia de hoy, Pablo expone cómo la resurrección universal será el momento en que serán cumplidos los oráculos proféticos de Oseas e Isaías (ver Isaías 25,8; Oseas 13,14), que anunciaban para los tiempos finales la aniquilación total y definitiva de la muerte.

I LECTURA 1 Crónicas 15,3–4.15–16; 16,1–2 LM

Lectura del primer libro de las Crónicas

En aquellos días,
David *congregó* en Jerusalén *a todos* los israelitas,
para trasladar el *arca* de la alianza al lugar
que le *había preparado*.
Reunió *también* a los hijos de Aarón y a *los levitas*.
Luego los levitas se echaron los varales a los hombros
y *levantaron en peso* el arca de la alianza,
tal como lo había *mandado* Moisés, por *orden* del Señor.
David *ordenó* a los jefes de los levitas que entre los de su tribu
nombraran *cantores*
para que entonaran *cantos festivos*, acompañados de *arpas*,
cítaras y platillos.
Introdujeron, pues, *el arca de la alianza*
y la *instalaron* en el centro de la tienda
que David *le había preparado*.
Ofrecieron a Dios *holocaustos y sacrificios* de comunión,
y cuando David terminó de ofrecerlos,
bendijo al pueblo en *nombre* del Señor.

II LECTURA 1 Corintios 15,54–57 LM

Lectura de la primera carta del apóstol san Pablo a los corintios

Hermanos:
Cuando nuestro ser *corruptible y mortal* se revista de
incorruptibilidad *e inmortalidad*,
entonces *se cumplirá* la palabra de la Escritura:
La muerte *ha sido aniquilada* por la victoria.
¿*Dónde está* muerte, tu victoria?
¿*Dónde está*, muerte, tu aguijón?
El aguijón de la muerte *es el pecado*
y la fuerza del pecado es la ley.
Gracias a Dios, que *nos ha dado la victoria*
por nuestro Señor Jesucristo.

I LECTURA 1 Crónicas 15,3–4.15; 16,1–2 LEU

Lectura del primer libro de las Crónicas

En aquellos días, *David* congregó a todo Israel en *Jerusalén*
para subir el *Arca* del Señor al lugar
que había preparado para ella.
David reunió también a los hijos de *Aarón* y a los levitas.
Los *levitas* trasladaron a hombros el *Arca* del Señor,
como lo había ordenado *Moisés*, según la *palabra* del Señor,
llevando las *varas* sobre los hombros.
David dijo a los *jefes* de los levitas
que dispusieran a sus hermanos los *cantores*,
con instrumentos *musicales*, salterios, cítaras y *címbalos*
para que los hicieran *resonar*, con voz de *júbilo*.
Trajeron el *Arca* del Señor y la colocaron en medio de la tienda
que *David* había hecho levantar para ella;
y ofrecieron ante Dios *víctimas* quemadas y *sacrificios*
de comuniones.
Cuando *David* hubo acabado de ofrecer las víctimas
consumidas por el fuego
y los *sacrificios* de comunión,
bendijo al *pueblo* en nombre del Señor.

Estás relatando lo que sucede en una fiesta solemne, para la cual todo el pueblo ha sido convocado.

Estás en medio de la gran liturgia que acompaña el movimiento del arca sagrada. Escucha la aguda voz de los cantores que se alza entre el jubiloso acompañamiento de los instrumentos, rodeados por la gran muchedumbre que desborda de alegría y entusiasmo.

Un acontecimiento así requiere una proclamación en tono exaltado, que pueda hacer sentir la alegría del momento. Es un momento de gran celebración al que estás asistiendo en primera fila.

II LECTURA 1 Corintios 15,54b–57 LEU

Lectura de la primera carta del apóstol san Pablo a los corintios

Este cuerpo *destructible* será *revestido* de lo que no muere,
y entonces se *cumplirá* la palabra de la Escritura:
"La muerte ha sido *destruida* en esta victoria.
Muerte, ¿dónde está *ahora* tu triunfo?,
¿*dónde* está, *muerte*, tu aguijón?"
La muerte se valía del pecado para *inyectar* su veneno
y el pecado actuaba *mediante* la Ley.
Por eso, demos *gracias* a Dios,
que nos da la *victoria* por Cristo Jesús nuestro Señor.

Pon especial cuidado para que este primer párrafo pueda ser percibido con convencimiento y profunda certeza.

Más que preguntas, son afirmaciones fuertes y determinantes de las que se sigue una respuesta de esperanza cierta.

Deja que cada una de ellas sea un desafío al miedo y al dolor, y concluye con un tono de agradecido convencimiento en el triunfo de la vida y la resurrección.

EVANGELIO Lucas 11,27–28 LM

Lectura del santo Evangelio según san Lucas

En aquel tiempo, mientras *Jesús* hablaba a la multitud,
una mujer del pueblo, *gritando*, le dijo:
"¡*Dichosa* la mujer que te llevó *en su seno*
y cuyos pechos te *amamantaron*!"
Pero Jesús *le respondió*:
"Dichosos *todavía más* los que *escuchan* la palabra de Dios
y la ponen *en práctica*".

La actitud desafiante y jubilosa con que san Pablo encara la realidad de la muerte y, a la vez, la manera clara y trasparente como nos explica las etapas en que se irá desplegando el evento salvífico de la resurrección son un consuelo que anima y fortalece al cristiano para confesar que Jesús y María ya han vencido definitivamente a la muerte, y que en su momento también nosotros participaremos de su victoria.

EVANGELIO **Después de que en Lucas 9,51 Jesús emprende la marcha hacia Jerusalén, lo vemos que continúa realizando curaciones, exorcismos y exponiendo con transparencia el mensaje de la misericordia de Dios (10,25–37). En estas circunstancias y luego de expulsar a un demonio que había hecho enmudecer a cierta persona, sus adversarios pretenden descalificarle acusándole de ser aliado de Belcebú. En cambio, una mujer anónima le proclama bienaventurado a él y a la madre que dio a luz a ese hijo tan brillante y extraordinario. Jesús no celebra ni recibe el halago de la mujer; al contrario, lo corrige y completa, apuntándonos dónde se encuentra la verdadera dicha: en la escucha y el cumplimiento de la palabra revelada por Dios.**

Para quienes celebramos la liturgia de la fiesta de la Asunción de la Virgen María, es claro que ella vivió y cumplió desde el principio y en todo momento de su vida la palabra del Señor, y que vivió como una oyente fiel de la palabra: "Aquí tienes a la esclava del Señor: que se cumpla en mí tu palabra" (1,38).

EVANGELIO Lucas 11,27–28 LEU.

Lectura del santo Evangelio según san Lucas

Mientras Jesús estaba *hablando*,
una mujer *levantó* la voz en medio de la multitud y le dijo:
"*Feliz* la que te dio a luz y te amamantó".
Pero *él* contestó:
"*Felices*, sobre todo, los que *escuchan* la palabra *de Dios*
y la *practican*".

Haz notar que la alabanza de aquella mujer se sobreimpone a las palabras de Jesús como un grito espontáneo salido del corazón.

Con delicadeza, el Señor dirige aquella felicitación hacia todos nosotros. El tono es de: "¡Muchas gracias, pero, fíjate que es mucho más importante!".

LA ASUNCIÓN DE LA VIRGEN MARÍA, MISA DEL DÍA

I LECTURA Apocalipsis 11,19;12,1–6.10 LM

Lectura del libro del Apocalipsis del apóstol san Juan

Se *abrió* el templo de Dios en el cielo
y *dentro de* él se vio el *arca* de la alianza.
Apareció entonces en el cielo una figura *prodigiosa*:
una mujer *envuelta* por el sol,
con la luna *bajo* sus pies y con una corona
de *doce* estrellas en la cabeza.
Estaba *encinta* y a punto de dar *a luz* y *gemía*
con los dolores del parto.
Pero *apareció* también en el cielo *otra* figura:
un *enorme* dragón, color de *fuego*,
con siete cabezas y *diez* cuernos,
y una corona en *cada una* de sus siete cabezas.
Con su cola *barrió* la tercera parte de las estrellas del cielo
y las *arrojó* sobre la tierra.
Después se detuvo *delante* de la mujer que iba a dar a luz,
para *devorar* a su hijo, en cuanto éste *naciera*.
La mujer *dio a luz* un hijo varón,
destinado a gobernar *todas* las naciones con cetro *de hierro*;
y su hijo *fue llevado* hasta Dios y hasta *su trono*.
Y la mujer *huyó* al desierto, a un lugar *preparado* por Dios.
Entonces oí en el cielo una voz *poderosa*, que decía:
"*Ha sonado* la hora de *la victoria* de nuestro Dios,
de su dominio y de su reinado, y *del poder de su Mesías*".

I LECTURA Con el último versículo del capítulo undécimo, se abre el escenario celeste donde tendrán lugar los sucesos que anticipan y explican los acontecimientos que ocurrirán también en la esfera terrestre.

Los personajes principales son la mujer, el dragón y el hijo varón. Los tres son susceptibles de una clara identificación. En primer lugar, aparece la mujer, la cual ha sido identificada, entre otras interpretaciones existentes a lo largo de la historia, con la Virgen María. Indudablemente, ésta es la interpretación que la liturgia escoge en esta fiesta de la Asunción. En segundo lugar, aparece el dragón, animal que desde el Antiguo Testamento simbolizaba a los imperios de turno que oprimían a Israel (ver Jeremías 51,34). Ahora el dragón pretende inútilmente ejercer su nefasto poder contra el tercero de los personajes, el hijo varón que dará a luz la mujer vestida de sol. Cuando éste es engendrado, es arrebatado y conducido a la presencia de Dios, aludiendo así claramente a la victoria conseguida por Jesús sobre la muerte en el momento de la resurrección.

El autor del Apocalipsis anima así a los cristianos enfrentados en Asia Menor con el poder de la bestia a que resistan y perseveren, confiados en el triunfo ya conseguido por Jesús.

I LECTURA Apocalipsis 11,19a; 12,1–6a.10ab LEU

Lectura del libro del Apocalipsis del apóstol san Juan

Se *abrió* en el cielo el Santuario de Dios:
dentro del Santuario uno podía ver el *Arca*
de la Alianza de Dios.
Apareció en el cielo una señal grandiosa:
una *Mujer, vestida* del sol, con la luna bajo los pies
y en su cabeza una *corona* de doce estrellas.
Apareció también otra señal:
un enorme *Monstruo* rojo como *el fuego*,
con siete cabezas y diez cuernos.
En sus cabezas *lleva* siete coronas,
y con la cola *barre* un tercio de las estrellas *del cielo*,
precipitándolas a tierra.
El Monstruo se detuvo *delante* de la Mujer que *da a luz*,
para *devorar* a su hijo en cuanto nazca.
Y la Mujer dio a luz un *hijo varón*,
que debe *gobernar* todas las naciones con vara de hierro.
Pero el niño fue *arrebatado* y llevado ante Dios
y ante su trono,
mientras que la Mujer *huía* al desierto,
donde tiene el refugio que Dios le ha preparado.
Entonces *resonó* en el cielo un griterío *inmenso*:
"Ya llegó la *liberación* por el poder de Dios.
Reina nuestro Dios y su Cristo *manda*".

Comienza la lectura con el tono entusiasta de quien refiere una manifestación patente de Dios a sus elegidos.

Al describir la visión, señala pausadamente cada uno de los aspectos y detalles con que es retratada la mujer. Cambia el tono de voz al presentar al segundo personaje, el monstruo que ataca a la mujer. Imprímele a tu voz cierto aire de preocupación.

El nacimiento y exaltación al cielo del hijo son los momentos culminantes de la visión. Enfatízalos con suficiente fuerza.

Con tono jubiloso y triunfal, entona la proclama final con la cual la muchedumbre celestial celebra la victoria definitiva de Dios.

II LECTURA 1 Corintios 15,20–27 LM

Lectura de la primera carta del apóstol san Pablo a los corintios

Hermanos: Cristo *resucitó*,
y resucitó como la *primicia* de *todos* los muertos.
Porque si *por un hombre* vino la muerte,
también por un hombre *vendrá* la resurrección de los muertos.
En efecto, *así* como en Adán *todos* mueren,
así en Cristo todos *volverán* a la vida;
pero *cada uno* en su orden: *primero* Cristo, como *primicia*;
después, a la hora de su *advenimiento*, los que *son* de Cristo.
Enseguida será la *consumación*,
cuando Cristo *entregue* el Reino *a su Padre*,
después de haber *aniquilado todos* los poderes del mal.
Porque él *tiene* que reinar
hasta que *el Padre* ponga bajo sus pies a *todos* sus enemigos.
El último de los enemigos en ser *aniquilado*, será *la muerte*,
porque *todo* lo ha sometido Dios bajo los *pies* de Cristo.

II LECTURA **De esta amplia exposición dedicada por san Pablo a presentar la resurrección de Cristo como anticipo y primicia de la resurrección de los cristianos, la liturgia nos presenta una sección importante donde describe ordenadamente los tres momentos principales de la victoria de Cristo. En primer lugar, viene su propia resurrección, hecho ya acontecido cuando el autor escribe la carta, fundamento seguro en el cual se apoya el apóstol para convencer a los corintios de la resurrección de los muertos. En segundo lugar, se anuncia la futura resurrección de los cristianos fijada por san Pablo para el momento de la parusía (versículo 23). En tercer lugar, ocurrirá el aniquilamiento total y definitivo de la muerte por parte de Cristo. Esto último tendrá verificativo cuando el Señor entregue el Reino a Dios Padre.**

Los lectores originales de la carta estaban influidos probablemente por una mentalidad que menospreciaba la dimensión corporal de la existencia; por eso, no valoraban apropiadamente la idea de la resurrección. Les parecía que no valía la pena recobrar la dimensión carnal; por eso, san Pablo tendrá que explicarles que la resurrección no es un simple retorno a la existencia terrena, sino el comienzo de un nuevo y superior modo de existir, el cual ya no será limitado jamás por la experiencia de la muerte. Nosotros creemos y confesamos en esta celebración festiva que Cristo y María han empezado a gozar ya de esa vida resucitada.

II LECTURA 1 Corintios 15,20–27 LEU

Lectura de la primera carta del apóstol san Pablo a los corintios

Cristo *resucitó* de entre los muertos,
y resucitó como *primer* fruto ofrecido a Dios,
el *primero* de los que duermen.
Es que la muerte *vino* por un hombre,
y por eso también la *resurrección* de los *muertos*
viene por medio de un hombre.
Todos mueren por ser de Adán,
y todos *también* recibirán la vida por ser de *Cristo*.
Pero a cada cual su turno.
A la cabeza, *Cristo*;
enseguida los que *sean* de Cristo, cuando él *venga*.
Luego vendrá el fin,
cuando Cristo *entregue* a Dios Padre *el Reino*,
después de haber *destruido*
toda grandeza, dominio y poderío enemigos.
Porque él tiene que *reinar*
"hasta que haya puesto bajo sus pies a *todos* sus enemigos".
El *último* enemigo destruido será la muerte;
según dice la Escritura:
"Dios ha sometido *todo* bajo sus pies".

Con énfasis y solemnidad, proclama la confesión inicial y básica de todo cristiano: la fe en la resurrección de Cristo.

Con el tono de quien señala al responsable de un fracaso, haz la referencia a la aparición de la muerte por causa del primer Adán.

Afirma tu esperanza en la futura resurrección con un tono lleno de esperanza y seguridad.

Concluye la proclamación triunfal con un tono de progresiva y creciente alegría por el triunfo total de Jesucristo.

EVANGELIO El capítulo primero de san Lucas nos presenta un episodio que se torna cotidiano y frecuente en la vida de las familias. Nos referimos a la oferta de servicios y cuidados que se otorgan a la mujer embarazada próxima a dar a luz, por parte de alguna de sus parientes. En este caso, la Virgen María realiza esos servicios a favor de su prima Isabel. Para realizar su tarea, emprende un camino de dos jornadas desde Nazaret en Galilea hasta un pueblecillo de Judea, próximo a Jerusalén.

Al presentarse María en casa de Isabel, ocurre un intercambio de saludos portadores de gozo y alegría espirituales. Sobresale la bendición proclamada por Isabel a favor de la Virgen María, llamándola dichosa por ser la que se convertirá en madre del Señor.

Al recibir tan elogioso saludo, la Virgen María no se envanece, sino que reacciona agradecida alabando y bendiciendo al Señor, confesándose como su humilde esclava. El himno que entona María ha sido llamado el Magnificat en razón de que así comienza dicha alabanza en la versión latina de la Biblia.

Este cántico está firmemente enraizado en las más puras tradiciones y profecías del Antiguo Testamento, las cuales anunciaron insistentemente una salvación completa y total que trastornaría los desajustes e injusticias producidos por el egoísmo humano. Sin afán revanchista o vengativo, María entona esta alabanza a Dios porque está por verificarse el momento en que cumplirá sus promesas de salvación a favor de sus siervos. En el marco de la fiesta de la Asunción, tiene pleno cumplimiento lo que afirma el cántico: el encumbramiento de los humildes por obra de Dios.

EVANGELIO Lucas 1,39–56 LM

Lectura del santo Evangelio según san Lucas

En aquellos días,
María se encaminó *presurosa* a un pueblo
de las montañas de Judea,
y *entrando* en la casa de Zacarías, *saludó* a Isabel.
En cuanto ésta *oyó* el saludo de María,
la creatura *saltó* en su seno.
Entonces Isabel quedó *llena* del Espíritu Santo,
y *levantando* la voz, *exclamó*:
"¡*Bendita* tú entre las mujeres y *bendito* el fruto de tu vientre!
¿Quién *soy yo* para que *la madre* de mi Señor venga a verme?
Apenas llegó tu saludo a mis oídos,
el niño *saltó* de gozo en mi seno.
Dichosa tú, *que has creído*, porque *se cumplirá*
cuanto te fue *anunciado* de parte del Señor".
Entonces dijo *María*:
"Mi alma *glorifica* al Señor
y mi espíritu *se llena* de júbilo en Dios, *mi salvador*,
porque *puso* sus ojos en la *humildad* de su esclava.
Desde ahora me llamarán *dichosa todas* las generaciones,
porque *ha hecho* en mí *grandes* cosas el que *todo* lo puede.
Santo es su nombre
y *su misericordia* llega de generación *en generación*
a los que lo *temen*.
Ha hecho *sentir* el poder de su brazo:
dispersó a los de corazón *altanero*,
destronó a los potentados y *exaltó* a los humildes.
A los hambrientos los *colmó* de bienes
y a los ricos los *despidió* sin nada.
Acordándose de su misericordia,
vino en ayuda de *Israel*, su siervo,
como *lo había prometido* a nuestros padres,
a *Abraham* y a su descendencia *para siempre*".
María *permaneció* con Isabel unos *tres meses*
y luego *regresó* a su casa.

EVANGELIO Lucas 1,39–56 LEU

Lectura del santo Evangelio según san Lucas

Por esos días,
María partió *apresuradamente* a una ciudad
ubicada en los cerros de *Judá*.
Entró a la casa de *Zacarías* y saludó a *Isabel*.
Al oír Isabel su *saludo*, el niño dio *saltos* en su vientre.
Isabel se llenó del *Espíritu* Santo y exclamó en *alta* voz:
"Bendita eres entre *todas* las mujeres
y *bendito* es el *fruto* de tu vientre.
¿*Cómo* he merecido yo que venga a *mí* la madre de mi Señor?
Apenas llegó tu saludo a mis *oídos*,
el niño *saltó* de alegría en mis entrañas.
¡*Dichosa* por haber creído que de *cualquier* manera
se cumplirán las *promesas* del Señor!"
María dijo entonces:
"Celebra *todo* mi ser la *grandeza* del Señor
y mi *espíritu* se alegra en el *Dios* que me salva
porque *quiso* mirar la condición *humilde* de su esclava,
en adelante, pues, *todos* los hombres dirán que soy *feliz*.
En verdad el Todopoderoso hizo *grandes* cosas para mí,
reconozcan que *Santo* es su nombre,
que sus favores alcanzan a *todos* los que le *temen*
y prosiguen en sus *hijos*.
Su brazo llevó a cabo hechos *heroicos*,
arruinó a los *soberbios* con sus maquinaciones.
Sacó a los *poderosos* de sus *tronos*
y puso en su lugar a los *humildes*,
repletó a los *hambrientos* de todo lo que es *bueno*
y despidió *vacíos* a los ricos;
de la mano tomó a *Israel*, su siervo,
demostrándole así su *misericordia*.
Esta fue la *promesa* que ofreció a nuestros *padres*
y que reservaba a *Abraham* y a sus descendientes para siempre".
María se quedó cerca de *tres* meses con Isabel,
y después volvió a su casa.

Comienza la proclamación del relato con la voz familiar de un testigo informado del itinerario emprendido por María.

La exclamación festiva de Isabel tiene que ser recitada con un tono lleno de sorpresa y admiración.

Con voz que denote seguridad y convicción, inicia la entonación de este cántico de alabanza dirigido por María al Señor.

Al referir cada una de las "grandes cosas" hechas por Dios a favor de quienes temen su nombre, procura recitarlas de manera serena, sin imprimirle a tu voz un acento justiciero o amenazador. Simplemente afirma con vigor y seguridad la distinta suerte que Dios depara a los soberbios y a los humildes.

Concluye la proclamación con el tono de narrador con que iniciaste la lectura.

21er. DOMINGO DEL TIEMPO ORDINARIO

I LECTURA El oráculo de denuncia que el profeta Isaías dirige contra Sobná, mayordomo del palacio real de Jerusalén, es inapelable. No hay manera de que el funcionario regio escape al castigo que Dios le infringirá; sus faltas y abusos debieron haber sido particularmente perniciosos para el pueblo. Si nos atenemos a lo expuesto en los versículos anteriores a este pasaje podemos afirmar que dicho mayordomo se aprovechó de su cargo para asegurarse lujos excesivos e insultantes, tal como lo era la construcción de un mausoleo, con el cual pensaba hacerse memorable. Y efectivamente lo consiguió, pero por otro camino, llamando la atención del profeta que le dedicó este oráculo recriminatorio, que aun después de varios milenios después de los sucesos referidos, sigue resonando a nuestros oídos.

II LECTURA Antes de ofrecer en los capítulos finales de la carta a los Romanos una serie de normas sobre la vida cristiana, el apóstol Pablo concluye su ensayo sobre la suerte y destino de Israel, lanzando una sentida acción de gracias donde celebra la inconmensurable sabiduría del Padre.

Citando expresamente un oráculo de Isaías donde el profeta engarza una serie de interrogantes que le sirven para postular la absoluta supremacía divina, el apóstol ratifica su convicción de que Dios no necesita de auxiliares, ni de consejeros que le ayuden a realizar sus planes y proyectos. Dios sólo se basta, y él es el único merecedor de la gloria y el reconocimiento perpetuos. Esa enorme sabiduría también se hará manifiesta para rescatar a Israel de la situación de marasmo y confusión en que se ha sumido. A nosotros no nos corresponde cuestionarle ni demandarle cuentas, sino admirar y contemplar con sencillez la grandeza de sus designios.

I LECTURA Isaías 22,19–23 LM

Lectura del libro del profeta Isaías

Esto dice el Señor a Sebná, *mayordomo* de palacio:
"Te *echaré* de tu puesto y te *destituiré* de tu cargo.
Aquel mismo día *llamaré* a mi siervo,
a *Eleacín*, el hijo de Elcías;
le *vestiré* tu túnica, le *ceñiré* tu banda
y le *traspasaré* tus poderes.
Será un padre para los habitantes de *Jerusalén*
y para la *casa* de Judá.
Pondré la llave del *palacio* de David sobre su hombro.
Lo que *él* abra, *nadie* lo cerrará; lo que *él* cierre, *nadie* lo abrirá.
Lo *fijaré* como un clavo en muro *firme*
y *será* un *trono de gloria* para la casa de *su padre*".

II LECTURA Romanos 11,33–36 LM

Lectura de la carta del apóstol san Pablo a los romanos

¡Qué *inmensa* y rica es la *sabiduría* y la *ciencia* de Dios!
¡Qué *impenetrables* son sus designios
e *incomprensibles* sus caminos!
¿*Quién* ha conocido *jamás* el pensamiento del Señor
o ha llegado a ser *su consejero*?
¿Quién ha podido darle algo *primero*,
para que Dios se lo *tenga* que pagar?
En efecto, *todo proviene* de Dios,
todo ha sido hecho *por él* y *todo* está *orientado* hacia él.
A *él* la gloria por *los siglos* de los siglos. *Amén*.

I LECTURA Isaías 22,19–23 LEU

Lectura del libro del profeta Isaías

Así dice el *Señor* a Sobna, *administrador* del palacio:
Te *destituiré* de tu puesto y te *quitaré* tu cargo;
aquel *mismo* día, llamaré a *Eliaquim*, hijo de Helcías.
Le *pasaré* tu traje, le *colocaré* tu banda, y le *traspasaré* tus *poderes*,
y será un *padre* para los habitantes de Jerusalén
y para la *familia* de Judá.
Pondré en sus manos la *llave* de la Casa de David;
cuando él *abra*, nadie podrá *cerrar*,
y cuando *cierre*, *nadie* podrá abrir.
Lo *meteré* como un clavo en un muro *resistente*
y su puesto le dará *fama* a la familia de su padre.

Proclama con firmeza y decisión el veredicto final que el profeta le comunica al mayordomo de palacio.

Recita con particular entusiasmo y optimismo el advenimiento del sucesor. Resalta la plena confianza que Dios le dispensara. Destaca el contraste entre los dos verbos claves: abrir y cerrar.

II LECTURA Romanos 11,33–36 LEU

Lectura de la carta del apóstol san Pablo a los romanos

¡Qué *profunda* es la riqueza, la *sabiduría* y la ciencia de Dios!
No se pueden *penetrar* sus designios
ni se pueden *comprender* sus caminos.
En efecto, ¿quién ha conocido *jamás* lo que piensa el Señor?
¿Quién se hizo *consejero* suyo?
¿*Quién* ha podido darle algo *primero*,
de manera que Dios tenga que *pagarle*?
En verdad *todo* viene de él,
todo ha sido hecho por él y ha de *volver* a él.
A él sea la gloria para *siempre*. ¡Amén!

Exclama con tono admirado y sincero cada una de las frases siguientes. Refleja claramente tus convicciones acerca de la sabiduría del Padre.

Recita pacientemente cada una de las interrogantes presentes en el texto. Destaca de manera particular el tono desafiante de dichos planteamientos.

Cierra tu lectura con el ánimo jubiloso de quien dirige una sincera alabanza a Dios Padre.

EVANGELIO Mateo 16,13–20 LM

Lectura del santo Evangelio según san Mateo

En *aquel* tiempo, cuando *llegó* Jesús a la región
de *Cesarea* de Filipo,
hizo *esta pregunta* a sus discípulos:
"¿*Quién* dice la gente que es *el Hijo* del hombre?"
Ellos le respondieron:
"Unos dicen que eres *Juan el Bautista*; otros, *que Elías*;
otros, que *Jeremías* o *alguno* de los profetas".
Luego *les preguntó*: "Y ustedes, ¿*quién* dicen que *soy yo*?"
Simón Pedro *tomó* la palabra y le dijo:
"*Tú eres* el Mesías, *el Hijo* de Dios vivo".
Jesús le dijo entonces:
"¡*Dichoso tú, Simón,* hijo de Juan,
porque *esto* no te lo ha revelado *ningún* hombre,
sino *mi Padre,* que *está* en los cielos!
Y yo te digo *a ti* que *tú eres* Pedro
y sobre esta piedra *edificaré* mi Iglesia.
Los poderes del infierno no *prevalecerán* sobre ella.
Yo te daré *las llaves* del Reino de los cielos;
todo lo que ates en la tierra *quedará atado* en el cielo,
y *todo* lo que desates en la tierra *quedará desatado* en el cielo".
Y les *ordenó* a sus discípulos que *no* dijeran a nadie
que *él* era el Mesías.

EVANGELIO En esta especie de "sondeo de opinión" que Jesús lleva a cabo entre sus discípulos, se destacan en particular dos tipos de respuestas. Unas son referidas por los interpelados de manera impersonal, reduciéndose simplemente a transmitir a Jesús la extendida creencia del perfil profético que la gente le reconocía, identificándole con Elías, Jeremías y hasta con el mismo Juan Bautista. Otra respuesta es dada a título personal por boca de Pedro, quien, comprometiéndose decididamente, lo confiesa como Mesías e Hijo de Dios vivo.

Aceptando calladamente Jesús la confesión hecha por Pedro, hace una puntualización y le aclara al animoso pescador cuál ha sido el origen de su atinada afirmación. Ha sido el Padre celestial quien le ha facilitado la comprensión del misterio que encierra su persona. Habida cuenta de esta observación, el Señor le confiere a Pedro un importante encargo dentro de la comunidad de los discípulos. El pescador galileo se despojará de su antiguo nombre (Simón) y recibirá uno nuevo (Petros) que evidenciará la función de fundamento y sostén sobre el cual se erguirá la comunidad de los seguidores de Jesús.

Pedro ejercerá dicha función mediadora con la autoridad y la confianza que le ha otorgado el Señor. El maestro le promete por el momento la entrega de las llaves del Reino, y le asigna además la tarea de sancionar y amonestar a los hermanos en la fe sobre las creencias y conductas que sean conformes y contrarias a la voluntad del Padre. En el cumplimiento de dicha misión, Pedro no podrá conducirse como dueño y propietario de la Iglesia, ya que está sigue siendo "la Iglesia de Jesús" (ver Mateo 16,18), ni tampoco habrá de mortificarse en demasía por el destino de la comunidad, puesto que el Señor le asegura que ningún poder o soberanía terrena conseguirá prevalecer sobre la comunidad que le ha sido confiada.

EVANGELIO Mateo 16,13–20 LEU

Lectura del santo Evangelio según san Mateo

En aquel tiempo,
al llegar *Jesús* a la región de Cesarea de Filipo,
preguntó a sus discípulos:
"¿*Quién* dice la gente que es el *Hijo* del Hombre?"
Ellos *dijeron*: "Unos dicen que eres *Juan Bautista*;
otros dicen que *Elías*;
otros, que *Jeremías* o alguno de los profetas".
Jesús les preguntó: "¿Y ustedes, *quién* dicen que *soy yo*?"
Simón contestó: "Tú eres el *Cristo*, el *Hijo* de Dios vivo".
Jesús le *respondió*: "*Feliz* eres, Simón Bar-jona,
porque eso *no* te lo enseñó la *carne* ni la sangre,
sino mi *Padre* que está en los cielos.
Y *ahora*, yo te digo: Tú *eres* Pedro, o sea '*Piedra*',
y sobre *esta* piedra *edificaré* mi *Iglesia*
que los poderes del Infierno *no* podrán vencer.
Yo te *daré* las llaves del Reino de los Cielos:
todo lo que ates en la tierra será *atado* en el cielo,
y lo que *desates* en la tierra será *desatado* en los cielos".
Enseguida, Jesús *ordenó* a los *discípulos*
que *no* dijeran a nadie que él era el *Cristo*.

Proclama la pregunta planteada por Jesús con la actitud curiosa e inquieta que reclama dicho interrogante.

Recita las respuestas dadas por los discípulos con tonos diversos. Haz una brevísima pausa después de mencionar a cada uno de esos célebres personajes proféticos.

Al proclamar la pregunta fundamental, mira de frente a la asamblea e invítalos a responder personalmente esa cuestión.

Refiere la respuesta de Pedro con gran firmeza y decisión.

Concluye la proclamación reproduciéndose las promesas que Jesús dirige a Pedro con verdadera alegría y a la vez con la seguridad de quien habla con plena autoridad.

22º DOMINGO DEL TIEMPO ORDINARIO

I LECTURA Jeremías ha venido hilvanando una serie de lamentos o confesiones donde externa su desahogo (ver Jeremías 11; 15; 17; 18) y le participa al Señor sus quejas y súplicas más sentidas. El profeta ha enfrentado los ultrajes, las burlas y hasta el confinamiento en un pozo cenagoso, a donde fue lanzado por sus enemigos, que buscaban darle muerte. La acusación principal, que en este lamento lanza contra Dios, versa sobre el tratamiento engañoso y falaz que el joven profeta experimentó. Habiendo creído en las halagadoras promesas divinas, dejó atrás sus propios proyectos para entregarse a la misión profética que le había sido encomendada. Pero en lugar de encontrar el consuelo en el cumplimiento de ese encargo, experimentó un sinfín de maltratos y humillaciones por parte del pueblo y los gobernantes. Aparentemente, el profeta está tan desconsolado de su Dios que se promete a sí mismo no volver a acordarse de él, pero no lo consigue porque el fuego ardiente de la palabra lo consume por dentro y lo impele a retomar su misión.

II LECTURA En los capítulos 12 y 13, san Pablo deja atrás el tono magisterial con que había expuesto la enseñanza sobre la salvación por medio de la fe en Jesucristo, para luego asumir el tono exhortativo, propio de las secciones parenéticas de sus cartas. En esta parte final, Pablo anima a los cristianos de Roma a asumir la conducta coherente que corresponde a su vocación cristiana.

Pablo trata a sus destinatarios con una actitud digna, pues, en vez de darles consejos pormenorizados sobre los más variados aspectos de la vida cristiana, les invita a ejercer un discernimiento constante sobre la voluntad de Dios y a apartarse de los criterios mundanos que prevalecen en la sociedad de su tiempo.

I LECTURA Jeremías 20,7–9 LM

Lectura del libro del profeta Jeremías

Me sedujiste, *Señor*, y me *dejé* seducir;
fuiste *más* fuerte *que yo* y *me venciste*.
He sido el *hazmerreír* de todos; *día* tras día *se burlan* de mí.
Desde que *comencé* a hablar,
he tenido que anunciar *a gritos* violencia y destrucción.
Por *anunciar* la palabra del Señor,
me *he convertido* en objeto de oprobio y de burla *todo* el día.
He *llegado* a decirme:
"Ya *no me acordaré* del Señor ni hablaré *más* en su nombre".
Pero había *en mí* como un fuego *ardiente*,
encerrado en mis huesos;
yo me esforzaba por contenerlo y *no podía*.

II LECTURA Romanos 12,1–2 LM

Lectura de la carta del apóstol san Pablo a los romanos

Hermanos:
Por la misericordia que Dios les *ha manifestado*,
los *exhorto* a que se ofrezcan *ustedes* mismos
como una ofrenda *viva*, *santa* y *agradable* a Dios,
porque *en esto* consiste el *verdadero* culto.
No se dejen transformar por los criterios de *este* mundo,
sino *dejen* que una *nueva* manera de pensar
los transforme *internamente*,
para que *sepan* distinguir *cuál* es la voluntad de Dios, *es decir*,
lo que *es bueno*, lo que *le agrada*, *lo perfecto*.

I LECTURA Jeremías 20,7–9 LEU

Lectura del libro del profeta Jeremías

Me has *seducido*, Señor, y me *dejé* seducir por ti.
Me hiciste *violencia* y fuiste el *más* fuerte.
Y ahora soy motivo de *risa*, toda la gente se *burla* de mí.
Pues me pongo a *hablar*, y son *amenazas*,
no les anuncio más que *violencias* y saqueos.
La palabra del Señor me trae *mofa* e insultos *cada* día.
Por eso decidí *no* recordar más al Señor,
ni hablar más de parte de él.
Pero *sentí* en mí
algo así como un fuego *ardiente* aprisionado en mis huesos,
y aunque yo *trataba* de apagarlo, *no* podía.

Recita estos dos primeros renglones con la voz resignada de alguien que ha sufrido los embates incisivos de parte del Señor.

Proclama estas quejas con ánimo desconsolado, expresando el profundo pesar que llena tu corazón, ante el rotundo fracaso que estás viviendo.

Enfatiza con voz firme y decidida la resolución asumida por Jeremías. Introduce un cambio repentino de voz y externa tu íntima experiencia sobre la fuerza irrefrenable de la palabra del Señor.

II LECTURA Romanos 12,1–2 LEU

Lectura de la carta del apóstol san Pablo a los romanos

Hermanos, los invito por la *misericordia* de Dios
que se *entreguen* ustedes mismos
como sacrificio *vivo* y santo que *agrada* a Dios:
ése es nuestro *culto* espiritual.
No sigan la corriente del mundo en que vivimos,
más bien *transfórmense* por la renovación de su mente.
Así sabrán ver cuál es la *voluntad* de Dios,
lo que es *bueno*, lo que le *agrada*, lo que es *perfecto*.

Dirígete a la asamblea con un tono paternal que refleje la profunda confianza con la cual el apóstol se dirige a estos cristianos, que aún no tenían el gusto de conocerle personalmente.

Enfatiza los dos imperativos centrales, consistentes en separarse de los criterios mundanos y en buscar cuidadosamente la voluntad del Padre. Remarca con debida fuerza los tres adjetivos finales con que concluye esta exhortación.

Si consiguen descubrir la voluntad del Señor y la cumplen fielmente, se convertirán en ofrendas gratas al Padre. De ese modo, estarán ejerciendo el culto espiritual que Dios Padre acepta con agrado.

EVANGELIO **Este relato registra el primero de los tres anuncios de la pasión y resurrección, con los cuales Jesús anticipó ante sus discípulos el destino sufriente que el Padre le estaba ofreciendo. El maestro actúa abiertamente ante sus interlocutores, y les participa con toda trasparencia cuál es el designio que el Padre le ha reservado. Apartándose del proceder de Jesús, Pedro lo toma consigo, separándolo del resto del grupo, y le propone un camino contrario al proyecto divino.**

Por toda respuesta, Jesús lo desautoriza delante de los discípulos y lo exhibe como emisario de Satán, es decir, como portavoz de un camino adverso al Padre. Acto seguido, exhorta al grupo a seguirle, cumpliendo las condiciones del discipulado, consistentes en la disposición a llevar la cruz.

Para persuadir a los suyos a que asuman decididamente el seguimiento de su persona, Jesús les dirige un par de sentencias enigmáticas y un par de preguntas sobre el supremo valor de la propia vida.

La enseñanza contenida en estas sentencias es a todas luces desconcertante, porque en éstas máximas Jesús afirma que la pérdida de la propia vida, por causa de Cristo, es la única garantía y la condición indispensable para recuperarla. Finalmente, la exhortación concluye con la alusión a la venida triunfal del Hijo del Hombre, que recompensará oportunamente a cada uno de sus discípulos según la fidelidad que hayan mostrado ante su Señor.

EVANGELIO Mateo 16,21–27 L M

Lectura del santo Evangelio según san Mateo

En *aquel* tiempo,
comenzó Jesús a *anunciar* a sus discípulos
que *tenía* que ir a Jerusalén
para *padecer* allí *mucho* de parte de *los ancianos*,
de los *sumos* sacerdotes y de *los escribas*;
que *tenía* que ser condenado *a muerte* y resucitar al *tercer* día.
Pedro se lo llevó aparte y *trató* de disuadirlo, diciéndole:
"*No* lo permita Dios, Señor. *Eso* no te puede suceder *a ti*".
Pero *Jesús* se volvió a Pedro y le dijo:
"¡*Apártate* de mí, *Satanás*, y *no intentes* hacerme
tropezar en mi camino,
porque tu *modo* de pensar *no es* el de Dios,
sino el de *los hombres*!"
Luego *Jesús* dijo a sus discípulos:
"El que *quiera* venir *conmigo*, que renuncie a *sí mismo*,
que tome su cruz y me siga.
Pues el que quiera *salvar* su vida, *la perderá*;
pero el que *pierda* su vida *por mí*, *la encontrará*.
¿*De qué* le sirve a uno *ganar* el mundo entero, si *pierde* su vida?
¿Y *qué podrá* dar uno a cambio para *recobrarla*?
Porque el *Hijo* del hombre ha de venir
rodeado de la gloria de su Padre,
en *compañía* de sus ángeles,
y entonces le dará a *cada uno* lo que *merecen* sus obras".

EVANGELIO Mateo 16,21–27 L E U

Lectura del santo Evangelio según san Mateo

En aquel *tiempo*,
Jesucristo comenzó a *explicar* a sus discípulos
que *debía* ir a Jerusalén
y que las *autoridades* judías, los sumos sacerdotes
y los *maestros* de la Ley
le iban a hacer *sufrir* mucho.
Les dijo también que iba a ser *condenado* a muerte
y que *resucitaría* al tercer día.

Refiere con voz solemne este anuncio decisivo que Jesús comunica a los suyos. Hazlo con la serenidad de quien ha aceptado tranquilamente la voluntad del Padre.

Pedro, tomándolo *aparte*, se puso a *reprenderlo*, diciéndole:
"¡Dios te *libre*, Señor! No, *no* pueden sucederte *esas* cosas".

Relata la intervención de Pedro con ánimo extrañado. Expresa la firme oposición del apóstol al destino cruento que enfrentará su Señor.

Pero *Jesús* se volvió y le dijo:
"*Déjame* pasar, *Satanás*; tú eres una *tentación* para mí.
No piensas como Dios, sino como los *hombres*".

Rebate con mucha firmeza las palabras de Pedro. Resalta vivamente la acusación y el reproche que Jesús le dirige.

Entonces dijo *Jesús* a sus discípulos:
"El que quiera *seguirme*, que *renuncie* a sí mismo,
que *cargue* con su cruz y que me *siga*.
En efecto, el que *pierda* la vida por amor a mí, la *hallará*.

Antes de introducir la exhortación abierta que Jesús dirige al grupo de los discípulos, haz una ligera pausa. Destaca suficientemente los verbos que invitan a perder la propia vida por causa de Jesús.

Porque, ¿de qué le *servirá* al hombre ganar el mundo *entero*,
si se *pierde* a sí mismo?
¿Y qué rescate dará para salvar su *propia* alma?

Recita las interrogantes finales con un tono pausado que permita que estas cuestiones penetren en el corazón de la asamblea.

En efecto, el *Hijo* del Hombre debe venir con la *Gloria*
de su Padre,
acompañado por sus ángeles,
y entonces *recompensará* a cada uno según su *conducta*".

23er. DOMINGO DEL TIEMPO ORDINARIO

I LECTURA Aproximadamente el año 586 a.C. los ejércitos babilonios de Nabucodonosor penetraron en la ciudad de Jerusalén, incendiaron el templo y deportaron a sus habitantes. Diez años antes de estos sucesos, un grupo de israelitas habían sido desterrados a Babilonia. Entre éstos se encontraba un hombre de linaje sacerdotal llamado Ezequiel, que fue llamado a profetizar el año 593, y que durante los años previos a la caída de la ciudad lanzó duras acusaciones contra sus conciudadanos, denunciándoles los pecados que acarrearían la ruina de Judá. Una vez que es tomada la ciudad el profeta enmudece, pierde el habla y se queda como testigo impasible de la destrucción de su pueblo. Es en estas dolorosas circunstancias cuando Dios se dirige de nuevo al profeta para reafirmarlo en su misión de centinela que habrá de alertar al pueblo en nombre de Dios.

Parece innecesario que una vez que la testarudez de los hijos de Israel provocó tan estrepitosa ruina, quedando el reino de Judá reducido a cenizas y muerte, Dios siga intentando llamarles la atención por medio de las voces de alarma que seguirá lanzando por medio de este desconsolado profeta, que conocemos con el nombre de Ezequiel. Esta "terquedad" divina solamente revela una certeza: la voluntad misericordiosa de Dios es tal que, a pesar de los rotundos fracasos, no cesa en su empeño de amonestar a su pueblo para invitarlo a la reconciliación.

II LECTURA Después de que el apóstol ha instruido a los lectores acerca de los deberes civiles que tienen ante las autoridades establecidas, pasa ahora a exhortarles sobre un aspecto medular de la vida cristiana: el del amor al prójimo. Este precepto es presentado como lo que realmente es: la síntesis completa y cabal de todos los mandamientos contenidos en la ley antigua. Por lo tanto, es

I LECTURA Ezequiel 33,7–9 LM

Lectura del libro del profeta Ezequiel

Esto dice el Señor:
"A ti, *hijo* de hombre,
te he constituido *centinela* para la *casa* de Israel.
Cuando *escuches* una palabra de *mi boca*,
tú se la comunicarás de mi parte.
Si yo pronuncio sentencia *de muerte* contra un hombre,
porque *es malvado*,
y *tú* no lo amonestas para que *se aparte* del *mal* camino,
el malvado *morirá* por su culpa,
pero yo te pediré *a ti* cuentas de su vida.
En cambio, si *tú* lo amonestas para que *deje* su mal camino
y él *no lo deja*,
morirá por su culpa, pero *tú habrás salvado* tu vida".

II LECTURA Romanos 13,8–10 LM

Lectura de la carta del apóstol san Pablo a los romanos

Hermanos:
No tengan con nadie *otra* deuda que la del *amor mutuo*,
porque el que *ama* al prójimo, ha cumplido ya *toda* la ley.
En efecto, los mandamientos que ordenan:
"*No* cometerás adulterio, *no* robarás,
no matarás, no darás *falso testimonio*, *no* codiciarás"
y *todos* los otros,
se resumen *en éste*:
"*Amarás* a tu prójimo como *a ti* mismo",
pues quien ama *a su prójimo* no le causa daño *a nadie*.
Así pues, cumplir *perfectamente* la ley *consiste* en amar.

I LECTURA Ezequiel 33,7–9 LEU

Lectura del libro del profeta Ezequiel

Esto dice el Señor:
Hijo de hombre,
yo te he puesto a ti por *centinela* de la gente de Israel;
las *palabras* que oigas de mi boca se las *anunciarás*
de parte mía.
Si cuando *yo* digo: Malo, *morirás* sin remedio,
y tú *no* le hablas para que se *aparte* de su mala vida,
el malo *morirá* por su maldad,
pero a *ti* te pediré cuenta de *su* vida.
Pero si tú *procuras* apartar al malo de su *mal* camino
para que *se convierta*
y él *no* deja su mala vida,
morirá por *su* maldad, pero tú te *salvarás*.

Proclama este llamado con la seguridad y la plena autoridad de saber que hablas en nombre de Dios. Dirígete a este "hijo de hombre" con confianza y gran familiaridad.

Recita estos dos casos con tonos diferenciados de voz: con voz amenazadora en el primer caso y con voz serena y pausada en el segundo.

II LECTURA Romanos 13,8–10 LEU

Lectura de la carta del apóstol san Pablo a los romanos

No tengan deuda con nadie;
solamente el amor se lo deberán unos a otros,
pues el que *ama* al *prójimo* ha *cumplido* con toda la Ley.
En efecto,
"*no* cometas adulterio, *no* mates, *no* robes, no tengas envidia"
y *todos* los otros mandamientos se *resumen* en esta frase:
"*Amarás* a tu prójimo como a ti *mismo*".
Con el amor, no se hace *ningún* mal al prójimo.
Por esto en el amor cabe *toda* la Ley.

Dirige este exhorto con ánimo afectuoso a toda la asamblea. Convéncelos de que asuman cotidianamente la tarea inacabada del amor fraterno.

Recita pausadamente los siguientes mandatos del decálogo. Enfatiza de manera especial el mandamiento sobre el amor al prójimo. Concluye con firmeza la última de tus afirmaciones.

legítima la conclusión extraída por nuestro autor y anticipada ya por el mismo Jesús (ver Marcos 12,28–30): quien cumple con el mandamiento del amor al prójimo ha cumplido con toda la ley.

De ahí que los cristianos no podremos olvidar "la deuda eterna" que tenemos con nuestros prójimos, le llamamos eterna porque dicha deuda nunca podrá quedar completamente pagada. Puesto que mientras haya vida, siempre habrá hermanos a quienes podremos testimoniarles la calidad de nuestra fe, brindándoles el amor y el respeto que nos merecen.

EVANGELIO **El texto de hoy es una instrucción precisa sobre el itinerario que habrán de recorrer los miembros de la comunidad eclesial cuando se susciten agresiones y ofensas entre ellos. Para empezar, hemos de advertir que Jesús contempla una comunidad expuesta a los conflictos y tensiones internas. De ninguna manera se debe considerar a la Iglesia como una asociación de gente perfecta, sino como una agrupación afectada por la miseria humana, que camina auxiliada por el Espíritu al encuentro de su Señor.**

Cuando ocurran esas desavenencias, la primera instancia para buscar la reconciliación fraterna deberá verificarse en el ámbito privado. Si ésta no funciona, se mantendrá el carácter privado del proceso apelando en segunda instancia a la mediación de dos testigos. En caso de que no funcione este recurso, se remitirá el caso al parecer de la comunidad local. Si esto tampoco funciona, se procederá a excluir de la comunidad a aquel individuo que no acepta reconciliarse con uno de sus hermanos.

De esta exhortación podemos aprender que la búsqueda de la reconciliación es una exigencia básica para los cristianos, y que hay que procurarla con determinación.

EVANGELIO Mateo 18,15–20 LM

Lectura del santo Evangelio según san Mateo

En *aquel* tiempo, *Jesús* dijo a sus discípulos:
"Si tu hermano *comete* un pecado,
ve y amonéstalo *a solas*.
Si te escucha, habrás *salvado* a tu hermano.
Si no te hace caso, *hazte* acompañar de una o dos personas,
para que *todo* lo que se diga *conste* por boca
de *dos o tres* testigos.
Pero si *ni así* te hace caso, *díselo* a la comunidad;
y si ni a la comunidad le hace caso,
apártate de *él* como de un pagano o de un publicano.
Yo *les aseguro* que *todo* lo que aten en la tierra
quedará atado en el cielo,
y *todo* lo que desaten en la tierra
quedará *desatado* en el cielo.
Yo les aseguro *también* que si *dos* de ustedes
se ponen de acuerdo para *pedir* algo, *sea* lo que fuere,
mi Padre celestial se lo *concederá*;
pues donde *dos o tres* se reúnen en *mi nombre*,
ahí estoy yo *en medio* de ellos".

EVANGELIO Mateo 18,15–20 LEU

Lectura del santo Evangelio según san Mateo

En aquel tiempo, dijo *Jesús* a sus discípulos:
"Si tu hermano ha pecado *contra* ti,
anda a hablar con él a *solas*.
Si te escucha, has *ganado* a tu hermano.
Si *no* te escucha, lleva *contigo* a dos o tres
de modo que el caso *se decida* por boca de dos o tres *testigos*.
Si *se niega* a escucharlos,
dilo a la Iglesia reunida.
Y si *tampoco* lo hace con la Iglesia,
será *para* ti como un *pagano* o un publicano.
Yo les digo: *todo* lo que aten en la *tierra*,
el cielo lo *considerará* atado,
y todo lo que *desaten* en la *tierra*,
será *tenido* en el cielo como *desatado*.
Asimismo, si en la tierra *dos* de ustedes *unen* sus voces
para pedir *cualquier* cosa,
estén *seguros* que mi Padre en los cielos se la *dará*.
Pues *donde* hay dos o tres *reunidos* en *mi* nombre,
yo *estoy* ahí en medio de ellos".

Proclama esta lectura con voz serena, usando el tono cálido de un maestro que instruye pacientemente a sus discípulos. Dirige esta instrucción a toda la asamblea. Míralos de frente y ve siguiendo el ritmo ternario de esta exhortación. Haz una ligera pausa antes de describir cada una de las situaciones y escenarios previstos.

Antes de leer la segunda parte del relato, se impone hacer una breve pausa. Recita con tono marcadamente afectuoso esta invitación a pedir confiadamente al Padre aquello que necesiten.

24º DOMINGO DEL TIEMPO ORDINARIO

I LECTURA En continuidad con la enseñanza contenida en la ley mosaica (ver Levítico 19,17–18) sobre la erradicación de la venganza en relación a los propios hermanos, el sabio que compone este libro exhorta a sus discípulos a reflexionar sobre la reciprocidad y la proporcionalidad entre el perdón otorgado a nuestros ofensores y el perdón solicitado a Dios Padre.

Anticipándose a la enseñanza que el mismo Jesús propone en la oración del Padrenuestro, este sabio motiva y amonesta a sus lectores a que comprendan lo sensato de sus palabras, nacidas de su propia experiencia y de la observación de la realidad. A partir de esa mirada contemplativa, el autor ha logrado discernir que Dios otorga un tratamiento diferenciado al rencoroso y al compasivo y ha indagado que la aplicación de esos distintos criterios obedece a la puesta en práctica o al desacato del mandato del amor al prójimo.

II LECTURA En el marco de una instrucción sobre la cuestión de las normas alimenticias observadas o desatendidas por los lectores de su carta, Pablo propone ante sus lectores el criterio supremo de moralidad, según el cual hay que obedecer a la propia conciencia, cumpliendo lo que honre o agrade al Señor, sin preocuparse de las opiniones corrientes que existan en la comunidad.

El párrafo que nos propone la liturgia parece ser un himno antiguo que confesaba el señorío de Cristo Jesús y que invitaba a los hermanos a realizar todas sus actividades cotidianas (englobadas bajo el par de acciones opuestas ahí señaladas: vivir y morir) en vistas del reconocimiento del señorío exclusivo y universal de Cristo.

I LECTURA Eclesiástico (Sirácide) 27,33—28,9 L M

Lectura del libro del Eclesiástico (Sirácide)

Cosas *abominables* son *el rencor* y *la cólera*;
sin embargo, el pecador *se aferra* a ellas.
El Señor *se vengará* del vengativo
y llevará *rigurosa* cuenta de sus pecados.
Perdona la ofensa a tu prójimo,
y *así*, cuando *pidas* perdón se te perdonarán *tus pecados*.
Si un hombre le *guarda rencor* a otro,
¿le puede acaso *pedir* la salud al Señor?
El que *no tiene* compasión de un semejante,
¿*cómo* pide *perdón* de sus pecados?
Cuando el hombre que guarda rencor
pide a Dios *el perdón* de sus pecados,
¿*hallará* quien interceda *por él*?
Piensa en tu fin y *deja* de odiar,
piensa en la *corrupción* del sepulcro
y *guarda* los mandamientos.
Ten presentes los mandamientos
y *no guardes* rencor a tu prójimo.
Recuerda la alianza del Altísimo y *pasa por alto* las ofensas.

II LECTURA Romanos 14,7–9 L M

Lectura de la carta del apóstol san Pablo a los romanos

Hermanos:
Ninguno de nosotros *vive* para *sí mismo, ni muere* para *sí mismo*.
Si *vivimos*, para el Señor *vivimos*;
y si *morimos*, para el Señor *morimos*.
Por lo tanto, *ya sea* que *estemos vivos*
o que *hayamos muerto, somos del Señor*.
Porque *Cristo* murió y resucitó para ser *Señor* de *vivos y muertos*.

I LECTURA Eclesiástico (Sirácide) 27,33—28,9 LEU

Lectura del libro del Eclesiástico (Sirácide)

Otras dos cosas *abominables* son la cólera y el rencor;
ambas son propias del pecador.
Perdona los errores de tu prójimo,
y *así*, cuando lo pidas, se te *perdonarán* tus pecados.
Si un hombre tiene *rencor* a otro,
¿*cómo* puede pedir a Dios su *curación*?
Un hombre no tiene compasión de sus *semejantes*,
¿y *suplica* por el perdón de sus faltas?
El que no es sino carne guarda *rencor*,
¿*quién* le perdonará sus pecados?
Acuérdate de tu fin y *deja* de odiar;
ten presente la *hora* de tu muerte y la *corrupción* del sepulcro
y *cumple* los mandamientos.
Acuérdate de los mandamientos y *no* guardes rencor al prójimo.
Acuérdate de la alianza del Altísimo y pasa por alto la *ofensa*.

Recita pausadamente cada una de las sentencias contenidas en este pasaje. Hazlo con la voz persuasiva de un maestro que enseña pacientemente a sus discípulos.

Remarca suficientemente cada una de las interrogantes planteadas por el autor, destacando la incoherencia de tan errado proceder.

Pronuncia con tono animoso las tres invitaciones finales donde el sabio invita a sus discípulos a acordarse de los valores y realidades ahí enunciadas.

II LECTURA Romanos 14,7–9 LEU

Lectura de la carta del apóstol san Pablo a los romanos

En realidad, *ninguno* de nosotros vive para *sí* mismo,
ni *muere* para sí mismo.
Si vivimos, *vivimos* para el Señor,
y si morimos, *morimos* para el Señor.
Y *tanto* en la vida *como* en la muerte, *pertenecemos* al Señor,
pues *Cristo* murió y resucitó para ser *Señor*,
tanto de los *vivos* como de los *muertos*.

Entona estos versos con ánimo jubiloso, como lo harías al proclamar tus convicciones de fe más profundas.

Enfatiza con voz vigorosa las afirmaciones finales con las cuales el apóstol concluye su aclamación.

EVANGELIO Mateo 18,21–35 L M

Lectura de santo Evangelio según san Mateo

En *aquel* tiempo, *Pedro* se acercó a Jesús y *le preguntó*:
"Si mi hermano *me ofende*,
¿*cuántas veces* tengo que perdonarlo? ¿Hasta *siete* veces?"
Jesús le contestó:
"No *sólo* hasta *siete*,
sino hasta *setenta veces siete*".
Entonces *Jesús* les dijo:
"El *Reino* de los cielos es *semejante* a un rey
que quiso *ajustar cuentas* con sus servidores.
El *primero* que le presentaron le debía *muchos* millones.
Como *no tenía* con qué pagar,
el señor *mandó* que *lo vendieran* a él, a su mujer, a sus hijos
y *todas* sus posesiones, para *saldar* la deuda.
El servidor, arrojándose a sus pies, le suplicaba, diciendo:
'*Ten paciencia* conmigo y te lo pagaré *todo*'.
El rey *tuvo lástima* de aquel servidor,
lo soltó y hasta *le perdonó* la deuda.
Pero, *apenas* había salido aquel servidor,
se *encontró* con uno de sus compañeros,
que le debía *poco* dinero.
Entonces *lo agarró* por el cuello y *casi* lo estrangulaba,
mientras le decía:
'*Págame* lo que me debes'.
El compañero se le *arrodilló* y le rogaba:
'*Ten paciencia* conmigo y te lo pagaré todo'.
Pero el otro *no quiso* escucharlo,
sino que *fue y lo metió* en la cárcel hasta que le pagara la deuda.
Al ver lo ocurrido,
sus compañeros se *llenaron* de indignación
y *fueron* a contar al rey *lo sucedido*.
Entonces el señor *lo llamó* y le dijo:
'Siervo *malvado*. Te perdoné *toda* aquella deuda
porque *me lo suplicaste*.
¿No debías tú *también* haber tenido compasión de tu compañero,
como *yo tuve* compasión *de ti*?'
Y el señor, *encolerizado*,
lo *entregó* a los verdugos para que *no lo soltaran*
hasta que pagara *lo que debía*.
Pues *lo mismo* hará mi Padre celestial con ustedes,
si *cada cual* no perdona *de corazón* a su hermano".

EVANGELIO **Este conocido relato, designado por algunos como "la parábola del siervo sin entrañas", consta de tres partes bien diferenciadas. En primer lugar, escuchamos el interrogante planteado por Pedro acerca de los límites que hay que fijarle al otorgamiento del perdón. Enseguida viene una elocuente parábola donde Jesús contrasta las actitudes manifiestas por el empleado ingrato. Finalmente, aparece como conclusión una escueta aplicación dirigida por el Señor a sus discípulos.**

Comenzando por el interrogante petrino, hemos de observar que éste imagina la cuestión de la frecuencia del perdón como un asunto que se puede medir y tasar. Es por eso que él mismo sugiere un límite preciso a la concesión del perdón. Jesús manteniéndose dentro del campo aritmético le ensancha infinitamente el horizonte, respondiéndole con un número simbólico que apunta al otorgamiento ilimitado del perdón. La parábola ilustra con sobrada claridad la liberalidad del rey que perdona y cancela la exorbitante deuda contraída por su siervo, y la mezquina tacañería del siervo perdonado, que no consigue cancelar la insignificante deuda de su compañero. La identificación de los dos personajes protagónicos es a todas luces evidente, y como si no lo fuera, el comentario final que Jesús propone con tono amenazador lo ratifica: el rey magnánimo es figura del Padre celestial, que a la más mínima súplica concede el perdón a sus criaturas, mientras que la actitud mezquina retrata la ingratitud del ser humano, que precipitadamente olvida la misericordiosa manera como Dios lo acoge cada vez que demanda su perdón.

EVANGELIO Mateo 18,21–35 L E U

Lectura de santo Evangelio según san Mateo

En aquel tiempo, *Pedro* se acercó a Jesús y le dijo:
"Señor, ¿*cuántas* veces debo *perdonar* las ofensas
de mi hermano?
¿Hasta *siete* veces?"
Jesús le contestó:
"*No* digas siete veces,
sino *hasta* setenta veces siete.
Por esto el *Reino* de los Cielos es *semejante* a un rey
que *resolvió* arreglar cuentas con sus empleados.
Cuando estaba empezando a hacerlo,
le trajeron a uno que debía *diez* millones de monedas de oro.
Como el hombre *no* tenía para pagar,
el rey dispuso que fuera *vendido* como *esclavo*,
junto con su mujer y sus hijos y todas sus cosas
para *pagarse* de la deuda.
El empleado se *arrojó* a los pies del rey, *suplicándole*:
'Ten *paciencia* conmigo y yo te *pagaré* todo'.
El rey se *compadeció*, y *no* sólo lo dejó *libre*,
sino que *además* le *perdonó* la deuda.
Pero *apenas* salió el empleado de la presencia del rey,
se *encontró* con uno de sus compañeros
que le debía *cien* monedas;
lo *agarró* del cuello y casi lo *ahogaba*, gritándole:
'*Paga* lo que me debes'.
El compañero se echó a sus pies y le *rogaba*:
'Ten un poco de *paciencia* conmigo y yo te pagaré *todo*'.
Pero el otro *no* le aceptó.
Al *contrario*, lo mandó a la *cárcel* hasta que le pagara
toda la deuda.
Los compañeros, *testigos* de esta escena, quedaron *muy* molestos
y fueron a *contarle* todo a su patrón.
Entonces, el patrón lo hizo *llamar* y le dijo:
'Siervo *malo*, *todo* lo que me debías te lo *perdoné*
en cuanto me lo *suplicaste*.
¿No debías haberte *compadecido* de tu *compañero*
como yo me *compadecí* de ti?'
Y estaba tan *enojado* el patrón que lo entregó a la *justicia*,
hasta que pagara *toda* su deuda".
Y Jesús *terminó* con estas palabras:
"Así hará mi Padre Celestial con *ustedes*,
si no perdonan *de corazón* a sus hermanos".

Introduce este breve diálogo con sincera preocupación. Formula la pregunta de Pedro con un tono verdaderamente preocupado.

Expón de manera tajante y concisa la respuesta contundente dada por el maestro.

Describe esta gratificante escena con voz emocionada. Proclama con vivacidad la súplica del empleado y la generosa respuesta de su amo.

Al exponer la reacción mezquina del siervo perdonado, hazlo con un tono de molestia e indignación. Destaca con énfasis los gestos violentos con que trata a su compañero.

Pausa ligeramente antes de referir la acusación, el interrogante y la determinación final asumida por el patrón. Se impone leerla con voz grave y severa.

Al proclamar la enseñanza final, abarca con tu mirada a toda la asamblea e interpélalos en nombre del Señor a perdonar a sus hermanos.

25º DOMINGO DEL TIEMPO ORDINARIO

I LECTURA **En el parteaguas del libro asignado tradicionalmente al Deuteroisaías (ver Isaías 40—55), encontramos un conocido oráculo sobre la alteridad de los caminos divinos y sobre la eficacia de su santa palabra. El profeta que ha venido proclamando a lo largo de todos estos capítulos una secuencia de mensajes hermosos y esperanzadores a los judíos desterrados presiente que tales palabras resultarán increíbles para la mente aletargada de sus contemporáneos. Particularmente extraño resulta anunciarles a los israelitas desterrados el inminente cambio de rumbo que Dios le va a imprimir a sus vidas. Luego de más de cuatro décadas de haber padecido el aparente abandono divino, el pueblo no quiere dar crédito a las palabras proféticas que le anuncian un futuro maravilloso. Para que el pueblo acoja convenientemente el proyecto que les anuncia este heraldo divino, primero tendrá que dar el paso fundamental de buscar a su Dios y reconciliarse sinceramente con él.**

II LECTURA **Desde la perspectiva personal, san Pablo se inclina por la primera posibilidad porque considera que sólo a través de la muerte podrá estar para siempre con Cristo su Señor. Pero desde el punto de vista eclesial, juzga que, permaneciendo libre, puede seguirles sirviendo y alentándoles en su fe.**

Indudablemente, el apóstol conocía por algunos informes recibidos las crecientes posibilidades que tenía de alcanzar la libertad; por eso, concluye aventurando su confianza en su próxima liberación y mostrando su disponibilidad absoluta para retomar su labor evangelizadora.

I LECTURA Isaías 55,6–9 LM

Lectura del libro del profeta Isaías

Busquen al Señor mientras lo pueden *encontrar*,
invóquenlo mientras *está cerca*;
que el malvado *abandone* su camino, y el criminal, *sus planes*;
que *regrese* al Señor, y *él* tendrá piedad;
a *nuestro Dios*, que es *rico* en perdón.
Mis pensamientos *no son* los pensamientos de ustedes,
sus caminos *no son* mis caminos, dice *el Señor*.
Porque *así* como *aventajan* los cielos *a la tierra*,
así aventajan *mis caminos* a los de ustedes
y *mis pensamientos a sus pensamientos*.

II LECTURA Filipenses 1,20–24.27 LM

Lectura de la carta del apóstol san Pablo a los filipenses

Hermanos:
Ya sea por mi vida, *ya sea* por mi muerte,
Cristo *será* glorificado *en mí*.
Porque *para mí*, la vida *es Cristo*, y la muerte, *una ganancia*.
Pero si el *continuar* viviendo en *este* mundo
me permite trabajar *todavía* con fruto, no sabría yo *qué* elegir.
Me hacen fuerza *ambas* cosas: por una parte,
el deseo de *morir* y *estar* con Cristo,
lo cual, *ciertamente*, es con mucho *lo mejor*;
y por la otra, el de *permanecer* en vida,
porque esto *es necesario* para el bien de ustedes.
Por lo que a ustedes toca, *lleven* una vida *digna*
del Evangelio de Cristo.

I LECTURA Isaías 55,6–9 LEU

Lectura del libro del profeta Isaías

Busquen al Señor, ahora que lo pueden *encontrar*,
llámenlo, ahora que está *cerca*.
Que el malvado *deje* su mala conducta y el criminal
sus *proyectos*.
Vuélvase al Señor, que *tendrá* piedad de él,
a nuestro *Dios*, que está *siempre* dispuesto a *perdonar*.
Pues sus *proyectos* no son los míos
y mis caminos no son los *mismos* de ustedes, dice el *Señor*.
Así como el cielo está *muy* alto por encima de la tierra,
así *también* mis caminos se *elevan* por encima
de sus caminos,
y mis proyectos son muy *superiores* a los de ustedes.

Recita esta animosa exhortación a la conversión con voz esperanzada. Remarca el tono de urgencia que tiene esta invitación.

Al concluir la parte exhortativa, haz una pequeña pausa e introduce con voz grave la solemne declaración donde Dios pondera la supremacía de sus planes y proyectos.

II LECTURA Filipenses 1,20c–24.27a LEU

Lectura de la carta del apóstol san Pablo a los filipenses

Cristo *aparecerá* más grande a *través* de mí,
sea que *yo viva*, sea que *muera*.
Sinceramente, para mí, Cristo es mi *vida*
y morir es una *ventaja*.
Pero si la vida en *este* cuerpo me permite
aún un trabajo *provechoso*,
ya no sé qué *escoger*.
Estoy apretado por *dos* lados.
Por *una* parte desearía *partir* y estar con Cristo,
lo que sería sin duda *mucho* mejor.
Pero a ustedes les es más *provechoso*
que yo permanezca en *esta* vida.
Solamente *procuren* ordenar su *vida*
de *acuerdo* con la Buena Nueva de Cristo.

Proclama esta sentida confesión paulina con la hondura y profundidad que lo exige dicha declaración. Procura hacer tuya la situación ambigua e incierta que vive el apóstol.

Expón detenidamente los argumentos con los cuales Pablo pondera las dos posibilidades que tiene delante de sí.

Concluye la proclamación advirtiéndole a la asamblea la conveniencia de ordenar su propia vida conforme al tenor del Evangelio del Señor.

EVANGELIO El relato parabólico de los jornaleros contratados para trabajar en la viña es susceptible de ser interpretado desde diferentes perspectivas. En primer lugar, vemos que la parábola está enmarcada por un par de versículos inclusivos, puestos al inicio y al final (ver 19,30 y 20,16) que a la letra dicen lo siguiente. "Así sucederá: los últimos serán los primeros, y los primeros serán los últimos". Estos versitos son una llamada de atención puesta por el autor del Evangelio para insinuarle al lector cuál es el aspecto más destacado de su composición.

Y efectivamente, si observamos la secuencia de la narración, a la hora de la paga los primeros siervos que comenzaron a trabajar en la viña recibieron al último su pago, y los que al último iniciaron su trabajo, fueron los primeros en recibir el salario. De esa manera, podemos ver que se produce una inversión total de sus expectativas, pues los primeros no esperaban ser tratados como últimos.

Al momento de que el Señor sancione el quehacer y la entrega de cada uno de nosotros, es decir, a la hora de la "paga" y la retribución, Dios no se adecuará a los estrechos caminos humanos usados para hacer justicia. El Señor no asumirá como suyo el criterio de la proporcionalidad, según el cual se retribuye a cada cual en base a los méritos personales acumulados por la cantidad de obras, de tiempo y de esfuerzo dedicados a la "labranza de la viña". Dios es impredecible y sorpresivo a los ojos humanos porque actúa de manera desproporcionada, pagando con creces a quien aparenta no merecerlo.

Pero no se piense que la justicia divina es discrecional y caprichosa. En este relato, Dios continúa mostrándose como justo juez, tal como ya lo había aprendido siglos atrás el pueblo de Israel, simbolizado en los trabajadores de la primera hora. Ahora, en el momento final, se nos revela, por obra y gracia de su Hijo Jesús, como el Padre bueno que se complace en ser generoso con quienes se deciden a servirle de corazón.

EVANGELIO Mateo 20,1–16 LM

Lectura del santo Evangelio según san Mateo

En *aquel* tiempo, *Jesús* dijo a sus discípulos esta parábola:
"El *Reino* de los cielos es *semejante* a un propietario
que, al amanecer, salió a *contratar* trabajadores para su viña.
Después de *quedar* con ellos en pagarles *un denario* por día,
los *mandó* a su viña.
Salió *otra vez* a media mañana,
vio a unos que estaban *ociosos* en la plaza y les dijo:
'Vayan *también* ustedes a mi viña y les *pagaré*
lo que *sea justo*'.
Salió de nuevo a *medio día* y a *media tarde* e hizo *lo mismo*.
Por último, salió *también* al caer la tarde
y *encontró* todavía otros que estaban en la plaza y *les dijo*:
'¿*Por qué* han estado aquí *todo* el día *sin trabajar*?'
Ellos le respondieron: 'Porque *nadie* nos ha contratado'.
Él les dijo: 'Vayan *también* ustedes a mi viña'.
Al *atardecer*, el dueño de la viña le dijo a su administrador:
'*Llama* a los trabajadores y *págales* su jornal,
comenzando por *los últimos* hasta que llegues a *los primeros*'.
Se acercaron, pues, los que habían llegado *al caer* la tarde
y recibieron *un denario cada uno*.
Cuando les llegó su turno a los primeros,
creyeron que recibirían *más*;
pero *también* ellos recibieron un *denario* cada uno.
Al recibirlo, comenzaron a *reclamarle* al propietario, diciéndole:
'*Ésos* que llegaron al último *sólo* trabajaron *una hora*,
y sin embargo, les pagas *lo mismo* que a nosotros,
que *soportamos* el peso del día y del calor'.
Pero él respondió a uno de ellos:
'*Amigo*, yo no te hago *ninguna* injusticia.
¿*Acaso* no quedamos en que te pagaría *un denario*?
Toma, pues, lo tuyo y *vete*.
Yo quiero darle al que llegó al último *lo mismo* que a ti.
¿Qué no puedo hacer con lo mío *lo que yo quiero*?
¿O *vas* a tenerme rencor porque *yo soy bueno*?'
De *igual* manera, los *últimos* serán los primeros,
y *los primeros*, los últimos".

EVANGELIO Mateo 20,1–16a LEU

Lectura del santo Evangelio según san Mateo

En aquel *tiempo*, dijo Jesús a sus discípulos *esta* parábola:
"El *Reino* de los Cielos se parece a un *jefe* de familia
que salió de madrugada a *contratar* trabajadores para su viña.
Aceptaron el sueldo que les ofrecía
(una *moneda* de plata al día),
y los *envió* a su viña.
Salió *después* cerca de las nueve de la mañana,
y se *encontró* en la plaza con otros que estaban *desocupados*.
Y les dijo: 'Vayan ustedes *también* a mi viña
y les pagaré lo que *corresponda*'.
Y fueron a *trabajar*.
El patrón salió *otras* dos veces,
como al *mediodía* y como a las *tres* de la tarde,
en busca de *más* trabajadores.
Finalmente salió a eso de las *cinco* de la *tarde*,
y vio a *otros* que estaban sin hacer nada, y les dijo:
'¿Por qué pasan todo el día *ociosos*?'
Contestaron ellos: 'Porque nadie nos ha *contratado*'.
Dijo el *patrón*: 'Vayan *también* ustedes a mi viña'.
Al *anochecer*, dijo el dueño de la viña a su *mayordomo*:
'*Llama* a los trabajadores y *págales* su jornal,
empezando por los *últimos* y terminando por *los primeros*'.
Se presentaron los que habían salido a trabajar a las *cinco*
de la tarde,
y a *cada* uno se les dio un denario (una *moneda* de plata).
Cuando *finalmente* llegaron los *primeros*,
se *imaginaron* que iban a recibir *más*;
pero recibieron *también* un denario.
Por eso, cuando se lo dieron empezaron a *protestar*
contra el patrón.
Decían: 'Los últimos *apenas* trabajaron una hora
y les pagaste *igual* que a *nosotros*,
que *soportamos* el peso del día y del calor'.
El patrón *contestó* a uno de ellos:
'*Amigos*, no he hecho nada *injusto*,
¿no *convinimos* en un denario al día?
Entonces, toma lo que te *corresponde* y márchate.
Me *gusta* darle al último *tanto* como a ti.
¿No tengo *derecho* a hacer lo que quiero con *mi* dinero?
¿Por qué miras con *malos* ojos que yo sea *bueno*?'
Así sucederá: los últimos serán los *primeros*,
y los primeros serán los *últimos*".

El relato está ordenado en base a las sucesivas horas en que van incorporándose los jornaleros al trabajo. Al recitarlo, procura destacar suficientemente estas pistas cronológicas necesarias para la comprensión de la parábola.

Resalta con claridad las palabras usadas por el patrón para convidar a los trabajadores postreros a su viña.

La hora de la paga es el momento culminante del relato. Se impone hacer una pequeña pausa antes de proclamar el clímax de la narración.

Expón con cierto tono de indignación y enfado el reclamo planteado por los primeros trabajadores.

Introduce la respuesta final del patrón con voz llena de seguridad y confianza. Más aún, utiliza un aire desafiante para recitar las cuestiones que el amo plantea a los quejosos.

Concluye la narración exponiendo con voz pausada la sentencia puesta al final del relato.

25 DE SEPTIEMBRE DE 2005

26º DOMINGO DEL TIEMPO ORDINARIO

I LECTURA Este oráculo profético marca un giro decisivo en la transmisión de la revelación divina, puesto que a partir de esta detallada explicación dada por mediación del profeta Ezequiel, Dios anuncia que en lo sucesivo, él retribuirá a cada persona en base a los méritos y al comportamiento que asuman. La generación que sufrió los estragos de la destrucción de Jerusalén y de la salida al destierro alegaba a favor suyo, que Dios había castigado "a justos por pecadores", descargando sobre ellos la condena que merecían las generaciones anteriores. Dios se defiende ante estas infundadas acusaciones e ilustra por medio de esta serie de casos lo justo de su proceder.

Sin embargo, no hay que imaginar que Dios tuviera obsesión por castigar a nadie. Al contrario, su preocupación es fundamentalmente otra: perdonar al pecador y mantenerle con vida. Es por eso que este capítulo, dedicado por entero a tratar el tema de la responsabilidad personal, concluye reafirmando la enseñanza central: Dios quiere la vida; por eso, invita a su pueblo a que se convierta y cambie su corazón.

II LECTURA En el marco de una exhortación sobre la vivencia del amor y la concordia al interior de la comunidad cristiana de Filipos, Pablo motiva a sus lectores a que vivan humildemente, asemejándose en esto con los sentimientos vividos por Cristo Jesús. Esta recomendación es avalada por el supremo testimonio rendido por Jesús durante los días de su vida mortal.

Para ilustrarles sobre el particular el apóstol invoca un himno antiguo proveniente del culto cristiano tradicional, en el cual se alababa el señorío de Cristo, y se rendía gloria al Padre que le había exaltado a su diestra. Este himno es uno de los pasajes más antiguos que confiesan contundentemente el señorío de Jesús.

I LECTURA Ezequiel 18,25–28 LM

Lectura del libro del profeta Ezequiel

Esto dice el Señor: "Si *ustedes* dicen:
'*No es* justo el *proceder* del Señor', *escucha*, casa de Israel:
¿Conque *es injusto* mi proceder?
¿No es *más bien* el proceder *de ustedes* el injusto?
Cuando el justo *se aparta* de su justicia,
comete la maldad y *muere*;
muere por la maldad que *cometió*.
Cuando el pecador *se arrepiente* del mal *que hizo*
y *practica* la rectitud y la justicia, *él mismo salva* su vida.
Si *recapacita* y *se aparta* de los delitos cometidos,
ciertamente vivirá y *no morirá*".

II LECTURA Filipenses 2,1–11 LM

Lectura de la carta del apóstol san Pablo a los filipenses

Hermanos:
Si *alguna* fuerza tiene una *advertencia* en nombre *de Cristo*,
si *de algo* sirve una *exhortación nacida* del amor,
si nos une *el mismo* Espíritu y si ustedes *me profesan*
un afecto *entrañable*, *llénenme* de alegría teniendo
todos una *misma manera* de pensar,
un *mismo* amor, unas *mismas* aspiraciones y una *sola* alma.
Nada hagan por espíritu de rivalidad *ni presunción*;
antes bien, por humildad,
cada uno considere *a los demás* como *superiores* a sí mismo
y *no busque* su *propio* interés, sino el *del prójimo*.
Tengan los *mismos* sentimientos que tuvo *Cristo Jesús*.
Cristo, siendo *Dios*,
no consideró que debía *aferrarse* a las prerrogativas
de su *condición divina*,
sino que, por *el contrario*,
se *anonadó* a *sí mismo*, tomando la condición *de siervo*,
y se hizo *semejante* a los hombres.

I LECTURA Ezequiel 18,25–28 LEU

Lectura del libro del profeta Ezequiel

Esto dice el Señor:
Ustedes me dirán: el *proceder* del Señor *no* es recto.
Escucha, pues, gente de Israel.
¿Es *injusto* mi proceder?,
¿no es más bien la *conducta* de ustedes la que *no* es recta?
Si el bueno se *aparta* del camino *recto*
y *comete* la maldad y *muere* en ella,
se condena por su *propia* maldad.
Y, en *cambio*,
si el pecador se *aparta* de la maldad
en que vivía y obra *rectamente*,
salvará su vida.
No morirá, sino que se *salvará*,
porque ha *abierto* los ojos
y se ha con*vertido* de los pecados cometidos.

Recita con firmeza esta aguerrida defensa que Dios hace de sí mismo. Enfatiza las dos preguntas, pronunciándolas con tono dubitativo. Al leer la segunda interrogación, insinúa el tono afirmativo que corresponde a dicha cuestión.

Enuncia con voces diferenciadas los dos casos arriba descritos. Hazlo con la firmeza que lo haría un juez que dicta sus sentencias de manera irrebatible.

II LECTURA Filipenses 2,1–11 LEU

Lectura de la carta del apóstol san Pablo a los filipenses

Si dan *algún* valor a las advertencias que hago
en *nombre* de Cristo,
si *pueden* oír la voz del amor
y *quieren* hacer caso de la *comunión*
que existe entre *nosotros* por el Espíritu Santo,
si hay en ustedes *alguna* compasión y ternura,
les pido algo que me *llenará* de alegría.
Tengan un *mismo* amor, un mismo *espíritu*, un *único* sentir,
y *no* hagan nada por rivalidad o por *orgullo*.
Al *contrario*,
que cada uno, *humildemente*,
estime a los otros como *superiores* a sí mismo.
No busque nadie sus *propios* intereses,
sino más bien el beneficio *de los demás*.
Tengan entre ustedes los *mismos* sentimientos
que tuvo *Cristo* Jesús:
[Él, que era de condición *divina*,
no se aferró celoso a su *igualdad* con Dios
sino que se *rebajó* a sí mismo hasta ya no ser *nada*,

Introduce esta terna de proposiciones condicionales con cierto aire de incertidumbre y de duda. El apóstol está usando este recurso para desafiar a sus lectores a que sean generosos al escuchar la siguiente exhortación.

Ésta es la invitación clave de este pasaje. Enfatízala con suficiente energía y determinación. Expón de manera pausada cada uno de las recomendaciones sucesivas.

Haz una breve pausa antes de introducir la proclamación de este himno cristológico. Respeta el tono poético de esta alabanza y confiesa con emoción el señorío universal de Jesús.

A este señorío y a esta glorificación, Jesús ha accedido por el camino de la encarnación. En efecto, él asumió la plena condición humana y vivió como una criatura supeditada a la suprema voluntad del Padre. Justamente por la fidelidad y obediencia mostradas en la entrega de su propia vida, y en su muerte martirial, recibió el supremo reconocimiento de la exaltación a la diestra de Dios.

EVANGELIO Esta parábola de los dos hijos describe por un lado la insuficiente respuesta de quienes pretenden engañar a Dios con palabras y discursos comedidos, y de otro lado la aparente rebeldía de quienes mostraron resistencia a las órdenes divinas, pero terminaron por acatar sus mandatos. La identificación de ambos hijos parece asunto sencillo, sobre todo si tenemos en cuenta el contexto literario del Evangelio y la situación de enfrentamiento vivido entre Jesús y los dirigentes judíos. Desde esa perspectiva, se ha señalado que el primer hijo representa al pueblo de Israel, tanto al que vivió en los siglos pasados como a la generación contemporánea de Jesús que desatendió su llamado, mientras que el segundo hijo simboliza preferencialmente a las naciones paganas que acogieron benévolamente el mensaje cristiano.

No obstante, esta interpretación no puede presentarse como la única, puesto que en la misma narración evangélica Jesús parece decodificar para su auditorio la identidad de ambos personajes. El mensaje parabólico es totalmente actual, y por lo mismo su significado no queda agotado con un par de interpretaciones. En el presente esta parábola continua siendo un llamado de atención para quienes pretendemos reducir la respuesta a Dios al nivel de los discursos y las hermosas palabras, olvidando que lo verdaderamente esencial es el poner en práctica la voluntad del Señor.

II LECTURA continuación L M

Así, hecho uno *de ellos, se humilló* a sí mismo
y por obediencia *aceptó* incluso la muerte
y *una muerte de cruz.*
Por eso Dios *lo exaltó* sobre *todas* las cosas
y le otorgó *el nombre* que está sobre *todo* nombre,
para que al *nombre de* Jesús
todos doblen la rodilla *en el cielo,* en *la tierra* y en *los abismos,*
y *todos* reconozcan *públicamente* que Jesucristo *es el Señor,*
para *gloria* de Dios Padre.

EVANGELIO Mateo 21,28–32 L M

Lectura del santo Evangelio según san Mateo

En *aquel* tiempo,
Jesús dijo a los sumos sacerdotes y a los ancianos del pueblo:
"*¿Qué* opinan de esto?
Un hombre que tenía *dos* hijos fue a ver al primero y *le ordenó:*
'*Hijo, ve* a trabajar *hoy* en la viña'.
Él le contestó: '*Ya voy,* señor', pero *no* fue.
El padre se dirigió *al segundo* y le dijo *lo mismo.*
Éste le respondió: '*No* quiero ir', pero se arrepintió *y fue.*
¿Cuál de los dos *hizo* la voluntad del padre?"
Ellos le respondieron: "*El segundo*".
Entonces *Jesús* les dijo:
"*Yo les aseguro* que los publicanos y las prostitutas
se les *han adelantado* en el camino del Reino de Dios.
Porque *vino* a ustedes *Juan,*
predicó el camino de la justicia y *no le creyeron;*
en cambio, los publicanos y las prostitutas, sí le creyeron;
ustedes, *ni siquiera* después de haber visto,
se han arrepentido *ni han creído* en él".

II LECTURA continuación LEU

tomando la condición de *esclavo*,
y llegó a ser *semejante* a los hombres.
Habiéndose *comportado* como hombre, se *humilló*,
y se hizo *obediente* hasta la muerte—y muerte en una *cruz*.
Por eso Dios lo *engrandeció*
y le *concedió* el "Nombre-sobre-todo-nombre".
Para que ante el *Nombre* de Jesús
todos se arrodillen en los cielos, en la tierra y entre
los muertos.
Y *toda* lengua proclame que Cristo Jesús es el Señor,
para la *gloria* de Dios Padre.]

Ensaya previamente la lectura de este himno. Fíjate en el ritmo creciente y progresivo que organiza esta alabanza y procura ir haciendo un crecimiento en la lectura del trozo poético. Destaca de manera particular las dos secciones: la de la humillación y la de la exaltación. En cada trozo se impone usar un tono distinto de voz.

EVANGELIO Mateo 21,28–32 LEU

Lectura del santo Evangelio según san Mateo

En aquel tiempo,
dijo Jesús a los *sumos* sacerdotes y a los *ancianos* del pueblo:
"¿*Qué* les parece esto?
Un hombre que tiene *dos* hijos llama al *primero* y le dice:
'Anda a *trabajar* a mi viña'.
Y él responde: '*No* quiero'.
Pero después se *arrepiente* y va.
Después el padre llama al *otro* y le manda lo *mismo*.
Éste responde: '*Voy*, Señor', pero *no* va".
Jesús, pues, *preguntó*:
"¿*Cuál* de los dos hizo lo que *quería* el padre?"
Ellos contestaron: "El *primero*".
Y Jesús prosiguió:
"En verdad, los *publicanos* y las *prostitutas*
entrarán *antes* que ustedes al Reino de los Cielos.
Porque Juan vino para indicarles el *camino* del bien
y *no* lo creyeron
mientras que los publicanos y las prostitutas *le creyeron*;
ustedes fueron *testigos*, pero *ni* con esto se arrepintieron
y le creyeron".

Relata esta pregunta inicial de Jesús con tono de aparente candidez e inocencia. Narra con aire novedoso este breve relato. Procura hacerlo con la frescura que lo harías al contar por primera vez esta parábola.

Proclama concisamente el intercambio escueto que sostienen Jesús y sus interlocutores al final del relato.

Haz una pausa antes de referir el comentario final. Se impone usar un tono marcadamente acusador al denunciar la testarudez de los dirigentes judíos ante el mensaje del Bautista.

27º DOMINGO DEL TIEMPO ORDINARIO

I LECTURA En la recitación de este oráculo de denuncia, el profeta Isaías destaca tres momentos importantes. Primero, se presenta la recitación de un cántico amoroso, aparentemente ingenuo y referido a un supuesto amigo, cuya identidad queda en secreto (versículos 1 y 2). En un segundo episodio, el profeta cede la palabra a sus interlocutores (los habitantes de Jerusalén en particular y los hombres de Judá en general) para erigirlos en árbitros que dicten su veredicto a propósito del relato escuchado. Como la sentencia de éstos no se pronuncia, entonces el propio profeta dicta su fulminante veredicto, anunciando el arrasamiento y la aniquilación de la viña estéril (versículos 3–6). Finalmente, viene el desenlace y el momento culminante de la narración, cuando el propio Isaías desenmascara la identidad de los dos personajes que protagonizaron los eventos referidos en el cántico amoroso.

La viña es la casa de Israel y el viñador es el propio Dios. La magnanimidad del viñador queda de manifiesto porque el cultiva sin esperar beneficios directos a favor de su propia persona, sino a favor de su propio pueblo. Efectivamente, los frutos proyectados (vigencia de la justicia y el derecho) redundarían en provecho de los mismos hijos de Israel, y no en beneficio de Dios.

Los párrafos posteriores a este cántico nos refieren una serie septenaria de ayes, que muy bien podrían ser tomados como la ilustración completa y suficiente de las referidas uvas amargas que el pueblo de Judá produjo para su Señor y que fundamentarían con sobrada razón su determinación de arrasar con su pueblo.

I LECTURA Isaías 5,1–7 LM

Lectura del libro del profeta Isaías

Voy a cantar, *en nombre* de mi amado, una *canción* a su viña.
Mi amado *tenía* una viña en una ladera *fértil.*
Removió la tierra, *quitó* las piedras
y *plantó* en ella *vides selectas*;
edificó en medio una torre y excavó un lagar.
Él esperaba que su viña diera buenas uvas,
pero la viña dio uvas agrias.
Ahora bien, habitantes de Jerusalén y gente de Judá,
yo les ruego, sean jueces entre mi viña y yo.
¿Qué más pude hacer por mi viña, que yo no lo hiciera?
¿Por qué cuando yo esperaba que diera uvas buenas,
las dio agrias?
Ahora voy a darles a conocer lo que haré con mi viña;
le quitaré su cerca y será destrozada.
Derribaré su tapia y será pisoteada.
La convertiré en un erial, nadie la podará ni le quitará los cardos,
crecerán en ella los abrojos y las espinas,
mandaré a las nubes que no lluevan sobre ella.
Pues bien, la viña del Señor de los ejércitos es la casa de Israel,
y los hombres de Judá *son* su plantación preferida.
El Señor *esperaba* de ellos que obraran *rectamente*
y ellos, *en cambio*, cometieron *iniquidades*;
él esperaba *justicia* y *sólo* se oyen reclamaciones.

I LECTURA Isaías 5,1–7 LEU

Lectura del libro del profeta Isaías

Voy *a cantar*, en *nombre* de mi amigo,
la *canción* de mi amigo por su *viña*.
Una viña tenía mi amigo en una loma *fértil*.
La cavó *quitando* las piedras
y plantó cepas *escogidas*.
En medio de ella *construyó* una torre
y también hizo un *lagar*.
Él *esperaba* que produjera uvas,
pero sólo le dio racimos *amargos*.
Acérquense, habitantes de Jerusalén,
y hombres de Judá:
juzguen *ahora* entre mi viña y yo.
¿Qué *otra* cosa pude hacer a mi *viña*
que no se la hice?
¿Por qué, *esperando* que diera uvas,
sólo ha dado racimos *amargos*?
Déjenme que les diga
lo que voy a hacer con mi viña:
le *quitaré* la cerca,
y no será más que *maleza* para el fuego;
derribaré el muro, y pronto será *pisoteada*.
La convertiré en un lugar *devastado*,
no se podará *ni* se limpiará *más*,
sino que *crecerá* en ella la zarza y el espino,
y les *mandaré* a las nubes
que *no* dejen caer más lluvia *sobre* ella.
La *viña* del Señor de los Ejércitos es *el pueblo de Israel*,
y los *hombres* de Judá, su *plantación* escogida.
Él *esperaba* rectitud,
y va creciendo el *mal*;
esperaba *justicia*,
y *sólo* oye el grito de los *oprimidos*.

Entona con jubiloso entusiasmo este breve cántico. Refiere con ritmo y cadencia cada una de las acciones realizadas por el viñador.

Involucra a la asamblea con tu mirada y dirígeles la pregunta que el profeta dirige a los habitantes de Jerusalén. Proclama las dos preguntas con un tono exigente y acusador.

Entona con voz grave y llena de firmeza la sentencia condenatoria que el profeta dirige contra el pueblo.

Concluye la recitación denunciando la identidad de cada uno de los protagonistas de este relato de desamor y desencanto.

II LECTURA Al referir san Pablo sus acostumbradas recomendaciones finales a sus queridos cristianos de Filipos, se inspira en la enseñanza tradicional cristiana que animaba a los discípulos a recurrir y suplicar al Señor a fin de superar los aprietos y dificultades presentes. En particular, el apóstol les externa sus sinceros anhelos de que alcancen la paz divina; mientras tanto, los exhorta a que realicen un discernimiento crítico, lo mismo de los valores (lo verdadero, lo noble, lo puro, lo amable) y conductas ejemplares que existen en el ambiente pagano en el que viven insertos, que de la ejemplar conducta testimoniada por él mismo.

Si los filipenses viven estrechamente unidos a su Señor en una constante actitud de oración, si continúan practicando los auténticos valores existentes en su propia cultura, si toman en serio las enseñanzas y el testimonio ejemplar rendido por el apóstol Pablo, ciertamente alcanzarán la anhelada paz de Dios que el autor de la carta les augura.

EVANGELIO El relato evangélico de los viñadores homicidas tiene una clara dependencia de la canción de la viña, que se proclama en la primera lectura, al menos en los detalles relativos a la promulgación de la sentencia por parte del auditorio, a la carencia de frutos. En cuanto a otros aspectos, es claro que existen diferencias importantes entre ambos relatos, entre las cuales sobresale una en especial: en el cántico de Isaías se destaca el papel protagónico del viñador. En el relato evangélico se destaca especialmente la conducta errada de los viñadores.

Podemos decir que, aunque ambos relatos describen situaciones históricas muy distantes en el tiempo (el cántico de Isaías retrata situaciones ocurridas en el reino de Judá a finales del siglo VIII a.C., mientras que el relato de Mateo apunta especialmente a los episodios vividos durante el ministerio de Jesús alrededor del año 30 d.C.), coinciden en lo sustancial, es decir, en la denuncia de la esterilidad del pueblo

II LECTURA Filipenses 4,6–9 LM

Lectura de la carta del apóstol san Pablo a los filipenses

Hermanos:
No se inquieten *por nada*; más bien presenten en *toda* ocasión
sus peticiones a Dios en la oración y la súplica,
llenos de gratitud.
Y que *la paz* de Dios, que sobrepasa *toda* inteligencia,
custodie sus corazones y sus pensamientos en *Cristo Jesús*.
Por lo demás, *hermanos*, aprecien *todo* lo que es verdadero
y noble,
cuanto hay de *justo y puro*, *todo* lo que es *amable y honroso*,
todo lo que sea *virtud* y merezca elogio.
Pongan por obra cuanto *han aprendido* y *recibido* de mí,
todo lo que yo *he dicho* y me *han visto* hacer;
y el *Dios* de la paz *estará* con ustedes.

EVANGELIO Mateo 21,33–43 LM

Lectura del santo Evangelio según san Mateo

En *aquel* tiempo,
Jesús dijo a los *sumos* sacerdotes y a los *ancianos* del pueblo
esta parábola:
"*Había* una vez un propietario que *plantó* un viñedo,
lo *rodeó* con una cerca, *cavó* un lagar en él,
construyó una torre para el vigilante
y luego *lo alquiló* a unos viñadores y *se fue* de viaje.
Llegado *el tiempo* de la vendimia,
envió a sus criados para pedir su parte
de los frutos a *los viñadores*;
pero éstos *se apoderaron* de los criados,
golpearon a uno, *mataron* a otro y a otro más lo *apedrearon*.
Envió de nuevo a *otros* criados,
en *mayor* número que los primeros,
y los trataron del *mismo modo*.
Por *último*, les mandó a su *propio* hijo, pensando:
'A *mi hijo* lo respetarán'.
Pero cuando los viñadores *lo vieron*, se dijeron *unos a otros*:
'*Éste* es el heredero.
Vamos a matarlo y *nos quedaremos* con su herencia'.
Le *echaron* mano, lo *sacaron* del viñedo y *lo mataron*.

II LECTURA Filipenses 4,6–9 LEU

Lectura de la carta del apóstol san Pablo a los filipenses

No se inquieten por nada.
En *cualquier* circunstancia recurran a la *oración* y a la súplica,
junto a la *acción de gracias* para presentar
sus *peticiones* a Dios.
Entonces *la paz* de Dios,
que es mucho *mayor* de lo que se puede *imaginar*,
les *guardará* su corazón y sus pensamientos en Cristo Jesús.
Por lo demás, *hermanos*,
fíjense en *todo* lo que encuentren de *verdadero*,
de *noble*, de *justo*, de *limpio*,
en *todo* lo que es *hermoso* y *honrado*.
Fíjense en cuanto *merece* admiración y alabanza.
Todo lo que han aprendido, recibido y oído de *mí*,
todo lo que me han visto hacer, *háganlo*.
Y el Dios de la paz *estará* con ustedes.

Dirígete con actitud reposada y tranquila a la asamblea. Exhórtalos a vivir íntimamente unidos al Señor, a fin que alcancen la anhelada paz que él regala.

Invita con particular insistencia a asumir los auténticos valores presentes en su propia comunidad y a apropiarse del ejemplar testimonio rendido por el apóstol Pablo.

EVANGELIO Mateo 21,33–43 LEU

Lectura del santo Evangelio según san Mateo

En aquel tiempo,
dijo Jesús a los *sumos* sacerdotes y a los *senadores* del pueblo:
"Escuchen este *otro* ejemplo:
Había un dueño de casa que plantó una *viña*,
le puso *cerca*, *cavó* un lagar, *levantó* una torre,
la *alquiló* a unos trabajadores y se fue a un país *lejano*.
Cuando *llegó* el tiempo de la vendimia
el dueño *mandó* a sus sirvientes donde los trabajadores
para que *cobraran* su parte de la cosecha.
Pero los trabajadores *atacaron* a los enviados,
apalearon a uno, *mataron* a otro, y a otro lo *apedrearon*.
El propietario *volvió* a enviar a otros servidores,
más numerosos que la primera vez,
pero los trataron de la *misma* manera.
Por *último* envió a *su hijo*, pensando:
'*Respetarán* a mi hijo'.
Pero los trabajadores, al ver al hijo, se *dijeron*:
'Éste es el *heredero*;
matémoslo y nos quedaremos con su *herencia*'.
Lo *tomaron*, pues, lo echaron *fuera* de la viña y lo *mataron*.

Recita cuidadosamente esta parábola. Hazlo con la originalidad y la frescura que lo harías al leer por primera vez este pasaje. Aunque lo conozcas de memoria, procura apreciar con ojos nuevos el conjunto del relato.

Antes de describir el comportamiento violento de los trabajadores, haz una ligera pausa y utiliza un tono severo para referir su equivocado proceder.

Proclama el "pensamiento en voz alta" del propietario. Recítalo con la actitud valiente y decidida de quien se "juega el todo por el todo".

Refiere con voz apesadumbrada la reacción inicua con la cual los viñadores dieron muerte al hijo del propietario.

de Israel y el consecuente traspaso de la viña a otro pueblo. Ambos relatos también pueden considerarse como complementarios, puesto que el primero resalta las cosas desde la perspectiva de un viñador desencantado de su viña, y el segundo mira los acontecimientos a partir de la óptica de los arrendatarios abusivos.

Conviene destacar con toda claridad la dimensión cristológica de la parábola evangélica. Tanto la referencia al envío del Hijo como la alusión a la ejecución de éste fuera de la ciudad son detalles suficientes que permiten hacer una lectura en clave cristológica. Por si fuera poco encontramos una cita del Salmo 118 que ha sido releído a la luz de los eventos pascuales, y que nos interpreta la resurrección de Jesús, como el evento con el cual el Padre reivindicó a su Hijo de la afrenta de su ejecución.

Aunque el relato termina con una sentencia severa contra el pueblo de Israel, no conviene hacer lecturas superficiales que fomenten la hostilidad contra "nuestros hermanos mayores". Lo más sensato es "curarnos en cabeza ajena" y extraer la lección correspondiente: los cristianos no hemos de incurrir en el error de administrar equivocadamente la viña que el Señor nos ha confiado. Al contrario, necesitamos exigirnos la respuesta generosa y decidida que el Señor espera del Nuevo Israel.

EVANGELIO continuación LM

Ahora, *díganme*: cuando *vuelva* el dueño del viñedo,
¿*qué hará* con esos viñadores?" Ellos le respondieron:
"*Dará* muerte terrible a *esos desalmados*
y *arrendará* el viñedo a *otros* viñadores,
que le entreguen los frutos *a su tiempo*".
Entonces *Jesús* les dijo:
"¿No han leído *nunca* en la Escritura:
La piedra que *desecharon* los constructores,
es *ahora* la piedra angular.
Esto es obra *del Señor* y es un prodigio *admirable*?
Por *esta* razón les digo a ustedes
que les *será quitado* el Reino de Dios
y se le *dará* a un pueblo que *produzca* sus frutos".

EVANGELIO continuación LEU

Ahora bien, cuando *venga* el dueño de la viña,
¿*qué* hará con ellos?"
Los oyentes de Jesús le *contestaron*:
"Hará *morir* sin compasión a esa gente tan *mala*,
y *arrendará* la viña a otros que le paguen a su *debido* tiempo".
Jesús agregó: "¿No han leído *nunca* lo que dice la Escritura?
'La *piedra* que los constructores *desecharon*
llegó a ser la piedra *principal* del edificio.
Ésa es la *obra* del Señor y nos dejó *maravillados*'.
Por *eso* les digo que el Reino de los Cielos
les será *quitado* a ustedes
para *dárselo* a gente que *rinda* frutos".

Lee con distintos tonos de voz el breve diálogo final sostenido entre Jesús y sus interlocutores.

Concluye la narración con un tono reposado, propio de un maestro que extrae una dolorosa lección de los sucesos referidos.

28º DOMINGO DEL TIEMPO ORDINARIO

I LECTURA El oráculo mesiánico que encontramos en este pasaje maneja el motivo del banquete universal que el Señor ha preparado para festejar su rotunda y definitiva victoria sobre la muerte y sus secuelas. Desde la perspectiva cristiana podemos asociar el referido monte del oráculo comunicado por Isaías, con el monte Sión en el cual fue crucificado, sepultado y victoriosamente resucitado el Señor Jesús, dando así cumplimiento a las promesas mesiánicas. Al ser librado de la muerte por obra de su Padre, Jesús se constituye en la primicia de la victoria universal que Dios conseguirá sobre la muerte.

II LECTURA En la sección final (4,10–22) correspondiente a los agradecimientos y saludos conclusivos, san Pablo rinde una sentida manifestación de gratitud a los cristianos de Filipos, quienes generosamente se solidarizaron con él durante los penosos días de su encarcelamiento. Además de externarles su gratitud, les recuerda que tienen el privilegio de haber sido la única comunidad eclesial de la cual él aceptó recibir donativos económicos. Y les puntualiza, que dicha muestra de humildad no afectó en nada su autonomía económica y su libertad misionera. El autor aprovecha la ocasión para reafirmar su firme convicción de que Jesús le ha dado las fuerzas necesarias para enfrentar por igual la escasez que la abundancia, la hartura y la estrechez.

Indudablemente, esta confesión no es un desplante demagógico del apóstol, sino la declaración sincera de alguien que no quiere coartar su libertad misionera, y que tampoco busca abusar de su autoridad apostólica para reclamar privilegios a las comunidades fundadas por él.

Esta actitud noble que el apóstol testimonia es una llamada de atención para no enturbiar la trasparencia de la vocación misionera con los intereses mezquinos que se anidan en nuestro corazón.

I LECTURA Isaías 25,6–10 L M

Lectura del libro del profeta Isaías

En *aquel* día,
el *Señor* del universo *preparará* sobre este monte
un *festín* con platillos *suculentos* para todos los pueblos;
un *banquete* con vinos *exquisitos* y manjares *sustanciosos*.
Él *arrancará* en este monte el velo que cubre
el rostro de *todos* los pueblos,
el paño que *oscurece* a todas las naciones.
Destruirá la muerte *para siempre*;
el Señor Dios *enjugará* las lágrimas de *todos* los rostros
y *borrará* de *toda* la tierra la *afrenta* de su pueblo.
Así lo ha dicho *el Señor*.
En *aquel* día se dirá: "*Aquí* está nuestro Dios,
de quien *esperábamos* que nos salvara.
Alegrémonos y *gocemos* con la *salvación* que nos trae,
porque la *mano* del Señor *reposará* en *este* monte".

II LECTURA Filipenses 4,12–14.19–20 L M

Lectura de la carta del apóstol san Pablo a los filipenses

Hermanos:
Yo sé lo que es *vivir* en pobreza
y también lo que es tener *de sobra*.
Estoy acostumbrado *a todo*:
lo mismo a comer bien que a pasar *hambre*;
lo mismo a la abundancia que a *la escasez*.
Todo lo puedo unido a aquél que *me da* fuerza.
Sin embargo, han hecho ustedes *bien* en socorrerme
cuando *me vi* en dificultades.
Mi Dios, por su parte, con su *infinita* riqueza,
remediará con esplendidez *todas* las necesidades de ustedes,
por medio de *Cristo Jesús*.
Gloria a Dios, nuestro *Padre*, por *los siglos* de los siglos. *Amén*.

I LECTURA Isaías 25,6–10 LEU

Lectura del libro del profeta Isaías

El Señor de los Ejércitos *preparará* para todos los pueblos,
en este cerro,
una *comida* con jugosos asados y *buenos* vinos,
un *banquete* de carne y vinos *escogidos*.
En este cerro *quitará* el velo de luto que *cubría* a todos
los pueblos
y la mortaja que *envolvía* a todas las naciones.
Y así *destruirá* para siempre a la *Muerte*.
El Señor Dios *enjugará* las lágrimas de *todos* los rostros;
devolverá la honra a su pueblo, y a *toda* la tierra,
pues así lo ha *determinado* el Señor.
Entonces dirán: "Miren, *éste* es nuestro *Dios*,
de quien esperábamos que nos *salvara*:
Éste es el Señor, en quien *confiábamos*.
Ahora estamos *contentos* y nos alegramos
porque nos ha *salvado*;
pues la *mano* del Señor se nota en este cerro".

Proclama con ánimo efusivo y con gran entusiasmo este mensaje esperanzador que Dios comunica a todas las naciones. Destaca con voz vibrante las menciones expresas a la aniquilación de cada uno de los símbolos asociados con el luto y la muerte.

Reafirma con mucha seguridad que es la firme voluntad del Señor la que conseguirá erradicar para siempre el mal de en medio de todas las naciones.

Recita este párrafo final con el tono propio de una acción de gracias dirigida al Señor Dios. Hazlo con la naturalidad y la emoción que lo harías al estar contemplando la victoria ahí afirmada.

II LECTURA Filipenses 4,12–14.19–20 LEU

Lectura de la carta del apóstol san Pablo a los filipenses

Sé pasar *privaciones*, como vivir en la *abundancia*.
Estoy entrenado para *cualquier* momento o situación:
estar *satisfecho* o hambriento, en la abundancia
o en la *escasez*.
Yo lo puedo *todo* en aquél que me *fortalece*.
Sin embargo, hicieron bien al *compartir* mis pruebas.
Estoy *seguro* que mi Dios proveerá a *todas* las necesidades
de ustedes,
según su *riqueza* y su generosidad, en *Cristo* Jesús.
Gloria a Dios, nuestro *Padre*, por los siglos de los siglos.
Amén.

Recita esta confesión con un tono humilde y modesto que denote la confianza con que te diriges a tus lectores. Procura hacerlo sin mostrar orgullo o presunción en tus palabras.

Conviene remarcar suficientemente la afirmación teológica más importante: "Yo lo puedo todo en aquél que me fortalece".

Culmina tu lectura con un tono de viva alabanza y gratitud al Señor.

EVANGELIO Mateo continua desarrollando el tema del rechazo de Israel que había comenzado a exponer desde el capítulo anterior. La sección presente distingue claramente dos partes. Aparentemente, estas dos partes podrían ser consideradas como contrapuestas, puesto que mientras que la primera concluye con la explícita afirmación de que el rey invitó al banquete a buenos y malos (verso 10). En los versos finales, el episodio de la expulsión del convidado que no iba vestido con traje de fiesta alude a la conducta coherente que hay que asumir para participar del banquete.

En realidad, la oposición es más aparente que real, puesto que lo que cuenta a los ojos del Señor que ofrece la fiesta es la conducta mostrada a partir del momento en que los invitados aceptaron participar e ingresar al banquete. Lo que hayan hecho o dejado de hacer con anterioridad es intrascendente, puesto que la salvación ofrecida por Jesús no se alcanza en base a los méritos humanos es una graciosa donación. Sin embargo, a quien ya le ha sido otorgado el alimento ofrecido en el banquete, le corresponde responder a dicha llamada, viviendo coherentemente con la voluntad del Señor.

Concentrando particularmente nuestra atención en la parte sustancial del relato, a saber, la narración parabólica, hemos de decir que ésta es una reiterada denuncia de la negativa mostrada por gran parte del pueblo de Israel ante el ofrecimiento del Reino de Dios. De manera especial, se destacan los sucesivos envíos de los mediadores proféticos que Dios les mandó, y que fueron ignorados y maltratados por sus contemporáneos. Como ocurre en estos capítulos finales, también aquí reaparece el tema del traspaso del Reino a manos de otro pueblo, es decir, de las naciones paganas, quienes, sin poder alegar los privilegios concedidos a Israel, son invitados por pura gratuidad a participar del banquete del Reino.

EVANGELIO Mateo 22,1–14 LM

Lectura del santo Evangelio según san Mateo

En *aquel* tiempo, *volvió* Jesús a hablar en parábolas
a los *sumos* sacerdotes
y a los *ancianos* del pueblo, diciendo:
"*El Reino* de los cielos es *semejante* a un rey
que preparó un *banquete de bodas* para su hijo.
Mandó a sus criados que *llamaran* a los invitados,
pero éstos *no quisieron* ir.
Envió de nuevo a otros criados que les dijeran:
'*Tengo preparado* el banquete;
he hecho *matar* mis terneras y los otros animales gordos;
todo está listo.
Vengan a la boda'. Pero los invitados *no hicieron caso.*
Uno se fue a su campo, *otro* a su negocio
y los demás se les echaron *encima* a los criados,
los insultaron y *los mataron*.
Entonces el rey *se llenó* de cólera
y mandó sus tropas, que dieron *muerte* a aquellos asesinos
y prendieron *fuego* a la ciudad.
Luego les dijo a sus criados:
'La boda está preparada; pero los que habían sido invitados
no fueron dignos.
Salgan, pues, a los cruces de los caminos
y *conviden* al banquete de bodas a *todos* los que encuentren'.
Los criados salieron a *los caminos*
y reunieron *a todos* los que encontraron, *malos y buenos*,
y la sala del banquete *se llenó* de convidados.
Cuando el rey *entró* a saludar a los convidados
vio entre ellos a un hombre que no iba vestido
con *traje de fiesta* y le preguntó:
'*Amigo, ¿cómo* has entrado aquí *sin traje de fiesta*?'
Aquel hombre se quedó callado.
Entonces el rey dijo a los criados:
Átenlo de pies y manos y *arrójenlo fuera*, a *las tinieblas*.
Allí será el llanto y *la desesperación*.
Porque *muchos* son los llamados y *pocos* los escogidos'".

EVANGELIO Mateo 22,1–14 LEU

Lectura del santo Evangelio según san Mateo

En aquel tiempo *volvió* a hablar Jesús en *parábolas*
a los sumos sacerdotes
y a los senadores del pueblo, diciendo:
"Pasa en el *Reino* de los Cielos lo que le *sucedió* a *un rey*
que celebró las *bodas* de su hijo.
Mandó a sus servidores a llamar a los *invitados* a las bodas,
pero éstos *no* quisieron venir.
Por *segunda* vez despachó a otros criados,
con *orden* de decir a los invitados:
'Tengo *listo* el banquete,
hice *matar* terneras y otros animales gordos
y *todo* está a punto; *vengan*, pues, a las bodas'.
Pero ellos no hicieron *caso*,
sino que se *fueron*, unos a sus *campos* y otros
a sus *negocios*.
Los *demás* tomaron a los criados del rey,
los *maltrataron* y los *mataron*.
El rey se *enojó* y, enviando a sus *tropas*,
acabó con aquellos asesinos y les *incendió* la ciudad.
Después dijo a sus servidores:
'El *banquete* de bodas está *preparado*,
pero los que habían sido invitados *no* eran dignos.
Vayan, pues, a las esquinas de las *calles*
y *conviden* a la boda *a todos* los que encuentren'.
Los criados salieron *inmediatamente* a los caminos
y reunieron *a todos* los que hallaron, malos y buenos,
de modo que la sala quedó *llena* de invitados.
[El rey entró *después* a ver a los que estaban *sentados* a la mesa,
y se *fijó* en un hombre
que *no* estaba vestido con traje de *fiesta*.
Y le dijo: '*Amigo*, ¿cómo entraste aquí *sin* traje de fiesta?'
Pero el otro se quedó *callado*.
Entonces el *rey* dijo a sus servidores:
'*Amárrenlo* de pics y manos y échenlo *fuera*, a las tinieblas,
donde no hay sino llanto y *desesperación*.
Sepan que *muchos* son los llamados, pero *pocos* los escogidos'".]

Recita esta narración con la seguridad de haber sido testigo ocular de los eventos ahí referidos. Destaca suficientemente la expresión relativa al Reino de los cielos.

Narra pausadamente los sucesivos envíos de emisarios del rey. Procura hacer una pausa entre una y otra invitación. Refiere con tono desencantado el rechazo y la reacción violenta que muestran los invitados.

Proclama con gran reciedumbre y determinación la decisión postrera del rey de invitar indiscriminadamente a todos a su fiesta. Registra con entusiasmo el desenlace final, que refiere el ingreso de numerosos invitados al banquete.

Narra esta escena final con un tono que revele la molestia e indignación que experimenta el rey ante el atrevimiento del convidado que no iba vestido convenientemente. Recita el proverbio final de manera pausada y reflexiva.

16 DE OCTUBRE DE 2005

29º DOMINGO DEL TIEMPO ORDINARIO

I LECTURA Isaías 45,1.4–6 LM

Lectura del libro del profeta Isaías

Así *habló* el Señor a Ciro, su *ungido*,
a quien ha tomado *de la mano*
para *someter ante él* a las naciones y *desbaratar*
la potencia de los reyes,
para abrir *ante él* los portones y que no quede *nada* cerrado:
"Por amor a *Jacob*, mi siervo, y *a Israel*, mi escogido,
te *llamé* por tu nombre y *te di* un título de honor,
aunque *tú no me conocieras*.
Yo soy el Señor y *no hay otro*; fuera de mí *no hay* Dios.
Te hago *poderoso*, aunque tú no me conoces,
para que *todos* sepan, de oriente a occidente,
que *no hay* otro Dios fuera de mí.
Yo soy el Señor y *no hay* otro".

I LECTURA El Segundo Isaías se mantuvo atento a los movimientos militares y políticos que se sucedían en el contorno próximo a Israel. Con esa mirada creyente y escrutadora, consiguió discernir cuáles eran los proyectos que estaban sostenidos e inspirados por la voluntad divina. Indudablemente, el profeta consiguió advertir algunos signos palpables que le permitieron entender que el victorioso monarca persa estaba siendo alentado por la fuerza divina, razón por la cual él se atrevía a designarlo como el ungido del Señor. En dos ocasiones (ver 45,4–5), el autor afirma expresamente que el monarca aludido desconoce por completo al Dios de Israel, mostrándonos así que los misteriosos caminos por los cuáles el Señor actúa son insondables al común de los mortales.

II LECTURA 1 Tesalonicenses 1,1–5 LM

Lectura de la primera carta del apóstol san Pablo a los tesalonicenses

Pablo, Silvano y Timoteo
deseamos *la gracia y la paz* a la comunidad
cristiana de los tesalonicenses,
congregada por *Dios Padre* y por *Jesucristo*, el Señor.
En *todo* momento damos gracias a Dios *por ustedes*
y los tenemos *presentes* en nuestras oraciones.
Ante *Dios*, nuestro Padre,
recordamos *sin cesar* las obras que *manifiestan* la fe de ustedes,
los *trabajos fatigosos* que ha *emprendido* su amor
y la *perseverancia* que les da su esperanza
en *Jesucristo*, nuestro Señor.
Nunca perdemos de vista, hermanos *muy amados* de Dios,
que *él* es quien *los ha elegido*.
En efecto, nuestra predicación del Evangelio entre ustedes
no se llevó a cabo *sólo* con palabras,
sino *también* con la *fuerza* del Espíritu Santo,
que produjo en ustedes *abundantes* frutos.

II LECTURA Aproximadamente hacia el año 50, el apóstol Pablo toma la determinación de escribir esta carta pastoral para prolongar por medio de la comunicación escrita su presencia en la Iglesia de Tesalónica.

San Pablo no pudo concluir satisfactoriamente la evangelización de dicha comunidad, porque fue repentinamente expulsado de esa ciudad por algunos individuos hostiles al Evangelio. Estando preocupado por algunas incertidumbres presentes entre dichos cristianos, relativas al destino de los difuntos, lo mismo que por las persecuciones sufridas por algunos cristianos de esa Iglesia, él se decide a mandarles esta calurosa misiva.

En efecto, en la introducción Pablo hace un elogio notable de dicha comunidad eclesial. En particular, agradece al Señor la manera dinámica con la cual viven la fe, la esperanza y la caridad.

I LECTURA Isaías 45,1.4–6 L E U

Lectura del libro del profeta Isaías

Así habla el Señor a Ciro, su *elegido*:
Yo te he *llevado* de la mano
para que las naciones se *rindan* a tu *paso*
y que desarmes a los reyes.
Hice que las puertas de las ciudades se *abrieran* ante ti
y que *no* volvieran a *cerrarse*.
Por *amor* a mi servidor Jacob,
a *Israel*, mi *elegido*,
te he *llamado* por tu nombre
y te he *dado* un título de nobleza *sin que tú me conocieras*.
Yo *soy* el Señor, y no hay *otro* igual,
fuera de mí *no* hay ningún otro Dios.
Sin que me conocieras te *hice* tomar las *armas*,
para que *todos* sepan, del oriente al poniente,
que *nada* existe *fuera* de mí.
Yo *soy* el Señor, y no hay *otro* igual.

Proclama con vivo entusiasmo y gran esperanza este atrevido anuncio profético, por medio del cual el Señor se dirige a Ciro para investirlo como su ungido.

Realza el tono afectivo y personal con el cual el Señor le habla al rey de los persas y lo constituye como un guerrero victorioso.

Destaca especialmente la doble mención ("Yo soy el Señor, y no hay otro igual") con la cual se cierra esta última alocución con la que el Señor se revela como el soberano de todo el universo.

II LECTURA 1 Tesalonicenses 1,1–5b L E U

Lectura de la primera carta del apóstol san Pablo a los tesalonicenses

Pablo, Silvano y Timoteo a la Iglesia de los *Tesalonicenses*,
que *está* en Dios *Padre* y en *Cristo* Jesús el Señor.
Permanezcan con ustedes la gracia y la paz.
Damos *gracias* a Dios a *toda* hora por *ustedes*,
teniéndolos *presentes* en nuestras oraciones,
y constantemente *recordamos* a Dios, nuestro *Padre*,
lo que *emprendieron* por fe,
la labor que *cumplieron* por amor
y lo que *soportaron* por su esperanza
en *Cristo* Jesús nuestro *Señor*.
Hermanos *amados* por Dios,
no olvidamos en qué circunstancias fueron *llamados* a la fe.
Pues les *llevamos* el Evangelio, *no* solamente con *palabras*,
sino con manifestaciones del *poder* de Dios,
y *abundantes* comunicaciones del *Espíritu* Santo.

Proclama el encabezado de esta carta con la necesaria solemnidad. Subraya con vivo acento los nombres y títulos dados a Dios y a Jesús.

Después de hacer una corta pausa, exclama tus más sinceras gracias por el saludable estado en que se mantiene la iglesia de Tesalónica.

Con un tono verdaderamente cariñoso, dirígete a la asamblea y extiéndeles el ferviente recordatorio que el apóstol les hace.

EVANGELIO Los interlocutores de Jesús eligen ingeniosamente una cuestión espinosa, como lo era el asunto de los tributos exigidos por Roma, para enredarle y poderle condenar. El Señor les responde con un ingenio extraordinario. Primero, sienta una premisa básica al solicitarles una moneda romana; ellos se la muestran de inmediato porque ordinariamente utilizan esas monedas para sus transacciones económicas. Con ese mismo hecho, Jesús les está recordando que son ellos—y no él—los que aceptan la vigencia del sistema económico imperial.

Enseguida continúa Jesús su argumentación manejando el motivo de la imagen impresa en la moneda y el criterio de la restitución de los bienes a sus legítimos poseedores. Si las monedas llevan la efigie del césar a él el pertenecen y hay que restituírselas, y lo mismo tiene que hacerse con aquellos que llevan impresa de manera indeleble la imagen de Dios, es decir, todas las personas.

Dada la manipulación y el control que fariseos y herodianos ejercían arbitrariamente sobre la conciencia y la libertad de tantos israelitas, podemos afirmar que el acento de la sentencia dada por Jesús recae principalmente en la segunda parte. Antes que cualquier otra urgencia, debe ponerse un freno a la manipulación y al abuso que esos dirigentes mencionados ejercen sobre las personas. Éstas no son objetos que puedan ser manejados para satisfacer los intereses particulares de nadie. Las personas son exclusiva propiedad de Dios, tal como lo demuestra la argumentación hecha a partir del motivo de la imagen, y nadie puede disponer de ellas, sino solamente aquél que es su Señor.

EVANGELIO Mateo 22,15–21 LM

Lectura del santo Evangelio según san Mateo

En *aquel* tiempo,
se reunieron los *fariseos* para ver la manera
de *hacer caer* a Jesús,
con preguntas *insidiosas*, en algo de que *pudieran* acusarlo.
Le enviaron, pues, a *algunos* de sus secuaces,
junto con algunos del *partido de Herodes*, para que le dijeran:
"*Maestro*, sabemos que *eres sincero* y enseñas con verdad
el camino de Dios,
y que *nada* te arredra, porque *no buscas* el favor *de nadie*.
Dinos, pues, *qué* piensas:
¿Es lícito o no *pagar* el tributo *al César*?"
Conociendo Jesús *la malicia* de sus intenciones, les contestó:
"*Hipócritas*, *¿por qué* tratan de sorprenderme?
Enséñenme la moneda del tributo".
Ellos le presentaron una moneda.
Jesús les preguntó:
"*¿De quién* es esta imagen y *esta* inscripción?"
Le respondieron: "*Del César*".
Y Jesús *concluyó*:
"Den, pues, *al César* lo que es *del César*,
y a *Dios* lo que es *de Dios*".

EVANGELIO Mateo 22,15–21 LEU

Lectura del santo Evangelio según san Mateo

En aquel tiempo, los *fariseos* se retiraron e hicieron *consejo*
para *hacerle* decir algo a Jesús de que pudieran *acusarlo*.
Por eso le *enviaron* discípulos suyos
y algunos partidarios de *Herodes*.
Éstos le dijeron:
"*Maestro*, sabemos que hablas *siempre* con sinceridad
y que *enseñas* el camino de Dios
de acuerdo con la más pura *verdad*;
no te preocupas de quién te oye
ni te dejas *influenciar* por él.
Danos, pues, tu *parecer*:
¿está *permitido* o no, *pagar* el impuesto al César?"
Jesús *comprendió* su maldad y les contestó:
"*Hipócritas*, ¿por qué me ponen *trampas*?
Muéstrenme la moneda con que se *paga* el impuesto".
Ellos, pues, mostraron un *denario*, y Jesús les dijo:
"¿De *quién* es esta cara y el nombre que está *escrito*?"
Contestaron: "Del *César*".
Entonces Jesús *replicó*:
"Por lo *tanto*, den al César lo *que es* del César,
y a Dios lo que a Dios *corresponde*".

Introduce a la asamblea en este relato exhibiendo detenidamente el carácter insidioso y torcido de los interlocutores que quieren engañar a Jesús.

Recita con tono halagador la serie de alabanzas que fariseos y herodianos dirigen a Jesús a fin de "suavizarlo" y distraerlo.

Proclama con voz enérgica la respuesta firme de Jesús que descubre la trampa que le quieren tender. Con cierto tono de molestia, recita la pregunta que él les dirige.

Concluye la lectura, enunciando de manera firme y tajante el proverbio con el cual Jesús "cierra la boca" a sus interlocutores.

23 DE OCTUBRE DE 2005

30º DOMINGO DEL TIEMPO ORDINARIO

I LECTURA La sección que nos presenta la liturgia de hoy se estructura en razón de una temática común. Son normas que regulan el comportamiento de los hijos de Israel en relación a las personas más desprotegidas. El legislador se ocupa de poner límites contra los abusos ejercidos contra las personas desvalidas. En efecto, las categorías ahí mencionadas (huérfanos, viudas, pobres) tienen en común el rasgo de la vulnerabilidad.

Los pobres carecen de tierras y, por lo tanto, están desprovistos de derechos. Los huérfanos y las viudas han perdido la protección que podría garantizarles el jefe de familia. En esa situación Dios se erige como su defensor, dando leyes protectoras que garanticen un tratamiento justo para ellos. Abiertamente, el Señor se presenta como el protector de estas personas, y le recuerda al resto del pueblo que se mantendrá atento al clamor de los débiles, los auxiliará y dará su merecido a los abusivos y explotadores.

II LECTURA En la sección introductoria de esta carta, encontramos un extenso párrafo dedicado por san Pablo a darle gracias a Dios por el favorable estado en que se encuentra la Iglesia de Tesalónica. El apóstol hace un par de afirmaciones bastante notables a propósito de la condición ejemplar en que se encuentra dicha comunidad. Además de destacar su carácter de Iglesia modelo para el resto de las comunidades, los presenta como imitadores de él mismo y de Jesús, esto en razón de la reciedumbre y la fortaleza con que han acogido la palabra en medio de persecuciones y dificultades.

El atrevimiento mostrado por el autor llega a tal grado que afirma que el comportamiento ejemplar de la Iglesia de

I LECTURA Éxodo 22,20–26 LM

Lectura del libro del Éxodo

Esto dice el Señor a *su pueblo*:
"*No hagas* sufrir *ni oprimas* al extranjero,
porque ustedes *fueron* extranjeros en Egipto.
No explotes a las viudas *ni a los huérfanos*,
porque si los explotas y ellos *claman* a mí,
ciertamente oiré yo *su clamor*;
mi ira *se encenderá*, te *mataré* a espada,
tus mujeres *quedarán* viudas y tus hijos, *huérfanos*.
Cuando *prestes* dinero a uno de mi pueblo,
al pobre que está contigo,
no te portes con él como *usurero*, *cargándole* intereses.
Si *tomas* en prenda el *manto* de tu prójimo,
devuélveselo *antes* de que se ponga el sol,
porque *no tiene* otra cosa con qué cubrirse;
su manto es *su único* cobertor
y si no se lo devuelves, ¿*cómo* va a dormir?
Cuando él *clame* a mí, *yo* lo escucharé,
porque *soy* misericordioso".

II LECTURA 1 Tesalonicenses 1,5–10 LM

Lectura de la primera carta del apóstol san Pablo a los tesalonicenses

Hermanos:
Bien saben *cómo* hemos actuado entre ustedes *para su bien*.
Ustedes, por su parte, se hicieron *imitadores* nuestros y del Señor,
pues en medio de *muchas* tribulaciones
y con la *alegría* que da el *Espíritu Santo*,
han *aceptado* la palabra de Dios *en tal forma*,
que han llegado a ser *ejemplo* para *todos* los creyentes
de Macedonia y Acaya,
porque de ustedes partió y se ha difundido la palabra del Señor;

I LECTURA Éxodo 22,20–26 LEU

Lectura del libro del Éxodo

Esto dice el Señor:
No maltratarás *ni* oprimirás a los *extranjeros*,
ya que *también* ustedes fueron *extranjeros* en tierra de Egipto.
No harán daño a la *viuda* ni al *huérfano*.
Si ustedes lo *hacen*, ellos *clamarán* a mí, y yo *escucharé* su clamor,
se despertará mi *enojo* y a ustedes los *mataré* a espada;
viudas quedarán sus *esposas* y huérfanos sus *hijos*.
Si *prestas* dinero a uno de *mi* pueblo,
a los *pobres* que tú *conoces*,
no serás como el *usurero*,
no le exigirás *interés*.
Si tomas en prenda el *manto* de tu *prójimo*,
se lo *devolverás* al ponerse el sol,
pues este manto *cubre* el cuerpo de tu prójimo y *protege* su piel;
si no, ¿*cómo* podrá dormir?
Si no se lo *devuelves*, él *clamará* a mí,
y yo lo *escucharé* porque soy *compasivo*.

Proclama cada una de estas tres normas con firmeza y autoridad. Hazlo en el nombre de Dios mismo, que legisla a favor de los débiles y necesitados. Procura hacer una breve pausa entre la recitación de cada uno de esos mandatos.

Recita de forma condicionada el segundo mandamiento. Hazlo con voz persuasiva y sugerente, a fin de que tus lectores queden convencidos de los valores que les estás inculcando.

Refiere de igual manera esta última norma, al pronunciar la advertencia final utiliza un tono más exigente y decidido.

II LECTURA 1 Tesalonicenses 1,5c–10 LM

Lectura de la primera carta del apóstol san Pablo a los tesalonicenses

Ya saben cómo nos portamos entre ustedes y por ustedes.
A su vez, ustedes se pusieron a *imitarnos* a nosotros y al *mismo* Señor
cuando, al recibir la *Palabra*, encontraron mucha *oposición*
y a la vez la *alegría* del Espíritu Santo.
Ustedes *mismos* pasaron a ser un modelo
para los *creyentes* de Macedonia y de Acaya,
pues a *partir* de ustedes,
la *palabra* del Señor se *difundió* en Macedonia y Acaya y aún *más allá*.

Con ánimo satisfecho, refiere la conducta ejemplar con la cual los tesalonicenses han imitado el proceder del apóstol Pablo y del mismo Señor Jesús.

Ésta es la alabanza más importante que el apóstol hace de esta Iglesia. Cuídate de destacarla debidamente ante la asamblea.

Tesalónica ha llegado a ser palabra del Señor. Según lo dicho aquí por el autor, no sólo Jesús muerto y resucitado es anunciado. También se anuncia por todos lados como palabra del Señor, el modo extraordinario como estos cristianos han acogido la buena nueva de la salvación.

Es tanto el aprecio que Pablo muestra por esta Iglesia modelo que no vacila en usar un lenguaje hiperbólico y excesivo cuando afirma: "Su fe en Dios ha llegado a ser conocida, de tal manera, que nosotros ya no teníamos necesidad de decir nada."

EVANGELIO **Conociendo los saduceos, que Jesús había dejado enmudecidos a sus tradicionales rivales del partido fariseo, se envalentaron y fueron a ponerle una compleja pregunta, con la pretensión de mostrar que ellos sí podrían dejar en ridículo a Jesús.**

Conscientes de la creencia extendida de que, quien desea obedecer la ley de Dios, tiene que cumplirla a cabalidad, porque de otro modo no podría presentarse como discípulo obediente del único Señor y legislador (cumpliendo unas normas y descuidando otras). Sabedores también de que los mandamientos presentes en los primeros cinco libros de la Biblia eran aproximadamente 613, según la cuenta que hacían los fariseos del tiempo de Jesús, le plantean una pregunta que aparentemente resultaba imposible de resolver: "¿Cuál es el mandamiento principal?".

Jesús asocia el mandamiento del amor a Dios con el mandamiento del amor al prójimo, recogidos en Deuteronomio 6,5 y en Levítico 19,18, y los presenta no como lo que son en realidad, es decir, dos mandatos diferentes y distintos, sino como la síntesis inseparable del mandato principal. La elección que hace Jesús es por demás atinada, puesto que "el que diga 'yo amo a Dios' mientras odia a su hermano, es un embustero, porque quien no ama a hermano, a quien está viendo, a Dios, a quien no ve, no puede amarlo" (ver 1 Juan 4,20).

II LECTURA continuación

L M

y *su fe* en Dios ha llegado a ser conocida,
no sólo en Macedonia y Acaya, sino en *todas* partes;
de *tal manera*, que nosotros ya *no teníamos* necesidad
de decir nada.
Porque ellos mismos cuentan de *qué* manera tan favorable
nos acogieron ustedes
y cómo, *abandonando* los ídolos,
se *convirtieron* al Dios *vivo y verdadero* para servirlo,
esperando que venga desde el cielo su Hijo, *Jesús*,
a quien *él resucitó* de entre los muertos,
y es quien *nos libra* del castigo venidero.

EVANGELIO Mateo 22,34–40

L M

Lectura del santo Evangelio según san Mateo

En *aquel* tiempo, habiéndose *enterado* los fariseos
de que *Jesús* había dejado *callados* a los saduceos,
se acercaron a él.
Uno de ellos, que era *doctor* de la ley,
le preguntó para ponerlo *a prueba*:
"Maestro, ¿cuál es el mandamiento *más grande* de la ley?"
Jesús le respondió:
"Amarás al Señor, tu Dios, con *todo* tu corazón,
con *toda* tu alma y con *toda* tu mente.
Éste es el *más grande* y *el primero* de los mandamientos.
Y el segundo *es semejante* a éste:
Amarás a tu prójimo *como a ti mismo*.
En estos *dos* mandamientos se fundan *toda* la ley y los profetas".

II LECTURA continuación LEU

La *fe* que tienen en Dios se comunicó a *tantos* lugares
que no necesitamos decir más al *respecto*.
Todos hablan del *éxito* que tuvimos entre ustedes
y cómo se *convirtieron* a Dios, dejando los *ídolos*;
cómo *empezaron* a servir al Dios vivo y verdadero,
esperando que del cielo *venga* su Hijo Jesús,
al que *resucitó* de entre los muertos;
Jesús, el que nos *libera* de la condenación que está por *venir*.

Pausadamente, ve enunciando cada uno de los aspectos positivos que Pablo reconoce a esta Iglesia. Expresa este reconocimiento con la profunda satisfacción de saber que esos hermosos frutos son también el resultado de tu labor evangelizadora.

EVANGELIO Mateo 22,34–40 LEU

Lectura del santo Evangelio según san Mateo

En aquel tiempo,
los fariseos vieron cómo *Jesús* había dejado *callados*
a los saduceos
y se pusieron de *acuerdo* para juntarse con él.
Uno de ellos, un *maestro* de la Ley,
trató de averiguar su *parecer* con esta pregunta:
"*Maestro*, ¿cuál es el mandamiento más *importante*
de la Ley?"
Jesús le respondió:
"'*Amarás al* Señor tu Dios con *todo* tu corazón,
con *toda* tu alma y con *toda* tu mente'.
Éste es el *primero* y el más importante de los mandamientos.
Pero hay otro *semejante* a éste:
'Amarás a tu *prójimo* como a *ti* mismo'.
Toda la Ley y los Profetas se *fundamentan* en estos
dos *mandamientos*".

Introduce con voz serena la aparición de estos interlocutores que pretenden desafiar la sensatez del Señor Jesús. Descríbelos con la seguridad de saberte testigo directo de este encuentro.

Recita la pregunta del maestro de la ley con la fingida ignorancia de un maestro que pretende tomar por sorpresa a su oponente.

Proclama con gran seguridad y firme convicción la respuesta de Jesús. Ve remarcando con la debida fuerza cada una de las palabras con que son enunciados estos dos inseparables mandatos.

31er. DOMINGO DEL TIEMPO ORDINARIO

I LECTURA Un profeta que lleva un título por nombre (Malaquías significa "mensajero del Señor"), y que muy probablemente realizó su ministerio profético durante el siglo V, recrimina particularmente el proceder errado de los sacerdotes de Jerusalén. Los versículos que entresaca la liturgia denuncian especialmente el que los sacerdotes ofrezcan al pueblo una instrucción y enseñanza erróneas, puesto que en lugar de responder con acierto a las cuestiones y consultas que el pueblo les planteaba les ofrecían respuestas desacertadas que los desorientaban y los desconcertaban. Más aún, al transmitir sus sentencias, practicaban el favoritismo y eran parciales hacia determinadas personas, incurriendo así en prácticas de corrupción.

Como castigo a sus desatinos, el Señor trastornará completamente sus funciones, y tornará sus palabras y fórmulas de bendición en verdaderas maldiciones que acarrearán la desgracia sobre los fieles. Desprovistos del poder y de la función de bendecir al pueblo, estos sacerdotes quedarán convertidos en una permanente amenaza para sus hermanos.

II LECTURA En el recordatorio que el apóstol Pablo hace de la labor misionera que recientemente había llevado a cabo en la comunidad de Tesalónica, menciona entre otras cosas la conducta desinteresada con la cual él y sus colaboradores proclamaron el mensaje cristiano en dicha ciudad, el cariñoso trato con el cual atendieron a los hermanos, la autonomía y la independencia económica conseguida con el fruto de su propio trabajo. Finalmente, menciona la disposición efectiva para entregarles la vida, si tal cosa fuera necesaria.

Todos estos enunciados son referidos como una autoevaluación positiva que los misioneros hacen de su labor desempeñada durante la evangelización de Tesalónica.

I LECTURA Malaquías 1,14—2,2.8–10 LM

Lectura del libro del profeta Malaquías

"*Yo soy* el rey soberano, dice el *Señor* de los ejércitos;
mi nombre es *temible* entre las naciones.
Ahora les voy a dar a ustedes, sacerdotes, estas advertencias:
Si *no me escuchan*
y si *no* se proponen *de corazón* dar gloria *a mi nombre,*
yo mandaré contra ustedes la maldición".
Esto dice el Señor de los ejércitos:
"Ustedes *se han apartado* del camino,
han hecho tropezar *a muchos* en la ley;
han *anulado* la alianza que hice
con la tribu sacerdotal de Leví.
Por eso yo los hago *despreciables y viles* ante *todo* el pueblo,
pues *no han seguido* mi camino
y han aplicado la ley *con parcialidad*".
¿*Acaso* no tenemos todos *un mismo* Padre?
¿No nos ha creado un mismo Dios?
¿Por qué, pues, nos *traicionamos* entre hermanos,
profanando así la alianza de nuestros padres?

II LECTURA 1 Tesalonicenses 2,7–9.13 LM

Lectura de la primera carta del apóstol san Pablo a los tesalonicenses

Hermanos:
Cuando estuvimos *entre ustedes*,
los tratamos con la *misma* ternura
con la que una madre *estrecha* en su regazo a sus pequeños.
Tan *grande* es nuestro afecto *por ustedes*,
que *hubiéramos* querido entregarles,
no solamente el Evangelio de Dios,
sino *también* nuestra *propia* vida,
porque han llegado a sernos *sumamente* queridos.
Sin duda, *hermanos*, ustedes se acuerdan
de nuestros *esfuerzos* y fatigas,

I LECTURA Malaquías 1,14b—2,2b.8–10 LEU

Lectura del libro del profeta Malaquías

Yo soy un Rey *poderoso* y todo el mundo *tiembla*
al oír mi nombre,
dice el *Señor* de los Ejércitos.
Para ustedes, *sacerdotes*, es también esta *advertencia*.
Si *no* la escuchan *ni* se preocupan de *glorificar* mi nombre,
dice el *Señor* de los Ejércitos,
les lanzaré la *maldición*.
Ustedes,
declara el *Señor* de los Ejércitos,
se han *desviado* de mi camino,
con su enseñanza han hecho *caer* a muchos,
así han *roto* ustedes la alianza de Leví.
Por eso yo *permití* que todo el pueblo los *despreciara*
y los considerara *indignos*,
debido a que ustedes se *separaron* de mí
y *favorecieron* a unos más que a otros con sus *fallos*.
¿No tenemos *todos* un mismo padre?
¿No nos ha creado a todos un *mismo* Dios?
¿Por qué, entonces, cada uno de nosotros *traiciona*
a su hermano,
profanando la alianza de nuestros padres?

Proclama estas palabras con un tono severo que denote la molestia e indignación con la cual el profeta denuncia los graves errores cometidos por los sacerdotes de Jerusalén.

Pronuncia con tono fulminante e inapelable la sentencia decisiva que Malaquías proclama en contra de los ministros del altar.

II LECTURA 1 Tesalonicenses 2,7b–9.13 LEU

Lectura de la primera carta del apóstol san Pablo a los tesalonicenses

Imitamos a la madre que *calienta* a su hijo en su regazo:
era tal nuestra *ternura* hacia ustedes que hubiéramos *querido*,
junto con entregarles el Evangelio,
entregarles *también* nuestra propia vida.
¡Tan grande era el *cariño* que les teníamos!
Hermanos, ustedes *recuerdan* nuestros trabajos y fatigas:
mientras les *predicábamos* el Evangelio de *Dios*,
trabajábamos de noche y de día,
para no ser carga para *ninguno* de ustedes.
Por lo tanto, nosotros *no* cesamos de dar *gracias* a Dios
porque al *recibir* de nosotros la *enseñanza* de Dios,

Recita con ánimo humilde y modesto este recordatorio positivo que el apóstol hace de la labor misionera que cumplieron en Tesalónica. Enfatiza especialmente el tono cariñoso con el cual el apóstol se dirige a sus queridas "criaturas".

Haz una pausa antes de recitar la acción de gracias con la cual Pablo celebra la acogida creyente que dichos cristianos mostraron ante el anuncio cristiano.

Sin embargo, en el versículo final que la liturgia nos proclama el autor cambia de horizonte y rinde sinceras gracias a Dios por la acogida creyente que los hombres y mujeres de Tesalónica dieron a sus palabras. Siendo Pablo y sus colaboradores personas normales, que transmitían su mensaje religioso por medio de palabras, éstas eran palabras verdaderamente humanas, pero fueron acogidas e interpretadas como palabras provenientes del mismo Dios. Como tales, fueron obedecidas y escuchadas por los convertidos de dicha ciudad.

La actitud sensata que los tesalonicenses mostraron ante el mensaje proclamado por Pablo los benefició grandemente, pues con el esfuerzo de su fe activa, ellos alcanzaron la salvación prometida.

EVANGELIO **En la sección del Evangelio de Mateo que nos ocupa encontramos que Jesús hace una confrontación clara entre el comportamiento manipulador y vertical de los dirigentes judíos y la actitud fraternal y horizontal que se reclama a los dirigentes cristianos. El autor parte de las premisas básicas de la fraternidad cristiana, la paternidad divina y el señorío de Jesús. Así que, si todos los bautizados somos antes que nada hermanos, si reconocemos el exclusivo y único señorío de Jesús y si confesamos que el único Padre que puede disponer soberanamente de sus hijos es Dios, no tiene cabida al interior de la comunidad cristiana ninguna practica que pretenda mantener a los hermanos, como menores de edad, es decir, como personas que necesitan ser controladas y dirigidas por sus autoridades.**

La exposición concluye con una concisa exhortación y un mandato encaminado a que los que en la Iglesia son tenidos por mayores o más importantes, asuman su vocación de servidores de sus hermanos.

II LECTURA continuación — LM

pues, trabajando *de día* y *de noche*,
a fin de *no ser* una carga para *nadie*,
les hemos *predicado* el Evangelio de Dios.
Ahora damos gracias a Dios *continuamente*,
porque *al recibir* ustedes la palabra que les hemos predicado,
la aceptaron, *no* como palabra humana,
sino como lo que *realmente* es: palabra de Dios,
que *sigue* actuando en ustedes, los creyentes.

EVANGELIO Mateo 23,1–12 — LM

Lectura del santo Evangelio según san Mateo

En *aquel* tiempo, *Jesús* dijo a las multitudes y a sus discípulos:
"En la *cátedra* de Moisés se han *sentado* los escribas y fariseos.
Hagan, pues, *todo* lo que les digan,
pero *no imiten* sus obras, porque *dicen* una cosa y *hacen* otra.
Hacen fardos *muy pesados* y *difíciles* de llevar
y los *echan* sobre las espaldas de los hombres,
pero ellos *ni con el dedo* los quieren mover.
Todo lo hacen para que *los vea* la gente.
Ensanchan las filacterias y las franjas del manto;
les agrada *ocupar* los *primeros* lugares en los banquetes
y los asientos *de honor* en las sinagogas;
les gusta que los saluden en las plazas
y que la gente los llame '*maestros*'.
Ustedes, en cambio, *no dejen* que los llamen '*maestros*',
porque *no tienen* más que un Maestro
y *todos* ustedes son *hermanos*.
A *ningún* hombre sobre la tierra lo llamen '*padre*',
porque el *Padre* de ustedes es *sólo* el Padre celestial.
No se dejen llamar '*guías*', porque el guía de ustedes es
solamente Cristo.
Que *el mayor* de entre ustedes sea *su servidor*,
porque el que se enaltece *será humillado*
y el que se humilla *será enaltecido*".

II LECTURA continuación LEU

ustedes la *aceptaron*,
no como enseñanza de *hombres*,
sino como la *palabra* de Dios.
Lo es *realmente*,
y por eso está *actuando* entre ustedes que creen.

EVANGELIO Mateo 23,1–12 LEU

Lectura del santo Evangelio según san Mateo

En aquel tiempo,
Jesús habló al pueblo y a sus discípulos de *esta* manera:
"Los maestros de la Ley y los fariseos *ocupan* el puesto de Moisés.
Hagan y cumplan *todo* lo que dicen, pero *no* los imiten,
ya que ellos *enseñan* y no *cumplen*.
Preparan *pesadas* cargas, muy *difíciles* de llevar,
y las echan sobre las *espaldas* de la gente,
pero ellos *ni siquiera* levantan un dedo para moverlas.
Todo lo hacen para *aparentar* ante los hombres:
por eso hacen *muy* anchas las cintas de la Ley que llevan colgando,
y *muy* largos los flecos de su manto.
Les gusta ocupar los *primeros* asientos en los banquetes
y los *principales* puestos en las sinagogas;
también les gusta que los *saluden* en las plazas
y que la gente les diga: '*Maestro*'.
No se dejen llamar '*Maestro*',
porque un *solo* Maestro tienen ustedes,
y todos ustedes son *hermanos*.
Tampoco deben decirle '*Padre*' a *nadie* en la tierra,
porque *un solo* Padre tienen:
el que está en el *cielo*.
Ni deben hacerse llamar '*Jefe*',
porque para ustedes Cristo es el jefe *único*.
Que el más *grande* de ustedes se haga *servidor* de los demás.
Porque el que se hace grande será *rebajado*,
y el que se *humilla* será *engrandecido*".

Proclama estas severas palabras de Jesús con firmeza y determinación. Ve recitando pausadamente y con energía cada una de las denuncias dirigidas hacia los dirigentes de Israel.

Haz una pausa al concluir la lectura del versículo séptimo. Ahora se impone usar un tono exhortativo y persuasivo. Resalta de manera particular la afirmación de la condición fraterna que une a todos los creyentes.

Recita cada una de las tres prohibiciones de manera diferenciada. Destaca suficientemente el papel del Padre y de Jesucristo. Concluye proclamando sugestivamente las exhortaciones contenidas en los dos últimos versículos.

1° DE NOVIEMBRE DE 2005

TODOS LOS SANTOS

I LECTURA En el presente capítulo del libro del Apocalipsis, Juan nos ofrece el desvelamiento de la visión triunfal que nos muestra a una muchedumbre incontable de cristianos victoriosos que confiesan la suprema victoria de Dios y del Cordero. Valiéndose de una pregunta didáctica el autor nos explica la identidad de los que van vestidos con una túnica blanca. También nos aclara que se trata de cristianos que rindieron el supremo testimonio del martirio, que mostraron su total fidelidad a Jesús y que han conseguido, gracias a la entrega total de su vida, la regeneración y la salvación plenas.

En cuanto a la cifra de los 144,000, hemos de entender que es antes que nada una cifra simbólica que resulta de la combinación de 12 por 12 por mil. En cuanto al primer número, el 12, es de sobra conocida la asociación de tal número con las tribus de Israel; en cuanto al número 1,000, este designa no precisamente a diez centenas, sino a una muchedumbre inmensa de personas. Decodificando el simbolismo de tal cifra, hemos de decir que los 144,000 marcados simbolizan al multitudinario número de los cristianos fieles a su Señor. Estos cristianos vencedores aparecen en esta visión dando "la vuelta olímpica", exhibiendo la alegría plena que les proporciona la cercanía definitiva con Dios y el Cordero.

II LECTURA La afirmación básica que encontramos en este capítulo versa sobre la filiación divina común a todos los bautizados, tema que pudiera considerarse bastante tradicional para nuestro punto de vista actual, pero que, en la época en que fue escrita esta carta, no lo era tanto—sobre todo si recordamos que en el Antiguo Testamento se creía en la paternidad divina en relación al rey y al pueblo de Israel en general, pero no se predicaba lo mismo de cada individuo tomado de manera particular.

I LECTURA Apocalipsis 7,2–4.9–14 LM

Lectura del libro del Apocalipsis del apóstol san Juan

Yo, Juan, vi a un ángel que venía del oriente.
Traía consigo el sello del *Dios vivo*
y gritaba con voz *poderosa* a los cuatro ángeles
encargados de hacer daño *a la tierra y al mar*.
Les dijo:
"¡*No hagan daño* a la tierra, ni al mar, ni a los árboles,
hasta que terminemos de *marcar* con el sello
la frente de los servidores de nuestro Dios!"
Y pude oír *el número* de los que habían sido marcados:
eran *ciento cuarenta y cuatro mil*,
procedentes de *todas* las tribus de Israel.
Vi luego una muchedumbre *tan grande*,
que *nadie* podía contarla.
Eran individuos de *todas* las naciones y razas,
de todos los pueblos y lenguas.
Todos estaban de pie, *delante* del trono y del Cordero;
iban vestidos con una túnica *blanca*;
llevaban *palmas* en las manos
y exclamaban con voz *poderosa*:
"La salvación *viene* de nuestro Dios,
que está *sentado* en el trono, y *del Cordero*".
Y *todos* los ángeles que estaban alrededor del trono,
de los ancianos y de los *cuatro* seres vivientes,
cayeron *rostro* en tierra delante del trono
y adoraron a Dios, diciendo:
"*Amén*. La alabanza, *la gloria*, la sabiduría, *la acción de gracias*,
el honor, *el poder* y la fuerza,
se le deben *para siempre* a nuestro Dios".
Entonces uno de los ancianos me preguntó:
"¿*Quiénes* son y *de dónde* han venido los que llevan
la túnica blanca?"
Yo le respondí: "Señor mío, *tú eres* quien lo sabe".
Entonces él me dijo:
"Son los que han pasado por la *gran persecución*
y *han lavado y blanqueado* su túnica
con la *sangre* del Cordero".

I LECTURA Apocalipsis 7,2–4.9–14 LEU

Apocalipsis de la apóstol san Juan

Yo, *Juan,* vi a otro ángel.
Vino del oriente llevando el *sello* del Dios vivo
y gritó con voz *poderosa* a los cuatro *ángeles*
autorizados para hacer mal a la tierra y al mar:
"No hagan mal a la tierra, ni al mar, ni a los *árboles*
hasta que hayamos señalado en la frente
a los *servidores* de nuestro Dios".
Supe entonces el número de los *señalados* con el sello:
ciento cuarenta y cuatro mil, de *todas* las tribus
de los hijos de Israel.
Después de esto, vi un gentío *inmenso* imposible de contar,
de *toda* nación, raza, pueblo y *lengua*
que estaba de pie *delante* del trono y del Cordero,
vestidos de blanco.
Llevaban *palmas* en las manos y *gritaban* con voz poderosa:
"¿*Quién* salva sino nuestro Dios que se *sienta* en el trono
y el *Cordero*?"
Todos los ángeles permanecían en torno al *trono,*
a los Ancianos y a los cuatro Vivientes;
se *postraron* entonces ante el *trono,*
con el rostro en tierra para *adorar* a Dios.
Decían: "Amén.
Alabanza, gloria, sabiduría, acción de gracias,
honor, poder y fuerza a *nuestro Dios*
por los siglos de los siglos. *Amén*".
En ese momento, uno de los Ancianos *tomó* la palabra
y me dijo:
"*Éstos* que visten ropas blancas,
¿*quiénes* son y de *dónde* vienen?"
Yo contesté: "Señor, Tú eres el que lo *sabes*".
El anciano replicó: "Son los que llegan de la *gran* persecución:
lavaron y blanquearon sus vestiduras
en la *sangre* del Cordero".

Recita esta escena inaugural con voz tranquila y pausada. Proclama con energía y firmeza la orden dada por el ángel venido del oriente. Revela con un tono de cierto misterio el número preciso de los marcados.

Haz una breve pausa antes de describir al contingente que lleva túnicas blancas y palmas de victoria. Haz resonar de manera desafiante la pregunta que lanzan estos vencedores.

Entona con entusiasmo creciente la alabanza que proclaman los ancianos y los cuatro vivientes.

Introduce la pregunta del Anciano con ánimo de verdadera curiosidad. Del mismo modo, recita con gran énfasis la respuesta final ofrecida por el mismo personaje.

Resulta así que la "democratización" de la realidad incomparable de la filiación divina es una novedad que nos ha acarreado la revelación cristiana de manera directa. Si esa trasformación interior, que Dios obra en cada uno de los creyentes, no ha alcanzado su plenitud en las condiciones históricas presentes, estamos seguros de que esa renovación total y plena de nuestra persona será una realidad en el momento de nuestro encuentro último y definitivo con Dios Padre. Mientras tanto, estamos urgidos de vivir de acuerdo a nuestra condición de auténticos hijos de Dios, y no como hijos del maligno (ver 3,10).

EVANGELIO **Atinadamente, la liturgia de hoy nos presenta esta proclama de las bienaventuranzas en la solemnidad de Todos los Santos. Implícitamente, nos está recordando que el proyecto de vida que estas sentencias encierran está abierto a todos los bautizados. Dado que todos hemos participado de la regeneración interior, todos habremos de asumir como propio el mensaje y el espíritu de las bienaventuranzas.**

De manera particular, la versión más amplia que nos ofrece el Primer Evangelio (recuerda que Lucas solamente nos refiere cuatro bienaventuranzas, mientras que Mateo nos transmite nueve) es presentada como una serie de actitudes vividas por el cristiano. Destaca en primer lugar la vivencia de la relación con Dios, asumida con una sencillez, confianza y humildad totales, como las que experimenta un niño pequeño al estar en brazos de su madre (Salmo 131,2). Quien se sabe apoyado y sostenido por Dios tiene la entereza y la audacia suficientes para encarnar los valores de la misericordia, la mansedumbre y la fortaleza ante las persecuciones y las estrecheces materiales que le sobrevienen por causa de su fidelidad a Dios y a su Hijo Jesús.

II LECTURA 1 Juan 3,1–3 LM

Lectura de la primera carta del apóstol san Juan

Queridos hijos:
Miren *cuánto amor* nos ha tenido el Padre,
pues *no sólo* nos llamamos hijos de Dios, *sino que lo somos*.
Si el mundo *no nos reconoce*, es porque *tampoco* lo ha reconocido *a él*.
Hermanos *míos*, ahora somos *hijos* de Dios,
pero *aún* no se ha manifestado *cómo seremos* al fin.
Y *ya sabemos* que, cuando él se manifieste,
vamos a ser *semejantes* a él,
porque lo veremos *tal cual es*.
Todo el que tenga puesta en Dios *esta* esperanza,
sc purifica *a sí mismo*
para ser tan puro *como él*.

EVANGELIO Mateo 5,1–12 LM

Lectura del santo Evangelio según san Mateo

En aquel tiempo,
cuando Jesús *vio* a la muchedumbre, *subió* al monte y se sentó.
Entonces se le acercaron sus discípulos.
Enseguida comenzó a enseñarles, hablándoles *así*:
"*Dichosos* los pobres de espíritu,
porque *de ellos* es el Reino de los cielos.
Dichosos los que lloran, porque *serán consolados*.
Dichosos los sufridos, porque *heredarán* la tierra.
Dichosos los que tienen *hambre y sed* de justicia,
porque serán *saciados*.
Dichosos los misericordiosos, porque *obtendrán* misericordia.
Dichosos los limpios de corazón, porque *verán* a Dios.
Dichosos los que trabajan *por la paz*,
porque se les llamará *hijos de Dios*.
Dichosos los perseguidos por *causa de la justicia*,
porque *de ellos* es el Reino de los cielos.
Dichosos serán ustedes, cuando los injurien, *los persigan*
y digan cosas *falsas* de ustedes por *causa mía*.
Alégrense y salten de contento, porque su premio
será grande en los cielos".

II LECTURA 1 Juan 3,1–3 LEU

Lectura de la primera carta del apóstol san Juan

Vean qué amor *singular* nos ha dado el Padre,
que no solamente nos llamamos *hijos* de Dios
sino que lo *somos,*
y por eso el mundo *no* nos conoce
porque *no* lo conoció a él.
Amados, desde ya *somos* hijos de Dios
aunque no se ha manifestado lo que *seremos* al fin.
Pero *ya* lo sabemos:
cuando él se *manifieste* en su gloria
seremos *semejantes* a él,
porque lo veremos *tal* como es.
Cuando alguien *espera* de él una cosa así,
procura ser limpio como *él* es limpio.

Proclama con plena seguridad la certeza de tu filiación divina. Al hacerlo, siéntete partícipe de la gran familia de los hijos de Dios.

Dirígete a la asamblea con una actitud verdaderamente cariñosa, como lo harías al comunicarte con tus hermanos y familiares más cercanos.

Exhorta a la asamblea con voz firme y exigente e invítales a conducirse conforme a su verdadera condición filial.

EVANGELIO Mateo 5,1–12a LEU

Lectura del santo Evangelio según san Mateo

En aquel tiempo, Jesús,
al ver a toda esa *muchedumbre,* subió al cerro.
Allí se sentó y sus *discípulos* se le acercaron.
Comenzó a *hablar,* y les enseñaba así:
"*Felices* los que tienen *espíritu* de pobre,
porque de ellos es el *Reino* de los Cielos.
Felices los que *lloran,*
porque recibirán *consuelo.*
Felices los *pacientes,*
porque recibirán la *tierra* en herencia.
Felices los que tienen *hambre* y sed de *Justicia,*
porque serán *saciados.*
Felices los *compasivos,* porque obtendrán *misericordia.*
Felices los de corazón *limpio,* porque ellos *verán* a Dios.
Felices los que trabajan por la *paz,*
porque serán *reconocidos* como hijos de Dios.
Felices los que son *perseguidos* por causa del bien,
porque de ellos es el *Reino* de los Cielos.
Dichosos ustedes cuando por causa mía los *maldigan,*
los *persigan*
y les levanten *toda* clase de *calumnias.*
Alégrense y muéstrense *contentos,*
porque será *grande* la recompensa que recibirán en el *cielo*".

Informa pausadamente a la asamblea de las circunstancias precisas y de la condición peculiar de los interlocutores a los cuales Jesús dirigió las bienaventuranzas.

Recita detenidamente las primeras ocho bienaventuranzas. Haz una pequeñísima pausa entre la primera parte (felices los que lloran) y la segunda (porque recibirán consuelo). Esta última ha de ser recitada con gran firmeza y seguridad.

Al llegar a la última bienaventuranza utiliza un tono esperanzador que anime a tus hermanos a llenarse de fortaleza para enfrentar las pruebas que les sobrevengan por razón de su fidelidad a Jesús.

TODOS LOS FIELES DIFUNTOS

I LECTURA Daniel 12,1–3 LM

Lectura del libro del profeta Daniel

En aquel tiempo, se levantará *Miguel*,
el gran *príncipe* que defiende a tu pueblo.
Será aquel un tiempo de *angustia*,
como no lo hubo desde el *principio* del mundo.
Entonces se *salvará* tu pueblo;
todos aquellos que están escritos en *el libro*.
Muchos de los que *duermen*
en el polvo,
despertarán:
unos para la vida *eterna*,
otros para el eterno castigo.
Los guías sabios *brillarán* como el esplendor del firmamento,
y los que enseñan a muchos la *justicia*,
resplandecerán como *estrellas* por toda la eternidad.

II LECTURA Romanos 6,3–9 LM

Lectura de la carta del apóstol san Pablo a los romanos

Todos los que hemos sido *incorporados* a Cristo Jesús
por medio del *bautismo*,
hemos sido *incorporados* a su muerte.
En efecto,
por el *bautismo* fuimos sepultados con él en su muerte,
para que, así como Cristo *resucitó* de entre los *muertos*
por la *gloria* del Padre,
así también nosotros *llevemos* una vida nueva.
Porque, si hemos estado *íntimamente* unidos a él
por una muerte *semejante* a la suya,
también lo estaremos en su *resurrección*.
Sabemos que *nuestro viejo* yo fue crucificado con *Cristo*,
para que el cuerpo del *pecado* quedara *destruido*,
a fin de que ya no *sirvamos* al pecado,
pues el que ha *muerto* queda *libre* del *pecado*.

I LECTURA El capítulo 12 del libro de Daniel es proclamado de acuerdo a la secuencia ordinaria de la literatura escatológica, la cual anuncia el advenimiento de un período de adversidad y sufrimientos que es considerado como el anticipo de la salvación definitiva que Dios regalará a sus fieles. Como dice el refrán popular, "después de la tempestad viene la calma". En el mensaje esperanzador que anuncia Daniel sobresale una afirmación clara y cierta acerca de la resurrección y la vida eterna, reservada a aquellos que se convierten al Señor y comunican fielmente su mensaje. Indudablemente, también aparece afirmada la creencia en el fracaso rotundo y definitivo de los que porfían en la maldad y la injusticia.

El libro de Daniel proclama como algo novedoso el anuncio de la resurrección. Posteriormente, en el curso progresivo de la revelación, dicha afirmación será clarificada y ampliada gracias al mensaje cristiano desvelado por Jesús.

II LECTURA Con las imágenes de la esclavitud y la consecuente liberación, del injerto y la inmersión en el agua bautismal, Pablo expone magistralmente el misterio de la vida nueva que Dios participa a cuantos creen en su hijo Jesús. El apóstol explica las dos dimensiones fundamentales de dicho proceso. De un lado, afirma la participación en la muerte de Cristo, aplicándola a la eliminación de la inclinación egoísta y pecadora que se anida en el corazón del ser humano. Del otro lado, acentúa la vivencia y la incorporación del creyente en la resurrección y la existencia gloriosa de Jesús.

La experiencia de la participación sacramental en el misterio pascual de Cristo no queda agotada en la misma ceremonia bautismal. Al contrario, marca perdurablemente al sujeto y lo encamina a la vivencia

I LECTURA Daniel 12,1–3 LEU

Lectura del libro del profeta Daniel

En aquel tiempo se levantará *Miguel*,
el *Gran* Jefe que defiende a tu pueblo.
Será aquel un tiempo de *angustia*,
como *nunca* hubo desde el *comienzo* del mundo hasta ahora.
Entonces serán *salvados* todos aquellos que estén inscritos
en el *Libro*.
Muchos de los que *duermen* en la Región del Polvo
se *despertarán*,
unos para la vida *eterna*,
otros para el rechazo y la *pena* eterna.
Los *justos* brillarán como el *resplandor* del firmamento.
Los que enseñaron a muchos la *justicia*,
brillarán como las *estrellas* por toda la eternidad.

Recita la primera parte de este anuncio con ánimo cauteloso, como dando a entender la gravedad y la complejidad que encierra este mensaje doloroso.

Cambia el tono de voz. Utiliza un ritmo distinto que contagie esperanza y ánimo en los oyentes. Subraya particularmente la parte positiva del mensaje: la resurrección y la vida eterna.

Concluye con particular entusiasmo, reafirmando la certeza de la gloriosa trasformación que alcanzarán los justos y los que instruyeron a otros en el camino de la justicia.

II LECTURA Romanos 6,3–9 LM

Lectura de la carta del apóstol san Pablo a los romanos

Los que fuimos *sumergidos* por el bautismo en Cristo Jesús,
fuimos sumergidos con él para *participar* de su muerte.
Pues al ser *bautizados* fuimos *sepultados* junto con *Cristo*
para *compartir* su muerte,
a fin de que, al *igual* que Cristo,
quien fue *resucitado* de entre los muertos
por la *gloria* del Padre,
también nosotros *caminemos* en una vida nueva.
Hemos sido *injertados* en él en una muerte como la suya
pero también *participaremos* de su resurrección.
Comprendan bien esto:
con Cristo fue *crucificado* algo de nosotros,
el hombre *viejo*,
a fin de que fuera *destruido*
lo que de nuestro cuerpo estaba *esclavizado al* pecado
y de esta manera nunca más seamos *esclavos* del pecado.
Pues el que ha muerto ha quedado definitivamente
libre del pecado.

El apóstol está describiendo un proceso personal que han vivido todos los miembros de la comunidad. Es importante que resaltes suficientemente el carácter testimonial de estas afirmaciones.

Al exponer con esta segunda imagen (injerto) el misterio de la participación sacramental en la muerte y resurrección de Cristo, conviene que utilices un tanto paciente, propio de un maestro que explica lecciones complejas a sus discípulos.

continuada de un nuevo modo de vida, conforme al estilo de vida asumido por Cristo Jesús.

La transformación interior que vive el bautizado lo regenera interiormente y lo habilita a la vez para configurarse con Jesús, su Señor y modelo. El apóstol no está postulando aquí un voluntarismo fincado en los propios esfuerzos humanos, sino la adecuación de la propia vida con la nueva condición creada en cada persona a partir de su bautismo.

EVANGELIO **El dato fundamental que esta pequeña sección del Evangelio de Juan nos participa es el de la misión fundamental que el Padre ha asignado a su hijo, la cual consiste en que este último acate su voluntad y mantenga en la fidelidad a todos aquellos que él le ha confiado. En esta solemne declaración, Jesús nos puntualiza que él ha recibido en donación la vida y la persona de todos aquellos que le buscan con fe y decisión. Con esta enseñanza, Jesús nos explica que el proceso de fe nace y se inicia gracias a la iniciativa amorosa del Padre, cumplida fielmente por el Hijo y coronada plenamente a partir de la resurrección universal.**

La mediación indispensable que permitirá acceder a la vida eterna es la contemplación y la acogida creyente del Hijo de Dios. Por lo tanto, todo aquél que escuche la buena nueva sobre Jesús muerto y resucitado y la acoja con fe y decisión ha pasado a formar parte de la herencia que el Padre ha confiado al celoso cuidado de su Hijo. Los que hemos acogido de manera creyente el mensaje cristiano hemos de sabernos parte de la valiosa encomienda que Dios le asignó a su hijo amado: hacernos partícipes de su misma vida.

La celebración de Todos los Fieles Difuntos es una coyuntura oportuna que nos recuerda la meta y el destino final al que vamos caminando: la participación en la vida y el misterio del amor de Dios.

II LECTURA continuación LM

Por lo tanto,
si hemos *muerto* en Cristo,
estamos seguros de que también *viviremos* con él;
pues sabemos que *Cristo* una vez *resucitado*
de entre los muertos, ya *nunca* morirá.
La muerte *ya no* tiene *dominio* sobre él.

EVANGELIO Juan 6,37–40 LM

Lectura del santo Evangelio según san Juan

En aquel tiempo,
Jesús dijo a la *multidud*:
Todo aquel que me *da* el *Padre* viene hacia *mí*;
y al que *viene* a mí yo no lo echaré *fuera*,
porque he bajado del *cielo*,
no para *hacer* mi voluntad,
sino la *voluntad* del que me envió.
Y la *voluntad* del que me envió
es que yo no *pierda* nada de lo que él me ha dado,
sino que lo *resucite* en el *último* día.
La *voluntad* de mi Padre *consiste* en
que todo el que *vea* al *Hijo* y crea en él,
tenga vida *eterna* y yo lo *resucitaré* en el último *día*".

II LECTURA continuación LEU

Por lo tanto, si hemos *muerto* con Cristo,
creemos también que *viviremos* con él,
sabiendo que Cristo, una vez *resucitado* de entre los muertos,
ya no muere *más*:
la muerte ya no tiene dominio sobre él.

Al concluir tu lectura, elige un tono exhortativo que anime a la asamblea a vivir decididamente su condición de criaturas liberadas de sus inclinaciones pecadoras.

EVANGELIO Juan 6,37–40 LEU

Lectura del santo Evangelio según san Juan

Todo lo que *el Padre* me ha *dado* vendrá a *mí*,
y yo *no rechazaré* al que venga a mí,
porque yo he *bajado* del *cielo*, no para hacer mi propia
voluntad, sino la *voluntad* del que me ha *enviado*.
Y la *voluntad* del que me ha enviado es que yo no *pierda*
nada de lo que él me ha dado, sino que lo *resucite*
en el último *día*.
La voluntad de mi *Padre* es que toda persona que ve al *Hijo*
y cree en él tenga *vida eterna*: y yo lo *resucitaré*
en el *último día*.

Recita esta confesión íntima que Jesús nos participa con voz humilde y obediente. Estás compartiendo una misión particular que Dios Padre te ha confiado.

Subraya con especial énfasis las palabras claves (voluntad del Padre, envío, resurrección y vida eterna) de esta lectura. Remarca también la respuesta humana indispensable en este proceso de salvación: creer en el Hijo de Dios.

32º DOMINGO DEL TIEMPO ORDINARIO

I LECTURA En la sección que nos proclama la liturgia de hoy, encontramos la primera parte de una extensa alabanza de la referida virtud, en la cual el autor encarece sus bondades y atributos. El autor personifica a la sabiduría y la muestra operante y activa, saliendo al encuentro, tomando la iniciativa, haciéndose "la encontradiza", a fin de que todos aquellos que se afanan por conseguirla, la descubran y la amen. La lección sencilla que estos versos nos transmiten es que la sabiduría es un bien accesible a los seres humanos. No es como esos tesoros fabulosos que solamente existen en la fantasía popular, y que nunca encuentran los buscadores y aventureros. La sabiduría está "al alcance de la mano". Lo único que hace falta es salir a su encuentro y seguramente se le hallará.

II LECTURA En la sección doctrinal más importante de esta carta, san Pablo aborda los dos temas que más estaban preocupando en ese entonces a los cristianos de Tesalónica. En primer lugar, estaba el interrogante sobre cual sería la suerte de los cristianos que habían muerto en los años recientes, y que no estarían vivos para el día de la inminente llegada del Señor. En segundo lugar, estaba la cuestión de la imprevista y repentina venida del Señor.

En cuanto a la primera cuestión tratada en los versículos que nos proclama la liturgia de este domingo, el autor nos garantiza que "los que duermen" participarán también del triunfo final de Jesús, y que serán conducidos a su presencia. Al parecer el apóstol Pablo suponía que la parusía ocurriría en el lapso de unos pocos años, al punto que él mismo consideraba que ese ansiado suceso le sorprendería todavía con vida, razón por la cual él y los demás cristianos de su generación serían arrebatados entre las nubes para estar definitivamente con el Señor.

I LECTURA Sabiduría 6,12–16 LM

Lectura del libro de la Sabiduría

Radiante e incorruptible es la sabiduría;
con facilidad la contemplan quienes la aman
y ella se deja encontrar por quienes la buscan
y se anticipa a darse a conocer a los que la desean.
El que madruga por ella no se fatigará,
porque la hallará sentada a su puerta.
Darle la primacía en los pensamientos es prudencia consumada;
quien por ella se desvela pronto se verá
libre de preocupaciones.
A los que son dignos de ella,
ella misma sale a buscarlos por los caminos;
se les aparece benévola
y colabora con ellos en todos sus proyectos.

II LECTURA 1 Tesalonicenses 4,13–18 LM

Lectura de la primera carta del apóstol san Pablo a los tesalonicenses

Hermanos:
No queremos que *ignoren* lo que pasa con los difuntos,
para que no vivan *tristes*, como los que *no tienen* esperanza.
Pues, *si creemos* que Jesús *murió y resucitó*,
de *igual* manera debemos *creer* que, a los que murieron *en Jesús*,
Dios *los llevará* con él.
Lo que les decimos, como palabra del Señor, *es esto*:
que *nosotros*, los que quedemos vivos
para cuando *venga* el Señor,
no tendremos *ninguna* ventaja sobre los que *ya murieron*.
Cuando Dios mande que *suenen* las trompetas,
se *oirá* la voz de un arcángel
y el *Señor mismo* bajará del cielo.
Entonces, los que murieron en Cristo resucitarán *primero*;
después *nosotros*, los que quedemos vivos,
seremos arrebatados, *juntamente* con ellos
entre nubes por el aire,
para ir al *encuentro* del Señor, y así estaremos *siempre* con él.
Consuélense, pues, unos a otros con *estas* palabras.

I LECTURA Sabiduría 6,12–16 LEU

Lectura del libro de la Sabiduría

La sabiduría *resplandece* y no se enturbia su *fulgor*,
gustosa se deja *contemplar* por sus amantes
y se deja *hallar* por los que la *buscan*.
Ella se *adelanta* dándose a conocer a los que la *desean*.
Que si la buscas desde *temprano*, no tendrás que *afanarte*,
la encontrarás *sentada* en su puerta.
Meditar en ella es la inteligencia *perfecta*,
y el que se queda *velando* por ella,
estará pronto al *amparo* de preocupaciones.
Ella *misma* busca por todas partes los que son *dignos* de ella,
se les aparece *benévola* en el camino,
les viene al *encuentro* con *todos* sus pensamientos.

Recita esta entusiasta alabanza con la voz sincera y convencida que usarías para entonar un elogio a una persona muy estimada.

Refiere con voz lenta y pausada cada una de las afirmaciones y sentencias con las cuales el autor va describiendo el origen, la naturaleza y las bondades e la sabiduría.

II LECTURA 1 Tesalonicenses 4,13–18 LEU

Lectura de la primera carta del apóstol san Pablo a los tesalonicenses

Hermanos,
deseo que estén *bien enterados* acerca de los que ya *descansan*,
y no se pongan *tristes* como los demás,
que no tienen *esperanza*.
Pues *creemos* que Jesús murió para después *resucitar*,
y de la *misma* manera los que ahora *descansan* en Jesús
serán *también* llevados por Dios *junto* a Jesús.
Por la *misma* palabra del Señor les *afirmamos* esto:
Nosotros, que ahora *vivimos*,
si *todavía* estamos con vida cuando *venga* el Señor,
no nos *adelantaremos* a los que hayan *muerto*.
Habrá una *señal*,
el arcángel gritará, y *resonará* la trompeta de Dios:
entonces el propio Señor *bajará* del cielo,
y *primero* resucitarán los que murieron *en* Cristo.
Después nosotros, los vivos, los que *todavía* estemos,
nos *reuniremos* con *ellos*
llevados en las nubes al *encuentro* del Señor, allá *arriba*.
Y para *siempre* estaremos con el Señor.

Dirígete a la asamblea con tono cariñoso y fraternal. Exhórtalos a asumir con serenidad el doloroso trance de la muerte de sus seres queridos.

Reafirma con gran seguridad la esperanza cristiana. Enfatiza de manera especial cada uno de los verbos que afirman la realidad de la resurrección y el reencuentro con Jesús glorioso.

Proclama esta parte conclusiva con gran entereza. Estás transmitiendo datos y eventos cargados de misterio y esperanza. Procura hacerlo con la actitud grave y solemne que reclama dicho anuncio.

EVANGELIO Estamos ante una de las parábolas que solamente nos son referidas por el Primer Evangelio. En efecto, la parábola de "las diez vírgenes" es narrada exclusivamente por Mateo. Contrasta dos actitudes diametralmente opuestas: la vigilancia y la distracción, la responsabilidad personal de las cinco doncellas que llevan sus lámparas y su provisión de aceite y el confianzudo proceder de las otras cinco, que se quedaron a oscuras y sin aceite.

Los dos grupos ahí descritos simbolizan dos tipos de conducta presentes en cualquiera de las comunidades cristianas de todos los tiempos. Exhiben por un lado a los cristianos que lo son solamente de nombre y por factores culturales y de tradición familiar, y que, por lo tanto, no se preocupan de vivir coherentemente con la fe que supuestamente profesan. Del otro lado, están los cristianos militantes, que han asumido de manera personal y madura su propio compromiso bautismal, y que por lo mismo llevan consigo el aceite y la lámpara encendida, de su fidelidad al Señor Jesús, que llegará de repente.

La pintura que nos ofrece esta parábola es una llamada de atención a la vigilancia y a la responsabilidad. El evangelista está dándonos a entender que hay tiempo para cada cosa (Eclesiastés 3,1–8), para el descanso y el trabajo, para la fiesta y la siembra, para atender todos las preocupaciones humanas y para vivir nuestra relación personal con Dios. Implícitamente, el autor nos da a entender que mientras estamos disfrutando de la vida que Dios nos da, él nos trata con largueza y paciencia. Pero cuando llegue victorioso al final de la historia, ya no habrá prórrogas ni excusas, sino solamente la admisión o la exclusión en el banquete de bodas del Reino de Dios.

EVANGELIO Mateo 25,1–13 LM

Lectura del santo Evangelio según san Mateo

En *aquel* tiempo, *Jesús* dijo a sus discípulos esta parábola:
"El *Reino* de los cielos es semejante a *diez* jóvenes,
que tomando sus lámparas,
salieron al encuentro del esposo.
Cinco de ellas eran *descuidadas* y *cinco, previsoras*.
Las *descuidadas* llevaron sus lámparas,
pero *no llevaron* aceite para llenarlas de nuevo;
las previsoras, *en cambio*,
llevaron *cada una* un frasco de aceite junto con su lámpara.
Como el esposo *tardaba*, les entró sueño *a todas* y se durmieron.
A medianoche se oyó un grito:
'¡*Ya viene* el esposo! ¡*Salgan* a su encuentro!'
Se levantaron entonces *todas* aquellas jóvenes
y se pusieron a *preparar* sus lámparas,
y las descuidadas dijeron a las previsoras:
'*Dennos* un poco de su aceite,
porque nuestras lámparas se *están apagando*'.
Las previsoras les contestaron:
'*No*, porque *no va* a alcanzar para ustedes y para nosotras.
Vayan mejor a donde lo venden y *cómprenlo*'.
Mientras aquéllas iban a comprarlo, *llegó* el esposo,
y las que estaban listas *entraron con él* al banquete de bodas
y se *cerró* la puerta.
Más tarde llegaron las otras jóvenes y dijeron:
'*Señor*, señor, *ábrenos*'.
Pero *él* les respondió: 'Yo les *aseguro* que *no* las conozco'.
Estén, pues, *preparados*, porque *no saben* ni el día ni la hora".

EVANGELIO Mateo 25,1–13 LEU

Lectura del santo Evangelio según san Mateo

En *aquel* tiempo, dijo Jesús a sus *discípulos*:
"El *Reino* de los Cielos podrá ser *comparado* a diez *doncellas* que salieron con sus lámparas para *recibir* al novio.
De ellas, cinco eran *descuidadas* y las otras *previsoras*.
Las *descuidadas* tomaron sus lámparas como *estaban*, *sin* llevar más aceite.
Como el novio *demoraba* en llegar, se adormecieron *todas* y terminaron por quedarse *dormidas*.
Pero al llegar la *medianoche* alguien gritó:
'¡*Viene* el novio, *salgan* a recibirlo!'
Todas las doncellas se despertaron *inmediatamente* y *prepararon* sus lámparas.
Entonces las descuidadas dijeron a las previsoras:
'Dennos *aceite*, porque nuestras lámparas se están *apagando*'.
Las *previsoras* dijeron:
'Vayan *mejor* a comprarlo, pues el que nosotras tenemos no *alcanzará* para ustedes y para nosotras'.
Mientras iban a comprarlo vino el novio, y las que estaban preparadas *entraron* con él a la fiesta de las bodas, y *cerraron* la puerta.
Cuando llegaron las *otras* doncellas, dijeron:
'Señor, Señor, *ábrenos*'.
Pero él *respondió*: 'En verdad, *no las conozco*'.
Por eso permanezcan *vigilantes*, ya que *no saben* ni el día ni la hora".

Esta narración está organizada en tres escenas. Procura diferenciarlas claramente una de otra: la primera vigilia nocturna, la medianoche, la partida de las descuidadas. Al relatar cada una de esas secciones, utiliza un ritmo y un tono distintos.

Con voz jubilosa, entona el pregón escueto: "¡Viene el novio, salgan a recibirlo!". Enseguida relata con pesadumbre el desenlace desigual que sobreviene a las previsoras y a las descuidadas.

Concluye la narración con voz cargada de emoción y dramatismo que refleje la desesperación y la angustia que embarga al grupo que no consiguió ser admitido al banquete. Destaca finalmente la exhortación final con la cual termina el relato.

33er. DOMINGO DEL TIEMPO ORDINARIO

I LECTURA El libro de los Proverbios concluye con un elogio de la mujer ideal. En este poema, el autor pondera ante sus discípulos la conveniencia de aguzar sentidos e inteligencia para encontrarse y conseguirse una esposa sensata. Indudablemente, en este cántico se privilegia particularmente la dimensión económica y productiva de la persona, pues los principales atributos que se mencionan de esta mujer idealizada tienen que ver con la ganancia, las inversiones familiares y la venta de productos confeccionados por la misma esposa, que luego son destinados a comprar campos que vienen a aumentar el patrimonio inmueble de la familia.

Para este sabio, la actitud emprendedora de la mujer sobrepasa en importancia a la simpatía y a la hermosura. En las culturas patriarcales de donde proviene este escrito, se cometían graves abusos en contra de la dignidad de la mujer, convirtiéndola frecuentemente en una esclava doméstica, que "aún de noche no se apaga su lámpara" (ver Proverbios 31,18), puesto que sigue trabajando. Y si recibe un elogio por parte de su marido, es nuevamente para exaltar su habilidad para conseguir riquezas (ver Proverbios 31,29).

En el contexto presente en el cual predominan las familias donde tanto el marido como la mujer, se someten a un ritmo de trabajo tan exigente que los lleva a desentenderse de la educación y el cuidado de sus propios hijos, habría que darle la vuelta a este cántico unilateral que sólo valora la productividad, para llamar la atención sobre otros valores que son más urgentes para la armonía y el desarrollo de las familias de hoy.

II LECTURA El apóstol Pablo reafirma a sus lectores una enseñanza ya aprendida, que al parecer habrían ido olvidando. Ésta tenía que ver con la certidumbre de la próxima venida del

I LECTURA Proverbios 31,10–13.19–20.30–31 LM

Lectura del libro de los Proverbios

Dichoso el hombre que encuentra una mujer *hacendosa*:
muy superior a *las perlas* es su valor.
Su marido *confía* en ella
y, con su ayuda, *él* se *enriquecerá*;
todos los días de su vida le procurará *bienes* y no males.
Adquiere lana y lino y los trabaja con sus *hábiles* manos.
Sabe manejar la rueca y con sus dedos *mueve* el huso;
abre sus manos al pobre y las *tiende* al desvalido.
Son *engañosos* los encantos y *vana* la hermosura;
merece *alabanza* la mujer que *teme* al Señor.
Es digna de gozar del fruto de sus trabajos
y de *ser alabada* por todos.

II LECTURA 1 Tesalonicenses 5,1–6 LM

Lectura de la primera carta del apóstol san Pablo a los tesalonicenses

Hermanos:
Por lo que se refiere al *tiempo* y a las circunstancias
de la *venida* del Señor,
no necesitan que les escribamos *nada*,
puesto que ustedes saben *perfectamente*
que el *día* del Señor llegará como un *ladrón* en la noche.
Cuando la gente esté diciendo:
"¡*Qué paz* y *qué seguridad* tenemos!",
de repente *vendrá sobre ellos* la catástrofe,
como *de repente* le vienen a la mujer encinta
los dolores del parto,
y *no podrán* escapar.
Pero *a ustedes*, hermanos, ese día *no* los tomará *por sorpresa*,
como un ladrón,
porque ustedes *no viven* en tinieblas,
sino que son *hijos* de la luz y del día,
no de la noche y las tinieblas.
Por tanto, *no vivamos* dormidos, como los malos;
antes bien, mantengámonos *despiertos* y vivamos *sobriamente*.

I LECTURA Proverbios 31,10–13.19–20.30–31 L E U

Lectura del libro de los Proverbios

Una mujer *perfecta* ¿*quién* la encontrará?
Es *mucho* más valiosa que las joyas.
En ella *confía* su marido, y no le falta *nunca* nada.
Le produce el *bien*, *no* el mal, *todos* los días de su vida.
Entiende de lana y de lino y los trabaja con sus *ágiles* manos.
Echa mano a la *rueca* y sus dedos hacen *girar* el huso.
Tiende su mano al *desamparado* y al pobre.
Engañosa es la gracia, *vana* la hermosura;
la mujer que tiene la *sabiduría*,
ésa será la *alabada*.
Que *pueda* gozar el fruto de su trabajo
y que por sus obras *todos* la celebren.

Entona este elogio de manera serena, haciendo una brevísima pausa entre cada uno de los enunciados del poema.

Destaca particularmente la actitud generosa con la cual esta mujer ideal se ocupa de los pobres y desamparados.

Culmina tu lectura recitando entusiastamente este último augurio, donde se expresa el ferviente anhelo de que toda mujer pueda disfrutar el fruto de su propio trabajo.

II LECTURA 1 Tesalonicenses 5,1–6 L E U

Lectura de la primera carta del apóstol san Pablo a los tesalonicenses

En cuanto al *tiempo* o al momento que *fijó* Dios,
ustedes, hermanos, *no necesitan* que les escriba,
pues saben *perfectamente* que el Día del Señor
llega como un *ladrón*, en *plena* noche.
Cuando los hombres se sientan en paz y *seguridad*,
en *ese* momento y de repente, los *asaltará* el exterminio,
lo mismo como le vienen los *dolores* a la mujer embarazada,
y no podrán *escapar*.
Mas ustedes no andan en *tinieblas*,
de modo que *ese* día no los *sorprenderá* como hace el ladrón:
todos ustedes son *hijos de la luz*, e hijos del día.
No somos hijos de la *noche* ni de las *tinieblas*,
y por eso no nos quedemos *dormidos* como los otros,
sino que *permanezcamos* sobrios y despiertos.

Proclama estas frases introductorias con la certidumbre de estar recordando enseñanzas que ya conocen de sobra los miembros de la asamblea.

Evoca estas dos comparaciones (el ladrón y el parto) con ánimo sosegado, de manera que no siembres la preocupación o el temor entre los oyentes.

Reafirma con plena seguridad tu convicción acerca de la existencia responsable que viven "los hijos de la luz". Concluye tu lectura, exhortando a los presentes a mantenerse despiertos y vigilantes ante la proximidad de la parusía del Señor.

Señor, la cual se verificaría en el momento menos esperado. Este dato era de sobra conocido, al punto que el autor considera innecesario volver a ocuparse del mismo (ver 1 Tesalonicenses 5,1). Usando las imágenes de la irrupción imprevista del ladrón, lo mismo que de la llegada intempestiva del momento del parto, el apóstol les recuerda a los cristianos de Tesalónica la necesidad de mantenerse alertas y vigilantes para no ser sorprendidos por tales sucesos. Más aún, Pablo confía plenamente en que los lectores de su carta están viviendo como personas iluminadas con la luz de Jesucristo, razón por la cual no serán sorprendidos por el carácter imprevisto de su llegada.

En este párrafo, el autor contrapone el sueño a la vigilia, considerando que el primero designa la actitud descuidada de los que se entregan al desenfreno y los excesos, mientras que los vigilantes son los que viven haciendo la voluntad de Dios en espera de su próxima llegada.

EVANGELIO **Esta parábola ilustra acertadamente la dimensión de la responsabilidad, la fidelidad y la productividad que toda persona debe mostrar ante los numerosos dones y habilidades que Dios le ha confiado. El recurso escogido por el autor de presentar a un hombre que sale de viaje, y que reparte sus riquezas a algunos de sus criados, está en consonancia con la cultura campesina donde se originaron estos relatos. Es conocido que el campesinado, en tiempos de Jesús, tomaba en arrendamiento las tierras de parte de sus amos. Recibía a préstamo dinero e insumos para hacerlas producir, y llegado el tiempo oportuno, el amo reclamaba del empleado el capital invertido y la correspondiente ganancia.**

Jesús se vale de esta práctica económica en la sociedad judía de aquel tiempo para ilustrarnos acerca de la relación responsable que hemos de asumir ante Dios, que generosamente nos ha confiado la vida y los demás dones, a fin de que los hagamos fructificar en provecho suyo.

EVANGELIO Mateo 25,14–30 LM

Lectura del santo Evangelio según san Mateo

En *aquel* tiempo, *Jesús* dijo a sus discípulos esta parábola:
"El *Reino* de los cielos
se parece *también* a un hombre que iba a salir de viaje
a tierras lejanas;
llamó a sus servidores de confianza y les encargó sus bienes.
A uno le dio *cinco* millones; a otro, *dos*; y a un tercero, *uno*,
según la capacidad *de cada uno*, y luego se fue.
El que recibió *cinco* millones fue *enseguida* a negociar con ellos
y ganó otros cinco.
El que recibió dos hizo *lo mismo* y ganó *otros dos*.
En cambio, el que recibió un millón *hizo* un hoyo en la tierra
y allí *escondió* el dinero de su señor.
Después de mucho tiempo *regresó* aquel hombre
y llamó a cuentas a sus servidores.
Se acercó el que había recibido *cinco* millones
y le presentó *otros cinco*, diciendo:
'Señor, *cinco millones* me dejaste;
aquí tienes otros cinco, que con ellos *he ganado*'.
Su señor le dijo:
'*Te felicito*, siervo *bueno y fiel*.
Puesto que has sido *fiel en* cosas de poco valor
te confiaré cosas de *mucho* valor.
Entra a tomar parte en *la alegría* de tu señor'.
Se acercó luego el que había recibido *dos millones* y le dijo:
'Señor, *dos* millones me dejaste; aquí tienes otros dos,
que con ellos *he ganado*'.
Su señor le dijo: '*Te felicito*, siervo *bueno y fiel*.
Puesto que has sido *fiel en* cosas de poco valor,
te confiaré cosas de *mucho* valor.
Entra a tomar parte en *la alegría* de tu señor'.
Finalmente, se acercó el que había recibido *un millón* y le dijo:
'Señor, *yo sabía* que eres un hombre *duro*,
que *quieres* cosechar lo que *no has plantado*
y *recoger* lo que *no* has sembrado.
Por eso *tuve miedo* y fui a *esconder* tu millón bajo tierra.
Aquí tienes lo tuyo'.
El señor le respondió: 'Siervo *malo y perezoso*.
Sabías que cosecho lo que no he plantado
y *recojo* lo que *no he sembrado*.
¿*Por qué*, entonces, no pusiste mi dinero *en el banco*
para que, a mi regreso, lo recibiera yo *con intereses*?

EVANGELIO Mateo 25,14–30 LEU

Lectura del santo Evangelio según san Mateo

En *aquel* tiempo, dijo Jesús a sus discípulos esta *parábola*:
"El *Reino* de los Cielos es como un *hombre* que,
al partir a tierras *lejanas*, reunió a sus *servidores*
y les encargó sus *pertenencias*.
Al primero le dio *cinco* talentos de oro,
a otro le dio dos; y al tercero, solamente *uno*;
a cada uno según su *capacidad*,
e *inmediatamente* se marchó.
[El que recibió los *cinco*, hizo negocios con el dinero
y ganó *otros* cinco.
El que recibió *dos*, hizo otro tanto, y ganó *otros dos*.
Pero el que recibió *uno*, hizo un *hoyo* en la *tierra*
y *escondió* el dinero de su patrón.]
Después de *mucho* tiempo
volvió el señor de esos servidores y les pidió *cuentas*.
El que había recibido *cinco talentos*
le presentó *otros cinco*, diciéndole:
'Señor, usted me *confió* cinco;
tengo *además* otros cinco que *gané* con ellos'.
[El patrón le contestó:
'*Muy* bien, servidor *bueno* y honrado;
ya que has sido fiel en lo *poco*, yo te voy a confiar *mucho* más.
Ven a *compartir* la alegría de tu Señor'.
Llegó después el que tenía *dos*, y dijo:
'Señor, *aquí* está lo que me confió:
traigo además *otros dos* que gané con ellos'.
El patrón le dijo: '*Muy* bien, servidor bueno y *honrado*;
ya que has sido *fiel* en lo poco, yo te *confiaré* mucho más.
Ven a compartir la *alegría* de tu Señor'.
Por *último*, vino el que había recibido *un talento*, y dijo:
'*Señor*, yo sé que eres un hombre *exigente*,
que quieres *cosechar* donde no has sembrado
y *recoger* dondc *no* has trillado.
Por eso yo tuve *miedo* y escondí en tierra tu dinero;
aquí tienes lo *tuyo*'.
Pero su patrón le contestó: 'Servidor *malo* y flojo,
tú *sabías* que cosecho donde no he *plantado*
y recojo donde *no* he sembrado.
Por eso *mismo* debías haber *colocado* mi dinero en el banco
y a mi *vuelta* me lo hubieras entregado con los *intereses*.

Conviene que hagas una lectura previa de esta amplia parábola para familiarizarte cabalmente con ella y distinguir cada una de las escenas que la conforman. Procura marcar esas distintas secciones con diferencias de tono y de ritmo.

Conviene presentar de manera unida la rendición de cuentas de los dos empleados productivos. Al hacerlo, pondera suficientemente el reconocimiento favorable que les hace su amo.

Al parecer esta parábola, a diferencia del cántico de la viña (ver Isaías 5,1–6), no se interesa de subrayar que los frutos que Dios espera de sus hijos habrán de generar beneficios directamente a favor de los propios hermanos, sino que se destaca únicamente la cuestión de la eficiencia y la productividad en beneficio exclusivo del amo. La intención del autor no es darnos un tratado completo sobre las relaciones justas de la persona con Dios y sus semejantes, sino enfatizar un aspecto en particular: el de la colaboración que hemos de mostrar ante la magnánima liberalidad de Dios Padre, que nos ha puesto como administradores de sus bienes.

Dada nuestra condición de administradores, no podemos disponer arbitrariamente de los bienes que Dios nos ha confiado. Al contrario, tendremos que ser particularmente exigentes y cuidadosos para hacerlos rendir y fructificar.

EVANGELIO continuación LM

Quítenle el millón y *dénselo* al que tiene *diez*.
Pues al que *tiene se le dará* y *le sobrará*;
pero al que tiene *poco*, se le quitará aun eso *poco* que tiene.
Y a este hombre inútil, échenlo fuera, *a las tinieblas*.
Allí será el llanto y la *desesperación*'".

EVANGELIO continuación LEU

Quítenle, pues, el talento
y entréguenselo al que tiene *diez*.
Porque al que *tiene* se le *dará* y tendrá en *abundancia*,
pero al que *no* tiene se le quitará *hasta* lo que tiene.
Y a ese servidor *inútil* échenlo a la oscuridad de allá *afuera*:
allí habrá llanto y *desesperación*' ".]

Refiere la respuesta pusilánime del empleado perezoso con el tono propio de quien presenta excusas increíbles. Recita la respuesta severa del patrón con voz que muestre su molestia y su enfado. Pronuncia con cierto tono de misterio la sentencia enigmática "al que tiene se le dará . . ." con que culmina esta última escena.

JESUCRISTO, REY DEL UNIVERSO

I LECTURA El profeta Ezequiel entabla, en nombre de Dios, un juicio contra los descuidados e irresponsables pastores que, por incuria, dejaron en el abandono y el desvalimiento a su pueblo. En consecuencia, el Señor los ha destituido de su cargo (Ezequiel 34,10) para ocuparse él mismo, auxiliado de un nuevo David, del cuidado, la alimentación y el apacentamiento de su pueblo-rebaño.

En el momento en que el profeta Ezequiel proclamaba este esperanzador oráculo, el pueblo de Israel estaba disperso y desperdigado por razón del destierro babilónico. Es por eso que el mensajero profético nos anuncia que Dios comenzaría su labor pastoril, reuniendo y congregando a sus ovejas, para conducirlas de nuevo a la tierra de donde salieron, a fin de prodigarles las necesarias atenciones (observa la serie de acciones que Dios cumplirá a favor de las ovejas desfavorecidas: buscar, recoger, vendar, curar), de que estaban urgidas luego de tantos años de haber padecido los efectos desastrosos por haber vivido bajo unos pastores negligentes.

Las dos primeras tareas que realizaría el pastor divino serían las propias de un médico y un juez del rebaño. En cumplimiento de tales roles, Dios restauraría a cada cual el vigor y la fortaleza perdidas, para que en lo sucesivo volvieran a valerse por sí mismas. En segundo lugar, estaría velando sobre el rebaño para impedir que los fuertes (carneros y machos cabríos) cornearán y lastimarán a las ovejas débiles y flacas.

Jesús, nuevo y definitivo David, cumple estas tareas cuando asume su misión de restaurador y liberador de los enfermos y afligidos que le salen al paso en los poblados de Galilea, y les devuelve el vigor y la salud necesarias para reemprender su diario caminar.

I LECTURA Ezequiel 34,11–12.15–17 LM

Lectura del libro del profeta Ezequiel

Esto *dice* el Señor Dios:
"Yo mismo iré a *buscar* a mis ovejas y *velaré* por ellas.
Así *como un pastor* vela por su rebaño
cuando las ovejas se *encuentran dispersas*,
así *velaré* yo por *mis* ovejas
e *iré por ellas* a todos los lugares por donde se *dispersaron*
un día de *niebla* y *oscuridad*.
Yo mismo *apacentaré* a mis ovejas, yo mismo *las haré* reposar,
dice el Señor Dios.
Buscaré a la *oveja perdida* y haré volver a la *descarriada*;
curaré a la herida, *robusteceré* a la débil,
y a la que está gorda y fuerte, *la cuidaré*.
Yo las *apacentaré* con justicia.
En cuanto a ti, *rebaño mío*,
he aquí que yo voy a juzgar entre *oveja y oveja*,
entre *carneros* y machos *cabríos*".

II LECTURA 1 Corintios 15,20–26.28 LM

Lectura de la primera carta del apóstol san Pablo a los corintios

Hermanos: Cristo *resucitó*,
y resucitó como *la primicia* de todos los *muertos*.
Porque si por un *hombre* vino la *muerte*,
también por un *hombre*
vendrá la *resurrección de los muertos*.
En efecto, así como en *Adán* todos *mueren*,
así en *Cristo* todos volverán *a la vida*;
pero *cada uno* en su orden: *primero Cristo*, como primicia;
después, *a la hora* de su advenimiento, *los que son de Cristo*.
Enseguida será *la consumación*, cuando,
después de haber *aniquilado* todos los poderes del mal,
Cristo *entregue el Reino* a su Padre.
Porque *él* tiene que *reinar*
hasta que el *Padre* ponga bajo *sus pies*
a todos sus *enemigos*.

I LECTURA Ezequiel 34,11–12.15–17 L E U

Lectura del libro del profeta Ezequiel

Así dice el Señor Dios:
"Yo *mismo* cuidaré de mis *ovejas*
y las *vigilaré* como un pastor vigila su rebaño,
cuando está en medio de sus ovejas *dispersas*.
Así yo también *visitaré* las mías
y las *sacaré* de todos los lugares donde se habían *dispersado*
en el día de nubes y *tinieblas*.
Yo *mismo* cuidaré mis ovejas y las haré *descansar*,
—dice el *Señor*, Dios.
Buscaré la oveja perdida, traeré a la *descarriada*,
vendaré a la herida, fortaleceré a la *enferma*,
y *cuidaré* la que está gorda y robusta.
Las apacentaré a todas con *justicia*.
En cuanto a *ustedes*, ovejas *mías*,
sepan que *yo* voy a juzgar *entre* oveja y oveja,
entre carnero y chivo".

Recita con gran determinación estos ofrecimientos hechos por el Señor. Remarca con particular ternura cada uno de los verbos que aparecen en primera persona (vigilaré, sacaré. etcétera) de manera que todos aprecien el interés mostrado por el nuevo pastor.

Procura enfatizar el "yo" de Dios que aparece en varias de las frases aquí referidas. Hazlo con gran convicción y seguridad para que consigas persuadir a tus oyentes del inicio de un nuevo tratamiento que Dios dará al pueblo que vive en la dispersión.

II LECTURA 1 Corintios 15,20–26.28 L E U

Lectura de la primera carta del apóstol san Pablo a los corintios

Cristo *resucitó* de entre los muertos,
y resucitó como *primer* fruto ofrecido a Dios,
el *primero* de los que duermen.
Es que la muerte *vino* por un hombre,
y por eso *también* la resurrección de los *muertos*
viene por medio de un *hombre*.
Todos mueren por ser de Adán,
y todos también *recibirán* la vida por ser de *Cristo*.
Pero cada uno a su *tiempo*.
A la *cabeza*, Cristo;
enseguida los *que sean* de Cristo, cuando él *venga*.
Luego *vendrá* el fin,
cuando Cristo *entregue* a Dios Padre el *Reino*,
después de haber *destruido* toda grandeza,
dominio y poderío *enemigos*.

Confiesa con enorme convicción estas verdades fundamentales acerca de tu fe cristiana. Enuncia detenidamente cada una de las proposiciones que proclama nuestro autor.

Recita esta segunda parte, respetando el orden y la secuencia propuestas por el apóstol. Haz una pequeña pausa entre la afirmación de uno y otro suceso.

II LECTURA En el penúltimo capítulo de la primera carta a los Corintios, su autor nos expone detalladamente las cuestiones relativas a la resurrección. Primero, se ocupa de recordarnos los enunciados celosamente recogidos por la tradición cristiana acerca de la resurrección de Cristo (15,1–11). Enseguida se ocupa del asunto de la resurrección de los cristianos (15,12–34), y finalmente se detiene en consideraciones relacionadas con la modalidad y naturaleza del hecho mismo de la resurrección (15,35–58).

La sección que nos entrega la liturgia solemne de Cristo Rey queda incluida en la parte intermedia de este capítulo, y versa, como bien sabemos, sobre la esperanza en la victoria y el encumbramiento definitivo del Señor Jesucristo. Para nuestro autor, está claro que esa victoria final de Cristo también será nuestra, puesto que supondrá la aniquilación rotunda de la muerte y nos facilitará el acceso a la vida plena, a la existencia resucitada que el Hijo ya comparte con su Padre, y que nosotros, sus hijos adoptivos, también gozaremos.

El señorío universal de Jesús llegará a su plenitud cuando incorpore a todos sus fieles al gozo íntimo de la vida divina. Una vez que esto esté cumplido, entregará su Reino al Padre para que él sea confesado y alabado como el único Dios y el único Señor del universo entero.

EVANGELIO El relato del juicio final que nos presenta el último de los discursos recogidos en el Evangelio de Mateo recurre al sencillo procedimiento literario de la repetición, para llamar la atención de sus lectores acerca del tema medular de esa narración. Si leemos detenidamente estos versículos, apreciamos que el juez pronuncia dos veces la lista completa de las llamadas obras de misericordia, e igualmente los "cabritos" y las "ovejas" respectivamente recitan la misma enumeración. En este relato, encontramos una cuádruple mención de las principales obras de misericordia. La intención del autor es descubierta aún por el

II LECTURA continuación LM

El *último* de los *enemigos* en ser aniquilado,
será *la muerte*.
Al *final*, cuando todo se le *haya sometido*,
Cristo mismo *se someterá al Padre*,
y así Dios *será todo* en todas las cosas.

EVANGELIO Mateo 25,31–46 LM

Lectura del santo Evangelio según san Mateo

En aquel tiempo, *Jesús* dijo a sus *discípulos*:
"Cuando *venga* el *Hijo del hombre*,
rodeado de su gloria, *acompañado* de todos sus *ángeles*,
se sentará en su trono *de gloria*.
Entonces serán *congregadas* ante él todas *las naciones*,
y él *apartará* a los unos de los *otros*,
como *aparta* el pastor a las *ovejas* de los *cabritos*,
y *pondrá* a las *ovejas* a su *derecha*
y a los *cabritos* a su *izquierda*.
Entonces dirá el rey a los de *su derecha*:
'*Vengan*, benditos de mi *Padre*;
tomen *posesión* del *Reino* preparado para ustedes
desde la *creación* del *mundo*;
porque estuve *hambriento* y me dieron de *comer*,
sediento y me dieron de *beber*,
era *forastero* y me *hospedaron*,
estuve *desnudo* y me *vistieron*,
enfermo y me *visitaron*,
encarcelado y fueron *a verme*'.
Los *justos* le *contestarán* entonces:
'Señor, ¿*cuándo te vimos* hambriento y te dimos de comer,
sediento y te dimos de *beber*?
¿Cuándo te vimos de *forastero* y te *hospedamos*,
o *desnudo* y te *vestimos*?
¿*Cuándo te vimos enfermo* o encarcelado y *te fuimos a ver*?'

II LECTURA continuación LEU

Porque él *tiene* que reinar
"*hasta* que haya puesto bajo sus pies a *todos* sus *enemigos*".
El *último* enemigo destruido será la *muerte*.
Y cuando todo le esté *sometido*,
el Hijo mismo se *someterá* a Aquél que le sometió
todas las cosas,
y en adelante será Dios *todo* en *todos*.

Crea un compás de espera antes de anunciar el aniquilamiento definitivo del último enemigo: la muerte. Observa la triple recurrencia del verbo "someter" y destácala de manera clara. Concluye afirmando jubilosamente el señorío universal del Padre sobre todos y todas las realidades y criaturas del universo.

EVANGELIO Mateo 25,31–46 LEU

Lectura del santo Evangelio según san Mateo

En *aquel* tiempo, dijo Jesús a sus *discípulos*:
"Cuando el Hijo del Hombre *venga* en su *gloria*
rodeado de *todos* sus ángeles,
se *sentará* en su trono como Rey *glorioso*.
Delante de él se reunirán *todas* las naciones,
y como el pastor *separa* las ovejas de los machos cabríos,
así *también* lo hará él.
Separará unos de *otros*,
poniendo las ovejas a su *derecha* y los machos cabríos
a su *izquierda*.

Proclama esta introducción con voz grave y solemne. Recuerda que estás anunciando el advenimiento majestuoso del Hijo del Hombre, que comparece revestido de su sequito glorioso para juzgar a las naciones.

Entonces el Rey dirá a los que están a la *derecha*:
'¡*Bendecidos* por mi Padre!,
vengan a tomar *posesión* del Reino
que está *preparado* para ustedes
desde el principio del mundo.
Porque tuve *hambre* y ustedes me *alimentaron*;
tuve *sed* y ustedes *me dieron* de beber.
Pasé como *forastero* y ustedes me *recibieron* en su casa.
Anduve *sin ropa* y me *vistieron*.
Estuve *enfermo* y fueron a *visitarme*.
Estuve en la *cárcel* y me fueron *a ver*'.

Recita esta bendición con tono cálido y acogedor, como lo harías al estar premiando a unas personas que arriesgaron su vida para auxiliar a los demás. Lee pausadamente cada una de las obras de misericordia ahí enunciadas.

Entonces los buenos *preguntarán*:
'Señor, ¿*cuándo* te vimos hambriento y *te* dimos de comer;
sediento y te *dimos* de beber,
o *forastero* y te *recibimos*,
o *sin* ropa y te *vestimos*,
o *enfermo*, o en la cárcel, y *te fuimos* a ver?'

Haz una pausa antes de referir la respuesta extrañada de los benditos que no tienen conciencia de haber cumplido esas acciones misericordiosas a favor del mismo Jesús.

lector más distraído: el criterio decisivo a la hora de comparecer ante Jesús, que se sienta en su trono para juzgar a las naciones, será la puesta en práctica de las actitudes solidarias y misericordiosas en relación a los desvalidos.

En la tradición bíblica anterior a Jesús se urgía a atender y aliviar el dolor y las carencias de pobres, viudas y huérfanos. Sin embargo, esas recomendaciones quedaban restringidas al círculo estrecho de los hermanos de raza, o a lo sumo eran ampliadas a los emigrantes avecindados en los poblados de Israel (Deuteronomio 24, 19–22; Isaías 58,7). La novedad presente en estas palabras evangélicas radica en la ampliación del círculo de los beneficiarios de nuestra solidaridad. A partir de esta enseñanza final de Jesús, estamos obligados a mostrarnos sensibles y generosos no sólo con los necesitados que viven emparentados o vinculados de alguna manera con nosotros, sino con cualquier persona urgida de auxilio, sea de la raza, condición social, credo religioso o inclinación política que sea. A todos por igual habremos de mostrar nuestra solidaridad eficaz. Procediendo de esa manera, estaremos cumpliendo con el designio soberano de Cristo Jesús, Señor y Rey del Universo, que ha elegido a los pobres y los necesitados como las imágenes más palpables de su continua presencia entre nosotros.

EVANGELIO continuación

L M

Y el rey les dirá:
'*Yo les aseguro* que, cuando lo hicieron con *el más insignificante* de mis hermanos, *conmigo* lo hicieron'.
Entonces *dirá* también a los de la *izquierda*:
'*Apártense* de mí, malditos;
vayan al fuego eterno, preparado para *el diablo* y *sus ángeles*;
porque estuve *hambriento* y *no me dieron* de comer,
sediento y *no me dieron* de beber,
era *forastero* y *no me hospedaron*,
estuve *desnudo* y *no me vistieron*,
enfermo y encarcelado y *no me visitaron*'.
Entonces ellos le responderán:
'Señor, *¿cuándo te vimos* hambriento o sediento,
de *forastero* o desnudo,
enfermo o *encarcelado* y *no te asistimos*?'
Y él les *replicará*:
'Yo les *aseguro* que,
cuando *no lo hicieron* con uno de aquellos más *insignificantes*,
tampoco lo hicieron *conmigo*.
Entonces irán éstos al *castigo eterno* y los justos a la *vida eterna*'".

EVANGELIO continuación LEU

El *Rey* responderá:
'En *verdad* les digo
que *cuando* lo hicieron con *alguno* de estos,
mis hermanos más *pequeños*,
lo hicieron *conmigo*'.
Al *mismo* tiempo, dirá a los que estén a la *izquierda*:
'¡Malditos, *aléjense* de mí,
vayan al fuego *eterno*
que ha sido destinado para el diablo y para sus ángeles!
Porque tuve *hambre* y *no* me dieron de comer,
porque tuve *sed* y *no* me dieron de beber;
era *forastero* y no *me recibieron* en su casa;
no *tenía* ropa y *no* me vistieron;
estuve *enfermo* y encarcelado y *no* me visitaron'.
Aquellos preguntarán *también*:
'Señor, ¿*cuándo* te vimos hambriento, sediento,
desnudo o forastero, enfermo o encarcelado,
y *no* te ayudamos?'
El *Rey* les responderá:
'En *verdad* les digo
que *siempre* que *no* lo hicieron
con alguno de estos *hermanos* míos pequeños,
conmigo no lo hicieron'.
Y *éstos* irán al suplicio *eterno*
y los buenos a la *vida eterna*".

Cambia drásticamente el tono de tu voz al proclamar la maldición dirigida a los que no supieron reconocer a Jesús en el rostro de los necesitados. Utiliza un tono duro y severo.

Concluye la lectura con un tono de cierto pesar, por el adverso destino que espera a quienes no sepan reconocer a Jesús en las carencias de los necesitados de hoy.

Para la preparación de la liturgia

Primero Dios

Hispanic Liturgical Resource

Mark R. Francis
y Arturo J. Pérez Rodríguez

Este libro es para los católicos que buscan entender cómo sus prácticas forman parte del culto de la Iglesia universal. El texto es en inglés. Para la conveniencia de quien preside, las adaptaciones rituales están en inglés y español.

Cubierta regular
7 x 10, 160 páginas
1-56854-142-2
Código de pedido: CUSTOM **$18**

Un pueblo sacramental

Esta serie de tres videocassettes es un suplemento del libro *Primero Dios* que visualiza la integración y celebración de la religiosidad popular hispana con los ritos oficiales de la Iglesia. Los parroquianos descubrirán la riqueza de valores de su religiosidad popular en los testimonios presentados. Ministros y líderes encontrarán modelos de integración de la piedad religiosa popular hispana con los sacramentos y rituales del catolicismo. Esta serie recorre la diversidad cultural y religiosa hispana–latina. El Videocassette 1 contiene la Introducción y la Primera comunión; Videocassette 2 explora la Presentación del niño y los Quince Años; y el Videocassette 3 examina la boda y el pésame. Esta serie de videos y la guía para el líder también están disponibles en inglés. Producida por Hispanic Telecommunications Network (HTN). Producida en parte con donaciones de ACTA Foundation y Raskob Foundation.

Edición en español
Formato VHS, 30 minutos cada uno.
Código de pedido en español:
SSAC1, SSAC2, SSAC3 **$25** *cada uno*

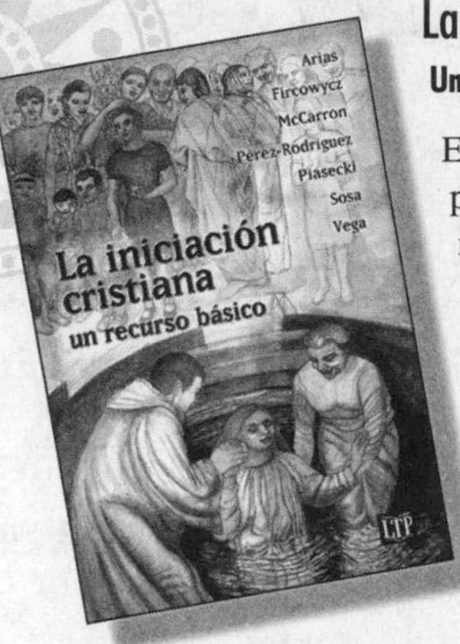

La iniciación cristiana

Un recurso básico

Este libro contiene 17 ensayos pastorales escritos originalmente en español que ayudan a todo el equipo de Iniciación Cristiana a un entendimiento más profundo por medio de la explicación histórico—pastoral de las distintas etapas del catecumenado, así como de los ministros y ritos que forman parte de este proceso—celebración de renovación en la Iglesia.

Entre otros ensayos destacan la historia del catecumenado, los sacramentos de iniciación, la plena comunión con la Iglesia, el papel del catequista, y la implementación en la parroquia. Todo esto desde la perspectiva y experiencia hispana.

Destinado a párrocos, vicarios, catequistas, padrinos, esponsores, comités litúrgicos y la asamblea litúrgica que acompaña el proceso.

Disponible sólo en español.

Edición en español, cubierta regular
6 x 9, 60 páginas
1-56854-431-6
Código de pedido: LAINC **$7**

Precios y disponibilidad conforme a cambio.

¡Cinco formas convenientes de ordenar!

LITURGY TRAINING PUBLICATIONS
1800 N. Hermitage Avenue
Chicago, IL 60622

TELÉFONO 1-800-933-1800
FACSÍMIL 1-800-933-7094

E-MAIL orders@ltp.org
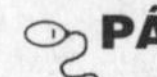
PÁGINA WEB www.ltp.org

SWL5